Henry Bradford Wa...

Jerusalem ...

Wellington Square 30 , Oxford.

PATRUM APOSTOLICORUM

OPERA

TEXTUM AD FIDEM CODICUM ET GRAECORUM ET LATINORUM ADHIBITIS PRAESTANTISSIMIS EDITIONIBUS

RECENSUERUNT

OSCAR DE GEBHARDT   ADOLFUS HARNACK

THEODORUS ZAHN

EDITIO MINOR REPETITA

LIPSIAE

J. C. HINRICHS

1894

PRAEFATIO.

Quo facilius veneranda illa ecclesiae primaevae monumenta, quae Patrum Apostolicorum nomine nuncupare consuevimus, ad usum scholarum converti possint, visum est nobis ut ex editione maiore, quam intra annos 1875—1877 docto orbi proposuimus,[1] omissis cum versionibus Latinis commentario critico et exegetico, solum textum Graecum separatim ederemus. Quam maiorem editionem adeant, quaesumus, qui de subsidiis criticis in textu recensendo a nobis adhibitis certiores fieri cupiant.

Textus epistularum Clementis quae dicuntur ex altera fasciculi primi editione sumptus est, quam aestate anni 1876, versionis Syriacae ignari emisimus.[2] Iam vero ex Appendice Lightfoot-

---

1. Fasc. I: Barnabae epistula Graece et Latine. Clementis Romani epistulae. Recensuerunt atque illustraverunt, Papiae quae supersunt, Presbyterorum reliquias ab Irenaeo servatas, epistulam ad Diognetum adiecerunt Oscar de Gebhardt, Adolfus Harnack. Lips. 1875. Fasc. II: Ignatii et Polycarpi epistulae, martyria, fragmenta. Recensuit et illustravit Theodorus Zahn. Lips. 1876. Fasc. III: Hermae Pastor Graece addita versione Latina recentiore e codice Palatino. Recensuerunt et illustraverunt O. de Gebhardt, Ad. Harnack. Lips. 1877.

2. Clementis Romani ad Corinthios quae dicuntur epistulae. Textum ad fidem codicum et Alexandrini et Constantinopolitani nuper inventi recensuerunt et illustraverunt O. de Gebhardt, Ad. Harnack. [Patrum Apost. Opp. Fasc. I. part. I. ed. II.] Lips. 1876.

iana [1] accuratam versionis illius cognitionem nacti locos aliquot
indicare possumus, ubi nunc primum genuina scriptoris verba aut
certe lectiones non neglegendae innotuerunt. Sunt fere hice:

I Clem. 15, 5: ἄλαλα γενηθήτω τὰ χείλη τὰ δόλια τὰ λα
λοῦντα κατὰ τοῦ δικαίου ἀνομίαν· καὶ πάλιν· Ἐξολε
θρεύσαι κύριος κτλ.

I Clem. 16, 2: τὸ σκῆπτρον τοῦ θεοῦ (Hieron.), absque τῆς με
γαλωσύνης.

I Clem. 21, 8: τὰ τέκνα ἡμῶν (Clem. Alex.) κτλ.

I Clem. 22, 7 sq.: ἐρύσατο αὐτόν· πολλαὶ αἱ θλίψεις τοῦ
δικαίου, καὶ ἐκ πασῶν αὐτῶν ῥύσεται αὐτὸν ὁ κύριος·
καὶ πάλιν· Πολλαὶ αἱ μάστιγες κτλ.

I Clem. 36, 2: ἀναθάλλει εἰς τὸ φῶς (Clem. Alex.), absque θαυ
μαστὸν αὐτοῦ (cf. I Petr. 2, 9).

I Clem. 46, 8: ἢ ἕνα τῶν ἐκλεκτῶν μου διαστρέψαι
(Clem. Alex.) pro: η ἕνα τῶν μικρῶν μου σκανδαλίσαι (cf. Matth.
18, 6 etc.).

I Clem. 48, 2: ἵνα εἰσελθὼν ἐν αὐταῖς ἐξομολογήσωμαι κτλ.
(simil. Clem. Alex. Strom. I, 7 p. 338, sed om. ἵνα Strom VI, 8 p. 772).

I Clem. 57, 7: κατασκηνώσει ἐπ᾿ ἐλπίδι πεποιθὼς (Clem.
Alex.) καὶ ἡσυχάσει κτλ.

I Clem. 63, 1: καὶ τὸν τῆς ὑπακοῆς τόπον ἀναπληρώσαντας
προσκλιθῆναι τοῖς ὑπάρχουσιν ἀρχηγοῖς τῶν ψυχῶν ἡμῶν,
ὅπως ἡσυχάσαντες κτλ.

II Clem. 3, 2: τὸν ὁμολογήσαντά με, absque ἐνώπιον τῶν
ἀνθρώπων (cf. Matth. 10, 32. Luc. 12, 9).

II Clem. 12, 5: μηδὲ ἀδελφὴ ἰδοῦσα ἀδελφὸν pro μηδ᾿
ἥδε (μηδὲ cod.).

---

1. *S. Clement of Rome. An Appendix, containing the newly recovered portions. With introductions, notes, and translations. By J. B.
Lightfoot. [The Apostolic Fathers. Vol. I. p. 221 sqq.] Lond. 1877.*

II Clem. 13, 2: καὶ πάλιν· Οὐαὶ δι᾿ ὃν βλασφημεῖται τὸ ὄνομά μου· ἐν τίνι βλασφημεῖται; ἐν τῷ μὴ ποιεῖν ἡμᾶς ἃ λέγομεν. II Clem. 20, 4: καὶ ἐβάρυνε δεσμοῖς.

Porro I Clem. 35, 5 versione Syriaca confirmatur Iunii διὰ πίστεως (pro πιστῶς), I Clem. 59, 4 Hilgenfeldii (ἀξιοῦμέν) σε, II Clem. 7, 3 Cotelerii θέωμεν (pro θῶμεν), II Clem. 18, 2 Zahnii φυγὼν (pro φεύγων), II Clem. 19, 3 ἀθάνατον (Hilgenf.) absque δ᾿ in nostra editione praemisso. De aliis lectionibus, quae minus certae nobis videntur, conferas si placet censuram libri Lightfootiani in Schuereri *Theolog. Literaturzeitung* II (1887) p. 354 sqq. [1]

In Barnabae epistula edenda nunc Constantinopolitanum quoque codicem a Bryennio collatum adhibuimus, cuius varias lectiones Hilgenfeldius nobis suppeditavit. [2] Cui codici quam tribuendam esse duxerimus auctoritatem, ex fasciculi primi partis posterioris editione altera, prelo propediem subicienda apparebit. [3]

Presbyterorum reliquias ab Irenaeo servatas in hanc editionem non admisimus. Contra multorum desiderio indulgentes epistulam ad Diognetum collectioni nostrae inseruimus, quam ante saeculi secundi exitum conscriptam non esse nobis persuasum est.

Ex epistulis, quae Ignatii nomine feruntur, septem tantum illas, quas altero p. Chr. saeculo scriptas esse constat, una cum Polycarpi epistula in hanc minorem recepimus editionem. Acta quoque Polycarpi, omnium huius generis libellorum antiquissimum, adiecimus, missis iis omnibus quae de Ignatio martyre posteriores homines varie conscripserunt. Uno loco excepto, [4] qui iam modestius

---

1. Cf. etiam Zahnii censuram in *Gött. gel. Anzz.* 1877 pag. 897 sqq.

2. Barnabae epistula. Integram Graece iterum edidit, veterem interpretationem Latinam, commentarium criticum et adnotationes addidit Adolphus Hilgenfeld. Lips. 1877.

3. Cf. interim editionis Hilgenfeldianae censuram in *Theolog. Literaturzeitung* II (1877) p. 473 sqq.

4. Ign. ad Trall. III, 3 cf. *Gött. gel. Anzz.* 1876 p. 1641.

tractari posse visus est, istorum monumentorum textus idem est quem commentario critico et exegetico instructum Th. Zahn anno superiore emisit.

Summum in votis habemus ut consociati nostri labores antiquitatis Christianae studio aliquid adferant praesidii.

Scribebamus Halae Sax. Lipsiae Kiloniae
mense Augusto anni MDCCCLXXVII.

GEBHARDT. HARNACK. ZAHN.

ELENCHUS.

ΚΛΗΜΕΝΤΟΣ ΠΡΟΣ ΚΟΡΙΝΘΙΟΥΣ Ā.

Ἡ ἐκκλησία τοῦ θεοῦ ἡ παροικοῦσα ῾Ρώμην τῇ ἐκκλησίᾳ τοῦ θεοῦ τῇ παροικούσῃ Κόρινθον, κλητοῖς ἡγιασμένοις ἐν θελήματι θεοῦ διὰ τοῦ κυρίου ἡμῶν Ἰησοῦ Χριστοῦ. χάρις ὑμῖν καὶ εἰρήνη ἀπὸ παντοκράτορος θεοῦ διὰ Ἰησοῦ Χριστοῦ πληθυνθείη.

I. Διὰ τὰς αἰφνιδίους καὶ ἐπαλλήλους γενομένας ἡμῖν συμφορὰς 1 καὶ περιπτώσεις, ἀδελφοί, βράδιον νομίζομεν ἐπιστροφὴν πεποιῆσθαι περὶ τῶν ἐπιζητουμένων παρ᾽ ὑμῖν πραγμάτων, ἀγαπητοί, τῆς τε ἀλλοτρίας καὶ ξένης τοῖς ἐκλεκτοῖς τοῦ θεοῦ, μιαρᾶς καὶ ἀνοσίου στάσεως, ἣν ὀλίγα πρόσωπα προπετῆ καὶ αὐθάδη ὑπάρχοντα εἰς τοσοῦτον ἀπονοίας ἐξέκαυσαν, ὥστε τὸ σεμνὸν καὶ περιβόητον καὶ πᾶσιν ἀνθρώποις ἀξιαγάπητον ὄνομα ὑμῶν μεγάλως βλασφημηθῆναι. 2. τίς 2 γὰρ παρεπιδημήσας πρὸς ὑμᾶς τὴν πανάρετον καὶ βεβαίαν ὑμῶν πίστιν οὐκ ἐδοκίμασεν; τήν τε σώφρονα καὶ ἐπιεικῆ ἐν Χριστῷ εὐσέβειαν οὐκ ἐθαύμασεν; καὶ τὸ μεγαλοπρεπὲς τῆς φιλοξενίας ὑμῶν ἦθος οὐκ ἐκήρυξεν; καὶ τὴν τελείαν καὶ ἀσφαλῆ γνῶσιν οὐκ ἐμακάρισεν; 3. ἀπροσωπολήμπτως γὰρ πάντα ἐποιεῖτε, καὶ ἐν τοῖς νόμοις τοῦ θεοῦ 3 ἐπορεύεσθε, ὑποτασσόμενοι τοῖς ἡγουμένοις ὑμῶν καὶ τιμὴν τὴν καθήκουσαν ἀπονέμοντες τοῖς παρ᾽ ὑμῖν πρεσβυτέροις· νέοις τε μέτρια καὶ σεμνὰ νοεῖν ἐπετρέπετε· γυναιξίν τε ἐν ἀμώμῳ καὶ σεμνῇ καὶ ἁγνῇ συνειδήσει πάντα ἐπιτελεῖν παρηγγέλλετε, στεργούσας καθηκόντως τοὺς ἄνδρας ἑαυτῶν· ἔν τε τῷ κανόνι τῆς ὑποταγῆς ὑπαρχούσας τὰ κατὰ τὸν οἶκον σεμνῶς οἰκουργεῖν ἐδιδάσκετε, πάνυ σωφρονούσας.

II. Πάντες τε ἐταπεινοφρονεῖτε μηδὲν ἀλαζονευόμενοι, ὑποτασ- 1 σόμενοι μᾶλλον ἢ ὑποτάσσοντες, ἥδιον διδόντες ἢ λαμβάνοντες, τοῖς ἐφοδίοις τοῦ θεοῦ ἀρκούμενοι· καὶ προσέχοντες τοὺς λόγους αὐτοῦ

ἐπιμελῶς ἐνεστερνισμένοι ἦτε τοῖς σπλάγχνοις, καὶ τὰ παθήματα αὐ-
2 τοῦ ἦν πρὸ ὀφθαλμῶν ὑμῶν. 2. Οὕτως εἰρήνη βαθεῖα καὶ λιπαρὰ
ἐδέδοτο πᾶσιν καὶ ἀκόρεστος πόθος εἰς ἀγαθοποιΐαν, καὶ πλήρης πνεύ-
3 ματος ἁγίου ἔκχυσις ἐπὶ πάντας ἐγίνετο· 3. μεστοί τε ὁσίας βουλῆς
ἐν ἀγαθῇ προθυμίᾳ μετ᾽ εὐσεβοῦς πεποιθήσεως ἐξετείνετε τὰς χεῖρας
ὑμῶν πρὸς τὸν παντοκράτορα θεόν, ἱκετεύοντες αὐτὸν ἵλεων γενέσθαι
4 εἴ τι ἄκοντες ἡμάρτετε. 4. ἀγὼν ἦν ὑμῖν ἡμέρας τε καὶ νυκτὸς ὑπὲρ
πάσης τῆς ἀδελφότητος, εἰς τὸ σώζεσθαι μετὰ δέους καὶ συνειδήσεως
5 τὸν ἀριθμὸν τῶν ἐκλεκτῶν αὐτοῦ. 5. εἰλικρινεῖς καὶ ἀκέραιοι ἦτε
6 καὶ ἀμνησίκακοι εἰς ἀλλήλους. 6. πᾶσα στάσις καὶ πᾶν σχίσμα βδε-
λυκτὸν ἦν ὑμῖν. ἐπὶ τοῖς παραπτώμασιν τῶν πλησίον ἐπενθεῖτε· τὰ
7 ὑστερήματα αὐτῶν ἴδια ἐκρίνετε. 7. ἀμεταμέλητοι ἦτε ἐπὶ πάσῃ
8 ἀγαθοποιΐᾳ, ἕτοιμοι εἰς πᾶν ἔργον ἀγαθόν. 8. τῇ παναρέτῳ καὶ
σεβασμίῳ πολιτείᾳ κεκοσμημένοι πάντα ἐν τῷ φόβῳ αὐτοῦ ἐπετελεῖτε·
τὰ προστάγματα καὶ τὰ δικαιώματα τοῦ κυρίου ἐπὶ τὰ πλάτη τῆς
καρδίας ὑμῶν ἐγέγραπτο.

1 III. Πᾶσα δόξα καὶ πλατυσμὸς ἐδόθη ὑμῖν, καὶ ἐπετελέσθη τὸ
γεγραμμένον· Ἔφαγεν καὶ ἔπιεν, καὶ ἐπλατύνθη καὶ ἐπαχύνθη,
2 καὶ ἀπελάκτισεν ὁ ἠγαπημένος. 2. Ἐκ τούτου ζῆλος καὶ φθόνος,
ἔρις καὶ στάσις, διωγμὸς καὶ ἀκαταστασία, πόλεμος καὶ αἰχμαλωσία.
3 3. οὕτως ἐπηγέρθησαν οἱ ἄτιμοι ἐπὶ τοὺς ἐντίμους, οἱ ἄδοξοι ἐπὶ
τοὺς ἐνδόξους, οἱ ἄφρονες ἐπὶ τοὺς φρονίμους, οἱ νέοι ἐπὶ τοὺς πρεσ-
4 βυτέρους. 4. διὰ τοῦτο πόρρω ἀπέστη ἡ δικαιοσύνη καὶ εἰρήνη, ἐν
τῷ ἀπολιπεῖν ἕκαστον τὸν φόβον τοῦ θεοῦ καὶ ἐν τῇ πίστει αὐτοῦ
ἀμβλυωπῆσαι, μηδὲ ἐν τοῖς νομίμοις τῶν προσταγμάτων αὐτοῦ πο-
ρεύεσθαι μηδὲ πολιτεύεσθαι κατὰ τὸ καθῆκον τῷ Χριστῷ, ἀλλὰ
ἕκαστον βαδίζειν κατὰ τὰς ἐπιθυμίας τῆς καρδίας αὐτοῦ τῆς πονηρᾶς,
ζῆλον ἄδικον καὶ ἀσεβῆ ἀνειληφότας, δι᾽ οὗ καὶ θάνατος εἰσῆλθεν
εἰς τὸν κόσμον.

1 IV. Γέγραπται γὰρ οὕτως· Καὶ ἐγένετο μεθ᾽ ἡμέρας ἤνεγκεν
Κάϊν ἀπὸ τῶν καρπῶν τῆς γῆς θυσίαν τῷ θεῷ, καὶ Ἄβελ ἤνεγ-
κεν καὶ αὐτὸς ἀπὸ τῶν πρωτοτόκων τῶν προβάτων καὶ ἀπὸ

III, 1) Deut. 32, 15. — IV, 1 sqq.) Gen. 4, 3—8.

τῶν στεάτων αὐτῶν. 2. καὶ ἐπεῖδεν ὁ θεὸς ἐπὶ Ἄβελ καὶ ἐπὶ 2
τοῖς δώροις αὐτοῦ, ἐπὶ δὲ Κάϊν καὶ ἐπὶ ταῖς θυσίαις αὐτοῦ οὐ
προσέσχεν. 3. καὶ ἐλυπήθη Κάϊν λίαν καὶ συνέπεσεν τῷ προσ- 3
ώπῳ αὐτοῦ. 4. καὶ εἶπεν ὁ θεὸς πρὸς Κάϊν· Ἱνατί περίλυπος 4
ἐγένου, καὶ ἱνατί συνέπεσεν τὸ πρόσωπόν σου; οὐκ ἐὰν ὀρθῶς
προσενέγκῃς, ὀρθῶς δὲ μὴ διέλῃς, ἥμαρτες; 5. ἡσύχασον· πρὸς 5
σὲ ἡ ἀποστροφὴ αὐτοῦ, καὶ σὺ ἄρξεις αὐτοῦ. 6. καὶ εἶπεν Κάϊν 6
πρὸς Ἄβελ τὸν ἀδελφὸν αὐτοῦ· Διέλθωμεν εἰς τὸ πεδίον. καὶ
ἐγένετο ἐν τῷ εἶναι αὐτοὺς ἐν τῷ πεδίῳ ἀνέστη Κάϊν ἐπὶ Ἄβελ
τὸν ἀδελφὸν αὐτοῦ καὶ ἀπέκτεινεν αὐτόν. 7. Ὁρᾶτε, ἀδελφοί, 7
ζῆλος καὶ φθόνος ἀδελφοκτονίαν κατειργάσατο. 8. Διὰ ζῆλος ὁ πα- 8
τὴρ ἡμῶν Ἰακὼβ ἀπέδρα ἀπὸ προσώπου Ἡσαῦ τοῦ ἀδελφοῦ αὐτοῦ.
9. ζῆλος ἐποίησεν Ἰωσὴφ μέχρι θανάτου διωχθῆναι καὶ μέχρι δου- 9
λείας ἐλθεῖν. 10. ζῆλος φυγεῖν ἠνάγκασεν Μωϋσῆν ἀπὸ προσώπου 10
Φαραὼ βασιλέως Αἰγύπτου ἐν τῷ ἀκοῦσαι αὐτὸν ἀπὸ τοῦ ὁμοφύλου·
Τίς σε κατέστησεν κριτὴν ἢ δικαστὴν ἐφ᾽ ἡμῶν; μὴ ἀνελεῖν με
σὺ θέλεις, ὃν τρόπον ἀνεῖλες ἐχθὲς τὸν Αἰγύπτιον; 11. διὰ 11
ζῆλος Ἀαρὼν καὶ Μαριὰμ ἔξω τῆς παρεμβολῆς ηὐλίσθησαν. 12. ζῆ- 12
λος Δαθὰν καὶ Ἀβειρὼν ζῶντας κατήγαγεν εἰς ᾅδου, διὰ τὸ στασιά-
σαι αὐτοὺς πρὸς τὸν θεράποντα τοῦ θεοῦ Μωϋσῆν. 13. διὰ ζῆλος 13
Δαυὶδ φθόνον ἔσχεν οὐ μόνον ὑπὸ τῶν ἀλλοφύλων, ἀλλὰ καὶ ὑπὸ
Σαοὺλ βασιλέως Ἰσραὴλ ἐδιώχθη.

V. Ἀλλ᾽ ἵνα τῶν ἀρχαίων ὑποδειγμάτων παυσώμεθα, ἔλθωμεν 1
ἐπὶ τοὺς ἔγγιστα γενομένους ἀθλητάς· λάβωμεν τῆς γενεᾶς ἡμῶν τὰ
γενναῖα ὑποδείγματα. 2. Διὰ ζῆλον καὶ φθόνον οἱ μέγιστοι καὶ 2
δικαιότατοι στύλοι ἐδιώχθησαν καὶ ἕως θανάτου ἤθλησαν. 3. Λάβω- 3
μεν πρὸ ὀφθαλμῶν ἡμῶν τοὺς ἀγαθοὺς ἀποστόλους· 4. Πέτρον, ὃς 4
διὰ ζῆλον ἄδικον οὐχ ἕνα οὐδὲ δύο ἀλλὰ πλείονας ὑπήνεγκε
πόνους, καὶ οὕτω μαρτυρήσας ἐπορεύθη εἰς τὸν ὀφειλόμενον τόπον
τῆς δόξης. 5. Διὰ ζῆλον καὶ ἔριν Παῦλος ὑπομονῆς βραβεῖον 5
ἔδειξεν, 6. ἑπτάκις δεσμὰ φορέσας, φυγαδευθείς, λιθασθείς, κήρυξ 6

---

8) Gen. 27, 41 sqq. — 9) Gen. 37. — 10) Ex. 2, 14. — 11) Num. 12.
— 12) Num. 16. — 13) I Reg. 19 sqq.

γενόμενος ἔν τε τῇ ἀνατολῇ καὶ ἐν τῇ δύσει, τὸ γενναῖον τῆς
7 πίστεως αὐτοῦ κλέος ἔλαβεν, 7. δικαιοσύνην διδάξας ὅλον τὸν κόσ-
μον, καὶ ἐπὶ τὸ τέρμα τῆς δύσεως ἐλθὼν καὶ μαρτυρήσας ἐπὶ τῶν
ἡγουμένων, οὕτως ἀπηλλάγη τοῦ κόσμου καὶ εἰς τὸν ἅγιον τόπον
ἐπορεύθη, ὑπομονῆς γενόμενος μέγιστος ὑπογραμμός.

1	VI. Τούτοις τοῖς ἀνδράσιν ὁσίως πολιτευσαμένοις συνηθροίσθη
πολὺ πλῆθος ἐκλεκτῶν, οἵτινες πολλαῖς αἰκίαις καὶ βασάνοις διὰ
2 ζῆλος παθόντες ὑπόδειγμα κάλλιστον ἐγένοντο ἐν ἡμῖν. 2. Διὰ
ζῆλος διωχθεῖσαι γυναῖκες Δαναΐδες καὶ Δίρκαι, αἰκίσματα δεινὰ καὶ
ἀνόσια παθοῦσαι, ἐπὶ τὸν τῆς πίστεως βέβαιον δρόμον κατήντησαν
3 καὶ ἔλαβον γέρας γενναῖον αἱ ἀσθενεῖς τῷ σώματι. 3. ζῆλος ἀπηλ-
λοτρίωσεν γαμετὰς ἀνδρῶν καὶ ἠλλοίωσεν τὸ ῥηθὲν ὑπὸ τοῦ πατρὸς
ἡμῶν Ἀδάμ· Τοῦτο νῦν ὀστοῦν ἐκ τῶν ὀστέων μου καὶ σάρξ
4 ἐκ τῆς σαρκός μου. 4. ζῆλος καὶ ἔρις πόλεις μεγάλας κατέσκαψεν
καὶ ἔθνη μεγάλα ἐξερίζωσεν.

1	VII. Ταῦτα, ἀγαπητοί, οὐ μόνον ὑμᾶς νουθετοῦντες ἐπιστέλ-
λομεν, ἀλλὰ καὶ ἑαυτοὺς ὑπομιμνῄσκοντες· ἐν γὰρ τῷ αὐτῷ ἐσμὲν
2 σκάμματι, καὶ ὁ αὐτὸς ἡμῖν ἀγὼν ἐπίκειται. 2. Διὸ ἀπολίπωμεν
τὰς κενὰς καὶ ματαίας φροντίδας, καὶ ἔλθωμεν ἐπὶ τὸν εὐκλεῆ
3 καὶ σεμνὸν τῆς παραδόσεως ἡμῶν κανόνα, 3. καὶ ἴδωμεν τί καλὸν
καὶ τί τερπνὸν καὶ τί προσδεκτὸν ἐνώπιον τοῦ ποιήσαντος ἡμᾶς.
4 4. ἀτενίσωμεν εἰς τὸ αἷμα τοῦ Χριστοῦ καὶ γνῶμεν ὡς ἔστιν τίμιον
τῷ θεῷ τῷ πατρὶ αὐτοῦ, ὅτι διὰ τὴν ἡμετέραν σωτηρίαν ἐκχυθὲν
5 παντὶ τῷ κόσμῳ μετανοίας χάριν ἐπήνεγκεν. 5. διέλθωμεν τὰς
γενεὰς πάσας καὶ καταμάθωμεν ὅτι ἐν γενεᾷ καὶ γενεᾷ μετα-
νοίας τόπον ἔδωκεν ὁ δεσπότης τοῖς βουλομένοις ἐπιστραφῆναι ἐπ'
6 αὐτόν. 6. Νῶε ἐκήρυξεν μετάνοιαν, καὶ οἱ ὑπακούσαντες ἐσώθησαν.
7 7. Ἰωνᾶς Νινευΐταις καταστροφὴν ἐκήρυξεν, οἱ δὲ μετανοήσαντες ἐπὶ
τοῖς ἁμαρτήμασιν αὐτῶν ἐξιλάσαντο τὸν θεὸν ἱκετεύσαντες καὶ ἔλαβον
σωτηρίαν, καίπερ ἀλλότριοι τοῦ θεοῦ ὄντες.

1	VIII. Οἱ λειτουργοὶ τῆς χάριτος τοῦ θεοῦ διὰ πνεύματος ἁγίου
2 περὶ μετανοίας ἐλάλησαν, 2. καὶ αὐτὸς δὲ ὁ δεσπότης τῶν ἁπάντων

VI, 3) Gen. 2, 23.

περὶ μετανοίας ἐλάλησεν μεθ᾽ ὅρκου· Ζῶ γὰρ ἐγώ, λέγει κύριος,
οὐ βούλομαι τὸν θάνατον τοῦ ἁμαρτωλοῦ ὡς τὴν μετάνοιαν,
προστιθεὶς καὶ γνώμην ἀγαθήν· 3. Μετανοήσατε, οἶκος Ἰσραήλ, ἀπὸ 3
τῆς ἀνομίας ὑμῶν. εἶπον τοῖς υἱοῖς τοῦ λαοῦ μου· Ἐὰν ὦσιν
αἱ ἁμαρτίαι ὑμῶν ἀπὸ τῆς γῆς ἕως τοῦ οὐρανοῦ, καὶ ἐὰν ὦσιν
πυρρότεραι κόκκου καὶ μελανώτεραι σάκκου, καὶ ἐπιστραφῆτε πρός
με ἐξ ὅλης τῆς καρδίας καὶ εἴπητε· Πάτερ, ἐπακούσομαι ὑμῶν ὡς
λαοῦ ἁγίου. 4. καὶ ἐν ἑτέρῳ τόπῳ λέγει οὕτως· Λούσασθε καὶ καθα- 4
ροὶ γένεσθε, ἀφέλεσθε τὰς πονηρίας ἀπὸ τῶν ψυχῶν ὑμῶν ἀπέναντι
τῶν ὀφθαλμῶν μου· παύσασθε ἀπὸ τῶν πονηριῶν ὑμῶν, μάθετε
καλὸν ποιεῖν, ἐκζητήσατε κρίσιν, ῥύσασθε ἀδικούμενον, κρίνατε
ὀρφανῷ καὶ δικαιώσατε χήραν, καὶ δεῦτε καὶ διελεγχθῶμεν,
λέγει κύριος· καὶ ἐὰν ὦσιν αἱ ἁμαρτίαι ὑμῶν ὡς φοινικοῦν, ὡς
χιόνα λευκανῶ, ἐὰν δὲ ὦσιν ὡς κόκκινον, ὡς ἔριον λευκανῶ,
καὶ ἐὰν θέλητε καὶ εἰσακούσητέ μου, τὰ ἀγαθὰ τῆς γῆς φάγεσθε,
ἐὰν δὲ μὴ θέλητε μηδὲ εἰσακούσητέ μου, μάχαιρα ὑμᾶς κατέ-
δεται· τὸ γὰρ στόμα κυρίου ἐλάλησεν ταῦτα. 5. Πάντας οὖν 5
τοὺς ἀγαπητοὺς αὐτοῦ βουλόμενος μετανοίας μετασχεῖν ἐστήριξεν τῷ
παντοκρατορικῷ βουλήματι αὐτοῦ.

IX. Διὸ ὑπακούσωμεν τῇ μεγαλοπρεπεῖ καὶ ἐνδόξῳ βουλήσει 1
αὐτοῦ, καὶ ἱκέται γενόμενοι τοῦ ἐλέους καὶ τῆς χρηστότητος αὐτοῦ
προσπέσωμεν καὶ ἐπιστρέψωμεν ἐπὶ τοὺς οἰκτιρμοὺς αὐτοῦ, ἀπολιπόν-
τες τὴν ματαιοπονίαν τήν τε ἔριν καὶ τὸ εἰς θάνατον ἄγον ζῆλος.
2. Ἀτενίσωμεν εἰς τοὺς τελείως λειτουργήσαντας τῇ μεγαλοπρεπεῖ 2
δόξῃ αὐτοῦ. 3. λάβωμεν Ἐνώχ, ὃς ἐν ὑπακοῇ δίκαιος εὑρεθεὶς 3
μετετέθη, καὶ οὐχ εὑρέθη αὐτοῦ θάνατος. 4. Νῶε πιστὸς εὑρεθεὶς 4
διὰ τῆς λειτουργίας αὐτοῦ παλιγγενεσίαν κόσμῳ ἐκήρυξεν, καὶ διέσωσεν
δι᾽ αὐτοῦ ὁ δεσπότης τὰ εἰσελθόντα ἐν ὁμονοίᾳ ζῶα εἰς τὴν κιβωτόν.

X. Ἀβραάμ, ὁ φίλος προσαγορευθείς, πιστὸς εὑρέθη ἐν τῷ 1
αὐτὸν ὑπήκοον γενέσθαι τοῖς ῥήμασιν τοῦ θεοῦ. 2. οὗτος δι᾽ ὑπα- 2
κοῆς ἐξῆλθεν ἐκ τῆς γῆς αὐτοῦ καὶ ἐκ τῆς συγγενείας αὐτοῦ καὶ

VIII, 2) Ezech. 33, 11. — 3) unde? — 4) Ies. 1, 16—20. — IX, 3) Gen.
5, 24. — 4) Gen. 6, 8 sqq. — X, 1) Ies. 41, 8. II Chron. 20, 7.

ἐκ τοῦ οἴκου τοῦ πατρὸς αὐτοῦ, ὅπως γῆν ὀλίγην καὶ συγγένειαν
ἀσθενῆ καὶ οἶκον μικρὸν καταλιπὼν κληρονομήσῃ τὰς ἐπαγγελίας τοῦ
3 θεοῦ. λέγει γὰρ αὐτῷ· 3. Ἄπελθε ἐκ τῆς γῆς σου καὶ ἐκ τῆς
συγγενείας σου καὶ ἐκ τοῦ οἴκου τοῦ πατρός σου εἰς τὴν γῆν
ἣν ἄν σοι δείξω, καὶ ποιήσω σε εἰς ἔθνος μέγα καὶ εὐλογήσω
σε καὶ μεγαλυνῶ τὸ ὄνομά σου, καὶ ἔσῃ εὐλογημένος· καὶ
εὐλογήσω τοὺς εὐλογοῦντάς σε καὶ καταράσομαι τοὺς καταρω-
μένους σε, καὶ εὐλογηθήσονται ἐν σοὶ πᾶσαι αἱ φυλαὶ τῆς γῆς.
4 4. καὶ πάλιν ἐν τῷ διαχωρισθῆναι αὐτὸν ἀπὸ Λὼτ εἶπεν αὐτῷ ὁ
θεός· Ἀναβλέψας τοῖς ὀφθαλμοῖς σου ἴδε ἀπὸ τοῦ τόπου οὗ
νῦν σὺ εἶ πρὸς βορρᾶν καὶ λίβα καὶ ἀνατολὰς καὶ θάλασσαν·
ὅτι πᾶσαν τὴν γῆν ἣν σὺ ὁρᾷς, σοὶ δώσω αὐτὴν καὶ τῷ σπέρ-
5 ματί σου ἕως αἰῶνος. 5. καὶ ποιήσω τὸ σπέρμα σου ὡς τὴν
ἄμμον τῆς γῆς· εἰ δύναταί τις ἐξαριθμῆσαι τὴν ἄμμον τῆς γῆς,
6 καὶ τὸ σπέρμα σου ἐξαριθμηθήσεται. 6. καὶ πάλιν λέγει· Ἐξή-
γαγεν ὁ θεὸς τὸν Ἀβραὰμ καὶ εἶπεν αὐτῷ· Ἀνάβλεψον εἰς τὸν
οὐρανὸν καὶ ἀρίθμησον τοὺς ἀστέρας, εἰ δυνήσῃ ἐξαριθμῆσαι
αὐτούς· οὕτως ἔσται τὸ σπέρμα σου. ἐπίστευσεν δὲ Ἀβραὰμ
7 τῷ θεῷ, καὶ ἐλογίσθη αὐτῷ εἰς δικαιοσύνην. 7. διὰ πίστιν καὶ
φιλοξενίαν ἐδόθη αὐτῷ υἱὸς ἐν γήρᾳ, καὶ δι᾽ ὑπακοῆς προσήνεγκεν
αὐτὸν θυσίαν τῷ θεῷ πρὸς ἓν τῶν ὀρέων ὧν ἔδειξεν αὐτῷ.

1   XI. Διὰ φιλοξενίαν καὶ εὐσέβειαν Λὼτ ἐσώθη ἐκ Σοδόμων, τῆς
περιχώρου πάσης κριθείσης διὰ πυρὸς καὶ θείου· πρόδηλον ποιήσας
ὁ δεσπότης ὅτι τοὺς ἐλπίζοντας ἐπ᾽ αὐτὸν οὐκ ἐγκαταλείπει, τοὺς δὲ
2 ἑτεροκλινεῖς ὑπάρχοντας εἰς κόλασιν καὶ αἰκισμὸν τίθησιν. 2. συνεξελ-
θούσης γὰρ αὐτῷ τῆς γυναικὸς ἑτερογνώμονος ὑπαρχούσης καὶ οὐκ
ἐν ὁμονοίᾳ, εἰς τοῦτο σημεῖον ἐτέθη ὥστε γενέσθαι αὐτὴν στήλην
ἁλὸς ἕως τῆς ἡμέρας ταύτης, εἰς τὸ γνωστὸν εἶναι πᾶσιν ὅτι οἱ
δίψυχοι καὶ οἱ διστάζοντες περὶ τῆς τοῦ θεοῦ δυνάμεως εἰς κρίμα
καὶ εἰς σημείωσιν πάσαις ταῖς γενεαῖς γίνονται.

1 2   XII. Διὰ πίστιν καὶ φιλοξενίαν ἐσώθη Ῥαὰβ ἡ πόρνη. 2. ἐκ-

---

3) Gen. 12, 1—3. — 4) Gen. 13, 14—16. — 6) Gen. 15, 5 sq. —
7) Gen. 21 sq. — XI, 1) Gen. 19. — XII, 1 sqq.) Ios. 2.

πεμφθέντων γὰρ ὑπὸ Ἰησοῦ τοῦ τοῦ Ναυὴ κατασκόπων εἰς τὴν
Ἱεριχὼ, ἔγνω ὁ βασιλεὺς τῆς γῆς ὅτι ἥκασιν κατασκοπεῦσαι τὴν
χώραν αὐτῶν, καὶ ἐξέπεμψεν ἄνδρας τοὺς συλληψομένους αὐτούς,
ὅπως συλλημφθέντες θανατωθῶσιν. 3. ἡ οὖν φιλόξενος Ῥαὰβ εἰσδεξα- 3
μένη αὐτοὺς ἔκρυψεν εἰς τὸ ὑπερῷον ὑπὸ τὴν λινοκαλάμην. 4. ἐπιστα- 4
θέντων δὲ τῶν παρὰ τοῦ βασιλέως καὶ λεγόντων· Πρὸς σὲ εἰσῆλθον
οἱ κατάσκοποι τῆς γῆς ἡμῶν· ἐξάγαγε αὐτούς, ὁ γὰρ βασιλεὺς
οὕτως κελεύει· ἥδε ἀπεκρίθη· Εἰσῆλθον μὲν οἱ ἄνδρες οὓς ζητεῖτε
πρός με, ἀλλ᾽ εὐθέως ἀπῆλθον καὶ πορεύονται τῇ ὁδῷ· ὑποδει-
κνύουσα αὐτοῖς ἐναλλάξ. 5. καὶ εἶπεν πρὸς τοὺς ἄνδρας· Γινώσκουσα 5
γινώσκω ἐγὼ ὅτι κύριος ὁ θεὸς ὑμῶν παραδίδωσιν ὑμῖν τὴν πόλιν
ταύτην· ὁ γὰρ φόβος καὶ ὁ τρόμος ὑμῶν ἐπέπεσεν τοῖς κατοικοῦσιν
αὐτήν. ὡς ἐὰν οὖν γένηται λαβεῖν αὐτὴν ὑμᾶς, διασώσατέ με καὶ
τὸν οἶκον τοῦ πατρός μου. 6. καὶ εἶπαν αὐτῇ· Ἔσται οὕτως ὡς 6
ἐλάλησας ἡμῖν. ὡς ἐὰν οὖν γνῷς παραγινομένους ἡμᾶς, συνάξεις
πάντας τοὺς σοὺς ὑπὸ τὸ στέγος σου, καὶ διασωθήσονται· ὅσοι γὰρ
ἐὰν εὑρεθῶσιν ἔξω τῆς οἰκίας, ἀπολοῦνται. 7. καὶ προσέθεντο αὐτῇ 7
δοῦναι σημεῖον, ὅπως ἐκκρεμάσῃ ἐκ τοῦ οἴκου αὐτῆς κόκκινον, πρόδηλον
ποιοῦντες ὅτι διὰ τοῦ αἵματος τοῦ κυρίου λύτρωσις ἔσται πᾶσιν τοῖς
πιστεύουσιν καὶ ἐλπίζουσιν ἐπὶ τὸν θεόν. 8. Ὁρᾶτε, ἀγαπητοί· οὐ 8
μόνον πίστις ἀλλὰ προφητεία ἐν τῇ γυναικὶ γέγονεν.

XIII. Ταπεινοφρονήσωμεν οὖν, ἀδελφοί, ἀποθέμενοι πᾶσαν ἀλα- 1
ζονείαν καὶ τύφος καὶ ἀφροσύνην καὶ ὀργάς, καὶ ποιήσωμεν τὸ
γεγραμμένον· λέγει γὰρ τὸ πνεῦμα τὸ ἅγιον· Μὴ καυχάσθω ὁ
σοφὸς ἐν τῇ σοφίᾳ αὐτοῦ μηδὲ ὁ ἰσχυρὸς ἐν τῇ ἰσχύϊ αὐτοῦ
μηδὲ ὁ πλούσιος ἐν τῷ πλούτῳ αὐτοῦ, ἀλλ᾽ ἢ ὁ καυχώμενος
ἐν κυρίῳ καυχάσθω, τοῦ ἐκζητεῖν αὐτὸν καὶ ποιεῖν κρίμα καὶ
δικαιοσύνην· μάλιστα μεμνημένοι τῶν λόγων τοῦ κυρίου Ἰησοῦ,
οὓς ἐλάλησεν διδάσκων ἐπιείκειαν καὶ μακροθυμίαν. 2. οὕτως γὰρ
εἶπεν· Ἐλεᾶτε ἵνα ἐλεηθῆτε, ἀφίετε ἵνα ἀφεθῇ ὑμῖν· ὡς
ποιεῖτε, οὕτω ποιηθήσεται ὑμῖν· ὡς δίδοτε, οὕτως δοθήσεται

[margin: A reference to the Logia. The author of the Logia is never quoted. A circumlocution 2 phrase is always used. v. ibid. 46:7. Logia means in the case — Gospels.]

XIII, 1) Ier. 9, 23 sq. I Reg. 2, 10. — 2) Mt. 5, 7. 6, 14. 7, 1 sq. 12.
Luc. 6, 31. 37 sq.

ὑμῖν· ὡς κρίνετε, οὕτως κριθήσεσθε· ὡς χρηστεύεσθε, οὕτως
χρηστευθήσεται ὑμῖν· ᾧ μέτρῳ μετρεῖτε, ἐν αὐτῷ μετρηθήσεται
3 ὑμῖν. 3. Ταύτῃ τῇ ἐντολῇ καὶ τοῖς παραγγέλμασιν τούτοις στη-
ρίξωμεν ἑαυτοὺς εἰς τὸ πορεύεσθαι ὑπηκόους ὄντας τοῖς ἁγιοπρεπέσι
4 λόγοις αὐτοῦ, ταπεινοφρονοῦντες· φησὶν γὰρ ὁ ἅγιος λόγος· 4. Ἐπὶ
τίνα ἐπιβλέψω, ἀλλ᾽ ἢ ἐπὶ τὸν πραῢν καὶ ἡσύχιον καὶ τρέμοντά
μου τὰ λόγια;

1   XIV. Δίκαιον οὖν καὶ ὅσιον, ἄνδρες ἀδελφοί, ὑπηκόους ἡμᾶς
μᾶλλον γενέσθαι τῷ θεῷ ἢ τοῖς ἐν ἀλαζονείᾳ καὶ ἀκαταστασίᾳ μυσε-
2 ροῦ ζήλους ἀρχηγοῖς ἐξακολουθεῖν. 2. βλάβην γὰρ οὐ τὴν τυχοῦσαν,
μᾶλλον δὲ κίνδυνον ὑποίσομεν μέγαν, ἐὰν ῥιψοκινδύνως ἐπιδῶμεν ἑαυ-
τοὺς τοῖς θελήμασιν τῶν ἀνθρώπων οἵτινες ἐξακοντίζουσιν εἰς ἔριν
3 καὶ στάσεις, εἰς τὸ ἀπαλλοτριῶσαι ἡμᾶς τοῦ καλῶς ἔχοντος. 3. χρη-
στευσώμεθα αὐτοῖς κατὰ τὴν εὐσπλαγχνίαν καὶ γλυκύτητα τοῦ ποιή-
4 σαντος ἡμᾶς. 4. γέγραπται γάρ· Χρηστοὶ ἔσονται οἰκήτορες γῆς,
ἄκακοι δὲ ὑπολειφθήσονται ἐπ᾽ αὐτῆς· οἱ δὲ παρανομοῦντες
5 ἐξολεθρευθήσονται ἀπ᾽ αὐτῆς. 5. καὶ πάλιν λέγει· Εἶδον ἀσεβῆ
ὑπερυψούμενον καὶ ἐπαιρόμενον ὡς τὰς κέδρους τοῦ Λιβάνου·
καὶ παρῆλθον, καὶ ἰδοὺ οὐκ ἦν, καὶ ἐξεζήτησα τὸν τόπον αὐ-
τοῦ, καὶ οὐχ εὗρον. φύλασσε ἀκακίαν καὶ ἴδε εὐθύτητα, ὅτι
ἐστὶν ἐγκατάλειμμα ἀνθρώπῳ εἰρηνικῷ.

1   XV. Τοίνυν κολληθῶμεν τοῖς μετ᾽ εὐσεβείας εἰρηνεύουσιν, καὶ
2 μὴ τοῖς μεθ᾽ ὑποκρίσεως βουλομένοις εἰρήνην. 2. λέγει γάρ που·
Οὗτος ὁ λαὸς τοῖς χείλεσίν με τιμᾷ, ἡ δὲ καρδία αὐτῶν πόρρω
3 ἄπεστιν ἀπ᾽ ἐμοῦ. 3. καὶ πάλιν· Τῷ στόματι αὐτῶν εὐλογοῦσαν,
4 τῇ δὲ καρδίᾳ αὐτῶν κατηρῶντο. 4. καὶ πάλιν λέγει· Ἠγάπησαν
αὐτὸν τῷ στόματι αὐτῶν, καὶ τῇ γλώσσῃ αὐτῶν ἔψεξαν αὐτόν,
ἡ δὲ καρδία αὐτῶν οὐκ εὐθεῖα μετ᾽ αὐτοῦ, οὐδὲ ἐπιστώθησαν
5 ἐν τῇ διαθήκῃ αὐτοῦ. 5. διὰ τοῦτο ἄλαλα γενηθήτω τὰ χείλη τὰ
δόλια· ἐξολεθρεύσαι κύριος πάντα τὰ χείλη τὰ δόλια, γλῶσσαν

---

4) Ies. 66, 2. — XIV, 4) Prov. 2, 21 sq. Ps. 37, 9. 38. — 5) Ps. 37,
35 sqq. — XV, 2) Ies. 29, 13. — 3) Ps. 62, 5. — 4) Ps. 78, 36 sq —
5 sqq.) Ps. 31, 19. 12, 3 sqq.

μεγαλορήμονα, τοὺς εἰπόντας· Τὴν γλῶσσαν ἡμῶν μεγαλυνοῦ-
μεν, τὰ χείλη ἡμῶν παρ' ἡμῖν ἐστίν· τίς ἡμῶν κύριός ἐστιν;
6. ἀπὸ τῆς ταλαιπωρίας τῶν πτωχῶν καὶ ἀπὸ τοῦ στεναγμοῦ 6
τῶν πενήτων νῦν ἀναστήσομαι, λέγει κύριος· θήσομαι ἐν σω-
τηρίῳ. 7. παρρησιάσομαι ἐν αὐτῷ.   7

XVI. Ταπεινοφρονούντων γάρ ἐστιν ὁ Χριστός, οὐκ ἐπαιρομένων 1
ἐπὶ τὸ ποίμνιον αὐτοῦ. 2. τὸ σκῆπτρον τῆς μεγαλωσύνης τοῦ θεοῦ, 2
ὁ κύριος Ἰησοῦς Χριστός, οὐκ ἦλθεν ἐν κόμπῳ ἀλαζονείας οὐδὲ
ὑπερηφανίας, καίπερ δυνάμενος, ἀλλὰ ταπεινοφρονῶν, καθὼς τὸ
πνεῦμα τὸ ἅγιον περὶ αὐτοῦ ἐλάλησεν· φησὶν γάρ· 3. Κύριε, τίς 3
ἐπίστευσεν τῇ ἀκοῇ ἡμῶν; καὶ ὁ βραχίων κυρίου τίνι ἀπεκα-
λύφθη; ἀνηγγείλαμεν ἐναντίον αὐτοῦ, ὡς παιδίον, ὡς ῥίζα ἐν
γῇ διψώσῃ· οὐκ ἔστιν εἶδος αὐτῷ οὐδὲ δόξα, καὶ εἴδομεν αὐ-
τόν, καὶ οὐκ εἶχεν εἶδος οὐδὲ κάλλος, ἀλλὰ τὸ εἶδος αὐτοῦ
ἄτιμον, ἐκλεῖπον παρὰ τὸ εἶδος τῶν ἀνθρώπων· ἄνθρωπος ἐν
πληγῇ ὢν καὶ πόνῳ καὶ εἰδὼς φέρειν μαλακίαν, ὅτι ἀπέστραπται
τὸ πρόσωπον αὐτοῦ, ἠτιμάσθη καὶ οὐκ ἐλογίσθη. 4. οὗτος τὰς 4
ἁμαρτίας ἡμῶν φέρει καὶ περὶ ἡμῶν ὀδυνᾶται, καὶ ἡμεῖς ἐλογι-
σάμεθα αὐτὸν εἶναι ἐν πόνῳ καὶ ἐν πληγῇ καὶ ἐν κακώσει.
5. αὐτὸς δὲ ἐτραυματίσθη διὰ τὰς ἁμαρτίας ἡμῶν καὶ μεμαλάκι- 5
σται διὰ τὰς ἀνομίας ἡμῶν. παιδεία εἰρήνης ἡμῶν ἐπ' αὐτόν·
τῷ μώλωπι αὐτοῦ ἡμεῖς ἰάθημεν. 6. πάντες ὡς πρόβατα ἐπλα- 6
νήθημεν, ἄνθρωπος τῇ ὁδῷ αὐτοῦ ἐπλανήθη· 7. καὶ κύριος 7
παρέδωκεν αὐτὸν ὑπὲρ τῶν ἁμαρτιῶν ἡμῶν, καὶ αὐτὸς διὰ τὸ
κεκακῶσθαι οὐκ ἀνοίγει τὸ στόμα. ὡς πρόβατον ἐπὶ σφαγὴν
ἤχθη, καὶ ὡς ἀμνὸς ἐναντίον τοῦ κείραντος ἄφωνος, οὕτως
οὐκ ἀνοίγει τὸ στόμα αὐτοῦ. ἐν τῇ ταπεινώσει ἡ κρίσις αὐτοῦ
ἤρθη. 8. τὴν γενεὰν αὐτοῦ τίς διηγήσεται; ὅτι αἴρεται ἀπὸ τῆς 8
γῆς ἡ ζωὴ αὐτοῦ. 9. ἀπὸ τῶν ἀνομιῶν τοῦ λαοῦ μου ἥκει εἰς 9
θάνατον. 10. καὶ δώσω τοὺς πονηροὺς ἀντὶ τῆς ταφῆς αὐτοῦ 10
καὶ τοὺς πλουσίους ἀντὶ τοῦ θανάτου αὐτοῦ· ὅτι ἀνομίαν οὐκ
ἐποίησεν, οὐδὲ εὑρέθη δόλος ἐν τῷ στόματι αὐτοῦ. καὶ κύριος

XVI, 3 sqq.) Ies. 53, 1—12.

11 βούλεται καθαρίσαι αὐτὸν τῆς πληγῆς. 11. ἐὰν δῶτε περὶ ἁμαρ-
12 τίας, ἡ ψυχὴ ὑμῶν ὄψεται σπέρμα μακρόβιον. 12. καὶ κύριος
βούλεται ἀφελεῖν ἀπὸ τοῦ πόνου τῆς ψυχῆς αὐτοῦ, δεῖξαι αὐτῷ
φῶς καὶ πλάσαι τῇ συνέσει, δικαιῶσαι δίκαιον εὖ δουλεύοντα
13 πολλοῖς· καὶ τὰς ἁμαρτίας αὐτῶν αὐτὸς ἀνοίσει. 13. διὰ τοῦτο
αὐτὸς κληρονομήσει πολλοὺς καὶ τῶν ἰσχυρῶν μεριεῖ σκῦλα·
ἀνθ᾽ ὧν παρεδόθη εἰς θάνατον ἡ ψυχὴ αὐτοῦ, καὶ ἐν τοῖς ἀνό-
14 μοις ἐλογίσθη· 14. καὶ αὐτὸς ἁμαρτίας πολλῶν ἀνήνεγκεν καὶ
15 διὰ τὰς ἁμαρτίας αὐτῶν παρεδόθη. 15. καὶ πάλιν αὐτός φησιν·
Ἐγὼ δέ εἰμι σκώληξ καὶ οὐκ ἄνθρωπος, ὄνειδος ἀνθρώπων καὶ
16 ἐξουθένημα λαοῦ. 16. πάντες οἱ θεωροῦντές με ἐξεμυκτήρισάν
με, ἐλάλησαν ἐν χείλεσιν, ἐκίνησαν κεφαλήν· Ἤλπισεν ἐπὶ κύ-
17 ριον, ῥυσάσθω αὐτόν, σωσάτω αὐτόν, ὅτι θέλει αὐτόν. 17. Ὁρᾶτε,
ἄνδρες ἀγαπητοί, τίς ὁ ὑπογραμμὸς ὁ δεδομένος ἡμῖν. εἰ γὰρ ὁ κύ-
ριος οὕτως ἐταπεινοφρόνησεν, τί ποιήσωμεν ἡμεῖς οἱ ὑπὸ τόν ζυγὸ)
τῆς χάριτος αὐτοῦ δι᾽ αὐτοῦ ἐλθόντες;

1   XVII. Μιμηταὶ γενώμεθα κἀκείνων οἵτινες ἐν δέρμασιν αἰγείοις
καὶ μηλωταῖς περιεπάτησαν κηρύσσοντες τὴν ἔλευσιν τοῦ Χριστοῦ·
λέγομεν δὲ Ἠλίαν καὶ Ἐλισαιέ, ἔτι δὲ καὶ Ἰεζεκιήλ, τοὺς προφήτας,
2 πρὸς τούτοις καὶ τοὺς μεμαρτυρημένους. 2. ἐμαρτυρήθη δὲ μεγάλως
Ἀβραὰμ καὶ φίλος προσηγορεύθη τοῦ θεοῦ, καὶ λέγει ἀτενίζων εἰς
τὴν δόξαν τοῦ θεοῦ ταπεινοφρονῶν· Ἐγὼ δέ εἰμι γῆ καὶ σποδός.
3 3. ἔτι δὲ καὶ περὶ Ἰὼβ οὕτως γέγραπται· Ἰὼβ δὲ ἦν δίκαιος καὶ
ἄμεμπτος, ἀληθινός, θεοσεβής, ἀπεχόμενος ἀπὸ παντὸς κακοῦ.
4 4. ἀλλ᾽ αὐτὸς ἑαυτοῦ κατηγορεῖ λέγων· Οὐδεὶς καθαρὸς ἀπὸ
5 ῥύπου, οὐδ᾽ ἂν μιᾶς ἡμέρας ἡ ζωὴ αὐτοῦ. 5. Μωϋσῆς πιστὸς
ἐν ὅλῳ τῷ οἴκῳ αὐτοῦ ἐκλήθη, καὶ διὰ τῆς ὑπηρεσίας αὐτοῦ
ἔκρινεν ὁ θεὸς Αἴγυπτον διὰ τῶν μαστίγων καὶ τῶν αἰκισμάτων
αὐτῶν. ἀλλὰ κἀκεῖνος δοξασθεὶς μεγάλως οὐκ ἐμεγαλορημόνησεν,
ἀλλ᾽ εἶπεν ἐπὶ τοῦ τῆς βάτου χρηματισμοῦ αὐτῷ διδομένου· Τίς
εἰμι ἐγώ, ὅτι με πέμπεις; ἐγὼ δέ εἰμι ἰσχνόφωνος καὶ βρα-

---

15) Ps. 22, 7—9. — XVII, 2) Ies. 41, 8. Gen. 18, 27. — 3) Iob.
1, 1. — 4) Iob. 14, 4 sq. — 5) Num. 12, 7. Ex. 3, 11. 4, 10.

δύγλωσσος. 6. καὶ πάλιν λέγει· Ἐγὼ δέ εἰμι ἀτμὶς ἀπὸ 6 κύθρας.

XVIII. Τί δὲ εἴπωμεν ἐπὶ τῷ μεμαρτυρημένῳ Δαυίδ; πρὸς ὃν 1 εἶπεν ὁ θεός· Εὗρον ἄνδρα κατὰ τὴν καρδίαν μου, Δαυὶδ τὸν τοῦ Ἰεσσαί· ἐν ἐλέει αἰωνίῳ ἔχρισα αὐτόν. 2. ἀλλὰ καὶ αὐτὸς 2 λέγει πρὸς τὸν θεόν· Ἐλέησόν με, ὁ θεός, κατὰ τὸ μέγα ᵇλεός σου, καὶ κατὰ τὸ πλῆθος τῶν οἰκτιρμῶν σου ἐξάλειψον τὸ ἀνό- μημά μου. 3. ἐπὶ πλεῖον πλῦνόν με ἀπὸ τῆς ἀνομίας μου, καὶ 3 ἀπὸ τῆς ἁμαρτίας μου καθάρισόν με· ὅτι τὴν ἀνομίαν μου ἐγὼ γινώσκω, καὶ ἡ ἁμαρτία μου ἐνώπιόν μου ἐστὶν διαπαντός. 4. σοὶ μόνῳ ἥμαρτον, καὶ τὸ πονηρὸν ἐνώπιόν σου ἐποίησα· 4 ὅπως ἂν δικαιωθῇς ἐν τοῖς λόγοις σου καὶ νικήσῃς ἐν τῷ κρίνε- σθαί σε. 5. ἰδοὺ γὰρ ἐν ἀνομίαις συνελήμφθην, καὶ ἐν ἁμαρ- 5 τίαις ἐκίσσησέν με ἡ μήτηρ μου. 6. ἰδοὺ γὰρ ἀλήθειαν ἠγάπη- 6 σας· τὰ ἄδηλα καὶ τὰ κρύφια τῆς σοφίας σου ἐδήλωσάς μοι. 7. ῥαντιεῖς με ὑσσώπῳ, καὶ καθαρισθήσομαι· πλυνεῖς με, καὶ 7 ὑπὲρ χιόνα λευκανθήσομαι. 8. ἀκουτιεῖς με ἀγαλλίασιν καὶ 8 εὐφροσύνην, ἀγαλλιάσονται ὀστὰ τεταπεινωμένα. 9. ἀπόστρεψον 9 τὸ πρόσωπόν σου ἀπὸ τῶν ἁμαρτιῶν μου, καὶ πάσας τὰς ἀνο- μίας μου ἐξάλειψον. 10. καρδίαν καθαρὰν κτίσον ἐν ἐμοί, ὁ 10 θεός, καὶ πνεῦμα εὐθὲς ἐγκαίνισον ἐν τοῖς ἐγκάτοις μου. 11. μὴ 11 ἀπορίψῃς με ἀπὸ τοῦ προσώπου σου, καὶ τὸ πνεῦμα τὸ ἅγιόν σου μὴ ἀντανέλῃς ἀπ᾿ ἐμοῦ. 12. ἀπόδος μοι τὴν ἀγαλλίασιν 12 τοῦ σωτηρίου σου, καὶ πνεύματι ἡγεμονικῷ στήρισόν με. 13. δι- 13 δάξω ἀνόμους τὰς ὁδούς σου, καὶ ἀσεβεῖς ἐπιστρέψουσιν ἐπὶ σέ. 14. ῥῦσαί με ἐξ αἱμάτων, ὁ θεός, ὁ θεὸς τῆς σωτηρίας 14 μου· 15. ἀγαλλιάσεται ἡ γλῶσσά μου τὴν δικαιοσύνην σου. 15 κύριε, τὸ στόμα μου ἀνοίξεις, καὶ τὰ χείλη μου ἀναγγελεῖ τὴν αἴνεσίν σου. 16. ὅτι εἰ ἠθέλησας θυσίαν, ἔδωκα ἄν· ὁλο- 16 καυτώματα οὐκ εὐδοκήσεις. 17. θυσία τῷ θεῷ πνεῦμα συντε- 17 τριμμένον· καρδίαν συντετριμμένην καὶ τεταπεινωμένην ὁ θεὸς οὐκ ἐξουθενώσει.

---

6) unde? — XVIII, 1) Ps. 89, 21. — 2) Ps. 51, 3—19.

1   XIX. Τῶν τοσούτων οὖν καὶ τοιούτων οὕτως μεμαρτυρημένων
τὸ ταπεινόφρον καὶ τὸ ὑποδεὲς διὰ τῆς ὑπακοῆς οὐ μόνον ἡμᾶς ἀλλὰ
καὶ τὰς πρὸ ἡμῶν γενεὰς βελτίους ἐποίησεν, τούς τε καταδεξαμένους
2   τὰ λόγια αὐτοῦ ἐν φόβῳ καὶ ἀληθείᾳ. 2. Πολλῶν οὖν καὶ μεγάλων
καὶ ἐνδόξων μετειληφότες πράξεων ἐπαναδράμωμεν ἐπὶ τὸν ἐξ ἀρχῆς
παραδεδομένον ἡμῖν τῆς εἰρήνης σκοπόν, καὶ ἀτενίσωμεν εἰς τὸν
πατέρα καὶ κτίστην τοῦ σύμπαντος κόσμου, καὶ ταῖς μεγαλοπρεπέσι
καὶ ὑπερβαλλούσαις αὐτοῦ δωρεαῖς τῆς εἰρήνης εὐεργεσίαις τε κολ-
3   ληθῶμεν. 3. ἴδωμεν αὐτὸν κατὰ διάνοιαν, καὶ ἐμβλέψωμεν τοῖς ὄμ-
μασιν τῆς ψυχῆς εἰς τὸ μακρόθυμον αὐτοῦ βούλημα· νοήσωμεν πῶς
ἀόργητος ὑπάρχει πρὸς πᾶσαν τὴν κτίσιν αὐτοῦ.

1   XX. Οἱ οὐρανοὶ τῇ διοικήσει αὐτοῦ σαλευόμενοι ἐν εἰρήνῃ ὑπο-
2   τάσσονται αὐτῷ· 2. ἡμέρα τε καὶ νὺξ τὸν τεταγμένον ὑπ᾽ αὐτοῦ
3   δρόμον διανύουσιν, μηδὲν ἀλλήλοις ἐμποδίζοντα. 3. ἥλιός τε καὶ
σελήνη ἀστέρων τε χοροὶ κατὰ τὴν διαταγὴν αὐτοῦ ἐν ὁμονοίᾳ
δίχα πάσης παρεκβάσεως ἐξελίσσουσιν τοὺς ἐπιτεταγμένους αὐτοῖς
4   ὁρισμούς. 4. γῆ κυοφοροῦσα κατὰ τὸ θέλημα αὐτοῦ τοῖς ἰδίοις και-
ροῖς τὴν πανπληθῆ ἀνθρώποις τε καὶ θηρσὶν καὶ πᾶσιν τοῖς οὖσιν
ἐπ᾽ αὐτῆς ζωόις ἀνατέλλει τροφήν, μὴ διχοστατοῦσα μηδὲ ἀλλοιοῦσά
5   τι τῶν δεδογματισμένων ὑπ᾽ αὐτοῦ. 5. ἀβύσσων τε ἀνεξιχνίαστα καὶ
νερτέρων ἀνεκδιήγητα κλίματα τοῖς αὐτοῖς συνέχεται προστάγμασιν.
6   6. τὸ κύτος τῆς ἀπείρου θαλάσσης κατὰ τὴν δημιουργίαν αὐτοῦ
συσταθὲν εἰς τὰς συναγωγὰς οὐ παρεκβαίνει τὰ περιτεθειμένα αὐτῇ
7   κλεῖθρα, ἀλλὰ καθὼς διέταξεν αὐτῇ, οὕτως ποιεῖ. 7. εἶπεν γάρ·
Ἕως ὧδε ἥξεις, καὶ τὰ κύματά σου ἐν σοὶ συντριβήσεται.
8   8. ὠκεανὸς ἀπέραντος ἀνθρώποις καὶ οἱ μετ᾽ αὐτὸν κόσμοι ταῖς αὐ-
9   ταῖς ταγαῖς τοῦ δεσπότου διευθύνονται. 9. καιροὶ ἐαρινοὶ καὶ θερινοὶ
καὶ μετοπωρινοὶ καὶ χειμερινοὶ ἐν εἰρήνῃ μεταπαραδιδόασιν ἀλλήλοις.
10   10. ἀνέμων σταθμοὶ κατὰ τὸν ἴδιον καιρὸν τὴν λειτουργίαν αὐτῶν
ἀπροσκόπως ἐπιτελοῦσιν. ἀέναοί τε πηγαί, πρὸς ἀπόλαυσιν καὶ ὑγίειαν
δημιουργηθεῖσαι, δίχα ἐλλείψεως παρέχονται τοὺς πρὸς ζωῆς ἀν-
θρώποις μαζούς. τά τε ἐλάχιστα τῶν ζώων τὰς συνελεύσεις αὐτῶν

XX, 7) Iob. 38, 11.

ἐν ὁμονοίᾳ καὶ εἰρήνῃ ποιοῦνται. 11. Ταῦτα πάντα ὁ μέγας δημιουρ- 11
γὸς καὶ δεσπότης τῶν ἁπάντων ἐν εἰρήνῃ καὶ ὁμονοίᾳ προσέταξεν
εἶναι, εὐεργετῶν τὰ πάντα, ὑπερεκπερισσῶς δὲ ἡμᾶς τοὺς προσπεφευ-
γότας τοῖς οἰκτιρμοῖς αὐτοῦ διὰ τοῦ κυρίου ἡμῶν Ἰησοῦ Χριστοῦ·
12. ᾧ ἡ δόξα καὶ ἡ μεγαλωσύνη εἰς τοὺς αἰῶνας τῶν αἰώνων. ἀμήν. 12

XXI. Ὁρᾶτε, ἀγαπητοί, μὴ αἱ εὐεργεσίαι αὐτοῦ αἱ πολλαὶ γέ- 1
νωνται εἰς κρίμα πᾶσιν ἡμῖν, ἐὰν μὴ ἀξίως αὐτοῦ πολιτευόμενοι τὰ
καλὰ καὶ εὐάρεστα ἐνώπιον αὐτοῦ ποιῶμεν μεθ᾽ ὁμονοίας. 2. λέγει 2
γάρ που· Πνεῦμα κυρίου λύχνος ἐρευνῶν τὰ ταμιεῖα τῆς γα-
στρός. 3. Ἴδωμεν πῶς ἐγγύς ἐστιν, καὶ ὅτι οὐδὲν λέληθεν αὐτὸν 3
τῶν ἐννοιῶν ἡμῶν οὐδὲ τῶν διαλογισμῶν ὧν ποιούμεθα. 4. δίκαιον 4
οὖν ἐστὶν μὴ λειποτακτεῖν ἡμᾶς ἀπὸ τοῦ θελήματος αὐτοῦ. 5. μᾶλ- 5
λον ἀνθρώποις ἄφροσι καὶ ἀνοήτοις καὶ ἐπαιρομένοις καὶ ἐγκαυχω-
μένοις ἐν ἀλαζονείᾳ τοῦ λόγου αὐτῶν προσκόψωμεν ἢ τῷ θεῷ. 6. τὸν 6
κύριον Ἰησοῦν, οὗ τὸ αἷμα ὑπὲρ ἡμῶν ἐδόθη, ἐντραπῶμεν· τοὺς
προηγουμένους ἡμῶν αἰδεσθῶμεν, τοὺς πρεσβυτέρους τιμήσωμεν, τοὺς
νέους παιδεύσωμεν τὴν παιδείαν τοῦ φόβου τοῦ θεοῦ, τὰς γυναῖκας
ἡμῶν ἐπὶ τὸ ἀγαθὸν διορθωσώμεθα· 7. τὸ ἀξιαγάπητον τῆς ἁγνείας 7
ἦθος ἐνδειξάσθωσαν, τὸ ἀκέραιον τῆς πραΰτητος αὐτῶν βούλημα
ἀποδειξάτωσαν, τὸ ἐπιεικὲς τῆς γλώσσης αὐτῶν διὰ τῆς σιγῆς φανερὸν
ποιησάτωσαν· τὴν ἀγάπην αὐτῶν μὴ κατὰ προσκλίσεις, ἀλλὰ πᾶσιν
τοῖς φοβουμένοις τὸν θεὸν ὁσίως ἴσην παρεχέτωσαν. 8. τὰ τέκνα 8
ὑμῶν τῆς ἐν Χριστῷ παιδείας μεταλαμβανέτωσαν· μαθέτωσαν τί
ταπεινοφροσύνη παρὰ θεῷ ἰσχύει, τί ἀγάπη ἁγνὴ παρὰ θεῷ δύναται,
πῶς ὁ φόβος αὐτοῦ καλὸς καὶ μέγας καὶ σῴζων πάντας τοὺς ἐν
αὐτῷ ὁσίως ἀναστρεφομένους ἐν καθαρᾷ διανοίᾳ. 9. ἐρευνητὴς γάρ 9
ἐστιν ἐννοιῶν καὶ ἐνθυμήσεων· οὗ ἡ πνοὴ αὐτοῦ ἐν ἡμῖν ἐστίν, καὶ
ὅταν θέλῃ ἀνελεῖ αὐτήν.

XXII. Ταῦτα δὲ πάντα βεβαιοῖ ἡ ἐν Χριστῷ πίστις· καὶ γὰρ 1
αὐτὸς διὰ τοῦ πνεύματος τοῦ ἁγίου οὕτως προσκαλεῖται ἡμᾶς· Δεῦτε
τέκνα, ἀκούσατέ μου, φόβον κυρίου διδάξω ὑμᾶς. 2. τίς ἐστιν 2
ἄνθρωπος ὁ θέλων ζωήν, ἀγαπῶν ἡμέρας ἰδεῖν ἀγαθάς; 3. παῦ- 3

XXI, 2) Prov. 20, 27. — XXII, 1 sqq.) Ps. 34, 12—18.

σου τὴν γλῶσσάν σου ἀπὸ κακοῦ, καὶ χείλη σου τοῦ μὴ λαλῆσαι
45 δόλον· 4. ἔκκλινον ἀπὸ κακοῦ καὶ ποίησον ἀγαθόν, 5. ζήτησον
6 εἰρήνην καὶ δίωξον αὐτήν. 6. ὀφθαλμοὶ κυρίου ἐπὶ δικαίους,
καὶ ὦτα αὐτοῦ πρὸς δέησιν αὐτῶν· πρόσωπον δὲ κυρίου ἐπὶ
ποιοῦντας κακά, τοῦ ἐξολεθρεῦσαι ἐκ γῆς τὸ μνημόσυνον αὐ-
7 τῶν. 7. ἐκέκραξεν ὁ δίκαιος, καὶ ὁ κύριος εἰσήκουσεν αὐτοῦ
8 καὶ ἐκ πασῶν τῶν θλίψεων αὐτοῦ ἐρύσατο αὐτόν. 8. πολλαὶ αἱ
μάστιγες τοῦ ἁμαρτωλοῦ, τοὺς δὲ ἐλπίζοντας ἐπὶ κύριον ἔλεος
κυκλώσει.

1   XXIII. Ὁ οἰκτίρμων κατὰ πάντα καὶ εὐεργετικὸς πατὴρ ἔχει
σπλάγχνα ἐπὶ τοὺς φοβουμένους αὐτόν, ἠπίως τε καὶ προσηνῶς τὰς
χάριτας αὐτοῦ ἀποδιδοῖ τοῖς προσερχομένοις αὐτῷ ἁπλῇ διανοίᾳ.
2 2. διὸ μὴ διψυχῶμεν, μηδὲ ἰνδαλλέσθω ἡ ψυχὴ ἡμῶν ἐπὶ ταῖς
3 ὑπερβαλλούσαις καὶ ἐνδόξοις δωρεαῖς αὐτοῦ. 3. πόρρω γενέσθω ἀφ
ἡμῶν ἡ γραφὴ αὕτη, ὅπου λέγει· Ταλαίπωροί εἰσιν οἱ δίψυχοι,
οἱ διστάζοντες τῇ ψυχῇ, οἱ λέγοντες· Ταῦτα ἠκούσαμεν καὶ
ἐπὶ τῶν πατέρων ἡμῶν, καὶ ἰδοὺ γεγηράκαμεν καὶ οὐδὲν ἡμῖν
4 τούτων συνβέβηκεν. 4. Ὦ ἀνόητοι, συμβάλετε ἑαυτοὺς ξύλῳ·
λάβετε ἄμπελον· πρῶτον μὲν φυλλοροεῖ, εἶτα βλαστὸς γίνεται,
εἶτα φύλλον, εἶτα ἄνθος, καὶ μετὰ ταῦτα ὄμφαξ, εἶτα σταφυλὴ
παρεστηκυῖα. ὁρᾶτε ὅτι ἐν καιρῷ ὀλίγῳ εἰς πέπειρον καταντᾷ ὁ
5 καρπὸς τοῦ ξύλου. 5. ἐπ' ἀληθείας ταχὺ καὶ ἐξαίφνης τελειωθήσεται
τὸ βούλημα αὐτοῦ, συνεπιμαρτυρούσης καὶ τῆς γραφῆς ὅτι ταχὺ
ἥξει καὶ οὐ χρονιεῖ, καὶ ἐξαίφνης ἥξει ὁ κύριος εἰς τὸν ναὸν
αὐτοῦ, καὶ ὁ ἅγιος ὃν ὑμεῖς προσδοκᾶτε.

1   XXIV. Κατανοήσωμεν, ἀγαπητοί, πῶς ὁ δεσπότης ἐπιδείκνυται
διηνεκῶς ἡμῖν τὴν μέλλουσαν ἀνάστασιν ἔσεσθαι, ἧς τὴν ἀπαρχὴν
2 ἐποιήσατο τὸν κύριον Ἰησοῦν ἐκ νεκρῶν ἀναστήσας. 2. ἴδωμεν,
3 ἀγαπητοί, τὴν κατὰ καιρὸν γινομένην ἀνάστασιν. 3. ἡμέρα καὶ νὺξ
ἀνάστασιν ἡμῖν δηλοῦσιν· κοιμᾶται ἡ νύξ, ἀνίσταται ἡ ἡμέρα, ἡ
4 ἡμέρα ἄπεισιν, νὺξ ἐπέρχεται. 4. λάβωμεν τοὺς καρπούς· ὁ σπόρος
5 πῶς καὶ τίνα τρόπον γίνεται; 5. ἐξῆλθεν ὁ σπείρων καὶ ἔβαλεν εἰς

---

8) Ps. 32, 10. — XXIII, 3) unde? — 5) Ies. 13, 22. Mal. 3, 1.

τὴν γῆν ἕκαστον τῶν σπερμάτων· ἅτινα πεσόντα εἰς τὴν γῆν ξηρὰ
καὶ γυμνὰ διαλύεται, εἶτ᾿ ἐκ τῆς διαλύσεως ἡ μεγαλειότης τῆς προ-
νοίας τοῦ δεσπότου ἀνίστησιν αὐτά, καὶ ἐκ τοῦ ἑνὸς πλείονα αὔξει
καὶ ἐκφέρει καρπόν.

XXV. Ἴδωμεν τὸ παράδοξον σημεῖον τὸ γινόμενον ἐν τοῖς 1
ἀνατολικοῖς τόποις, τουτέστιν τοῖς περὶ τὴν Ἀραβίαν. 2. ὄρνεον γάρ 2
ἐστιν ὃ προσονομάζεται φοίνιξ· τοῦτο μονογενὲς ὑπάρχον ζῇ ἔτη
πεντακόσια, γενόμενόν τε ἤδη πρὸς ἀπόλυσιν τοῦ ἀποθανεῖν αὐτό,
σηκὸν ἑαυτῷ ποιεῖ ἐκ λιβάνου καὶ σμύρνης καὶ τῶν λοιπῶν ἀρωμά-
των, εἰς ὃν πληρωθέντος τοῦ χρόνου εἰσέρχεται καὶ τελευτᾷ. 3. σηπο- 3
μένης δὲ τῆς σαρκὸς σκώληξ τις ἐγγεννᾶται, ὃς ἐκ τῆς ἰκμάδος τοῦ
τετελευτηκότος ζῴου ἀνατρεφόμενος πτεροφυεῖ· εἶτα γενναῖος γενό-
μενος αἴρει τὸν σηκὸν ἐκεῖνον ὅπου τὰ ὀστᾶ τοῦ προγεγονότος ἐστίν,
καὶ ταῦτα βαστάζων διανύει ἀπὸ τῆς Ἀραβικῆς χώρας ἕως τῆς
Αἰγύπτου εἰς τὴν λεγομένην Ἡλιούπολιν. 4. καὶ ἡμέρας, βλεπόντων 4
πάντων, ἐπιπτὰς ἐπὶ τὸν τοῦ ἡλίου βωμὸν τίθησιν αὐτά, καὶ οὕτως
εἰς τοὐπίσω ἀφορμᾷ. 5. οἱ οὖν ἱερεῖς ἐπισκέπτονται τὰς ἀναγραφὰς 5
τῶν χρόνων, καὶ εὑρίσκουσιν αὐτὸν πεντακοσιοστοῦ ἔτους πεπληρω-
μένου ἐληλυθέναι.

XXVI. Μέγα καὶ θαυμαστὸν οὖν νομίζομεν εἶναι, εἰ ὁ δημιουργὸς 1
τῶν ἁπάντων ἀνάστασιν ποιήσεται τῶν ὁσίως αὐτῷ δουλευσάντων ἐν
πεποιθήσει πίστεως ἀγαθῆς, ὅπου καὶ δι᾿ ὀρνέου δείκνυσιν ἡμῖν τὸ
μεγαλεῖον τῆς ἐπαγγελίας αὐτοῦ; 2. λέγει γάρ που· Καὶ ἐξανα- 2
στήσεις με, καὶ ἐξομολογήσομαί σοι, καί· Ἐκοιμήθην καὶ ὕπ-
νωσα, ἐξηγέρθην, ὅτι σὺ μετ᾿ ἐμοῦ εἶ. 3. καὶ πάλιν Ἰὼβ λέ- 3
γει· Καὶ ἀναστήσεις τὴν σάρκα μου ταύτην τὴν ἀναντλήσασαν
ταῦτα πάντα.

XXVII. Ταύτῃ οὖν τῇ ἐλπίδι προσδεδέσθωσαν αἱ ψυχαὶ ἡμῶν 1
τῷ πιστῷ ἐν ταῖς ἐπαγγελίαις καὶ τῷ δικαίῳ ἐν τοῖς κρίμασιν. 2. ὁ 2
παραγγείλας μὴ ψεύδεσθαι, πολλῷ μᾶλλον αὐτὸς οὐ ψεύσεται· οὐδὲν
γὰρ ἀδύνατον παρὰ τῷ θεῷ εἰ μὴ τὸ ψεύσασθαι. 3. ἀναζωπυρη- 3
σάτω οὖν ἡ πίστις αὐτοῦ ἐν ἡμῖν, καὶ νοήσωμεν ὅτι πάντα ἐγγὺς

XXVI, 2) Καὶ ἐξαν. — σοι unde? Ps. 3, 6. 23, 4. — 3) Iob. 19, 26.

4 αὐτῷ ἐστίν. 4. ἐν λόγῳ τῆς μεγαλωσύνης αὐτοῦ συνεστήσατο τὰ
5 πάντα, καὶ ἐν λόγῳ δύναται αὐτὰ καταστρέψαι. 5. Τίς ἐρεῖ αὐτῷ·
Τί ἐποίησας; ἢ τίς ἀντιστήσεται τῷ κράτει τῆς ἰσχύος αὐτοῦ;
ὅτε θέλει καὶ ὡς θέλει ποιήσει πάντα, καὶ οὐδὲν μὴ παρέλθῃ τῶν
6 δεδογματισμένων ὑπ᾽ αὐτοῦ. 6. πάντα ἐνώπιον αὐτοῦ εἰσίν, καὶ οὐδὲν
7 λέληθεν τὴν βουλὴν αὐτοῦ, 7. εἰ οἱ οὐρανοὶ διηγοῦνται δόξαν
θεοῦ, ποίησιν δὲ χειρῶν αὐτοῦ ἀναγγέλλει τὸ στερέωμα· ἡ ἡμέρα
τῇ ἡμέρᾳ ἐρεύγεται ῥῆμα, καὶ νὺξ νυκτὶ ἀναγγέλλει γνῶσιν·
καὶ οὐκ εἰσὶν λόγοι οὐδὲ λαλιαὶ ὧν οὐχὶ ἀκούονται αἱ φωναὶ
αὐτῶν.

1   XXVIII. Πάντων οὖν βλεπομένων καὶ ἀκουομένων, φοβηθῶμεν
αὐτὸν καὶ ἀπολίπωμεν φαύλων ἔργων μιαρὰς ἐπιθυμίας, ἵνα τῷ ἐλέει
2 αὐτοῦ σκεπασθῶμεν ἀπὸ τῶν μελλόντων κριμάτων. 2. ποῦ γάρ τις
ἡμῶν δύναται φυγεῖν ἀπὸ τῆς κραταιᾶς χειρὸς αὐτοῦ; ποῖος δὲ κόσ-
μος δέξεταί τινα τῶν αὐτομολούντων ἀπ᾽ αὐτοῦ; λέγει γάρ που τὸ
3 γραφεῖον· 3. Ποῦ ἀφήξω καὶ ποῦ κρυβήσομαι ἀπὸ τοῦ προσώ-
που σου; ἐὰν ἀναβῶ εἰς τὸν οὐρανόν, σὺ ἐκεῖ εἶ· ἐὰν ἀπέλθω
εἰς τὰ ἔσχατα τῆς γῆς, ἐκεῖ ἡ δεξιά σου· ἐὰν καταστρώσω εἰς
4 τὰς ἀβύσσους, ἐκεῖ τὸ πνεῦμά σου. 4. ποῖ οὖν τις ἀπέλθῃ ἢ
ποῦ ἀποδράσῃ ἀπὸ τοῦ τὰ πάντα ἐμπεριέχοντος;

1   XXIX. Προσέλθωμεν οὖν αὐτῷ ἐν ὁσιότητι ψυχῆς, ἁγνὰς καὶ
ἀμιάντους χεῖρας αἴροντες πρὸς αὐτόν, ἀγαπῶντες τὸν ἐπιεικῆ καὶ
εὔσπλαγχνον πατέρα ἡμῶν, ὃς ἐκλογῆς μέρος ἡμᾶς ἐποίησεν ἑαυτῷ.
2 2. οὕτω γὰρ γέγραπται· Ὅτε διεμέριζεν ὁ ὕψιστος ἔθνη, ὡς
διέσπειρεν υἱοὺς Ἀδάμ, ἔστησεν ὅρια ἐθνῶν κατὰ ἀριθμὸν
ἀγγέλων θεοῦ. ἐγενήθη μερὶς κυρίου λαὸς αὐτοῦ Ἰακώβ, σχοί-
3 νισμα κληρονομίας αὐτοῦ Ἰσραήλ. 3. καὶ ἐν ἑτέρῳ τόπῳ λέγει·
Ἰδοὺ κύριος λαμβάνει ἑαυτῷ ἔθνος ἐκ μέσου ἐθνῶν, ὥσπερ λαμ-
βάνει ἄνθρωπος τὴν ἀπαρχὴν αὐτοῦ τῆς ἅλω· καὶ ἐξελεύσεται
ἐκ τοῦ ἔθνους ἐκείνου ἅγια ἁγίων.

XXVII, 5) Sap. 12, 12. 11, 22. — 7) Ps. 19, 2—4. — XXVIII, 3) Ps.
139, 7 sqq. — XXIX, 2) Deut. 32, 8 sq. — 3) Deut. 4, 34. 14, 2. Num.
18, 27. II Chr. 31, 14. Ezech. 48, 12.

XXX. Ἁγίου οὖν μερὶς ὑπάρχοντες ποιήσωμεν τὰ τοῦ ἁγιασμοῦ 1
πάντα, φεύγοντες καταλαλιάς, μιαράς τε καὶ ἀνάγνους συμπλοκάς, μέ-
θας τε καὶ νεωτερισμοὺς καὶ βδελυκτὰς ἐπιθυμίας, μυσερὰν μοιχείαν,
βδελυκτὴν ὑπερηφανίαν. 2. Θεὸς γὰρ, φησίν, ὑπερηφάνοις ἀντιτάσ- 2
σεται, ταπεινοῖς δὲ δίδωσιν χάριν. 3. Κολληθῶμεν οὖν ἐκείνοις 3
οἷς ἡ χάρις ἀπὸ τοῦ θεοῦ δέδοται· ἐνδυσώμεθα τὴν ὁμόνοιαν
ταπεινοφρονοῦντες, ἐγκρατευόμενοι, ἀπὸ παντὸς ψιθυρισμοῦ καὶ κατα-
λαλιᾶς πόρρω ἑαυτοὺς ποιοῦντες, ἔργοις δικαιούμενοι καὶ μὴ λόγοις.
4. λέγει γὰρ· Ὁ τὰ πολλὰ λέγων καὶ ἀντακούσεται· ἢ ὁ εὔλα- 4
λος οἴεται εἶναι δίκαιος; 5. εὐλογημένος γεννητὸς γυναικὸς 5
ὀλιγόβιος. μὴ πολὺς ἐν ῥήμασιν γίνου. 6. Ὁ ἔπαινος ἡμῶν ἔστω 6
ἐν θεῷ, καὶ μὴ ἐξ αὐτῶν· αὐτεπαινετοὺς γὰρ μισεῖ ὁ θεός. 7. ἡ 7
μαρτυρία τῆς ἀγαθῆς πράξεως ἡμῶν διδόσθω ὑπ᾽ ἄλλων, καθὼς
ἐδόθη τοῖς πατράσιν ἡμῶν τοῖς δικαίοις. 8. θράσος καὶ αὐθάδεια 8
καὶ τόλμα τοῖς κατηραμένοις ὑπὸ τοῦ θεοῦ· ἐπιείκεια καὶ ταπεινο-
φροσύνη καὶ πραΰτης παρὰ τοῖς ηὐλογημένοις ὑπὸ τοῦ θεοῦ.

XXXI. Κολληθῶμεν οὖν τῇ εὐλογίᾳ αὐτοῦ, καὶ ἴδωμεν τίνες 1
αἱ ὁδοὶ τῆς εὐλογίας. ἀνατυλίξωμεν τὰ ἀπ᾽ ἀρχῆς γενόμενα. 2. τίνος 2
χάριν ηὐλογήθη ὁ πατὴρ ἡμῶν Ἀβραάμ; οὐχὶ δικαιοσύνην καὶ ἀλή-
θειαν διὰ πίστεως ποιήσας; 3. Ἰσαὰκ μετὰ πεποιθήσεως γινώσκων 3
τὸ μέλλον ἡδέως προσήγετο θυσία. 4. Ἰακὼβ μετὰ ταπεινοφροσύνης 4
ἐξεχώρησεν τῆς γῆς αὐτοῦ δι᾽ ἀδελφὸν καὶ ἐπορεύθη πρὸς Λάβαν
καὶ ἐδούλευσεν, καὶ ἐδόθη αὐτῷ τὸ δωδεκάσκηπτρον τοῦ Ἰσραήλ.

XXXII. Ὃ ἄν τις καθ᾽ ἓν ἕκαστον εἰλικρινῶς κατανοήσῃ, 1
ἐπιγνώσεται μεγαλεῖα τῶν ὑπ᾽ αὐτοῦ δεδομένων δωρεῶν. 2. ἐξ 2
αὐτοῦ γὰρ ἱερεῖς τε καὶ Λευῖται πάντες οἱ λειτουργοῦντες τῷ θυσια-
στηρίῳ τοῦ θεοῦ· ἐξ αὐτοῦ ὁ κύριος Ἰησοῦς τὸ κατὰ σάρκα· ἐξ
αὐτοῦ βασιλεῖς καὶ ἄρχοντες καὶ ἡγούμενοι κατὰ τὸν Ἰούδαν· τὰ δὲ
λοιπὰ σκῆπτρα αὐτοῦ οὐκ ἐν μικρᾷ δόξῃ ὑπάρχουσιν, ὡς ἐπαγγει-
λαμένου τοῦ θεοῦ ὅτι Ἔσται τὸ σπέρμα σου ὡς οἱ ἀστέρες τοῦ
οὐρανοῦ. 3. Πάντες οὖν ἐδοξάσθησαν καὶ ἐμεγαλύνθησαν οὐ δι᾽ 3

_____

XXX, 2) Prov. 3, 34. — 4) Iob. 11, 2 sq. — XXXI, 3) Gen., 22 7 sq. —
4) Gen. 28 sq. — XXXII, 2) Rom. 9, 5. Gen. 22, 17.

αὐτῶν ἢ τῶν ἔργων αὐτῶν ἢ τῆς δικαιοπραγίας ἧς κατειργάσαντο,
4 ἀλλὰ διὰ τοῦ θελήματος αὐτοῦ. 4. καὶ ἡμεῖς οὖν, διὰ θελήματος
αὐτοῦ ἐν Χριστῷ Ἰησοῦ κληθέντες, οὐ δι᾽ ἑαυτῶν δικαιούμεθα οὐδὲ
διὰ τῆς ἡμετέρας σοφίας ἢ συνέσεως ἢ εὐσεβείας ἢ ἔργων ὧν κατειργα-
σάμεθα ἐν ὁσιότητι καρδίας, ἀλλὰ διὰ τῆς πίστεως, δι᾽ ἧς πάντας
τοὺς ἀπ᾽ αἰῶνος ὁ παντοκράτωρ θεὸς ἐδικαίωσεν· ᾧ ἔστω ἡ δόξα
εἰς τοὺς αἰῶνας τῶν αἰώνων. ἀμήν.

1   XXXIII. Τί οὖν ποιήσωμεν, ἀδελφοί; ἀργήσωμεν ἀπὸ τῆς ἀγα-
θοποιΐας καὶ ἐγκαταλίπωμεν τὴν ἀγάπην; μηθαμῶς τοῦτο ἐάσαι ὁ
δεσπότης ἐφ᾽ ἡμῖν γε γενηθῆναι, ἀλλὰ σπεύσωμεν μετὰ ἐκτενείας
2 καὶ προθυμίας πᾶν ἔργον ἀγαθὸν ἐπιτελεῖν. 2. αὐτὸς γὰρ ὁ δη-
μιουργὸς καὶ δεσπότης τῶν ἁπάντων ἐπὶ τοῖς ἔργοις αὐτοῦ ἀγάλ-
3 λεται. 3. τῷ γὰρ παμμεγεθεστάτῳ αὐτοῦ κράτει οὐρανοὺς ἐστήρι-
σεν καὶ τῇ ἀκαταλήπτῳ αὐτοῦ συνέσει διεκόσμησεν αὐτούς· γῆν
τε διεχώρισεν ἀπὸ τοῦ περιέχοντος αὐτὴν ὕδατος καὶ ἥδρασεν
ἐπὶ τὸν ἀσφαλῆ τοῦ ἰδίου βουλήματος θεμέλιον, τά τε ἐν αὐτῇ
ζῷα φοιτῶντα τῇ ἑαυτοῦ διατάξει ἐκέλευσεν εἶναι· θάλασσαν καὶ
τὰ ἐν αὐτῇ ζῷα προδημιουργήσας ἐνέκλεισεν τῇ ἑαυτοῦ δυνάμει.
4 4. ἐπὶ πᾶσι τὸ ἐξοχώτατον καὶ παμμέγεθες κατὰ διάνοιαν, ἄνθρω-
πον, ταῖς ἱεραῖς καὶ ἀμώμοις χερσὶν ἔπλασεν, τῆς ἑαυτοῦ εἰκόνος
5 χαρακτῆρα. 5. οὕτως γὰρ φησιν ὁ θεός· Ποιήσωμεν ἄνθρωπον
κατ᾽ εἰκόνα καὶ καθ᾽ ὁμοίωσιν ἡμετέραν. καὶ ἐποίησεν ὁ θεὸς
6 τὸν ἄνθρωπον, ἄρσεν καὶ θῆλυ ἐποίησεν αὐτούς. 6. ταῦτα οὖν
πάντα τελειώσας ἐπήνεσεν αὐτὰ καὶ ηὐλόγησεν καὶ εἶπεν· Αὐξάνεσθε
7 καὶ πληθύνεσθε. 7. Εἴδομεν ὅτι ἐν ἔργοις ἀγαθοῖς πάντες ἐκοσμή-
θησαν· οἱ δίκαιοι, καὶ αὐτὸς δὲ ὁ κύριος ἔργοις ἀγαθοῖς ἑαυτὸν κοσ-
8 μήσας ἐχάρη. 8. ἔχοντες οὖν τοῦτον τὸν ὑπογραμμὸν ἀόκνως προσέλ-
θωμεν τῷ θελήματι αὐτοῦ, ἐξ ὅλης τῆς ἰσχύος ἡμῶν ἐργασώμεθα
ἔργον δικαιοσύνης.

1   XXXIV. Ὁ ἀγαθὸς ἐργάτης μετὰ παρρησίας λαμβάνει τὸν ἄρτον
τοῦ ἔργου αὐτοῦ, ὁ νωθρὸς καὶ παρειμένος οὐκ ἀντοφθαλμεῖ τῷ
2 ἐργοπαρέκτῃ αὐτοῦ. 2. δέον οὖν ἐστιν προθύμους ἡμᾶς εἶναι εἰς

XXXIII, 5) Gen. 1, 26 sq. — 6) Gen. 1, 28.

ἀγαθοποιΐαν· ἐξ αὐτοῦ γάρ ἐστιν τὰ πάντα. 3. προλέγει γὰρ ἡμῖν· 3
Ἰδοὺ ὁ κύριος, καὶ ὁ μισθὸς αὐτοῦ πρὸ προσώπου αὐτοῦ, ἀπο-
δοῦναι ἑκάστῳ κατὰ τὸ ἔργον αὐτοῦ. 4. προτρέπεται οὖν ἡμᾶς 4
πιστεύοντας ἐξ ὅλης τῆς καρδίας ἐπ' αὐτῷ, μὴ ἀργοὺς μηδὲ παρει-
μένους εἶναι ἐπὶ πᾶν ἔργον ἀγαθόν. 5. τὸ καύχημα ἡμῶν καὶ ἡ 5
παρρησία ἔστω ἐν αὐτῷ· ὑποτασσώμεθα τῷ θελήματι αὐτοῦ· κατα-
νοήσωμεν τὸ πᾶν πλῆθος τῶν ἀγγέλων αὐτοῦ, πῶς τῷ θελήματι αὐτοῦ
λειτουργοῦσιν παρεστῶτες. 6. λέγει γὰρ ἡ γραφή· Μύριαι μυριάδες 6
παρειστήκεισαν αὐτῷ, καὶ χίλιαι χιλιάδες ἐλειτούργουν αὐτῷ, καὶ
ἐκέκραγον· Ἅγιος ἅγιος ἅγιος κύριος σαβαώθ, πλήρης πᾶσα ἡ
κτίσις τῆς δόξης αὐτοῦ. 7. καὶ ἡμεῖς οὖν, ἐν ὁμονοίᾳ ἐπὶ τὸ αὐτὸ 7
συναχθέντες τῇ συνειδήσει, ὡς ἐξ ἑνὸς στόματος βοήσωμεν πρὸς αὐτὸν
ἐκτενῶς, εἰς τὸ μετόχους ἡμᾶς γενέσθαι τῶν μεγάλων καὶ ἐνδόξων
ἐπαγγελιῶν αὐτοῦ. 8. λέγει γάρ· Ὀφθαλμὸς οὐκ εἶδεν καὶ οὖς 8
οὐκ ἤκουσεν καὶ ἐπὶ καρδίαν ἀνθρώπου οὐκ ἀνέβη ὅσα ἡτοί-
μασεν τοῖς ὑπομένουσιν αὐτόν.

XXXV. Ὡς μακάρια καὶ θαυμαστὰ τὰ δῶρα τοῦ θεοῦ, ἀγα- 1
πητοί. 2. ζωὴ ἐν ἀθανασίᾳ, λαμπρότης ἐν δικαιοσύνῃ, ἀλήθεια ἐν 2
παρρησίᾳ, πίστις ἐν πεποιθήσει, ἐγκράτεια ἐν ἁγιασμῷ· καὶ ταῦτα
ὑπέπιπτεν πάντα ὑπὸ τὴν διάνοιαν ἡμῶν. 3. τίνα οὖν ἄρα ἐστὶν τὰ 3
ἑτοιμαζόμενα τοῖς ὑπομένουσιν; ὁ δημιουργὸς καὶ πατὴρ τῶν αἰώνων
ὁ πανάγιος αὐτὸς γινώσκει τὴν ποσότητα καὶ τὴν καλλονὴν αὐτῶν.
4. ἡμεῖς οὖν ἀγωνισώμεθα εὑρεθῆναι ἐν τῷ ἀριθμῷ τῶν ὑπομενόν- 4
των αὐτόν, ὅπως μεταλάβωμεν τῶν ἐπηγγελμένων δωρεῶν. 5. πῶς 5
δὲ ἔσται τοῦτο, ἀγαπητοί; ἐὰν ἐστηριγμένη ᾖ ἡ διάνοια ἡμῶν
πιστῶς πρὸς τὸν θεόν· ἐὰν ἐκζητῶμεν τὰ εὐάρεστα καὶ εὐπρόσδεκτα
αὐτῷ· ἐὰν ἐπιτελέσωμεν τὰ ἀνήκοντα τῇ ἀμώμῳ βουλήσει αὐτοῦ
καὶ ἀκολουθήσωμεν τῇ ὁδῷ τῆς ἀληθείας, ἀπορρίψαντες ἀφ' ἑαυτῶν
πᾶσαν ἀδικίαν καὶ ἀνομίαν, πλεονεξίαν, ἔρεις, κακοηθείας τε καὶ δό-
λους, ψιθυρισμούς τε καὶ καταλαλιάς, θεοστυγίαν, ὑπερηφανίαν τε
καὶ ἀλαζονείαν, κενοδοξίαν τε καὶ ἀφιλοξενίαν. 6. ταῦτα γὰρ οἱ 6

XXXIV, 3) Ies. 40, 10. 62, 11. — 6) Dan. 7, 10. Ies. 6, 3. — 8) I Cor. 2, 9.
XXXV, 5) Rom. 1, 29–32.

πράσσοντες στυγητοὶ τῷ θεῷ ὑπάρχουσιν· οὐ μόνον δὲ οἱ πράσσοντες
7 αὐτά, ἀλλὰ καὶ οἱ συνευδοκοῦντες αὐτοῖς. 7. λέγει γὰρ ἡ γραφή·
Τῷ δὲ ἁμαρτωλῷ εἶπεν ὁ θεός· Ἱνατί σὺ διηγῇ τὰ δικαιώματά
μου καὶ ἀναλαμβάνεις τὴν διαθήκην μου ἐπὶ στόματός σου;
8 8. σὺ δὲ ἐμίσησας παιδείαν καὶ ἐξέβαλες τοὺς λόγους μου εἰς
τὰ ὀπίσω. εἰ ἐθεώρεις κλέπτην, συνέτρεχες αὐτῷ, καὶ μετὰ
μοιχῶν τὴν μερίδα σου ἐτίθεις· τὸ στόμα σου ἐπλεόνασεν κακίαν,
καὶ ἡ γλῶσσά σου περιέπλεκεν δολιότητα· καθήμενος κατὰ τοῦ
ἀδελφοῦ σου κατελάλεις, καὶ κατὰ τοῦ υἱοῦ τῆς μητρός σου
9 ἐτίθεις σκάνδαλον. 9. ταῦτα ἐποίησας, καὶ ἐσίγησα· ὑπέλαβες,
10 ἄνομε, ὅτι ἔσομαί σοι ὅμοιος. 10. ἐλέγξω σε καὶ παραστήσω
11 σε κατὰ πρόσωπόν σου. 11. σύνετε δὴ ταῦτα, οἱ ἐπιλανθανό-
μενοι τοῦ θεοῦ, μήποτε ἁρπάσῃ ὡς λέων, καὶ μὴ ᾖ ὁ ῥυόμενος.
12 12. θυσία αἰνέσεως δοξάσει με, καὶ ἐκεῖ ὁδὸς ἣν δείξω αὐτῷ
τὸ σωτήριον τοῦ θεοῦ.
1   XXXVI. Αὕτη ἡ ὁδός, ἀγαπητοί, ἐν ᾗ εὕρομεν τὸ σωτήριον
ἡμῶν Ἰησοῦν Χριστόν, τὸν ἀρχιερέα τῶν προσφορῶν ἡμῶν, τὸν προστά-
2 την καὶ βοηθὸν τῆς ἀσθενείας ἡμῶν. 2. διὰ τούτου ἀτενίζομεν εἰς τὰ
ὕψη τῶν οὐρανῶν· διὰ τούτου ἐνοπτριζόμεθα τὴν ἄμωμον καὶ ὑπερ-
τάτην ὄψιν αὐτοῦ· διὰ τούτου ἠνεῴχθησαν ἡμῶν οἱ ὀφθαλμοὶ τῆς
καρδίας· διὰ τούτου ἡ ἀσύνετος καὶ ἐσκοτωμένη διάνοια ἡμῶν ἀνα-
θάλλει εἰς τὸ θαυμαστὸν αὐτοῦ φῶς· διὰ τούτου ἠθέλησεν ὁ δεσπό-
της τῆς ἀθανάτου γνώσεως ἡμᾶς γεύσασθαι· ὃς ὢν ἀπαύγασμα τῆς
μεγαλωσύνης αὐτοῦ, τοσούτῳ μείζων ἐστὶν ἀγγέλων ὅσῳ διαφορώ-
3 τερον ὄνομα κεκληρονόμηκεν. 3. γέγραπται γὰρ οὕτως· Ὁ ποιῶν
τοὺς ἀγγέλους αὐτοῦ πνεύματα καὶ τοὺς λειτουργοὺς αὐτοῦ
4 πυρὸς φλόγα. 4. ἐπὶ δὲ τῷ υἱῷ αὐτοῦ οὕτως εἶπεν ὁ δεσπότης·
Υἱός μου εἶ σύ, ἐγὼ σήμερον γεγέννηκά σε· αἴτησαι παρ᾽ ἐμοῦ,
καὶ δώσω σοι ἔθνη τὴν κληρονομίαν σου καὶ τὴν κατάσχεσίν
5 σου τὰ πέρατα τῆς γῆς. 5. καὶ πάλιν λέγει πρὸς αὐτόν· Κάθου
ἐκ δεξιῶν μου, ἕως ἂν θῶ τοὺς ἐχθρούς σου ὑποπόδιον τῶν

---

7) Ps. 50, 16—23. — XXXVI, 2) Hebr. 1, 3 sq. — 3) Ps. 104, 4.
Hebr. 1, 7. — 4) Ps. 2, 7 sq. Hebr. 1, 5. — 5) Ps. 110, 1. Hebr. 1, 13.

ποδῶν σου. 6. τίνες οὖν οἱ ἐχθροί; οἱ φαῦλοι καὶ ἀντιτασσόμενοι 6
τῷ θελήματι αὐτοῦ.

XXXVII. Στρατευσώμεθα οὖν, ἄνδρες ἀδελφοί, μετὰ πάσης ἐκ- 1
τενείας ἐν τοῖς ἀμώμοις προστάγμασιν αὐτοῦ. 2. κατανοήσωμεν τοὺς 2
στρατευομένους τοῖς ἡγουμένοις ἡμῶν, πῶς εὐτάκτως, πῶς εὐείκτως,
πῶς ὑποτεταγμένως ἐπιτελοῦσιν τὰ διατασσόμενα. 3. οὐ πάντες εἰσὶν 3
ἔπαρχοι οὐδὲ χιλίαρχοι οὐδὲ ἑκατόνταρχοι οὐδὲ πεντηκόνταρχοι οὐδὲ
τὸ καθεξῆς, ἀλλ᾽ ἕκαστος ἐν τῷ ἰδίῳ τάγματι τὰ ἐπιτασσόμενα ὑπὸ
τοῦ βασιλέως καὶ τῶν ἡγουμένων ἐπιτελεῖ. 4. οἱ μεγάλοι δίχα τῶν 4
μικρῶν οὐ δύνανται εἶναι, οὔτε οἱ μικροὶ δίχα τῶν μεγάλων· σύγκρα-
σίς τις ἐστὶν ἐν πᾶσιν, καὶ ἐν τούτοις χρῆσις. 5. λάβωμεν τὸ σῶμα 5
ἡμῶν· ἡ κεφαλὴ δίχα τῶν ποδῶν οὐδέν ἐστιν, οὕτως οὐδὲ οἱ πόδες
δίχα τῆς κεφαλῆς· τὰ δὲ ἐλάχιστα μέλη τοῦ σώματος ἡμῶν ἀναγκαῖα
καὶ εὔχρηστά εἰσιν ὅλῳ τῷ σώματι· ἀλλὰ πάντα συνπνεῖ καὶ ὑποταγῇ
μιᾷ χρῆται εἰς τὸ σώζεσθαι ὅλον τὸ σῶμα.

XXXVIII. Σωζέσθω οὖν ἡμῶν ὅλον τὸ σῶμα ἐν Χριστῷ Ἰη- 1
σοῦ, καὶ ὑποτασσέσθω ἕκαστος τῷ πλησίον αὐτοῦ, καθὼς καὶ ἐτέθη
ἐν τῷ χαρίσματι αὐτοῦ. 2. ὁ ἰσχυρὸς τημελείτω τὸν ἀσθενῆ, ὁ δὲ 2
ἀσθενὴς ἐντρεπέτω τὸν ἰσχυρόν· ὁ πλούσιος ἐπιχορηγείτω τῷ πτωχῷ,
ὁ δὲ πτωχὸς εὐχαριστείτω τῷ θεῷ ὅτι ἔδωκεν αὐτῷ δι᾽ οὗ ἀνα-
πληρωθῇ αὐτοῦ τὸ ὑστέρημα. ὁ σοφὸς ἐνδεικνύσθω τὴν σοφίαν
αὐτοῦ μὴ ἐν λόγοις ἀλλ᾽ ἐν ἔργοις ἀγαθοῖς· ὁ ταπεινόφρων μὴ
ἑαυτῷ μαρτυρείτω, ἀλλ᾽ ἐάτω ὑφ᾽ ἑτέρου ἑαυτὸν μαρτυρεῖσθαι· ὁ
ἁγνὸς ἐν τῇ σαρκὶ μὴ ἀλαζονευέσθω, γινώσκων ὅτι ἕτερός ἐστιν ὁ
ἐπιχορηγῶν αὐτῷ τὴν ἐγκράτειαν. 3. Ἀναλογισώμεθα οὖν, ἀδελφοί, 3
ἐκ ποίας ὕλης ἐγενήθημεν, ποῖοι καὶ τίνες εἰσήλθαμεν εἰς τὸν κόσ-
μον· ἐκ ποίου τάφου καὶ σκότους ὁ πλάσας ἡμᾶς καὶ δημιουργήσας
εἰσήγαγεν εἰς τὸν κόσμον αὐτοῦ, προετοιμάσας τὰς εὐεργεσίας αὐτοῦ
πρὶν ἡμᾶς γεννηθῆναι. 4. ταῦτα οὖν πάντα ἐξ αὐτοῦ ἔχοντες ὀφεί- 4
λομεν κατὰ πάντα εὐχαριστεῖν αὐτῷ· ᾧ ἡ δόξα εἰς τοὺς αἰῶνας τῶν
αἰώνων. ἀμήν.

XXXIX. Ἄφρονες καὶ ἀσύνετοι καὶ μωροὶ καὶ ἀπαίδευτοι χλευά- 1

XXXVII, 5) I Cor. 12, 12 sqq.

ζουσιν ἡμᾶς καὶ μυκτηρίζουσιν, ἑαυτοὺς βουλόμενοι ἐπαίρεσθαι ταῖς
2 διανοίαις αὐτῶν. 2. τί γὰρ δύναται θνητός; ἢ τίς ἰσχὺς γηγενοῦς;
3 3. γέγραπται γάρ· Οὐκ ἦν μορφὴ πρὸ ὀφθαλμῶν μου, ἀλλ᾿ ἢ
4 αὔραν καὶ φωνὴν ἤκουον· 4. Τί γάρ; μὴ καθαρὸς ἔσται βροτὸς
ἐναντίον κυρίου; ἢ ἀπὸ τῶν ἔργων αὐτοῦ ἄμεμπτος ἀνήρ; εἰ κατὰ
παίδων αὐτοῦ οὐ πιστεύει, κατὰ δὲ ἀγγέλων αὐτοῦ σκολιόν τι
5 ἐπενόησεν· 5. οὐρανὸς δὲ οὐ καθαρὸς ἐνώπιον αὐτοῦ· ἔα δέ,
οἱ κατοικοῦντες οἰκίας πηλίνας, ἐξ ὧν καὶ αὐτοὶ ἐκ τοῦ αὐτοῦ
πηλοῦ ἐσμέν. ἔπαισεν αὐτοὺς σητὸς τρόπον, καὶ ἀπὸ πρωΐθεν
ἕως ἑσπέρας οὐκ ἔτι εἰσίν· παρὰ τὸ μὴ δύνασθαι αὐτοὺς ἑαυ-
6 τοῖς βοηθῆσαι ἀπώλοντο· 6. ἐνεφύσησεν αὐτοῖς, καὶ ἐτελεύτη-
7 σαν παρὰ τὸ μὴ ἔχειν αὐτοὺς σοφίαν. 7. ἐπικάλεσαι δέ, εἴ τίς
σοι ὑπακούσεται, ἢ εἴ τινα ἁγίων ἀγγέλων ὄψῃ· καὶ γὰρ ἄφρο-
8 να ἀναιρεῖ ὀργή, πεπλανημένον δὲ θανατοῖ ζῆλος. 8. ἐγὼ δὲ
ἑώρακα ἄφρονας ῥίζας βάλλοντας, ἀλλ᾿ εὐθέως ἐβρώθη αὐτῶν ἡ
9 δίαιτα. 9. πόρρω γένοιντο οἱ υἱοὶ αὐτῶν ἀπὸ σωτηρίας· κολαβρι-
σθείησαν ἐπὶ θύραις ἡσσόνων, καὶ οὐκ ἔσται ὁ ἐξαιρούμενος·
ἃ γὰρ ἐκείνοις ἡτοίμασται, δίκαιοι ἔδονται· αὐτοὶ δὲ ἐκ κακῶν
οὐκ ἐξαίρετοι ἔσονται.

1   XL. Προδήλων οὖν ἡμῖν ὄντων τούτων, καὶ ἐγκεκυφότες εἰς τὰ
βάθη τῆς θείας γνώσεως, πάντα τάξει ποιεῖν ὀφείλομεν ὅσα ὁ δεσπό-
2 της ἐπιτελεῖν ἐκέλευσεν κατὰ καιροὺς τεταγμένους· 2. τάς τε προσ-
φορὰς καὶ λειτουργίας ἐπιτελεῖσθαι, καὶ οὐκ εἰκῇ ἢ ἀτάκτως ἐκέ-
3 λευσεν γίνεσθαι, ἀλλ᾿ ὡρισμένοις καιροῖς καὶ ὥραις· 3. ποῦ τε καὶ
διὰ τίνων ἐπιτελεῖσθαι θέλει, αὐτὸς ὥρισεν τῇ ὑπερτάτῳ αὐτοῦ βου-
λήσει, ἵν᾿ ὁσίως πάντα γινόμενα ἐν εὐδοκήσει εὐπρόσδεκτα εἴη τῷ
4 θελήματι αὐτοῦ. 4. Οἱ οὖν τοῖς προστεταγμένοις καιροῖς ποιοῦντες
τὰς προσφορὰς αὐτῶν εὐπρόσδεκτοί τε καὶ μακάριοι· τοῖς γὰρ νομί-
5 μοις τοῦ δεσπότου ἀκολουθοῦντες οὐ διαμαρτάνουσιν. 5. τῷ γὰρ
ἀρχιερεῖ ἴδιαι λειτουργίαι δεδομέναι εἰσίν, καὶ τοῖς ἱερεῦσιν ἴδιος ὁ
τόπος προστέτακται, καὶ Λευίταις ἴδιαι διακονίαι ἐπίκεινται· ὁ λαϊκὸς
ἄνθρωπος τοῖς λαϊκοῖς προστάγμασιν δέδεται.

XXXIX, 3) Iob. 4, 16—18. — 5) Iob. 15, 15. 4, 19—5, 5.

XLI. Ἕκαστος ἡμῶν, ἀδελφοί, ἐν τῷ ἰδίῳ τάγματι εὐχαριστείτω 1
θεῷ ἐν ἀγαθῇ συνειδήσει ὑπάρχων, μὴ παρεκβαίνων τὸν ὡρισμένον
τῆς λειτουργίας αὐτοῦ κανόνα, ἐν σεμνότητι. 2. Οὐ πανταχοῦ, ἀδελ- 2
φοί, προσφέρονται θυσίαι ἐνδελεχισμοῦ ἢ εὐχῶν ἢ περὶ ἁμαρτίας καὶ
πλημμελείας, ἀλλ᾽ ἢ ἐν Ἱερουσαλὴμ μόνῃ· κἀκεῖ δὲ οὐκ ἐν παντὶ
τόπῳ προσφέρεται, ἀλλ᾽ ἔμπροσθεν τοῦ ναοῦ πρὸς τὸ θυσιαστήριον,
μωμοσκοπηθὲν τὸ προσφερόμενον διὰ τοῦ ἀρχιερέως καὶ τῶν προειρη-
μένων λειτουργῶν. 3 οἱ οὖν παρὰ τὸ καθῆκον τῆς βουλήσεως αὐτοῦ 3
ποιοῦντές τι, θάνατον τὸ πρόστιμον ἔχουσιν. 4. Ὁρᾶτε, ἀδελφοί· 4
ὅσῳ πλείονος κατηξιώθημεν γνώσεως, τοσούτῳ μᾶλλον ὑποκείμεθα
κινδύνῳ.

XLII. Οἱ ἀπόστολοι ἡμῖν εὐηγγελίσθησαν ἀπὸ τοῦ κυρίου Ἰησοῦ 1
Χριστοῦ, Ἰησοῦς ὁ Χριστὸς ἀπὸ τοῦ θεοῦ ἐξεπέμφθη. 2. ὁ Χριστὸς 2
οὖν ἀπὸ τοῦ θεοῦ, καὶ οἱ ἀπόστολοι ἀπὸ τοῦ Χριστοῦ· ἐγένοντο οὖν
ἀμφότερα εὐτάκτως ἐκ θελήματος θεοῦ. 3. παραγγελίας οὖν λαβόν- 3
τες καὶ πληροφορηθέντες διὰ τῆς ἀναστάσεως τοῦ κυρίου Ἰησοῦ Χρι-
στοῦ καὶ πιστωθέντες ἐν τῷ λόγῳ τοῦ θεοῦ, μετὰ πληροφορίας πνεύ-
ματος ἁγίου ἐξῆλθον εὐαγγελιζόμενοι τὴν βασιλείαν τοῦ θεοῦ μέλλειν
ἔρχεσθαι. 4. κατὰ χώρας οὖν καὶ πόλεις κηρύσσοντες καθίστανον 4
τὰς ἀπαρχὰς αὐτῶν, δοκιμάσαντες τῷ πνεύματι, εἰς ἐπισκόπους καὶ
διακόνους τῶν μελλόντων πιστεύειν. 5. καὶ τοῦτο οὐ καινῶς· ἐκ γὰρ 5
δὴ πολλῶν χρόνων ἐγέγραπτο περὶ ἐπισκόπων καὶ διακόνων. οὕτως
γάρ που λέγει ἡ γραφή· Καταστήσω τοὺς ἐπισκόπους αὐτῶν ἐν
δικαιοσύνῃ καὶ τοὺς διακόνους αὐτῶν ἐν πίστει.

XLIII. Καὶ τί θαυμαστὸν εἰ οἱ ἐν Χριστῷ πιστευθέντες παρὰ 1
θεοῦ ἔργον τοιοῦτο κατέστησαν τοὺς προειρημένους; ὅπου καὶ ὁ μα-
κάριος πιστὸς θεράπων ἐν ὅλῳ τῷ οἴκῳ Μωϋσῆς τὰ διατεταγμένα
αὐτῷ πάντα ἐσημειώσατο ἐν ταῖς ἱεραῖς βίβλοις, ᾧ καὶ ἐπηκολού-
θησαν οἱ λοιποὶ προφῆται, συνεπιμαρτυροῦντες τοῖς ὑπ᾽ αὐτοῦ νενομο-
θετημένοις. 2. ἐκεῖνος γάρ, ζήλου ἐμπεσόντος περὶ τῆς ἱερωσύνης 2
καὶ στασιαζουσῶν τῶν φυλῶν ὁποία αὐτῶν εἴη τῷ ἐνδόξῳ ὀνόματι
κεκοσμημένη, ἐκέλευσεν τοὺς δώδεκα φυλάρχους προσενεγκεῖν αὐτῷ

XLII, 5) Ies. 60, 17. — XLIII, 1) Num. 12, 7. — 2) Num. 17.

ῥάβδους ἐπιγεγραμμένας ἑκάστης φυλῆς κατ᾽ ὄνομα· καὶ λαβὼν αὐτὰς
ἔδησεν καὶ ἐσφράγισεν τοῖς δακτυλίοις τῶν φυλάρχων, καὶ ἀπέθετο
αὐτὰς εἰς τὴν σκηνὴν τοῦ μαρτυρίου ἐπὶ τὴν τράπεζαν τοῦ θεοῦ·
3. καὶ κλείσας τὴν σκηνὴν ἐσφράγισεν τὰς κλεῖδας ὡσαύτως ὡς καὶ
τὰς ῥάβδους, 4. καὶ εἶπεν αὐτοῖς· Ἄνδρες ἀδελφοί, ἧς ἂν φυλῆς ἡ
ῥάβδος βλαστήσῃ, ταύτην ἐκλέλεκται ὁ θεὸς εἰς τὸ ἱερατεύειν καὶ
λειτουργεῖν αὐτῷ.   5. πρωΐας δὲ γενομένης συνεκάλεσεν πάντα τὸν
Ἰσραήλ, τὰς ἑξακοσίας χιλιάδας τῶν ἀνδρῶν, καὶ ἐπεδείξατο τοῖς
φυλάρχοις τὰς σφραγῖδας, καὶ ἤνοιξεν τὴν σκηνὴν τοῦ μαρτυρίου καὶ
προεῖλε τὰς ῥάβδους· καὶ εὑρέθη ἡ ῥάβδος Ἀαρὼν οὐ μόνον βεβλα-
στηκυῖα, ἀλλὰ καὶ καρπὸν ἔχουσα.   6. τί δοκεῖτε, ἀγαπητοί; οὐ
προῄδει Μωϋσῆς τοῦτο μέλλειν ἔσεσθαι; μάλιστα ᾔδει· ἀλλ᾽ ἵνα μὴ
ἀκαταστασία γένηται ἐν τῷ Ἰσραήλ, οὕτως ἐποίησεν, εἰς τὸ δοξασθῆ-
ναι τὸ ὄνομα τοῦ ἀληθινοῦ καὶ μόνου κυρίου· ᾧ ἡ δόξα εἰς τοὺς αἰῶνας
τῶν αἰώνων. ἀμήν.

XLIV. Καὶ οἱ ἀπόστολοι ἡμῶν ἔγνωσαν διὰ τοῦ κυρίου ἡμῶν
Ἰησοῦ Χριστοῦ ὅτι ἔρις ἔσται ἐπὶ τοῦ ὀνόματος τῆς ἐπισκοπῆς.
2. διὰ ταύτην οὖν τὴν αἰτίαν πρόγνωσιν εἰληφότες τελείαν κατέστη-
σαν τοὺς προειρημένους, καὶ μεταξὺ ἐπινομὴν ἔδωκαν ὅπως ἐὰν
κοιμηθῶσιν, διαδέξωνται ἕτεροι δεδοκιμασμένοι ἄνδρες τὴν λειτουργίαν
αὐτῶν. 3. τοὺς οὖν κατασταθέντας ὑπ᾽ ἐκείνων ἢ μεταξὺ ὑφ᾽ ἑτέρων
ἐλλογίμων ἀνδρῶν συνευδοκησάσης τῆς ἐκκλησίας πάσης, καὶ λειτουρ-
γήσαντας ἀμέμπτως τῷ ποιμνίῳ τοῦ Χριστοῦ μετὰ ταπεινοφροσύνης,
ἡσύχως καὶ ἀβαναύσως, μεμαρτυρημένους τε πολλοῖς χρόνοις ὑπὸ
πάντων, τούτους οὐ δικαίως νομίζομεν ἀποβάλλεσθαι τῆς λειτουργίας.
4. ἁμαρτία γὰρ οὐ μικρὰ ἡμῖν ἔσται, ἐὰν τοὺς ἀμέμπτως καὶ ὁσίως
προσενεγκόντας τὰ δῶρα τῆς ἐπισκοπῆς ἀποβάλωμεν. 5. μακάριοι οἱ
προοδοιπορήσαντες πρεσβύτεροι, οἵτινες ἔγκαρπον καὶ τελείαν ἔσχον
τὴν ἀνάλυσιν· οὐ γὰρ εὐλαβοῦνται μή τις αὐτοὺς μεταστήσῃ ἀπὸ
τοῦ ἱδρυμένου αὐτοῖς τόπου. 6. ὁρῶμεν γὰρ ὅτι ἐνίους ὑμεῖς μετη-
γάγετε καλῶς πολιτευσαμένους ἐκ τῆς ἀμέμπτως αὐτοῖς τετιμημένης
λειτουργίας.

XLV. Φιλόνεικοί ἐστε, ἀδελφοί, καὶ ζηλωταὶ περὶ τῶν ἀνηκόν-
των εἰς σωτηρίαν. 2. ἐγκεκύφατε εἰς τὰς γραφὰς τὰς ἀληθεῖς, τὰς

δια τοῦ πνεύματος τοῦ ἁγίου. 3. ἐπίστασθε ὅτι οὐδὲν ἄδικον οὐδὲ 3
παραπεποιημένον γέγραπται ἐν αὐταῖς. οὐχ εὑρήσετε δικαίους ἀπο-
βεβλημένους ἀπὸ ὁσίων ἀνδρῶν. 4. ἐδιώχθησαν δίκαιοι, ἀλλ᾽ ὑπὸ 4
ἀνόμων· ἐφυλακίσθησαν, ἀλλ᾽ ὑπὸ ἀνοσίων· ἐλιθάσθησαν ὑπὸ παρα-
νόμων· ἀπεκτάνθησαν ἀπὸ τῶν μιαρὸν καὶ ἄδικον ζῆλον ἀνειληφότων.
5. ταῦτα πάσχοντες εὐκλεῶς ἤνεγκαν. 6. Τί γὰρ εἴποιμεν, ἀδελφοί; 5 6
Δανιὴλ ὑπὸ τῶν φοβουμένων τὸν θεὸν ἐβλήθη εἰς λάκκον λεόντων;
7. ἢ Ἀνανίας καὶ Ἀζαρίας καὶ Μισαὴλ ὑπὸ τῶν θρησκευόντων τὴν 7
μεγαλοπρεπῆ καὶ ἔνδοξον θρησκείαν τοῦ ὑψίστου κατείρχθησαν εἰς
κάμινον πυρός; μηθαμῶς τοῦτο γένοιτο. τίνες οὖν οἱ ταῦτα δράσαν-
τες; οἱ στυγητοὶ καὶ πάσης κακίας πλήρεις εἰς τοσοῦτο ἐξήρισαν θυμοῦ,
ὥστε τοὺς ἐν ὁσίᾳ καὶ ἀμώμῳ προθέσει δουλεύοντας τῷ θεῷ εἰς αἰκίαν
περιβαλεῖν, μὴ εἰδότες ὅτι ὁ ὕψιστος ὑπέρμαχος καὶ ὑπερασπιστής
ἐστιν τῶν ἐν καθαρᾷ συνειδήσει λατρευόντων τῷ παναρέτῳ ὀνόματι
αὐτοῦ· ᾧ ἡ δόξα εἰς τοὺς αἰῶνας τῶν αἰώνων. ἀμήν. 8. οἱ δὲ ὑπο- 8
μένοντες ἐν πεποιθήσει δόξαν καὶ τιμὴν ἐκληρονόμησαν, ἐπήρθησάν
τε καὶ ἔγγραφοι ἐγένοντο ἀπὸ τοῦ θεοῦ ἐν τῷ μνημοσύνῳ αὐτοῦ εἰς
τοὺς αἰῶνας τῶν αἰώνων. ἀμήν.

XLVI. Τοιούτοις οὖν ὑποδείγμασιν κολληθῆναι καὶ ἡμᾶς δεῖ, 1
ἀδελφοί. 2. γέγραπται γάρ· Κολλᾶσθε τοῖς ἁγίοις, ὅτι οἱ κολλώ-
μενοι αὐτοῖς ἁγιασθήσονται. 3. καὶ πάλιν ἐν ἑτέρῳ τόπῳ λέγει·
Μετὰ ἀνδρὸς ἀθφου ἀθφος ἔσῃ, καὶ μετ᾽ ἐκλεκτοῦ ἐκλεκτὸς
ἔσῃ, καὶ μετὰ στρεβλοῦ διαστρέψεις. 4. κολληθῶμεν οὖν τοῖς
ἀθφοις καὶ δικαίοις· εἰσὶν δὲ οὗτοι ἐκλεκτοὶ τοῦ θεοῦ. 5. Ἱνατί ἔρεις 5
καὶ θυμοὶ καὶ διχοστασίαι καὶ σχίσματα πόλεμός τε ἐν ὑμῖν; 6. ἢ 6
οὐχὶ ἕνα θεὸν ἔχομεν καὶ ἕνα Χριστὸν καὶ ἓν πνεῦμα τῆς χάριτος
τὸ ἐκχυθὲν ἐφ᾽ ἡμᾶς; καὶ μία κλῆσις ἐν Χριστῷ; 7. ἱνατί διέλκομεν 7
καὶ διασπῶμεν τὰ μέλη τοῦ Χριστοῦ καὶ στασιάζομεν πρὸς τὸ σῶμα
τὸ ἴδιον, καὶ εἰς τοσαύτην ἀπόνοιαν ἐρχόμεθα ὥστε ἐπιλαθέσθαι
ἡμᾶς ὅτι μέλη ἐσμὲν ἀλλήλων; μνήσθητε τῶν λόγων Ἰησοῦ τοῦ κυ-
ρίου ἡμῶν· 8. εἶπεν γάρ· Οὐαὶ τῷ ἀνθρώπῳ ἐκείνῳ· καλὸν ἦν

XLV, 6) Dan. 6, 16 sq. — 7) Dan. 3, 19 sqq. — XLVI, 2) unde? —
3) Ps. 18, 26 sq. — 8) Mt. 26, 24. 18, 6. Mc. 9, 42. Luc. 17, 2.

αὐτῷ εἰ μὴ ἐγεννήθη, ἢ ἕνα τῶν ἐκλεκτῶν μου σκανδαλίσαι·
κρεῖττον ἦν αὐτῷ περιτεθῆναι μύλον καὶ καταποντισθῆναι εἰς
9 τὴν θάλασσαν, ἢ ἕνα τῶν μικρῶν μου σκανδαλίσαι. 9. τὸ σχίσμα
ὑμῶν πολλοὺς διέστρεψεν, πολλοὺς εἰς ἀθυμίαν ἔβαλεν, πολλοὺς εἰς
δισταγμόν, τοὺς πάντας ἡμᾶς εἰς λύπην· καὶ ἐπίμονος ὑμῶν ἐστὶν
ἡ στάσις.

1   XLVII. Ἀναλάβετε τὴν ἐπιστολὴν τοῦ μακαρίου Παύλου τοῦ
2 ἀποστόλου. 2. τί πρῶτον ὑμῖν ἐν ἀρχῇ τοῦ εὐαγγελίου ἔγραψεν;
3 3. ἐπ' ἀληθείας πνευματικῶς ἐπέστειλεν ὑμῖν περὶ ἑαυτοῦ τε καὶ Κηφᾶ
4 τε καὶ Ἀπολλώ, διὰ τὸ καὶ τότε προσκλίσεις ὑμᾶς πεποιῆσθαι. 4. ἀλλ'
ἡ πρόσκλισις ἐκείνη ἥττονα ἁμαρτίαν ὑμῖν ἐπήνεγκεν· προσεκλίθητε
γὰρ ἀποστόλοις μεμαρτυρημένοις καὶ ἀνδρὶ δεδοκιμασμένῳ παρ' αὐτοῖς.
5 5. νυνὶ δὲ κατανοήσατε τίνες ὑμᾶς διέστρεψαν καὶ τὸ σεμνὸν τῆς
6 περιβοήτου φιλαδελφίας ὑμῶν ἐμείωσαν. 6. αἰσχρά, ἀγαπητοί, καὶ
λίαν αἰσχρά, καὶ ἀνάξια τῆς ἐν Χριστῷ ἀγωγῆς, ἀκούεσθαι τὴν
βεβαιοτάτην καὶ ἀρχαίαν Κορινθίων ἐκκλησίαν δι' ἓν ἢ δύο πρόσωπα
7 στασιάζειν πρὸς τοὺς πρεσβυτέρους. 7. καὶ αὕτη ἡ ἀκοὴ οὐ μόνον
εἰς ἡμᾶς ἐχώρησεν ἀλλὰ καὶ εἰς τοὺς ἑτεροκλινεῖς ὑπάρχοντας ἀφ'
ἡμῶν, ὥστε καὶ βλασφημίας ἐπιφέρεσθαι τῷ ὀνόματι κυρίου διὰ τὴν
ὑμετέραν ἀφροσύνην, ἑαυτοῖς δὲ κίνδυνον ἐπεξεργάζεσθαι.

1   XLVIII. Ἐξάρωμεν οὖν τοῦτο ἐν τάχει καὶ προσπέσωμεν τῷ
δεσπότῃ καὶ κλαύσωμεν ἱκετεύοντες αὐτόν, ὅπως ἵλεως γενόμενος
ἐπικαταλλαγῇ ἡμῖν καὶ ἐπὶ τὴν σεμνὴν τῆς φιλαδελφίας ἡμῶν ἁγνὴν
2 ἀγωγὴν ἀποκαταστήσῃ ἡμᾶς. 2. πύλη γὰρ δικαιοσύνης ἀνεῳγυῖα
εἰς ζωὴν αὕτη, καθὼς γέγραπται· Ἀνοίξατέ μοι πύλας δικαιοσύ-
3 νης· εἰσελθὼν ἐν αὐταῖς ἐξομολογήσωμαι τῷ κυρίῳ. 3. αὕτη
4 ἡ πύλη τοῦ κυρίου, δίκαιοι εἰσελεύσονται ἐν αὐτῇ. 4. Πολλῶν
οὖν πυλῶν ἀνεῳγυιῶν, ἡ ἐν δικαιοσύνῃ αὕτη ἐστὶν ἡ ἐν Χριστῷ, ἐν
ᾗ μακάριοι πάντες οἱ εἰσελθόντες καὶ κατευθύνοντες τὴν πορείαν αὐ-
5 τῶν ἐν ὁσιότητι καὶ δικαιοσύνῃ, ἀταράχως πάντα ἐπιτελοῦντες. 5. ἤτω
τις πιστός, ἤτω δυνατὸς γνῶσιν ἐξειπεῖν, ἤτω σοφὸς ἐν διακρίσει λό-
6 γων, ἤτω ἁγνὸς ἐν ἔργοις. 6. τοσούτῳ γὰρ μᾶλλον ταπεινοφρονεῖν

XLVII, 3) I Cor. 1, 10 sqq. — XLVIII, 2) Ps. 118, 19 sq.

ὀφείλει, ὅσῳ δοκεῖ μᾶλλον μείζων εἶναι, καὶ ζητεῖν τὸ κοινωφελὲς
πᾶσιν, καὶ μὴ τὸ ἑαυτοῦ.

XLIX. Ὁ ἔχων ἀγάπην ἐν Χριστῷ ποιησάτω τὰ τοῦ Χριστοῦ 1
παραγγέλματα. 2. τὸν δεσμὸν τῆς ἀγάπης τοῦ θεοῦ τίς δύναται 2
ἐξηγήσασθαι; 3. τὸ μεγαλεῖον τῆς καλλονῆς αὐτοῦ τίς ἀρκετὸς ἐξει- 3
πεῖν; 4. τὸ ὕψος εἰς ὃ ἀνάγει ἡ ἀγάπη ἀνεκδιήγητόν ἐστιν. 5. ἀγάπη 4 5
κολλᾷ ἡμᾶς τῷ θεῷ, ἀγάπη καλύπτει πλῆθος ἁμαρτιῶν, ἀγάπη
πάντα ἀνέχεται, πάντα μακροθυμεῖ· οὐδὲν βάναυσον ἐν ἀγάπῃ, οὐδὲν
ὑπερήφανον· ἀγάπη σχίσμα οὐκ ἔχει, ἀγάπη οὐ στασιάζει, ἀγάπη
πάντα ποιεῖ ἐν ὁμονοίᾳ· ἐν τῇ ἀγάπῃ ἐτελειώθησαν πάντες οἱ ἐκλεκ-
τοὶ τοῦ θεοῦ· δίχα ἀγάπης οὐδὲν εὐάρεστόν ἐστιν τῷ θεῷ. 6. ἐν 6
ἀγάπῃ προσελάβετο ἡμᾶς ὁ δεσπότης· διὰ τὴν ἀγάπην ἣν ἔσχεν πρὸς
ἡμᾶς, τὸ αἷμα αὐτοῦ ἔδωκεν ὑπὲρ ἡμῶν Ἰησοῦς Χριστὸς ὁ κύριος
ἡμῶν ἐν θελήματι θεοῦ, καὶ τὴν σάρκα ὑπὲρ τῆς σαρκὸς ἡμῶν καὶ τὴν
ψυχὴν ὑπὲρ τῶν ψυχῶν ἡμῶν.

L. Ὁρᾶτε, ἀγαπητοί, πῶς μέγα καὶ θαυμαστόν ἐστιν ἡ ἀγάπη, 1
καὶ τῆς τελειότητος αὐτῆς οὐκ ἔστιν ἐξήγησις. 2. τίς ἱκανὸς ἐν αὐτῇ 2
εὑρεθῆναι, εἰ μὴ οὓς ἂν καταξιώσῃ ὁ θεός; δεώμεθα οὖν καὶ αἰτώ-
μεθα ἀπὸ τοῦ ἐλέους αὐτοῦ ἵνα ἐν ἀγάπῃ εὑρεθῶμεν δίχα προσ-
κλίσεως ἀνθρωπίνης, ἄμωμοι. 3. Αἱ γενεαὶ πᾶσαι ἀπὸ Ἀδὰμ ἕως 3
τῆσδε τῆς ἡμέρας παρῆλθον· ἀλλ᾽ οἱ ἐν ἀγάπῃ τελειωθέντες κατὰ τὴν
τοῦ θεοῦ χάριν ἔχουσιν χῶρον εὐσεβῶν· οἳ φανερωθήσονται ἐν τῇ
ἐπισκοπῇ τῆς βασιλείας τοῦ Χριστοῦ. 4. γέγραπται γάρ· Εἰσέλθετε 4
εἰς τὰ ταμεῖα μικρὸν ὅσον ὅσον, ἕως οὗ παρέλθῃ ἡ ὀργὴ καὶ
ὁ θυμός μου· καὶ μνησθήσομαι ἡμέρας ἀγαθῆς, καὶ ἀναστήσω
ὑμᾶς ἐκ τῶν θηκῶν ὑμῶν. 5. Μακάριοί ἐσμεν, ἀγαπητοί, εἰ τὰ 5
προστάγματα τοῦ θεοῦ ἐποιοῦμεν ἐν ὁμονοίᾳ ἀγάπης, εἰς τὸ ἀφεθῆναι
ἡμῖν δι᾽ ἀγάπης τὰς ἁμαρτίας. 6. γέγραπται γάρ· Μακάριοι ὧν 6
ἀφέθησαν αἱ ἀνομίαι καὶ ὧν ἐπεκαλύφθησαν αἱ ἁμαρτίαι·
μακάριος ἀνὴρ ᾧ οὐ μὴ λογίσηται κύριος ἁμαρτίαν, οὐδέ ἐστιν
ἐν τῷ στόματι αὐτοῦ δόλος. 7. Οὗτος ὁ μακαρισμὸς ἐγένετο ἐπὶ 7

XLIX, 5) I Petr. 4, 8. I Cor. 13, 4. 7. — L, 4) Ies. 26, 20. Ez. 37, 12?
6) Ps. 32, 1 sq.

τοὺς ἐκλελεγμένους ὑπὸ τοῦ θεοῦ διὰ Ἰησοῦ Χριστοῦ τοῦ κυρίου ἡμῶν·
ᾧ ἡ δόξα εἰς τοὺς αἰῶνας τῶν αἰώνων. ἀμήν.

1   LI. Ὅσα οὖν παρεπέσαμεν καὶ ἐποιήσαμεν διά τινος τῶν τοῦ
ἀντικειμένου, ἀξιώσωμεν ἀφεθῆναι ἡμῖν· καὶ ἐκεῖνοι δὲ οἵτινες ἀρχη-
γοὶ στάσεως καὶ διχοστασίας ἐγενήθησαν, ὀφείλουσιν τὸ κοινὸν τῆς
2 ἐλπίδος σκοπεῖν. 2. οἱ γὰρ μετὰ φόβου καὶ ἀγάπης πολιτευόμενοι
ἑαυτοὺς θέλουσιν μᾶλλον αἰκίαις περιπίπτειν ἢ τοὺς πλησίον· μᾶλλον
δὲ ἑαυτῶν κατάγνωσιν φέρουσιν ἢ τῆς παραδεδομένης ἡμῖν καλῶς
3 καὶ δικαίως ὁμοφωνίας. 3. καλὸν γὰρ ἀνθρώπῳ ἐξομολογεῖσθαι
περὶ τῶν παραπτωμάτων ἢ σκληρῦναι τὴν καρδίαν αὐτοῦ, καθὼς
ἐσκληρύνθη ἡ καρδία τῶν στασιασάντων πρὸς τὸν θεράποντα τοῦ
4 θεοῦ Μωϋσῆν· ὧν τὸ κρίμα πρόδηλον ἐγενήθη. 4. κατέβησαν γὰρ
5 εἰς ᾅδου ζῶντες, καὶ θάνατος ποιμανεῖ αὐτούς. 5. Φαραὼ καὶ ἡ
στρατιὰ αὐτοῦ καὶ πάντες οἱ ἡγούμενοι Αἰγύπτου, τά τε ἅρματα καὶ
οἱ ἀναβάται αὐτῶν, οὐ δι᾽ ἄλλην τινὰ αἰτίαν ἐβυθίσθησαν εἰς θάλασ-
σαν ἐρυθρὰν καὶ ἀπώλοντο, ἀλλὰ διὰ τὸ σκληρυνθῆναι αὐτῶν τὰς
ἀσυνέτους καρδίας μετὰ τὸ γενέσθαι τὰ σημεῖα καὶ τὰ τέρατα ἐν γῇ
Αἰγύπτου διὰ τοῦ θεράποντος τοῦ θεοῦ Μωϋσέως.

1   LII. Ἀπροσδεής, ἀδελφοί, ὁ δεσπότης ὑπάρχει τῶν ἁπάντων,
2 οὐδὲν οὐδενὸς χρῄζει εἰ μὴ τὸ ἐξομολογεῖσθαι αὐτῷ. 2. φησὶν γὰρ
ὁ ἐκλεκτὸς Δαυίδ· Ἐξομολογήσομαι τῷ κυρίῳ, καὶ ἀρέσει αὐτῷ
ὑπὲρ μόσχον νέον κέρατα ἐκφέροντα καὶ ὁπλάς· ἰδέτωσαν
3 πτωχοὶ καὶ εὐφρανθήτωσαν. 3. καὶ πάλιν λέγει· Θῦσον τῷ
θεῷ θυσίαν αἰνέσεως καὶ ἀπόδος τῷ ὑψίστῳ τὰς εὐχάς σου·
καὶ ἐπικάλεσαί με ἐν ἡμέρᾳ θλίψεώς σου, καὶ ἐξελοῦμαί σε,
4 καὶ δοξάσεις με. 4. θυσία γὰρ τῷ θεῷ πνεῦμα συντετριμ-
μένον.

1   LIII. Ἐπίστασθε γὰρ καὶ καλῶς ἐπίστασθε τὰς ἱερὰς γραφάς,
ἀγαπητοί, καὶ ἐγκεκύφατε εἰς τὰ λόγια τοῦ θεοῦ. πρὸς ἀνάμνησιν
2 οὖν ταῦτα γράφομεν. 2. Μωϋσέως γὰρ ἀναβάντος εἰς τὸ ὄρος καὶ
ποιήσαντος τεσσαράκοντα ἡμέρας καὶ τεσσαράκοντα νύκτας ἐν νηστείᾳ

LI, 4) Num. 16, 31 sqq. — 5) Ex. 14, 23 sqq. Num. 12, 7. — LII, 2) Ps.
69, 31 sqq. — 3) Ps. 50, 14 sq. — 4) Ps. 51, 19. — LIII, 2) Ex. 34, 28.
Deut. 9, 9.

καὶ ταπεινώσει, εἶπεν πρὸς αὐτὸν ὁ θεός· *Μωϋσῆ Μωϋσῆ, κατά-
βηθι τὸ τάχος ἐντεῦθεν, ὅτι ἠνόμησεν ὁ λαός σου, οὓς ἐξήγαγες
ἐκ γῆς Αἰγύπτου· παρέβησαν ταχὺ ἐκ τῆς ὁδοῦ ἧς ἐνετείλω αὐ-
τοῖς, ἐποίησαν ἑαυτοῖς χωνεύματα.* 3. καὶ εἶπεν κύριος πρὸς αὐ- 3
τόν· *Λελάληκα πρός σε ἅπαξ καὶ δὶς λέγων· Ἑώρακα τὸν λαὸν
τοῦτον, καὶ ἰδού ἐστι σκληροτράχηλος· ἔασόν με ἐξολεθρεῦσαι
αὐτούς, καὶ ἐξαλείψω τὸ ὄνομα αὐτῶν ὑποκάτωθεν τοῦ οὐρα-
νοῦ καὶ ποιήσω σὲ εἰς ἔθνος μέγα καὶ θαυμαστὸν καὶ πολὺ
μᾶλλον ἢ τοῦτο.* 4. καὶ εἶπε Μωϋσῆς· *Μηθαμῶς, κύριε· ἄφες τὴν* 4
ἁμαρτίαν τῷ λαῷ τούτῳ, ἢ κἀμὲ ἐξάλειψον ἐκ βίβλου ζώντων.
5. Ὦ μεγάλης ἀγάπης, ὦ τελειότητος ἀνυπερβλήτου. παρρησιάζεται 5
θεράπων πρὸς κύριον, αἰτεῖται ἄφεσιν τῷ πλήθει, ἢ καὶ ἑαυτὸν ἐξα-
λειφθῆναι μετʼ αὐτῶν ἀξιοῖ.

LIV. Τίς οὖν ἐν ὑμῖν γενναῖος; τίς εὔσπλαγχνος; τίς πεπληρο- 1
φορημένος ἀγάπης; 2. εἰπάτω· Εἰ διʼ ἐμὲ στάσις καὶ ἔρις καὶ σχίσ- 2
ματα, ἐκχωρῶ, ἄπειμι οὗ ἐὰν βούλησθε, καὶ ποιῶ τὰ προστασσόμενα
ὑπὸ τοῦ πλήθους· μόνον τὸ ποίμνιον τοῦ Χριστοῦ εἰρηνευέτω μετα
τῶν καθεσταμένων πρεσβυτέρων. 3. τοῦτο ὁ ποιήσας ἑαυτῷ μέγα 3
κλέος ἐν Χριστῷ περιποιήσεται, καὶ πᾶς τόπος δέξεται αὐτόν. *τοῦ γὰρ*
κυρίου ἡ γῆ καὶ τὸ πλήρωμα αὐτῆς. 4. ταῦτα οἱ πολιτευόμενοι 4
τὴν ἀμεταμέλητον πολιτείαν τοῦ θεοῦ ἐποίησαν καὶ ποιήσουσιν.

LV. Ἵνα δὲ καὶ ὑποδείγματα ἐθνῶν ἐνέγκωμεν· πολλοὶ βασιλεῖς 1
καὶ ἡγούμενοι, λοιμικοῦ τινὸς ἐνστάντος καιροῦ, χρησμοδοτηθέντες
παρέδωκαν ἑαυτοὺς εἰς θάνατον, ἵνα ῥύσωνται διὰ τοῦ ἑαυτῶν αἵματος
τοὺς πολίτας. πολλοὶ ἐξεχώρησαν ἰδίων πόλεων, ἵνα μὴ στασιάζωσιν
ἐπὶ πλεῖον. 2. ἐπιστάμεθα πολλοὺς ἐν ἡμῖν παραδεδωκότας ἑαυτοὺς 2
εἰς δεσμά, ὅπως ἑτέρους λυτρώσονται· πολλοὶ ἑαυτοὺς ἐξέδωκαν εἰς
δουλείαν, καὶ λαβόντες τὰς τιμὰς αὐτῶν ἑτέρους ἐψώμισαν. 3. πολ- 3
λαὶ γυναῖκες ἐνδυναμωθεῖσαι διὰ τῆς χάριτος τοῦ θεοῦ ἐπετελέσαντο
πολλὰ ἀνδρεῖα. 4. Ἰουδὶθ ἡ μακαρία, ἐν συγκλεισμῷ οὔσης τῆς 4
πόλεως, ᾐτήσατο παρὰ τῶν πρεσβυτέρων ἐαθῆναι αὐτὴν ἐξελθεῖν εἰς

---

2) Ex. 32, 7 sq. Deut. 9, 12 sqq. — 4) Ex. 32, 32. — LIV, 3) Ps. 24, 1.
LV, 4) Iudith 8 sqq.

5 τὴν παρεμβολὴν τῶν ἀλλοφύλων. 5. παραδοῦσα οὖν ἑαυτὴν τῷ κιν-
δύνῳ ἐξῆλθεν δι᾽ ἀγάπην τῆς πατρίδος καὶ τοῦ λαοῦ τοῦ ὄντος ἐν
συγκλεισμῷ, καὶ παρέδωκεν κύριος Ὀλοφέρνην ἐν χειρὶ θηλείας.
6 6. οὐχ ἥττονι καὶ ἡ τελεία κατὰ πίστιν Ἐσθὴρ κινδύνῳ ἑαυτὴν
παρέβαλεν, ἵνα τὸ δωδεκάφυλον τοῦ Ἰσραὴλ μέλλον ἀπολέσθαι ῥύση-
ται. διὰ γὰρ τῆς νηστείας καὶ τῆς ταπεινώσεως αὐτῆς ἠξίωσεν τὸν
παντεπόπτην δεσπότην, θεὸν τῶν αἰώνων· ὃς ἰδὼν τὸ ταπεινὸν τῆς
ψυχῆς αὐτῆς ἐρύσατο τὸν λαὸν ὧν χάριν ἐκινδύνευσεν.

1   LVI. Καὶ ἡμεῖς οὖν ἐντύχωμεν περὶ τῶν ἔν τινι παραπτώματι
ὑπαρχόντων, ὅπως δοθῇ αὐτοῖς ἐπιείκεια καὶ ταπεινοφροσύνη, εἰς τὸ
εἶξαι αὐτοὺς μὴ ἡμῖν ἀλλὰ τῷ θελήματι τοῦ θεοῦ. οὕτως γὰρ ἔσται
αὐτοῖς ἔγκαρπος καὶ τελεία ἡ πρὸς τὸν θεὸν καὶ τοὺς ἁγίους μετ᾽
2 οἰκτιρμῶν μνεία.   2. ἀναλάβωμεν παιδείαν, ἐφ᾽ ᾗ οὐδεὶς ὀφείλει
ἀγανακτεῖν, ἀγαπητοί. ἡ νουθέτησις ἣν ποιούμεθα εἰς ἀλλήλους καλή
ἐστιν καὶ ὑπεράγαν ὠφέλιμος· κολλᾷ γὰρ ἡμᾶς τῷ θελήματι τοῦ
3 θεοῦ.   3. οὕτως γὰρ φησιν ὁ ἅγιος λόγος· Παιδεύων ἐπαίδευσέν
4 με ὁ κύριος, καὶ τῷ θανάτῳ οὐ παρέδωκέν με.   4. ὃν γὰρ
ἀγαπᾷ κύριος παιδεύει, μαστιγοῖ δὲ πάντα υἱὸν ὃν παραδέχεται.
5 5. Παιδεύσει με γάρ, φησίν, δίκαιος ἐν ἐλέει καὶ ἐλέγξει με,
6 ἔλαιον δὲ ἁμαρτωλῶν μὴ λιπανάτω τὴν κεφαλήν μου.   6. καὶ
πάλιν λέγει· Μακάριος ἄνθρωπος ὃν ἤλεγξεν ὁ κύριος· νου-
θέτημα δὲ παντοκράτορος μὴ ἀπαναίνου· αὐτὸς γὰρ ἀλγεῖν
7 ποιεῖ, καὶ πάλιν ἀποκαθίστησιν·   7. ἔπαισεν, καὶ αἱ χεῖρες αὐ-
8 τοῦ ἰάσαντο.   8. ἑξάκις ἐξ ἀναγκῶν ἐξελεῖταί σε, ἐν δὲ τῷ
9 ἑβδόμῳ οὐ μὴ ἅψηταί σου κακόν.   9. ἐν λιμῷ ῥύσεταί σε ἐκ
10 θανάτου, ἐν πολέμῳ δὲ ἐκ χειρὸς σιδήρου λύσει σε·   10. καὶ
ἀπὸ μάστιγος γλώσσης σε κρύψει, καὶ οὐ μὴ φοβηθήσῃ κακῶν
11 ἐπερχομένων.   11. ἀδίκων καὶ ἀνόμων καταγελάσῃ, ἀπὸ δὲ θη-
12 ρίων ἀγρίων οὐ μὴ φοβηθῇς.   12. θῆρες γὰρ ἄγριοι εἰρηνεύσου-
13 σίν σοι·   13. εἶτα γνώσῃ ὅτι εἰρηνεύσει σου ὁ οἶκος· ἡ δὲ δίαιτα
14 τῆς σκηνῆς σου οὐ μὴ ἁμάρτῃ,   14. γνώσῃ δὲ ὅτι πολὺ τὸ

---

6) Esth. 7 sq. 4, 16. — LVI, 3) Ps. 118, 18. — 4) Prov. 3, 12. —
5) Ps. 141, 5. — 6) Iob. 5, 17—26.

σπέρμα σου, τὰ δὲ τέκνα σου ὥσπερ τὸ παμβότανον τοῦ ἀγροῦ.
15. ἐλεύσῃ δὲ ἐν τάφῳ ὥσπερ σῖτος ὥριμος, κατὰ καιρὸν θερι- 15
ζόμενος, ἢ ὥσπερ θημωνιὰ ἅλωνος καθ᾽ ὥραν συγκομισθεῖσα.
16. Βλέπετε, ἀγαπητοί, πόσος ὑπερασπισμός ἐστιν τοῖς παιδευομένοις 16
ὑπὸ τοῦ δεσπότου· πατὴρ γὰρ ἀγαθὸς ὢν παιδεύει εἰς τὸ ἐλεηθῆναι
ἡμᾶς διὰ τῆς ὁσίας παιδείας αὐτοῦ.

LVII. Ὑμεῖς οὖν οἱ τὴν καταβολὴν τῆς στάσεως ποιήσαντες 1
ὑποτάγητε τοῖς πρεσβυτέροις καὶ παιδεύθητε εἰς μετάνοιαν, κάμψαν-
τες τὰ γόνατα τῆς καρδίας ὑμῶν. 2. μάθετε ὑποτάσσεσθαι ἀποθέ- 2
μενοι τὴν ἀλαζόνα καὶ ὑπερήφανον τῆς γλώσσης ὑμῶν αὐθάδειαν·
ἄμεινον γάρ ἐστιν ὑμῖν ἐν τῷ ποιμνίῳ τοῦ Χριστοῦ μικροὺς καὶ ἐλ-
λογίμους ὑμᾶς εὑρεθῆναι, ἢ καθ᾽ ὑπεροχὴν δοκοῦντας ἐκριφῆναι ἐκ
τῆς ἐλπίδος αὐτοῦ. 3. οὕτως γὰρ λέγει ἡ πανάρετος σοφία· Ἰδοὺ 3
προήσομαι ὑμῖν ἐμῆς πνοῆς ῥῆσιν, διδάξω δὲ ὑμᾶς τὸν ἐμὸν
λόγον. 4. ἐπειδὴ ἐκάλουν καὶ οὐχ ὑπηκούσατε, καὶ ἐξέτεινον 4
λόγους καὶ οὐ προσείχετε, ἀλλὰ ἀκύρους ἐποιεῖτε τὰς ἐμὰς βου-
λάς, τοῖς δὲ ἐμοῖς ἐλέγχοις ἠπειθήσατε· τοιγαροῦν κἀγὼ τῇ ὑμε-
τέρᾳ ἀπωλείᾳ ἐπιγελάσομαι, καταχαροῦμαι δὲ ἡνίκα ἂν ἔρχηται
ὑμῖν ὄλεθρος καὶ ὡς ἂν ἀφίκηται ὑμῖν ἄφνω θόρυβος, ἡ δὲ
καταστροφὴ ὁμοία καταιγίδι παρῇ, ἢ ὅταν ἔρχηται ὑμῖν θλίψις
καὶ πολιορκία. 5. ἔσται γὰρ ὅταν ἐπικαλέσησθέ με, ἐγὼ δὲ 5
οὐκ εἰσακούσομαι ὑμῶν· ζητήσουσίν με κακοί, καὶ οὐχ εὑρήσου-
σιν. ἐμίσησαν γὰρ σοφίαν, τὸν δὲ φόβον τοῦ κυρίου οὐ προεί-
λαντο, οὐδὲ ἤθελον ἐμαῖς προσέχειν βουλαῖς, ἐμυκτήριζον δὲ
ἐμοὺς ἐλέγχους. 6. τοιγαροῦν ἔδονται τῆς ἑαυτῶν ὁδοῦ τοὺς 6
καρπούς, καὶ τῆς ἑαυτῶν ἀσεβείας πλησθήσονται. 7. ἀνθ᾽ ὧν 7
γὰρ ἠδίκουν νηπίους φονευθήσονται, καὶ ἐξετασμὸς ἀσεβεῖς ὀλεῖ·
ὁ δὲ ἐμοῦ ἀκούων κατασκηνώσει ἐπ᾽ ἐλπίδι καὶ ἡσυχάσει ἀφόβως
ἀπὸ παντὸς κακοῦ.

LVIII. Ὑπακούσωμεν οὖν τῷ παναγίῳ καὶ ἐνδόξῳ ὀνόματι αὐ- 1
τοῦ φυγόντες τὰς προειρημένας διὰ τῆς σοφίας τοῖς ἀπειθοῦσιν ἀπει-
λάς, ἵνα κατασκηνώσωμεν πεποιθότες ἐπὶ τὸ ὁσιώτατον τῆς μεγαλω-

---

LVII, 3) Prov. 1, 23—33.

2 σύνης αὐτοῦ ὄνομα. 2. δέξασθε τὴν συμβουλὴν ἡμῶν, καὶ ἔσται ἀμε-
ταμέλητα ὑμῖν. ζῇ γὰρ ὁ θεὸς καὶ ζῇ ὁ κύριος Ἰησοῦς Χριστὸς καὶ
τὸ πνεῦμα τὸ ἅγιον ἥ τε πίστις καὶ ἡ ἐλπὶς τῶν ἐκλεκτῶν, ὅτι ὁ
ποιήσας ἐν ταπεινοφροσύνῃ μετ' ἐκτενοῦς ἐπιεικείας ἀμεταμελήτως
τὰ ὑπὸ τοῦ θεοῦ δεδομένα δικαιώματα καὶ προστάγματα, οὗτος ἐντε-
ταγμένος καὶ ἐλλόγιμος ἔσται εἰς τὸν ἀριθμὸν τῶν σωζομένων διὰ Ἰησοῦ
Χριστοῦ, δι' οὗ ἐστιν αὐτῷ ἡ δόξα εἰς τοὺς αἰῶνας τῶν αἰώνων. ἀμήν.

1   LIX. Ἐὰν δέ τινες ἀπειθήσωσι τοῖς ὑπ' αὐτοῦ δι' ἡμῶν εἰρη-
μένοις, γινωσκέτωσαν ὅτι παραπτώσει καὶ κινδύνῳ οὐ μικρῷ ἑαυτοὺς
2 ἐνδήσουσιν· 2. ἡμεῖς δὲ ἀθῷοι ἐσόμεθα ἀπὸ ταύτης τῆς ἁμαρτίας
καὶ αἰτησόμεθα, ἐκτενῆ τὴν δέησιν καὶ ἱκεσίαν ποιούμενοι, ὅπως τὸν
ἀριθμὸν τὸν κατηριθμημένον τῶν ἐκλεκτῶν αὐτοῦ ἐν ὅλῳ τῷ κόσμῳ
διαφυλάξῃ ἄθραυστον ὁ δημιουργὸς τῶν ἁπάντων διὰ τοῦ ἠγαπημένου
παιδὸς αὐτοῦ Ἰησοῦ Χριστοῦ, δι' οὗ ἐκάλεσεν ἡμᾶς ἀπὸ σκότους εἰς
3 φῶς, ἀπὸ ἀγνωσίας εἰς ἐπίγνωσιν δόξης ὀνόματος αὐτοῦ, 3. ἐλπίζειν
ἐπὶ τὸ ἀρχέγονον πάσης κτίσεως ὄνομά σου, ἀνοίξας τοὺς ὀφθαλμοὺς
τῆς καρδίας ἡμῶν εἰς τὸ γινώσκειν σε τὸν μόνον ὕψιστον ἐν ὑψίστοις,
ἅγιον ἐν ἁγίοις ἀναπαυόμενον· τὸν ταπεινοῦντα ὕβριν ὑπερηφάνων,
τὸν διαλύοντα λογισμοὺς ἐθνῶν, τὸν ποιοῦντα ταπεινοὺς εἰς ὕψος καὶ
τοὺς ὑψηλοὺς ταπεινοῦντα· τὸν πλουτίζοντα καὶ πτωχίζοντα, τὸν
ἀποκτείνοντα καὶ ζῆν ποιοῦντα, μόνον εὐεργέτην πνευμάτων καὶ θεὸν
πάσης σαρκός· τὸν ἐπιβλέποντα ἐν ταῖς ἀβύσσοις, τὸν ἐπόπτην ἀνθρω-
πίνων ἔργων, τὸν τῶν κινδυνευόντων βοηθόν, τὸν τῶν ἀπηλπισμένων
σωτῆρα, τὸν παντὸς πνεύματος κτίστην καὶ ἐπίσκοπον· τὸν πληθύ-
νοντα ἔθνη ἐπὶ γῆς καὶ ἐκ πάντων ἐκλεξάμενον τοὺς ἀγαπῶντάς σε
διὰ Ἰησοῦ Χριστοῦ τοῦ ἠγαπημένου παιδός σου, δι' οὗ ἡμᾶς ἐπαί-
4 δευσας, ἡγίασας, ἐτίμησας. 4. ἀξιοῦμεν, δέσποτα, βοηθὸν γενέσθαι
καὶ ἀντιλήπτορα ἡμῶν. τοὺς ἐν θλίψει ἡμῶν σῶσον, τοὺς ταπεινοὺς
ἐλέησον, τοὺς πεπτωκότας ἔγειρον, τοῖς δεομένοις ἐπιφάνηθι, τοὺς
ἀσθενεῖς ἴασαι, τοὺς πλανωμένους τοῦ λαοῦ σου ἐπίστρεψον· χόρτασον
τοὺς πεινῶντας, λύτρωσαι τοὺς δεσμίους ἡμῶν, ἐξανάστησον τοὺς ἀσθε-
νοῦντας, παρακάλεσον τοὺς ὀλιγοψυχοῦντας· γνώτωσαν ἅπαντα τὰ
ἔθνη ὅτι σὺ εἶ ὁ θεὸς μόνος καὶ Ἰησοῦς Χριστὸς ὁ παῖς σου καὶ
ἡμεῖς λαός σου καὶ πρόβατα τῆς νομῆς σου.

LX. Σὺ τὴν ἀένναον τοῦ κόσμου σύστασιν δια τῶν ἐνεργουμέ- 1
νων ἐφανεροποίησας· σύ, κύριε, τὴν οἰκουμένην ἔκτισας, ὁ πιστὸς ἐν
πάσαις ταῖς γενεαῖς, δίκαιος ἐν τοῖς κρίμασι, θαυμαστὸς ἐν ἰσχύϊ καὶ
μεγαλοπρεπείᾳ, ὁ σοφὸς ἐν τῷ κτίζειν καὶ συνετὸς ἐν τῷ τὰ γενό-
μενα ἑδράσαι, ὁ ἀγαθὸς ἐν τοῖς σωζομένοις καὶ πιστὸς ἐν τοῖς πεποι-
θόσιν ἐπὶ σέ· ἐλεῆμον καὶ οἰκτίρμον, ἄφες ἡμῖν τὰς ἀνομίας ἡμῶν
καὶ τὰς ἀδικίας καὶ τὰ παραπτώματα καὶ πλημμελείας. 2. μὴ λογίσῃ 2
πᾶσαν ἁμαρτίαν δούλων σου καὶ παιδισκῶν, ἀλλὰ καθάρισον ἡμᾶς τὸν
καθαρισμὸν τῆς σῆς ἀληθείας καὶ κατεύθυνον τὰ διαβήματα ἡμῶν
ἐν ὁσιότητι καρδίας πορεύεσθαι καὶ ποιεῖν τὰ καλὰ καὶ εὐάρεστα
ἐνώπιόν σου καὶ ἐνώπιον τῶν ἀρχόντων ἡμῶν. 3. ναί, δέσποτα, ἐπί- 3
φανον τὸ πρόσωπόν σου ἐφ᾽ ἡμᾶς εἰς ἀγαθὰ ἐν εἰρήνῃ, εἰς τὸ σκε-
πασθῆναι ἡμᾶς τῇ χειρί σου τῇ κραταιᾷ καὶ ῥυσθῆναι ἀπὸ πάσης
ἁμαρτίας τῷ βραχίονί σου τῷ ὑψηλῷ, καὶ ῥῦσαι ἡμᾶς ἀπὸ τῶν
μισούντων ἡμᾶς ἀδίκως. 4. δὸς ὁμόνοιαν καὶ εἰρήνην ἡμῖν τε καὶ 4
πᾶσι τοῖς κατοικοῦσι τὴν γῆν, καθὼς ἔδωκας τοῖς πατράσιν ἡμῶν,
ἐπικαλουμένων σε αὐτῶν ἐν πίστει καὶ ἀληθείᾳ, ὑπηκόοις γινομένοις
τῷ παντοκράτορι καὶ παναρέτῳ ὀνόματί σου.

LXI. Τοῖς τε ἄρχουσι καὶ ἡγουμένοις ἡμῶν ἐπὶ τῆς γῆς σύ, 1
δέσποτα, ἔδωκας τὴν ἐξουσίαν τῆς βασιλείας αὐτοῖς διὰ τοῦ μεγαλο-
πρεποῦς καὶ ἀνεκδιηγήτου κράτους σου, εἰς τὸ γινώσκοντας ἡμᾶς τὴν
ὑπὸ σοῦ αὐτοῖς δεδομένην δόξαν καὶ τιμὴν ὑποτάσσεσθαι αὐτοῖς, μη-
δὲν ἐναντιουμένους τῷ θελήματί σου· οἷς δός, κύριε, ὑγίειαν, εἰρήνην,
ὁμόνοιαν, εὐστάθειαν, εἰς τὸ διέπειν αὐτοὺς τὴν ὑπὸ σοῦ δεδομένην
αὐτοῖς ἡγεμονίαν ἀπροσκόπως. 2. σὺ γάρ, δέσποτα ἐπουράνιε βασι- 2
λεῦ τῶν αἰώνων, δίδως τοῖς υἱοῖς τῶν ἀνθρώπων δόξαν καὶ τιμὴν καὶ
ἐξουσίαν τῶν ἐπὶ τῆς γῆς ὑπαρχόντων· σύ, κύριε, διεύθυνον τὴν βου-
λὴν αὐτῶν κατὰ τὸ καλὸν καὶ εὐάρεστον ἐνώπιόν σου, ὅπως διέ-
ποντες ἐν εἰρήνῃ καὶ πραΰτητι εὐσεβῶς τὴν ὑπὸ σοῦ αὐτοῖς δεδο-
μένην ἐξουσίαν ἵλεώ σου τυγχάνωσιν. 3. ὁ μόνος δυνατὸς ποιῆσαι 3
ταῦτα καὶ περισσότερα ἀγαθὰ μεθ᾽ ἡμῶν, σοὶ ἐξομολογούμεθα διὰ
τοῦ ἀρχιερέως καὶ προστάτου τῶν ψυχῶν ἡμῶν Ἰησοῦ Χριστοῦ,
δι᾽ οὗ σοι ἡ δόξα καὶ ἡ μεγαλωσύνη καὶ νῦν καὶ εἰς γενεὰν γενεῶν
καὶ εἰς τοὺς αἰῶνας τῶν αἰώνων. ἀμήν.

1   LXII. Περὶ μὲν τῶν ἀνηκόντων τῇ θρησκείᾳ ἡμῶν, τῶν ὠφελι-
μωτάτων εἰς ἐνάρετον βίον τοῖς θέλουσιν εὐσεβῶς καὶ δικαίως διευ-
2 θύνειν, ἱκανῶς ἐπεστείλαμεν ὑμῖν, ἄνδρες ἀδελφοί. 2. περὶ γὰρ
πίστεως καὶ μετανοίας καὶ γνησίας ἀγάπης καὶ ἐγκρατείας καὶ σωφρο-
σύνης καὶ ὑπομονῆς πάντα τόπον ἐψηλαφήσαμεν, ὑπομιμνήσκοντες
δεῖν ὑμᾶς ἐν δικαιοσύνῃ καὶ ἀληθείᾳ καὶ μακροθυμίᾳ τῷ παντοκρά-
τορι θεῷ ὁσίως εὐαρεστεῖν, ὁμονοοῦντας ἀμνησικάκως ἐν ἀγάπῃ καὶ
εἰρήνῃ μετὰ ἐκτενοῦς ἐκιεικείας, καθὼς καὶ οἱ προδεδηλωμένοι πατέ-
ρες ἡμῶν εὐηρέστησαν ταπεινοφρονοῦντες τὰ πρὸς τὸν πατέρα καὶ
3 θεὸν καὶ κτίστην καὶ πάντας ἀνθρώπους. 3. καὶ ταῦτα τοσούτῳ
ἥδιον ὑπεμνήσαμεν ἐπειδὴ σαφῶς ᾔδειμεν γράφειν ἡμᾶς ἀνδράσι
πιστοῖς καὶ ἐλλογιμωτάτοις καὶ ἐγκεκυφόσιν εἰς τὰ λόγια τῆς παιδείας
τοῦ θεοῦ.

1   LXIII. Θεμιτὸν οὖν ἐστι τοῖς τοιούτοις καὶ τοσούτοις ὑποδείγ-
μασι προσελθόντας ὑποθεῖναι τὸν τράχηλον καὶ τὸν τῆς ὑπακοῆς
τόπον ἀναπληρῶσαι, ὅπως ἡσυχάσαντες τῆς ματαίας στάσεως ἐπὶ τὸν
προκείμενον ἡμῖν ἐν ἀληθείᾳ σκοπὸν δίχα παντὸς μώμου καταντήσω-
2 μεν. 2. χαρὰν γὰρ καὶ ἀγαλλίασιν ἡμῖν παρέξετε ἐὰν ὑπήκοοι γενό-
μενοι τοῖς ὑφ' ἡμῶν γεγραμμένοις διὰ τοῦ ἁγίου πνεύματος ἐκκόψητε
τὴν ἀθέμιτον τοῦ ζήλους ὑμῶν ὀργὴν κατὰ τὴν ἔντευξιν ἣν ἐποιησά-
3 μεθα περὶ εἰρήνης καὶ ὁμονοίας ἐν τῇδε τῇ ἐπιστολῇ. 3. ἐπέμψα-
μεν δὲ ἄνδρας πιστοὺς καὶ σώφρονας, ἀπὸ νεότητος ἀναστραφέντας
ἕως γήρους ἀμέμπτως ἐν ἡμῖν, οἵτινες μάρτυρες ἔσονται μεταξὺ ὑμῶν
4 καὶ ἡμῶν. 4. τοῦτο δὲ ἐποιήσαμεν ἵνα εἰδῆτε ὅτι πᾶσα ἡμῖν φροντὶς
καὶ γέγονε καὶ ἔστιν εἰς τὸ ἐν τάχει ὑμᾶς εἰρηνεῦσαι.

LXIV. Λοιπὸν ὁ παντεπόπτης θεὸς καὶ δεσπότης τῶν πνευμά-
των καὶ κύριος πάσης σαρκός, ὁ ἐκλεξάμενος τὸν κύριον Ἰησοῦν Χρι-
στὸν καὶ ἡμᾶς δι' αὐτοῦ εἰς λαὸν περιούσιον, δῴη πάσῃ ψυχῇ ἐπι-
κεκλημένῃ τὸ μεγαλοπρεπὲς καὶ ἅγιον ὄνομα αὐτοῦ πίστιν, φόβον,
εἰρήνην, ὑπομονήν, μακροθυμίαν, ἐγκράτειαν, ἁγνείαν καὶ σωφροσύνην,
εἰς εὐαρέστησιν τῷ ὀνόματι αὐτοῦ διὰ τοῦ ἀρχιερέως καὶ προστάτου
ἡμῶν Ἰησοῦ Χριστοῦ, δι' οὗ αὐτῷ δόξα καὶ μεγαλωσύνη, κράτος,
τιμή, καὶ νῦν καὶ εἰς πάντας τοὺς αἰῶνας τῶν αἰώνων. ἀμήν.

1   LXV. Τοὺς δὲ ἀπεσταλμένους ἀφ' ἡμῶν Κλαύδιον Ἔφηβον καὶ

Οὐαλέριον Βίτωνα σὺν καὶ Φορτουνάτῳ ἐν εἰρήνῃ μετὰ χαρᾶς ἐν τάχει ἀναπέμψατε πρὸς ἡμᾶς, ὅπως θᾶττον τὴν εὐκταίαν καὶ ἐπιποθήτην ἡμῖν εἰρήνην καὶ ὁμόνοιαν ἀπαγγείλωσιν, εἰς τὸ τάχιον καὶ ἡμᾶς χαρῆναι περὶ τῆς εὐσταθείας ὑμῶν. 2. Ἡ χάρις τοῦ κυρίου ἡμῶν Ἰησοῦ Χριστοῦ μεθ᾽ ὑμῶν καὶ 2 μετὰ πάντων πανταχῇ τῶν κεκλημένων ὑπὸ τοῦ θεοῦ δι᾽ αὐτοῦ· δι᾽ οὗ αὐτῷ δόξα, τιμή, κράτος καὶ μεγαλωσύνη, θρόνος αἰώνιος, ἀπὸ τῶν αἰώνων καὶ εἰς τοὺς αἰῶνας τῶν αἰώνων. ἀμήν.

Κλήμεντος πρὸς Κορινθίους ἐπιστολὴ ᾱ.

ΚΛΗΜΕΝΤΟΣ ΠΡΟΣ ΚΟΡΙΝΘΙΟΥΣ Β̄.

I. Ἀδελφοί, οὕτως δεῖ ἡμᾶς φρονεῖν περὶ Ἰησοῦ Χριστοῦ, ὡς 1 περὶ θεοῦ, ὡς περὶ κριτοῦ ζώντων καὶ νεκρῶν· καὶ οὐ δεῖ ἡμᾶς **Creed.** μικρὰ φρονεῖν περὶ τῆς σωτηρίας ἡμῶν. 2. ἐν τῷ γὰρ φρονεῖν ἡμᾶς 2 μικρὰ περὶ αὐτοῦ, μικρὰ καὶ ἐλπίζομεν λαβεῖν. καὶ οἱ ἀκούοντες ὡς περὶ μικρῶν ἁμαρτάνομεν, οὐκ εἰδότες πόθεν ἐκλήθημεν καὶ ὑπὸ τίνος καὶ εἰς ὃν τόπον, καὶ ὅσα ὑπέμεινεν Ἰησοῦς Χριστὸς παθεῖν ἕνεκα ἡμῶν. 3. τίνα οὖν ἡμεῖς αὐτῷ δώσομεν ἀντιμισθίαν; ἢ τίνα 3 καρπὸν ἄξιον οὗ ἡμῖν αὐτὸς ἔδωκεν; πόσα δὲ αὐτῷ ὀφείλομεν ὅσια; 4. τὸ φῶς γὰρ ἡμῖν ἐχαρίσατο, ὡς πατὴρ υἱοὺς ἡμᾶς προσηγόρευσεν, 4 ἀπολλυμένους ἡμᾶς ἔσωσεν. 5. ποῖον οὖν αἶνον αὐτῷ δώσωμεν ἢ 5 μισθὸν ἀντιμισθίας ὧν ἐλάβομεν; 6. πηροὶ ὄντες τῇ διανοίᾳ, προσκυ- 6 νοῦντες λίθους καὶ ξύλα καὶ χρυσὸν καὶ ἄργυρον καὶ χαλκόν, ἔργα ἀνθρώπων· καὶ ὁ βίος ἡμῶν ὅλος ἄλλο οὐδὲν ἦν εἰ μὴ θάνατος. ἀμαύρωσιν οὖν περικείμενοι καὶ τοιαύτης ἀχλύος γέμοντες ἐν τῇ ὁράσει, ἀνεβλέψαμεν ἀποθέμενοι ἐκεῖνο ὃ περικείμεθα νέφος τῇ αὐτοῦ θελήσει. 7. ἠλέησεν γὰρ ἡμᾶς καὶ σπλαγχνισθεὶς ἔσωσεν, θεασάμενος 7 ἐν ἡμῖν πολλὴν πλάνην καὶ ἀπώλειαν, καὶ μηδεμίαν ἐλπίδα ἔχοντας σωτηρίας, εἰ μὴ τὴν παρ᾽ αὐτοῦ. 8. ἐκάλεσεν γὰρ ἡμᾶς οὐκ ὄντας 8 καὶ ἠθέλησεν ἐκ μὴ ὄντος εἶναι ἡμᾶς.

1　II. Εὐφράνθητι στεῖρα ἡ οὐ τίκτουσα, ῥῆξον καὶ βόησον
ἡ οὐκ ὠδίνουσα· ὅτι πολλὰ τὰ τέκνα τῆς ἐρήμου μᾶλλον ἢ τῆς
ἐχούσης τὸν ἄνδρα. ὃ εἶπεν· Εὐφράνθητι στεῖρα ἡ οὐ τίκτουσα,
ἡμᾶς εἶπεν· στεῖρα γὰρ ἦν ἡ ἐκκλησία ἡμῶν πρὸ τοῦ δοθῆναι αὐτῇ
2　τέκνα. 2. ὃ δὲ εἶπεν· Βόησον ἡ οὐκ ὠδίνουσα, τοῦτο λέγει· τὰς
προσευχὰς ἡμῶν ἁπλῶς ἀναφέρειν πρὸς τὸν θεόν, μὴ ὡς αἱ ὠδίνου-
3　σαι ἐγκακῶμεν. 3. ὃ δὲ εἶπεν· Ὅτι πολλὰ τὰ τέκνα τῆς ἐρήμου
μᾶλλον ἢ τῆς ἐχούσης τὸν ἄνδρα· ἐπεὶ ἔρημος ἐδόκει εἶναι ἀπὸ
τοῦ θεοῦ ὁ λαὸς ἡμῶν, νυνὶ δὲ πιστεύσαντες πλείονες ἐγενόμεθα τῶν
4　δοκούντων ἔχειν θεόν. 4. καὶ ἑτέρα δὲ γραφὴ λέγει ὅτι Οὐκ ἦλθον
5　καλέσαι δικαίους, ἀλλὰ ἁμαρτωλούς. 5. τοῦτο λέγει ὅτι δεῖ τοὺς
6　ἀπολλυμένους σώζειν. 6. ἐκεῖνο γάρ ἐστιν μέγα καὶ θαυμαστόν, οὐ
7　τὰ ἑστῶτα στηρίζειν ἀλλὰ τὰ πίπτοντα. 7. οὕτως καὶ ὁ Χριστὸς
ἠθέλησεν σῶσαι τὰ ἀπολλύμενα, καὶ ἔσωσεν πολλούς, ἐλθὼν καὶ
καλέσας ἡμᾶς ἤδη ἀπολλυμένους.

1　III. Τοσοῦτον οὖν ἔλεος ποιήσαντος αὐτοῦ εἰς ἡμᾶς· πρῶτον
μὲν ὅτι ἡμεῖς οἱ ζῶντες τοῖς νεκροῖς θεοῖς οὐ θύομεν καὶ οὐ προσκυ-
νοῦμεν αὐτοῖς, ἀλλὰ ἔγνωμεν δι’ αὐτοῦ τὸν πατέρα τῆς ἀληθείας·
τίς ἡ γνῶσις ἡ πρὸς αὐτόν, ἢ τὸ μὴ ἀρνεῖσθαι δι’ οὗ ἔγνωμεν αὐτόν;
2　2. λέγει δὲ καὶ αὐτός· Τὸν ὁμολογήσαντά με ἐνώπιον τῶν ἀν-
3　θρώπων, ὁμολογήσω αὐτὸν ἐνώπιον τοῦ πατρός μου. 3. Οὗτος
4　οὖν ἐστιν ὁ μισθὸς ἡμῶν, ἐὰν ὁμολογήσωμεν δι’ οὗ ἐσώθημεν. 4. ἐν
τίνι δὲ αὐτὸν ὁμολογοῦμεν; ἐν τῷ ποιεῖν ἃ λέγει καὶ μὴ παρακούειν
αὐτοῦ τῶν ἐντολῶν, καὶ μὴ μόνον χείλεσιν αὐτὸν τιμᾶν, ἀλλὰ ἐξ
5　ὅλης καρδίας καὶ ἐξ ὅλης τῆς διανοίας. 5. λέγει δὲ καὶ ἐν τῷ Ἡσαΐᾳ·
Ὁ λαὸς οὗτος τοῖς χείλεσίν με τιμᾷ, ἡ δὲ καρδία αὐτῶν πόρρω
ἄπεστιν ἀπ’ ἐμοῦ.

1　IV. Μὴ μόνον οὖν αὐτὸν καλῶμεν κύριον· οὐ γὰρ τοῦτο σώσει
2　ἡμᾶς. 2. λέγει γάρ· Οὐ πᾶς ὁ λέγων μοι Κύριε κύριε, σωθή-
3　σεται, ἀλλ’ ὁ ποιῶν τὴν δικαιοσύνην. 3. ὥστε οὖν, ἀδελφοί, ἐν
τοῖς ἔργοις αὐτὸν ὁμολογῶμεν, ἐν τῷ ἀγαπᾶν ἑαυτούς, ἐν τῷ μὴ

II, 1) Ies. 54, 1 — 4) Mt. 9, 13. — III, 2) Mt. 10, 32. — 5) Ies. 29, 13.
IV, 2) Mt. 7, 21.

μοιχᾶσθαι μηδὲ καταλαλεῖν ἀλλήλων μηδὲ ζηλοῦν, ἀλλ᾽ ἐγκρατεῖς
εἶναι, ἐλεήμονας, ἀγαθούς· καὶ συμπάσχειν ἀλλήλοις ὀφείλομεν καὶ
μὴ φιλαργυρεῖν. ἐν τούτοις τοῖς ἔργοις ὁμολογῶμεν αὐτόν, καὶ μη ἐν
τοῖς ἐναντίοις· 4. καὶ οὐ δεῖ ἡμᾶς φοβεῖσθαι τοὺς ἀνθρώπους μᾶλλον 4
ἀλλὰ τὸν θεόν. 5. διὰ τοῦτο, ταῦτα ὑμῶν πρασσόντων, εἶπεν ὁ κύριος· 5
Ἐὰν ἦτε μετ᾽ ἐμοῦ συνηγμένοι ἐν τῷ κόλπῳ μου καὶ μὴ ποιῆτε
τὰς ἐντολάς μου, ἀποβαλῶ ὑμᾶς καὶ ἐρῶ ὑμῖν· Ὑπάγετε ἀπ᾽ ἐμοῦ,
οὐκ οἶδα ὑμᾶς πόθεν ἐστέ, ἐργάται ἀνομίας.

V. Ὅθεν, ἀδελφοί, καταλείψαντες τὴν παροικίαν τοῦ κόσμου 1
τούτου ποιήσωμεν τὸ θέλημα τοῦ καλέσαντος ἡμᾶς, καὶ μὴ φοβη-
θῶμεν ἐξελθεῖν ἐκ τοῦ κόσμου τούτου. 2. λέγει γὰρ ὁ κύριος· 2
Ἔσεσθε ὡς ἀρνία ἐν μέσῳ λύκων. 3. ἀποκριθεὶς δὲ ὁ Πέτρος 3
αὐτῷ λέγει· Ἐὰν οὖν διασπαράξωσιν οἱ λύκοι τὰ ἀρνία; 4. εἶπεν 4
ὁ Ἰησοῦς τῷ Πέτρῳ· Μὴ φοβείσθωσαν τὰ ἀρνία τοὺς λύκους
μετὰ τὸ ἀποθανεῖν αὐτά· καὶ ὑμεῖς μὴ φοβεῖσθε τοὺς ἀποκτέν-
νοντας ὑμᾶς καὶ μηδὲν ὑμῖν δυναμένους ποιεῖν, ἀλλὰ φοβεῖσθε
τὸν μετὰ τὸ ἀποθανεῖν ὑμᾶς ἔχοντα ἐξουσίαν ψυχῆς καὶ σώμα-
τος τοῦ βαλεῖν εἰς γέενναν πυρός. 5. Καὶ γινώσκετε, ἀδελφοί, 5
ὅτι ἡ ἐπιδημία ἡ ἐν τῷ κόσμῳ τούτῳ τῆς σαρκὸς ταύτης μικρά ἐστιν
καὶ ὀλιγοχρόνιος, ἡ δὲ ἐπαγγελία τοῦ Χριστοῦ μεγάλη καὶ θαυμαστή
ἐστιν, καὶ ἀνάπαυσις τῆς μελλούσης βασιλείας καὶ ζωῆς αἰωνίου.
6. τί οὖν ἐστιν ποιήσαντας ἐπιτυχεῖν αὐτῶν, εἰ μὴ τὸ ὁσίως καὶ 6
δικαίως ἀναστρέφεσθαι, καὶ τὰ κοσμικὰ ταῦτα ὡς ἀλλότρια ἡγεῖσθαι
καὶ μὴ ἐπιθυμεῖν αὐτῶν; 7. ἐν τῷ γὰρ ἐπιθυμεῖν ἡμᾶς κτήσασθαι 7
ταῦτα ἀποπίπτομεν τῆς ὁδοῦ τῆς δικαίας.

VI. Λέγει δὲ ὁ κύριος· Οὐδεὶς οἰκέτης δύναται δυσὶ κυρίοις 1
δουλεύειν. ἐὰν ἡμεῖς θέλωμεν καὶ θεῷ δουλεύειν καὶ μαμωνᾷ,
ἀσύμφορον ἡμῖν ἐστίν. 2. τί γὰρ τὸ ὄφελος, ἐάν τις τὸν κόσμον 2
ὅλον κερδήσῃ, τὴν δὲ ψυχὴν ζημιωθῇ; 3. ἔστιν δὲ οὗτος ὁ αἰὼν 3
καὶ ὁ μέλλων δύο ἐχθροί· 4. οὗτος λέγει μοιχείαν καὶ φθορὰν καὶ 4
φιλαργυρίαν καὶ ἀπάτην, ἐκεῖνος δὲ τούτοις ἀποτάσσεται. 5. οὐ δυνά- 5

---

5) unde? — V, 2—4) unde? — VI, 1) Lc. 16, 13. — 2) Mt. 16, 26.

μεθα οὖν τῶν δύο φίλοι εἶναι· δεῖ δὲ ἡμᾶς τούτῳ ἀποταξαμένους
6 ἐκείνῳ χρᾶσθαι. 6. οἰόμεθα ὅτι βέλτιόν ἐστιν τὰ ἐνθάδε μισῆσαι,
ὅτι μικρὰ καὶ ὀλιγοχρόνια καὶ φθαρτά· ἐκεῖνα δὲ ἀγαπῆσαι, τὰ
7 ἀγαθὰ τὰ ἄφθαρτα. 7. ποιοῦντες γὰρ τὸ θέλημα τοῦ Χριστοῦ εὑρή-
σομεν ἀνάπαυσιν· εἰ δὲ μήγε, οὐδὲν ἡμᾶς ῥύσεται ἐκ τῆς αἰωνίου
8 κολάσεως, ἐὰν παρακούσωμεν τῶν ἐντολῶν αὐτοῦ. 8. λέγει δὲ καὶ
ἡ γραφὴ ἐν τῷ Ἰεζεκιὴλ ὅτι Ἐὰν ἀναστῇ Νῶε καὶ Ἰὼβ καὶ Δανιήλ,
9 οὐ ῥύσονται τὰ τέκνα αὐτῶν ἐν τῇ αἰχμαλωσίᾳ. 9 εἰ δὲ καὶ
οἱ τοιοῦτοι δίκαιοι οὐ δύνανται ταῖς ἑαυτῶν δικαιοσύναις ῥύσασθαι
τὰ τέκνα αὐτῶν, ἡμεῖς ἐὰν μὴ τηρήσωμεν τὸ βάπτισμα ἁγνὸν καὶ
ἀμίαντον, ποίᾳ πεποιθήσει εἰσελευσόμεθα εἰς τὸ βασίλειον τοῦ θεοῦ;
ἢ τίς ἡμῶν παράκλητος ἔσται ἐὰν μὴ εὑρεθῶμεν ἔργα ἔχοντες ὅσια
καὶ δίκαια;

1   VII. Ὥστε οὖν, ἀδελφοί μου, ἀγωνισώμεθα, εἰδότες ὅτι ἐν χερ-
σὶν ὁ ἀγών, καὶ ὅτι εἰς τοὺς φθαρτοὺς ἀγῶνας καταπλέουσιν πολλοί,
ἀλλ᾽ οὐ πάντες στεφανοῦνται, εἰ μὴ οἱ πολλὰ κοπιάσαντες καὶ καλῶς
2 ἀγωνισάμενοι. 2. ἡμεῖς οὖν ἀγωνισώμεθα, ἵνα πάντες στεφανωθῶμεν.
3 3. ὥστε θῶμεν τὴν ὁδὸν τὴν εὐθεῖαν, ἀγῶνα τὸν ἄφθαρτον, καὶ πολ-
λοὶ εἰς αὐτὸν καταπλεύσωμεν καὶ ἀγωνισώμεθα, ἵνα καὶ στεφανωθῶ-
μεν· καὶ εἰ μὴ δυνάμεθα πάντες στεφανωθῆναι, κἂν ἐγγὺς τοῦ στεφά-
4 νου γενώμεθα. 4. εἰδέναι δὲ ἡμᾶς δεῖ ὅτι ὁ τὸν φθαρτὸν ἀγῶνα
ἀγωνιζόμενος, ἐὰν εὑρεθῇ φθείρων, μαστιγωθεὶς αἴρεται καὶ ἔξω βάλ-
5 λεται τοῦ σταδίου. 5. τί δοκεῖτε; ὁ τὸν τῆς ἀφθαρσίας ἀγῶνα φθεί-
6 ρας τί παθεῖται; 6. τῶν γὰρ μὴ τηρησάντων, φησίν, τὴν σφραγῖδα
ὁ σκώληξ αὐτῶν οὐ τελευτήσει καὶ τὸ πῦρ αὐτῶν οὐ σβεσθή-
σεται, καὶ ἔσονται εἰς ὅρασιν πάσῃ σαρκί.

12   VIII. Ὡς οὖν ἐσμὲν ἐπὶ γῆς, μετανοήσωμεν. 2. πηλὸς γὰρ
ἐσμεν εἰς τὴν χεῖρα τοῦ τεχνίτου. ὃν τρόπον γὰρ ὁ κεραμεὺς ἐὰν
ποιῇ σκεῦος καὶ ἐν ταῖς χερσὶν αὐτοῦ διαστραφῇ ἢ συντριβῇ, πάλιν
αὐτὸ ἀναπλάσσει· ἐὰν δὲ προφθάσῃ εἰς τὴν κάμινον τοῦ πυρὸς αὐτὸ
βαλεῖν, οὐκέτι βοηθήσει αὐτῷ· οὕτως καὶ ἡμεῖς, ἕως ἐσμὲν ἐν τούτῳ
τῷ κόσμῳ, ἐν τῇ σαρκὶ ἃ ἐπράξαμεν πονηρὰ μετανοήσωμεν ἐξ ὅλης

---

8) Ezech. 14, 14. 18. 20. — VII, 6) Ies. 66, 24.

τῆς καρδίας, ἵνα σωθῶμεν ὑπὸ τοῦ κυρίου ἕως ἔχομεν καιρὸν μετα-
νοίας· 3. μετὰ γὰρ τὸ ἐξελθεῖν ἡμᾶς ἐκ τοῦ κόσμου οὐκέτι δυνά- 3
μεθα ἐκεῖ ἐξομολογήσασθαι ἢ μετανοεῖν ἔτι. 4. ὥστε, ἀδελφοί, ποιή- 4
σαντες τὸ θέλημα τοῦ πατρὸς καὶ τὴν σάρκα ἁγνὴν τηρήσαντες καὶ
τὰς ἐντολὰς τοῦ κυρίου φυλάξαντες ληψόμεθα ζωὴν αἰώνιον. 5. λέγει 5
γὰρ ὁ κύριος ἐν τῷ εὐαγγελίῳ· Εἰ τὸ μικρὸν οὐκ ἐτηρήσατε, τὸ
μέγα τίς ὑμῖν δώσει; λέγω γὰρ ὑμῖν ὅτι ὁ πιστὸς ἐν ἐλαχίστῳ
καὶ ἐν πολλῷ πιστός ἐστιν. 6. ἄρα οὖν τοῦτο λέγει· τηρήσατε 6
τὴν σάρκα ἁγνὴν καὶ τὴν σφραγῖδα ἄσπιλον, ἵνα τὴν αἰώνιον ζωὴν
ἀπολάβωμεν.

IX. Καὶ μὴ λεγέτω τις ὑμῶν ὅτι αὕτη ἡ σάρξ οὐ κρίνεται οὐδὲ 1
ἀνίσταται. 2. γνῶτε· ἐν τίνι ἐσώθητε, ἐν τίνι ἀνεβλέψατε, εἰ μὴ 2
ἐν τῇ σαρκὶ ταύτῃ ὄντες; 3. δεῖ οὖν ἡμᾶς ὡς ναὸν θεοῦ φυλάσσειν 3
τὴν σάρκα. 4. ὃν τρόπον γὰρ ἐν τῇ σαρκὶ ἐκλήθητε, καὶ ἐν τῇ 4
σαρκὶ ἐλεύσεσθε. 5. εἰ Χριστὸς ὁ κύριος ὁ σώσας ἡμᾶς, ὢν μὲν τὸ 5
πρῶτον πνεῦμα, ἐγένετο σὰρξ καὶ οὕτως ἡμᾶς ἐκάλεσεν· οὕτως καὶ
ἡμεῖς ἐν ταύτῃ τῇ σαρκὶ ἀποληψόμεθα τὸν μισθόν. 6. ἀγαπῶμεν 6
οὖν ἀλλήλους, ὅπως ἔλθωμεν πάντες εἰς τὴν βασιλείαν τοῦ θεοῦ.
7. ὡς ἔχομεν καιρὸν τοῦ ἰαθῆναι, ἐπιδῶμεν ἑαυτοὺς τῷ θεραπεύοντι 7
θεῷ, ἀντιμισθίαν αὐτῷ διδόντες. 8. ποίαν; τὸ μετανοῆσαι ἐξ εἰλι- 8
κρινοῦς καρδίας. 9. προγνώστης γάρ ἐστιν τῶν πάντων καὶ εἰδὼς 9
ἡμῶν τὰ ἐγκάρδια. 10. δῶμεν οὖν αὐτῷ αἶνον, μὴ ἀπὸ στόματος 10
μόνον ἀλλὰ καὶ ἀπὸ καρδίας, ἵνα ἡμᾶς προσδέξηται ὡς υἱούς. 11. καὶ 11
γὰρ εἶπεν ὁ κύριος· Ἀδελφοί μου οὗτοί εἰσιν οἱ ποιοῦντες τὸ θέ-
λημα τοῦ πατρός μου.

X. Ὥστε, ἀδελφοί μου, ποιήσωμεν τὸ θέλημα τοῦ πατρὸς τοῦ 1
καλέσαντος ἡμᾶς, ἵνα ζήσωμεν καὶ διώξωμεν μᾶλλον τὴν ἀρετήν, τὴν
δὲ κακίαν καταλείψωμεν ὡς προοδοιπόρον τῶν ἁμαρτιῶν ἡμῶν, καὶ
φύγωμεν τὴν ἀσέβειαν, μὴ ἡμᾶς καταλάβῃ κακά. 2. ἐὰν γὰρ σπου- 2
δάσωμεν ἀγαθοποιεῖν, διώξεται ἡμᾶς εἰρήνη. 3. διὰ ταύτην γὰρ τὴν 3
αἰτίαν οὐκ ἔστιν εὑρεῖν ἄνθρωπον, οἵτινες παράγουσι φόβους ἀνθρω-
πίνους, προαιρούμενοι μᾶλλον τὴν ἐνθάδε ἀπόλαυσιν ἢ τὴν μέλλουσαν

---

5) unde? — IX, 11) Mt. 12, 50.

4 ἐπαγγελίαν. 4. ἀγνοοῦσιν γὰρ ἡλίκην ἔχει βάσανον ἡ ἐνθάδε ἀπό-
5 λαυσις, καὶ οἵαν τρυφὴν ἔχει ἡ μέλλουσα ἐπαγγελία. 5. καὶ εἰ μὲν
αὐτοὶ μόνοι ταῦτα ἔπρασσον, ἀνεκτὸν ἦν· νῦν δὲ ἐπιμένουσιν κακοδι-
δασκαλοῦντες τὰς ἀναιτίους ψυχάς, οὐκ εἰδότες ὅτι δισσὴν ἕξουσιν
τὴν κρίσιν, αὐτοί τε καὶ οἱ ἀκούοντες αὐτῶν.

1   XI. Ἡμεῖς οὖν ἐν καθαρᾷ καρδίᾳ δουλεύσωμεν τῷ θεῷ, καὶ
ἐσόμεθα δίκαιοι· ἐὰν δὲ μὴ δουλεύσωμεν δια τὸ μὴ πιστεύειν ἡμᾶς
2 τῇ ἐπαγγελίᾳ τοῦ θεοῦ, ταλαίπωροι ἐσόμεθα. 2. λέγει γὰρ καὶ ὁ
προφητικὸς λόγος· Ταλαίπωροί εἰσιν οἱ δίψυχοι, οἱ διστάζοντες
τῇ καρδίᾳ, οἱ λέγοντες· Ταῦτα πάλαι ἠκούσαμεν καὶ ἐπὶ τῶν
πατέρων ἡμῶν, ἡμεῖς δὲ ἡμέραν ἐξ ἡμέρας προσδεχόμενοι οὐδὲν
3 τούτων ἑωράκαμεν. 3. Ἀνόητοι, συμβάλετε ἑαυτοὺς ξύλῳ, λάβετε
ἄμπελον· πρῶτον μὲν φυλλοροεῖ, εἶτα βλαστὸς γίνεται, μετὰ
4 ταῦτα ὄμφαξ, εἶτα σταφυλὴ παρεστηκυῖα· 4. οὕτως καὶ ὁ λαός
μου ἀκαταστασίας καὶ θλίψεις ἔσχεν, ἔπειτα ἀπολήψεται τὸ
5 ἀγαθά. 5. Ὥστε, ἀδελφοί μου, μὴ διψυχῶμεν, ἀλλὰ ἐλπίσαντες
6 ὑπομείνωμεν, ἵνα καὶ τὸν μισθὸν κομισώμεθα. 6. πιστὸς γάρ ἐστιν
ὁ ἐπαγγειλάμενος τὰς ἀντιμισθίας ἀποδιδόναι ἑκάστῳ τῶν ἔργων αὐ-
7 τοῦ. 7. ἐὰν οὖν ποιήσωμεν τὴν δικαιοσύνην ἐναντίον τοῦ θεοῦ,
εἰσήξομεν εἰς τὴν βασιλείαν αὐτοῦ καὶ ληψόμεθα τὰς ἐπαγγελίας
ἃς οὖς οὐκ ἤκουσεν οὐδὲ ὀφθαλμὸς εἶδεν, οὐδὲ ἐπὶ καρδίαν
ἀνθρώπου ἀνέβη.

1   XII. Ἐκδεχώμεθα οὖν καθ᾽ ὥραν τὴν βασιλείαν τοῦ θεοῦ ἐν
ἀγάπῃ καὶ δικαιοσύνῃ, ἐπειδὴ οὐκ οἴδαμεν τὴν ἡμέραν τῆς ἐπιφανείας
2 τοῦ θεοῦ. 2. ἐπερωτηθεὶς γὰρ αὐτὸς ὁ κύριος ὑπό τινος πότε ἥξει
αὐτοῦ ἡ βασιλεία, εἶπεν· Ὅταν ἔσται τὰ δύο ἕν, καὶ τὸ ἔξω ὡς
τὸ ἔσω, καὶ τὸ ἄρσεν μετὰ τῆς θηλείας, οὔτε ἄρσεν οὔτε θῆλυ.
3 3. τὰ δύο δὲ ἕν ἐστιν ὅταν λαλῶμεν ἑαυτοῖς ἀλήθειαν καὶ ἐν δυσὶ
4 σώμασιν ἀνυποκρίτως εἴη μία ψυχή. 4. καὶ τὸ ἔξω ὡς τὸ ἔσω,
τοῦτο λέγει· τὴν ψυχὴν λέγει τὸ ἔσω, τὸ δὲ ἔξω τὸ σῶμα λέγει.
ὃν τρόπον οὖν σου τὸ σῶμα φαίνεται, οὕτως καὶ ἡ ψυχή σου δῆλος
5 ἔστω ἐν τοῖς καλοῖς ἔργοις. 5. καὶ τὸ ἄρσεν μετὰ τῆς θηλείας,

---

XI, 2—4) unde? — 7) I Cor. 2, 9. — XII, 2) unde?

ουτε ἄρσεν οὔτε θῆλυ, τοῦτο λέγει ἵνα ἀδελφὸς ἰδὼν ἀδελφὴν οὐ-
δὲν φρονῇ περὶ αὐτῆς θηλυκόν, μηδ' ἥδε φρονῇ τι περὶ αὐτοῦ ἀρσε-
νικόν. 6. ταῦτα ὑμῶν ποιούντων, φησίν, ἐλεύσεται ἡ βασιλεία 6
τοῦ πατρός μου.

XIII. Ἀδελφοὶ οὖν, ἤδη ποτὲ μετανοήσωμεν, νήψωμεν ἐπὶ τὸ 1
ἀγαθόν· μεστοὶ γάρ ἐσμεν πολλῆς ἀνοίας καὶ πονηρίας. ἐξαλείψωμεν
ἀφ' ἡμῶν τὰ πρότερα ἁμαρτήματα καὶ μετανοήσαντες ἐκ ψυχῆς σω-
θῶμεν· καὶ μὴ γινώμεθα ἀνθρωπάρεσκοι μηδὲ θέλωμεν μόνον ἑαυτοῖς
ἀρέσκειν, ἀλλὰ καὶ τοῖς ἔξω ἀνθρώποις ἐπὶ τῇ δικαιοσύνῃ, ἵνα τὸ
ὄνομα δι' ἡμᾶς μὴ βλασφημῆται. 2. λέγει γὰρ ὁ κύριος· Διὰ παν- 2
τὸς τὸ ὄνομά μου βλασφημεῖται ἐν πᾶσι τοῖς ἔθνεσι, καί· ~Διὸ~
βλασφημεῖται τὸ ὄνομά μου· ἐν τίνι βλασφημεῖται; ἐν τῷ μὴ
ποιεῖν ὑμᾶς ἃ βούλομαι. 3. τὰ ἔθνη γὰρ ἀκούοντα ἐκ τοῦ στόμα- 3
τος ἡμῶν τὰ λόγια τοῦ θεοῦ ὡς καλὰ καὶ μεγάλα θαυμάζει· ἔπειτα
καταμαθόντα τὰ ἔργα ἡμῶν ὅτι οὐκ ἔστιν ἄξια τῶν ῥημάτων ὧν
λέγομεν, ἔνθεν εἰς βλασφημίαν τρέπονται, λέγοντες εἶναι μῦθόν τινα
καὶ πλάνην. 4. ὅταν γὰρ ἀκούσωσι παρ' ἡμῶν ὅτι λέγει ὁ θεός· 4
Οὐ χάρις ὑμῖν εἰ ἀγαπᾶτε τοὺς ἀγαπῶντας ὑμᾶς, ἀλλὰ χάρις
ὑμῖν εἰ ἀγαπᾶτε τοὺς ἐχθροὺς καὶ τοὺς μισοῦντας ὑμᾶς· ταῦτα
ὅταν ἀκούσωσι θαυμάζουσι τὴν ὑπερβολὴν τῆς ἀγαθότητος. ὅταν δὲ
ἴδωσιν ὅτι οὐ μόνον τοὺς μισοῦντας οὐκ ἀγαπῶμεν ἀλλ' ὅτι οὐδὲ
τοὺς ἀγαπῶντας, καταγελῶσιν ἡμῶν, καὶ βλασφημεῖται τὸ ὄνομα.

XIV. Ὥστε, ἀδελφοί, ποιοῦντες τὸ θέλημα τοῦ πατρὸς ἡμῶν 1
θεοῦ ἐσόμεθα ἐκ τῆς ἐκκλησίας τῆς πρώτης τῆς πνευματικῆς, τῆς
πρὸ ἡλίου καὶ σελήνης ἐκτισμένης· ἐὰν δὲ μὴ ποιήσωμεν τὸ θέλημα
κυρίου, ἐσόμεθα ἐκ τῆς γραφῆς τῆς λεγούσης· Ἐγενήθη ὁ οἶκός
μου σπήλαιον λῃστῶν. ὥστε οὖν αἱρετισώμεθα ἀπὸ τῆς ἐκκλησίας
τῆς ζωῆς εἶναι, ἵνα σωθῶμεν. 2. οὐκ οἴομαι δὲ ὑμᾶς ἀγνοεῖν ὅτι 2
ἐκκλησία ζῶσα σῶμά ἐστι Χριστοῦ (λέγει γὰρ ἡ γραφή· Ἐποίησεν
ὁ θεὸς τὸν ἄνθρωπον ἄρσεν καὶ θῆλυ· τὸ ἄρσεν ἐστὶν ὁ Χριστός,
τὸ θῆλυ ἡ ἐκκλησία) καὶ ὅτι τὰ βιβλία καὶ οἱ ἀπόστολοι τὴν ἐκκλησίαν

A. Γ.

XIII, 2) Ies. 52, 5. Διὸ βλασφημεῖται κτλ. unde? — 4) Luc. 6,
32 sq. — XIV, 1) Ier. 7, 11. — 2) Gen. 1, 27.

οὐ νῦν εἶναι ἀλλὰ ἄνωθεν. ἦν γὰρ πνευματικὴ ὡς καὶ ὁ Ἰησοῦς ἡμῶν,
3 ἐφανερώθη δὲ ἐπ᾽ ἐσχάτων τῶν ἡμερῶν ἵνα ἡμᾶς σώσῃ. 3. ἡ ἐκ-
κλησία δὲ πνευματικὴ οὖσα ἐφανερώθη ἐν τῇ σαρκὶ Χριστοῦ,
δηλοῦσα ἡμῖν ὅτι ἐάν τις ἡμῶν τηρήσῃ αὐτὴν ἐν τῇ σαρκὶ καὶ μὴ
φθείρῃ, ἀπολήψεται αὐτὴν ἐν τῷ πνεύματι τῷ ἁγίῳ. ἡ γὰρ σὰρξ
αὕτη ἀντίτυπός ἐστι τοῦ πνεύματος· οὐδεὶς οὖν τὸ ἀντίτυπον φθείρας
τὸ αὐθεντικὸν μεταλήψεται. ἄρα οὖν τοῦτο λέγει, ἀδελφοί· τηρήσατε
4 τὴν σάρκα, ἵνα τοῦ πνεύματος μεταλάβητε. 4. εἰ δὲ λέγομεν εἶναι
τὴν σάρκα τὴν ἐκκλησίαν καὶ τὸ πνεῦμα Χριστόν, ἄρα οὖν ὁ ὑβρίσας
τὴν σάρκα ὕβρισε τὴν ἐκκλησίαν. ὁ τοιοῦτος οὖν οὐ μεταλήψεται
5 τοῦ πνεύματος, ὅ ἐστιν ὁ Χριστός. 5. Τοσαύτην δύναται ἡ σὰρξ αὕτη
μεταλαβεῖν ζωὴν καὶ ἀφθαρσίαν κολληθέντος αὐτῇ τοῦ πνεύματος τοῦ
ἁγίου, οὔτε ἐξειπεῖν τις δύναται οὔτε λαλῆσαι ἃ ἡτοίμασεν ὁ κύριος
τοῖς ἐκλεκτοῖς αὐτοῦ.

1   XV. Οὐκ οἴομαι δὲ ὅτι μικρὰν συμβουλίαν ἐποιησάμην περὶ
ἐγκρατείας, ἣν ποιήσας τις οὐ μετανοήσει, ἀλλὰ καὶ ἑαυτὸν σώσει κἀμὲ
τὸν συμβουλεύσαντα. μισθὸς γὰρ οὐκ ἔστι μικρὸς πλανωμένην ψυχὴν
2 καὶ ἀπολλυμένην ἀποστρέψαι εἰς τὸ σωθῆναι. 2. ταύτην γὰρ ἔχομεν
τὴν ἀντιμισθίαν ἀποδοῦναι τῷ θεῷ τῷ κτίσαντι ἡμᾶς, ἐὰν ὁ λέγων καὶ
3 ἀκούων μετὰ πίστεως καὶ ἀγάπης καὶ λέγῃ καὶ ἀκούῃ. 3. ἐμμείνωμεν
οὖν ἐφ᾽ οἷς ἐπιστεύσαμεν δίκαιοι καὶ ὅσιοι, ἵνα μετὰ παρρησίας αἰτῶ-
μεν τὸν θεὸν τὸν λέγοντα· Ἔτι λαλοῦντός σου ἐρῶ· Ἰδοὺ πάρειμι.
4 4. τοῦτο γὰρ τὸ ῥῆμα μεγάλης ἐστὶν ἐπαγγελίας σημεῖον· ἑτοιμότερον
5 γὰρ ἑαυτὸν λέγει ὁ κύριος εἰς τὸ διδόναι τοῦ αἰτοῦντος. 5. τοσαύ-
της οὖν χρηστότητος μεταλαμβάνοντες μὴ φθονήσωμεν ἑαυτοῖς τυχεῖν
τοσούτων ἀγαθῶν. ὅσην γὰρ ἡδονὴν ἔχει τὰ ῥήματα ταῦτα τοῖς
ποιήσασιν αὐτά, τοσαύτην κατάκρισιν ἔχει τοῖς παρακούσασιν.

1   XVI. Ὥστε, ἀδελφοί, ἀφορμὴν λαβόντες οὐ μικρὰν εἰς τὸ μετα-
νοῆσαι, καιρὸν ἔχοντες, ἐπιστρέψωμεν ἐπὶ τὸν καλέσαντα ἡμᾶς θεὸν
2 ἕως ἔτι ἔχομεν τὸν παραδεχόμενον ἡμᾶς. 2. ἐὰν γὰρ ταῖς ἡδυπα-
θείαις ταύταις ἀποταξώμεθα καὶ τὴν ψυχὴν ἡμῶν ᵏνικήσωμεν ἐν τῷ
μὴ ποιεῖν τὰς ἐπιθυμίας αὐτῆς τὰς πονηράς, μεταληψόμεθα τοῦ

*Auch im Apoca.
in diese von
gezwungen.*

XV, 3) Ies. 58, 9.

ἐλέους Ἰησοῦ. 3. γινώσκετε δὲ ὅτι ἔρχεται ἤδη ἡ ἡμέρα τῆς κρί-
σεως ὡς κλίβανος καιόμενος, καὶ τακήσονταί τινες τῶν οὐρανῶν καὶ
πᾶσα ἡ γῆ ὡς μόλιβος ἐπὶ πυρὶ τηκόμενος· καὶ τότε φανήσεται τὰ
κρύφια καὶ φανερὰ ἔργα τῶν ἀνθρώπων. 4. Καλὸν οὖν ἐλεημοσύνη
ὡς μετάνοια ἁμαρτίας· κρείσσων νηστεία προσευχῆς, ἐλεημοσύνη δὲ
ἀμφοτέρων· ἀγάπη δὲ καλύπτει πλῆθος ἁμαρτιῶν, προσευχὴ δὲ
ἐκ καλῆς συνειδήσεως ἐκ θανάτου ῥύεται. μακάριος πᾶς ὁ εὑρεθεὶς
ἐν τούτοις πλήρης· ἐλεημοσύνη γὰρ κούφισμα ἁμαρτίας γίνεται.

XVII. 3. Μετανοήσωμεν οὖν ἐξ ὅλης καρδίας, ἵνα μή τις ἡμῶν
παραπόληται. εἰ γὰρ ἐντολὰς ἔχομεν καὶ τοῦτο πράσσομεν, ἀπὸ τῶν
εἰδώλων ἀποσπᾶν καὶ κατηχεῖν, πόσῳ μᾶλλον ψυχὴν ἤδη γινώσκου-
σαν τὸν θεὸν οὐ δεῖ ἀπόλλυσθαι. 2. συλλάβωμεν οὖν ἑαυτοῖς καὶ
τοὺς ἀσθενοῦντας ἀνάγειν περὶ τὸ ἀγαθόν, ὅπως σωθῶμεν ἅπαντες
καὶ ἐπιστρέψωμεν ἀλλήλους καὶ νουθετήσωμεν. 3. καὶ μὴ μόνον
ἄρτι δοκῶμεν πιστεύειν καὶ προσέχειν ἐν τῷ νουθετεῖσθαι ἡμᾶς ὑπὸ
τῶν πρεσβυτέρων, ἀλλὰ καὶ ὅταν εἰς οἶκον ἀπαλλαγῶμεν μνημονεύω-
μεν τῶν τοῦ κυρίου ἐνταλμάτων καὶ μὴ ἀντιπαρελκώμεθα ἀπὸ τῶν
κοσμικῶν ἐπιθυμιῶν, ἀλλὰ πυκνότερον προσερχόμενοι πειρώμεθα προ-
κόπτειν ἐν ταῖς ἐντολαῖς τοῦ κυρίου, ἵνα πάντες τὸ αὐτὸ φρονοῦντες
συνηγμένοι ὦμεν ἐπὶ τὴν ζωήν. 4. εἶπε γὰρ ὁ κύριος· Ἔρχομαι
συναγαγεῖν πάντα τὰ ἔθνη, φυλὰς καὶ γλώσσας. τοῦτο δὲ λέγει
τὴν ἡμέραν τῆς ἐπιφανείας αὐτοῦ, ὅτε ἐλθὼν λυτρώσεται ἡμᾶς
ἕκαστον κατὰ τὰ ἔργα αὐτοῦ. 5. καὶ ὄψονται τὴν δόξαν αὐτοῦ καὶ
τὸ κράτος οἱ ἄπιστοι, καὶ ξενισθήσονται ἰδόντες τὸ βασίλειον τοῦ κόσ-
μου ἐν τῷ Ἰησοῦ, λέγοντες· Οὐαὶ ἡμῖν, ὅτι σὺ ἦς, καὶ οὐκ ᾔδειμεν
καὶ οὐκ ἐπιστεύομεν καὶ οὐκ ἐπειθόμεθα τοῖς πρεσβυτέροις τοῖς ἀναγ-
γέλλουσιν ἡμῖν περὶ τῆς σωτηρίας ἡμῶν. καὶ ὁ σκώληξ αὐτῶν οὐ
τελευτήσει καὶ τὸ πῦρ αὐτῶν οὐ σβεσθήσεται, καὶ ἔσονται εἰς
ὅρασιν πάσῃ σαρκί. 6. τὴν ἡμέραν ἐκείνην λέγει τῆς κρίσεως,
ὅταν ὄψονται τοὺς ἐν ἡμῖν ἀσεβήσαντας καὶ παραλογισομένους τὰς
ἐντολὰς Ἰησοῦ Χριστοῦ. 7. οἱ δὲ δίκαιοι εὐπραγήσαντες καὶ ὑπομεί-
ναντες τὰς βασάνους καὶ μισήσαντες τὰς ἡδυπαθείας τῆς ψυχῆς,

XVI, 4) I Petr. 4, 8. — XVII, 4) Ies. 66, 18. — 5) Ies. 66, 24.

ὅταν θεάσωνται τοὺς ἀστοχήσαντας καὶ ἀρνησαμένους διὰ τῶν λόγων
ἢ διὰ τῶν ἔργων τὸν Ἰησοῦν ὅπως κολάζονται δειναῖς βασάνοις πυρὶ
ἀσβέστῳ, ἔσονται δόξαν δόντες τῷ θεῷ αὐτῶν λέγοντες ὅτι Ἔσται
ἐλπὶς τῷ δεδουλευκότι θεῷ ἐξ ὅλης καρδίας.

1   XVIII. Καὶ ἡμεῖς οὖν γενώμεθα ἐκ τῶν εὐχαριστούντων, τῶν
2 δεδουλευκότων τῷ θεῷ, καὶ μὴ ἐκ τῶν κρινομένων ἀσεβῶν. 2. καὶ
γὰρ αὐτὸς πανθαμαρτωλὸς ὢν καὶ μήπω φεύγων τὸν πειρασμόν, ἀλλ'
ἔτι ὢν ἐν μέσοις τοῖς ὀργάνοις τοῦ διαβόλου, σπουδάζω τὴν δικαιο-
σύνην διώκειν, ὅπως ἰσχύσω κἂν ἐγγὺς αὐτῆς γενέσθαι, φοβούμενος
τὴν κρίσιν τὴν μέλλουσαν.

1   XIX. Ὥστε, ἀδελφοὶ καὶ ἀδελφαί, μετὰ τὸν θεὸν τῆς ἀληθείας
ἀναγινώσκω ὑμῖν ἔντευξιν εἰς τὸ προσέχειν τοῖς γεγραμμένοις, ἵνα
καὶ ἑαυτοὺς σώσητε καὶ τὸν ἀναγινώσκοντα ἐν ὑμῖν. μισθὸν γὰρ
αἰτῶ ὑμᾶς τὸ μετανοῆσαι ἐξ ὅλης καρδίας, σωτηρίαν ἑαυτοῖς καὶ
ζωὴν διδόντας. τοῦτο γὰρ ποιήσαντες σκοπὸν πᾶσι τοῖς νέοις θήσο-
μεν, τοῖς βουλομένοις περὶ τὴν εὐσέβειαν καὶ τὴν χρηστότητα τοῦ
2 θεοῦ φιλοπονεῖν. 2. καὶ μὴ ἀηδῶς ἔχωμεν καὶ ἀγανακτῶμεν οἱ
ἄσοφοι, ὅταν τις ἡμᾶς νουθετῇ καὶ ἐπιστρέφῃ ἀπὸ τῆς ἀδικίας εἰς
τὴν δικαιοσύνην. ἔνια γὰρ πονηρὰ πράσσοντες οὐ γινώσκομεν διὰ
τὴν διψυχίαν καὶ ἀπιστίαν τὴν ἐνοῦσαν ἐν τοῖς στήθεσιν ἡμῶν, καὶ
3 ἐσκοτίσμεθα τὴν διάνοιαν ὑπὸ τῶν ἐπιθυμιῶν τῶν ματαίων. 3. πρά-
ξωμεν οὖν τὴν δικαιοσύνην, ἵνα εἰς τέλος σωθῶμεν. μακάριοι οἱ
τούτοις ὑπακούοντες τοῖς προστάγμασι· κἂν ὀλίγον χρόνον κακοπαθή-
σωσιν ἐν τῷ κόσμῳ τούτῳ, τὸν δ' ἀθάνατον τῆς ἀναστάσεως καρπὸν
4 τρυγήσουσι. 4. μὴ οὖν λυπείσθω ὁ εὐσεβὴς ἐὰν ἐπὶ τοῖς νῦν χρόνοις
ταλαιπωρῇ· μακάριος αὐτὸν ἀναμένει χρόνος ἐκεῖνος· ἄνω μετὰ τῶν
πατέρων ἀναβιώσας εὐφρανθήσεται εἰς τὸν ἀλύπητον αἰῶνα.

1   XX. Ἀλλὰ μηδὲ ἐκεῖνο τὴν διάνοιαν ὑμῶν ταρασσέτω, ὅτι βλέ-
πομεν τοὺς ἀδίκους πλουτοῦντας καὶ στενοχωρουμένους τοὺς τοῦ θεοῦ
2 δούλους. 2. πιστεύωμεν οὖν, ἀδελφοὶ καὶ ἀδελφαί· θεοῦ ζῶντος
πεῖραν ἀθλοῦμεν καὶ γυμναζόμεθα τῷ νῦν βίῳ, ἵνα τῷ μέλλοντι
3 στεφανωθῶμεν. 3. οὐδεὶς τῶν δικαίων ταχὺν καρπὸν ἔλαβεν, ἀλλ'
4 ἐκδέχεται αὐτόν. 4. εἰ γὰρ τὸν μισθὸν τῶν δικαίων ὁ θεὸς συντό-
μως ἀπεδίδου, εὐθέως ἐμπορίαν ἠσκοῦμεν καὶ οὐ θεοσέβειαν. ἐδο-

[marginal handwritten notes, left side:]
1. Petrus Apocalyp.
2. Einige lesen Λόγον
3.
4. Verschiedene Lesen.
5. zu verstehen: Eigenthümliche Über-
setzung.
6. Theuothenskrieg und Διδαχή. — Christ ἔμπορος.

κοῦμεν γὰρ εἶναι δίκαιοι, οὐ τὸ εὐσεβὲς ἀλλὰ τὸ κερδαλέον διώκον-
τες· καὶ διὰ τοῦτο θεία κρίσις ² ἔβλαψε πνεῦμα μὴ ὂν δίκαιον, ³ καὶ
ἐβάρυνε ¹ δεσμός.

5. ⁴ Τῷ μόνῳ θεῷ ἀοράτῳ, πατρὶ τῆς ἀληθείας, τῷ ἐξαποστεί-
λαντι ἡμῖν τὸν σωτῆρα καὶ ἀρχηγὸν τῆς ἀφθαρσίας, δι᾽ οὗ καὶ ἐφα-
νέρωσεν ἡμῖν τὴν ἀλήθειαν καὶ τὴν ἐπουράνιον ζωήν, ⁵ αὐτῷ ἡ δόξα
εἰς τοὺς αἰῶνας τῶν αἰώνων. ἀμήν.

[handwritten marginal notes:]

1. *Syre hat δεσμοῖς.*

5

2. *Muss als gno-
misch gefasst
werden.*

3. *Wir haben hier
ein Citat aus einer
Schrift die wir
nicht kennen.*

4. *Der Schluss
ist höchst inte-
ressant für die
Dogmengeschichte
Hervorgehoben wer
eine geistige Form
Theismus. Er ist
nicht unbekannt
aber die Wahrheit ist*

*Der Syre hat — der
Herr Jesus Christ
hier.*

*Wahrheit und
Leben sind die
beiden Begriffe.*

*Gott ist Vater der
Wahrheit.*

5. *ist Gott allein.*

4+9.
130-140'

ΒΑΡΝΑΒΑ ΕΠΙΣΤΟΛΗ.

1   I. Χαίρετε, υἱοὶ καὶ θυγατέρες, ἐν ὀνόματι κυρίου τοῦ ἀγαπή-
σαντος ἡμᾶς, ἐν εἰρήνῃ.

2   2. Μεγάλων μὲν ὄντων καὶ πλουσίων τῶν τοῦ θεοῦ δικαιωμάτων
εἰς ὑμᾶς, ὑπέρ τι καὶ καθ' ὑπερβολὴν ὑπερευφραίνομαι ἐπὶ τοῖς μακα-
ρίοις καὶ ἐνδόξοις ὑμῶν πνεύμασιν· οὗ τὸ ἔμφυτον, τῆς δωρεᾶς πνευ-
3 ματικῆς χάριν εἰλήφατε. 3. διὸ καὶ μᾶλλον συγχαίρω ἐμαυτῷ ἐλπίζων
σωθῆναι, ὅτι ἀληθῶς βλέπω ἐν ὑμῖν ἐκκεχυμένον ἀπὸ τοῦ πλουσίου
τῆς ἀγάπης κυρίου πνεῦμα ἐφ' ὑμᾶς. οὕτω με ἐξέπληξεν ἐπὶ ὑμῶν
4 ἡ ἐπιποθήτη ὄψις ὑμῶν. 4. πεπεισμένος οὖν τοῦτο καὶ συνειδὼς
ἐμαυτῷ, ὅτι ἐν ὑμῖν λαλήσας πολλὰ ἐπίσταμαι ὅτι ἐμοὶ συνώδευσεν
ἐν ὁδῷ δικαιοσύνης κύριος, καὶ πάντως ἀναγκάζομαι κἀγὼ εἰς τοῦτο,
ἀγαπᾶν ὑμᾶς ὑπὲρ τὴν ψυχήν μου· ὅτι μεγάλη πίστις καὶ ἀγάπη
5 ἐγκατοικεῖ ἐν ὑμῖν ἐλπίδι ζωῆς αὐτοῦ. 5. λογισάμενος οὖν τοῦτο, ὅτι
ἐὰν μελήσῃ μοι περὶ ὑμῶν τοῦ μέρος τι μεταδοῦναι ἀφ' οὗ ἔλαβον,
ὅτι ἔσται μοι τοιούτοις πνεύμασιν ὑπηρετήσαντι εἰς μισθόν, ἐσπούδασα
κατὰ μικρὸν ὑμῖν πέμπειν, ἵνα μετὰ τῆς πίστεως ὑμῶν τελείαν ἔχητε
6 τὴν γνῶσιν. 6. τρία οὖν δόγματά ἐστιν κυρίου· ζωῆς ἐλπίς, ἀρχὴ
καὶ τέλος πίστεως ἡμῶν· καὶ δικαιοσύνη, κρίσεως ἀρχὴ καὶ τέλος·
ἀγάπη εὐφροσύνης καὶ ἀγαλλιάσεως, ἔργων δικαιοσύνης μαρτυρία.
7   7. ἐγνώρισεν γὰρ ἡμῖν ὁ δεσπότης διὰ τῶν προφητῶν τὰ παρεληλυ-
θότα καὶ τὰ ἐνεστῶτα, καὶ τῶν μελλόντων δοὺς ἀπαρχὰς ἡμῖν γεύ-
σεως. ὧν τὰ καθ' ἕκαστα βλέποντες ἐνεργούμενα, καθὼς ἐλάλησεν,
ὀφείλομεν πλουσιώτερον καὶ ὑψηλότερον προσάγειν τῷ φόβῳ αὐτοῦ.
8   8. ἐγὼ δὲ οὐχ ὡς διδάσκαλος ἀλλ' ὡς εἷς ἐξ ὑμῶν ὑποδείξω ὀλίγα,
δι' ὧν ἐν τοῖς παροῦσιν εὐφρανθήσεσθε.

II. Ἡμερῶν οὖν οὐσῶν πονηρῶν καὶ αὐτοῦ τοῦ ἐνεργοῦντος 1
ἔχοντος τὴν ἐξουσίαν, ὀφείλομεν ἑαυτοῖς προσέχοντες ἐκζητεῖν τὰ
δικαιώματα κυρίου. 2. τῆς οὖν πίστεως ἡμῶν εἰσὶν βοηθοὶ φόβος 2
καὶ ὑπομονή, τὰ δὲ συνμαχοῦντα ἡμῖν μακροθυμία καὶ ἐγκράτεια·
3. τούτων μενόντων τὰ πρὸς κύριον ἁγνῶς, συνευφραίνονται αὐτοῖς 3
σοφία, σύνεσις, ἐπιστήμη, γνῶσις. 4. πεφανέρωκεν γὰρ ἡμῖν διὰ πάν- 4
των τῶν προφητῶν ὅτι οὔτε θυσιῶν οὔτε ὁλοκαυτωμάτων οὔτε προσ-
φορῶν χρῄζει, λέγων ὁτὲ μέν· 5. Τί μοι πλῆθος τῶν θυσιῶν 5
ὑμῶν; λέγει κύριος. πλήρης εἰμὶ ὁλοκαυτωμάτων, καὶ στέαρ
ἀρνῶν καὶ αἷμα ταύρων καὶ τράγων οὐ βούλομαι, οὐδ᾽ ἂν ἔρχη-
σθε ὀφθῆναί μοι. τίς γὰρ ἐξεζήτησεν ταῦτα ἐκ τῶν χειρῶν ὑμῶν;
πατεῖν μου τὴν αὐλὴν οὐ προσθήσεσθε· ὁτὲ δέ· Ἐὰν φέρητε
σεμίδαλιν, μάταιον· θυμίαμα, βδέλυγμά μοί ἐστιν· τὰς νεομηνίας
ὑμῶν καὶ τὰ σάββατα οὐκ ἀνέχομαι. 6. ταῦτα οὖν κατήργησεν, 6
ἵνα ὁ καινὸς νόμος τοῦ κυρίου ἡμῶν Ἰησοῦ Χριστοῦ, ἄνευ ζυγοῦ
ἀνάγκης ὤν, μὴ ἀνθρωποποίητον ἔχῃ τὴν προσφοράν. 7. λέγει δὲ 7
πάλιν πρὸς αὐτούς· Μὴ ἐγὼ ἐνετειλάμην τοῖς πατράσιν ὑμῶν
ἐκπορευομένοις ἐκ γῆς Αἰγύπτου, προσενέγκαι μοι ὁλοκαυτώματα
καὶ θυσίας; 8. ἀλλ᾽ ἢ τοῦτο ἐνετειλάμην αὐτοῖς· Ἕκαστος ὑμῶν 8
κατὰ τοῦ πλησίον ἐν τῇ καρδίᾳ αὐτοῦ κακίαν μὴ μνησικακείτω,
καὶ ὅρκον ψευδῆ μὴ ἀγαπᾶτε. 9. αἰσθάνεσθαι οὖν ὀφείλομεν, μὴ 9
ὄντες ἀσύνετοι, τὴν γνώμην τῆς ἀγαθωσύνης τοῦ πατρὸς ἡμῶν· ὅτι
ἡμῖν λέγει, θέλων ἡμᾶς μὴ ὁμοίως πλανωμένους ἐκείνοις ζητεῖν
πῶς προσάγωμεν αὐτῷ. 10. ἡμῖν οὖν οὕτως λέγει· Θυσία τῷ θεῷ 10
καρδία συντετριμμένη, ὀσμὴ εὐωδίας τῷ κυρίῳ καρδία δοξάζουσα
τὸν πεπλακότα αὐτήν. ἀκριβεύεσθαι οὖν ὀφείλομεν, ἀδελφοί, περὶ
τῆς σωτηρίας ἡμῶν, ἵνα μὴ ὁ πονηρὸς παρείσδυσιν πλάνης ποιήσας
ἐν ἡμῖν ἐκσφενδονήσῃ ἡμᾶς ἀπὸ τῆς ζωῆς ἡμῶν.

III. Λέγει οὖν πάλιν περὶ τούτων πρὸς αὐτούς· Ἱνατί μοι 1
νηστεύετε, λέγει κύριος, ὡς σήμερον ἀκουσθῆναι ἐν κραυγῇ τὴν
φωνὴν ὑμῶν; οὐ ταύτην τὴν νηστείαν ἐγὼ ἐξελεξάμην, λέγει

II, 5) Ies. 1, 11—13. — 7) Ier. 7, 22 sq. — 8) Zach. 8, 17. —
10) Ps. 51, 19. — III, 1 sq.) Ies. 58, 4 sq.

2 κύριος, οὐκ ἄνθρωπον ταπεινοῦντα τὴν ψυχὴν αὐτοῦ, 2. οὐδ᾽
ἂν κάμψητε ὡς κρίκον τὸν τράχηλον ὑμῶν, καὶ σάκκον ἐνδύ-
σησθε καὶ σποδὸν ὑποστρώσητε, οὐδ᾽ οὕτως καλέσετε νηστείαν δε-
3 κτήν. 3. πρὸς ἡμᾶς δὲ λέγει· Ἰδοὺ αὕτη ἡ νηστεία ἣν ἐγὼ ἐξελεξά-
μην, λέγει κύριος· οὐκ ἄνθρωπον ταπεινοῦντα τὴν ψυχὴν αὐτοῦ,
ἀλλά· λύε πᾶν σύνδεσμον ἀδικίας, διάλυε στραγγαλιὰς βιαίων συναλ-
λαγμάτων, ἀπόστελλε τεθραυσμένους ἐν ἀφέσει, καὶ πᾶσαν ἄδικον
συνγραφὴν διάσπα. διάθρυπτε πεινῶσιν τὸν ἄρτον σου, καὶ γυ-
μνὸν ἐὰν ἴδῃς, περίβαλε· ἀστέγους εἴσαγε εἰς τὸν οἶκόν σου, καὶ
ἐὰν ἴδῃς ταπεινόν, οὐχ ὑπερόψῃ αὐτόν, οὐδὲ ἀπὸ τῶν οἰκείων
4 τοῦ σπέρματός σου. 4. τότε ῥαγήσεται πρώϊμον τὸ φῶς σου, καὶ
τὰ ἱμάτιά σου ταχέως ἀνατελεῖ, καὶ προπορεύσεται ἔμπροσθέν
5 σου ἡ δικαιοσύνη, καὶ ἡ δόξα τοῦ θεοῦ περιστελεῖ σε· 5. τότε
βοήσεις, καὶ ὁ θεὸς ἐπακούσεταί σου, ἔτι λαλοῦντός σου ἐρεῖ·
Ἰδοὺ πάρειμι· ἐὰν ἀφέλῃς ἀπὸ σοῦ σύνδεσμον καὶ χειροτονίαν
καὶ ῥῆμα γογγυσμοῦ, καὶ δῷς πεινῶντι τὸν ἄρτον σου ἐκ ψυχῆς
6 σου, καὶ ψυχὴν τεταπεινωμένην ἐλεήσῃς. 6. εἰς τοῦτο οὖν, ἀδελ-
φοί, ὁ μακρόθυμος προβλέψας, ὡς ἐν ἀκεραιοσύνῃ πιστεύσει ὁ λαὸς
ὃν ἡτοίμασεν ἐν τῷ ἠγαπημένῳ αὐτοῦ, προεφανέρωσεν ἡμῖν περὶ
πάντων, ἵνα μὴ προσρησσώμεθα ὡς ἐπήλυτοι τῷ ἐκείνων νόμῳ.

1   IV. Δεῖ οὖν ἡμᾶς περὶ τῶν ἐνεστώτων ἐπιπολὺ ἐραυνῶντας
ἐκζητεῖν τὰ δυνάμενα ἡμᾶς σώζειν. φύγωμεν οὖν τελείως ἀπο πάντων
τῶν ἔργων τῆς ἀνομίας, μήποτε καταλάβῃ ἡμᾶς τὰ ἔργα τῆς ἀνο-
μίας· καὶ μισήσωμεν τὴν πλάνην τοῦ νῦν καιροῦ, ἵνα εἰς τὸν μέλλοντα
2 ἀγαπηθῶμεν. 2. μὴ δῶμεν τῇ ἑαυτῶν ψυχῇ ἄνεσιν, ὥστε ἔχειν αὐτὴν
ἐξουσίαν μετὰ ἁμαρτωλῶν καὶ πονηρῶν συντρέχειν, μήποτε ὁμοιωθῶ-
3 μεν αὐτοῖς. 3. τὸ τέλειον σκάνδαλον ἤγγικεν, περὶ οὗ γέγραπται, ὡς
Ἐνὼχ λέγει. εἰς τοῦτο γὰρ ὁ δεσπότης συντέτμηκεν τοὺς καιροὺς καὶ
τὰς ἡμέρας, ἵνα ταχύνῃ ὁ ἠγαπημένος αὐτοῦ καὶ ἐπὶ τὴν κληρο-
4 νομίαν ἥξῃ. 4. λέγει δὲ οὕτως καὶ ὁ προφήτης· Βασιλεῖαι δέκα ἐπὶ
τῆς γῆς βασιλεύσουσιν, καὶ ἐξαναστήσεται ὄπισθεν αὐτῶν μικρὸς
5 βασιλεύς, ὃς ταπεινώσει τρεῖς ὑφ᾽ ἓν τῶν βασιλέων. 5. ὁμοίως

---

3 sqq.) Ies. 58, 6—10. — IV, 3) unde? — 4) Dan. 7, 24.

περὶ τοῦ αὐτοῦ λέγει Δανιήλ· Καὶ εἶδον τὸ τέταρτον θηρίον πονη-
ρὸν καὶ ἰσχυρὲν καὶ χαλεπώτερον παρὰ πάντα τὰ θηρία τῆς
γῆς, καὶ ὡς ἐξ αὐτοῦ ἀνέτειλεν δέκα κέρατα, καὶ ἐξ αὐτῶν
μικρὸν κέρας παραφυάδιον, καὶ ὡς ἐταπείνωσεν ὑφ' ἓν τρία τῶν
μεγάλων κεράτων. 6. συνιέναι οὖν ὀφείλετε. ἔτι δὲ καὶ τοῦτο 6
ἐρωτῶ ὑμᾶς ὡς εἷς ἐξ ὑμῶν ὤν, ἰδίως δὲ καὶ πάντας ἀγαπῶν ὑπὲρ
τὴν ψυχήν μου, προσέχειν νῦν ἑαυτοῖς καὶ μὴ ὁμοιοῦσθαί τισιν, ἐπισω-
ρεύοντας ταῖς ἁμαρτίαις ὑμῶν, λέγοντας ὅτι ἡ διαθήκη ἐκείνων καὶ
ἡμῶν. ἡμῶν μέν· ἀλλ' ἐκεῖνοι οὕτως εἰς τέλος ἀπώλεσαν αὐτήν, λα-
βόντος ἤδη τοῦ Μωσέως. 7. λέγει γὰρ ἡ γραφή· Καὶ ἦν Μωσῆς 7
ἐν τῷ ὄρει νηστεύων ἡμέρας τεσσεράκοντα καὶ νύκτας τεσσερά-
κοντα, καὶ ἔλαβεν τὴν διαθήκην ἀπὸ τοῦ κυρίου, πλάκας λιθίνας
γεγραμμένας τῷ δακτύλῳ τῆς χειρὸς τοῦ κυρίου. 8. ἀλλὰ ἐπι- 8
στραφέντες ἐπὶ τὰ εἴδωλα ἀπώλεσαν αὐτήν. λέγει γὰρ οὕτως κύ-
ριος· Μωϋσῆ Μωϋσῆ, κατάβηθι τὸ τάχος, ὅτι ἠνόμησεν ὁ λαὸς
σου, οὓς ἐξήγαγες ἐκ γῆς Αἰγύπτου. καὶ συνῆκεν Μωϋσῆς καὶ
ἔριψεν τὰς δύο πλάκας ἐκ τῶν χειρῶν αὐτοῦ· καὶ συνετρίβη αὐτῶν
ἡ διαθήκη, ἵνα ἡ τοῦ ἠγαπημένου Ἰησοῦ ἐγκατασφραγισθῇ εἰς τὴν
καρδίαν ἡμῶν ἐν ἐλπίδι τῆς πίστεως αὐτοῦ. 9. πολλὰ δὲ θέλων 9
γράφειν, οὐχ ὡς διδάσκαλος ἀλλ' ὡς πρέπει ἀγαπῶντι, ἀφ' ὧν ἔχομεν μὴ
ἐλλείπειν, γράφειν ἐσπούδασα, περίψημα ὑμῶν. διὸ προσέχωμεν ἐν ταῖς
ἐσχάταις ἡμέραις. οὐδὲν γὰρ ὠφελήσει ἡμᾶς ὁ πᾶς χρόνος τῆς πίστεως
ἡμῶν, ἐὰν μὴ νῦν ἐν τῷ ἀνόμῳ καιρῷ καὶ τοῖς μέλλουσιν σκανδάλοις,
ὡς πρέπει υἱοῖς θεοῦ, ἀντιστῶμεν, ἵνα μὴ σχῇ παρείσδυσιν ὁ μέλας.
10. φύγωμεν ἀπὸ πάσης ματαιότητος, μισήσωμεν τελείως τὰ ἔργα 10
τῆς πονηρᾶς ὁδοῦ. μὴ καθ' ἑαυτοὺς ἐνδύνοντες μονάζετε ὡς ἤδη
δεδικαιωμένοι, ἀλλ' ἐπὶ τὸ αὐτὸ συνερχόμενοι συνζητεῖτε περὶ τοῦ
κοινῇ συμφέροντος. 11. λέγει γὰρ ἡ γραφή· Οὐαὶ οἱ συνετοὶ ἑαυτοῖς 11
καὶ ἐνώπιον ἑαυτῶν ἐπιστήμονες. γενώμεθα πνευματικοί, γενώμεθα
ναὸς τέλειος τῷ θεῷ. ἐφ' ὅσον ἐστὶν ἐν ἡμῖν, μελετῶμεν τὸν φόβον
τοῦ θεοῦ καὶ φυλάσσειν ἀγωνιζώμεθα τὰς ἐντολὰς αὐτοῦ, ἵνα ἐν τοῖς

---

5) Dan. 7, 7 sq. — 7) Ex. 31, 18. 34, 28. — 8) Ex. 32, 7. Deut. 9, 12.
Ex. 32, 19. — 11) Ies. 5, 21.

12 δικαιώμασιν αὐτοῦ εὐφρανθῶμεν. 12. ὁ κύριος ἀπροσωπολήμπτως
κρινεῖ τὸν κόσμον. ἕκαστος καθὼς ἐποίησεν κομιεῖται. ἐὰν ᾖ ἀγαθός,
ἡ δικαιοσύνη αὐτοῦ προηγήσεται αὐτοῦ· ἐὰν ᾖ πονηρός, ὁ μισθὸς
13 τῆς πονηρίας ἔμπροσθεν αὐτοῦ· 13. ἵνα μήποτε ἐπαναπαυόμενοι ὡς
κλητοὶ ἐπικαθυπνώσωμεν ταῖς ἁμαρτίαις ἡμῶν, καὶ ὁ πονηρὸς ἄρχων
λαβὼν τὴν καθ᾽ ἡμῶν ἐξουσίαν ἀπώσηται ἡμᾶς ἀπὸ τῆς βασιλείας
14 τοῦ κυρίου. 14. ἔτι δὲ κἀκεῖνο, ἀδελφοί μου, νοεῖτε· ὅταν βλέπετε
μετὰ τηλικαῦτα σημεῖα καὶ τέρατα τὰ γεγονότα ἐν τῷ Ἰσραήλ, καὶ
οὕτως ἐγκαταλελεῖφθαι αὐτούς· προσέχωμεν μήποτε, ὡς γέγραπται,
πολλοὶ κλητοί, ὀλίγοι δὲ ἐκλεκτοὶ εὑρεθῶμεν.

1   V. Εἰς τοῦτο γὰρ ὑπέμεινεν ὁ κύριος παραδοῦναι τὴν σάρκα εἰς
καταφθοράν, ἵνα τῇ ἀφέσει τῶν ἁμαρτιῶν ἁγνισθῶμεν, ὅ ἐστιν ἐν τῷ
2 αἵματι τοῦ ῥαντίσματος αὐτοῦ. 2. γέγραπται γὰρ περὶ αὐτοῦ ἃ μὲν
πρὸς τὸν Ἰσραήλ, ἃ δὲ πρὸς ἡμᾶς. λέγει δὲ οὕτως· Ἐτραυματίσθη
διὰ τὰς ἀνομίας ἡμῶν καὶ μεμαλάκισται διὰ τὰς ἁμαρτίας ἡμῶν,
τῷ μώλωπι αὐτοῦ ἡμεῖς ἰάθημεν. ὡς πρόβατον ἐπὶ σφαγὴν
ἤχθη καὶ ὡς ἀμνὸς ἄφωνος ἐναντίον τοῦ κείραντος αὐτόν.
3 3. οὐκοῦν ὑπερευχαριστεῖν ὀφείλομεν τῷ κυρίῳ, ὅτι καὶ τὰ παρεληλυ-
θότα ἡμῖν ἐγνώρισεν, καὶ ἐν τοῖς ἐνεστῶσιν ἡμᾶς ἐσόφισεν, καὶ εἰς
4 τὰ μέλλοντα οὐκ ἐσμὲν ἀσύνετοι. 4. λέγει δὲ ἡ γραφή· Οὐκ ἀδίκως
ἐκτείνεται δίκτυα πτερωτοῖς. τοῦτο λέγει ὅτι δικαίως ἀπολεῖται
ἄνθρωπος, ὃς ἔχων ὁδοῦ δικαιοσύνης γνῶσιν, ἑαυτὸν εἰς ὁδὸν σκότους
5 ἀποσυνέχει. 5. ἔτι δὲ καὶ τοῦτο, ἀδελφοί μου· εἰ ὁ κύριος ὑπέμει-
νεν παθεῖν περὶ τῆς ψυχῆς ἡμῶν, ὢν παντὸς τοῦ κόσμου κύριος, ᾧ
εἶπεν ὁ θεὸς ἀπὸ καταβολῆς κόσμου· Ποιήσωμεν ἄνθρωπον κατ᾽
εἰκόνα καὶ καθ᾽ ὁμοίωσιν ἡμετέραν· πῶς οὖν ὑπέμεινεν ὑπὸ χει-
6 ρὸς ἀνθρώπων παθεῖν; μάθετε. 6. οἱ προφῆται, ἀπ᾽ αὐτοῦ ἔχοντες
τὴν χάριν, εἰς αὐτὸν ἐπροφήτευσαν. αὐτὸς δὲ ἵνα καταργήσῃ τὸν
θάνατον καὶ τὴν ἐκ νεκρῶν ἀνάστασιν δείξῃ, ὅτι ἐν σαρκὶ ἔδει αὐτὸν
7 φανερωθῆναι, ὑπέμεινεν, 7. ἵνα καὶ τοῖς πατράσιν τὴν ἐπαγγελίαν
ἀποδῷ καὶ αὐτὸς ἑαυτῷ τὸν λαὸν τὸν καινὸν ἑτοιμάζων ἐπιδείξῃ, ἐπὶ
8 τῆς γῆς ὤν, ὅτι τὴν ἀνάστασιν αὐτὸς ποιήσας κρινεῖ. 8. πέρας γέ

---

14) Mt. 22, 14. — V, 2) Ies. 53, 5. 7. — 4) Prov. 1, 17. — 5) Gen. 1, 26.

τοι διδάσκων τὸν Ἰσραὴλ καὶ τηλικαῦτα τέρατα καὶ σημεῖα ποιῶν ἐκήρυσσεν, καὶ ὑπερηγάπησεν αὐτόν. 9. ὅτε δὲ τοὺς ἰδίους ἀποστό- 9 λους τοὺς μέλλοντας κηρύσσειν τὸ εὐαγγέλιον αὐτοῦ ἐξελέξατο, ὄντας ὑπὲρ πᾶσαν ἁμαρτίαν ἀνομωτέρους, ἵνα δείξῃ ὅτι οὐκ ἦλθεν καλέσαι δικαίους ἀλλὰ ἁμαρτωλούς, τότε ἐφανέρωσεν ἑαυτὸν εἶναι υἱὸν θεοῦ. 10. εἰ γὰρ μὴ ἦλθεν ἐν σαρκί, οὐδ' ἄν πως οἱ ἄνθρωποι ἐσώθησαν 10 βλέποντες αὐτόν· ὅτε τὸν μέλλοντα μὴ εἶναι ἥλιον, ἔργον τῶν χειρῶν αὐτοῦ ὑπάρχοντα, ἐμβλέποντες οὐκ ἰσχύουσιν εἰς τὰς ἀκτῖνας αὐτοῦ ἀντοφθαλμῆσαι. 11. οὐκοῦν ὁ υἱὸς τοῦ θεοῦ εἰς τοῦτο ἐν σαρκὶ ἦλθεν, 11 ἵνα τὸ τέλειον τῶν ἁμαρτιῶν ἀνακεφαλαιώσῃ τοῖς διώξασιν ἐν θανάτῳ τοὺς προφήτας αὐτοῦ. 12. οὐκοῦν εἰς τοῦτο ὑπέμεινεν. λέγει γὰρ ὁ 12 θεὸς τὴν πληγὴν τῆς σαρκὸς αὐτοῦ ὅτι ἐξ αὐτῶν· Ὅταν πατάξωσιν τὸν ποιμένα ἑαυτῶν, τότε ἀπολεῖται τὰ πρόβατα τῆς ποίμνης. 13. αὐτὸς δὲ ἠθέλησεν οὕτω παθεῖν. ἔδει γὰρ ἵνα ἐπὶ ξύλου πάθῃ. 13 λέγει γὰρ ὁ προφητεύων ἐπ' αὐτῷ· Φεῖσαί μου τῆς ψυχῆς ἀπὸ ῥομφαίας· καί· Καθήλωσόν μου τὰς σάρκας, ὅτι πονηρευομένων συναγωγαὶ ἐπανέστησάν μοι. 14. καὶ πάλιν λέγει· Ἰδοὺ τέθεικά 14 μου τὸν νῶτον εἰς μάστιγας καὶ τὰς σιαγόνας μου εἰς ῥαπίσματα, τὸ δὲ πρόσωπόν μου ἔθηκα ὡς στερεὰν πέτραν.

VI. Ὅτε οὖν ἐποίησεν τὴν ἐντολήν, τί λέγει; Τίς ὁ κρινόμενός 1 μοι; ἀντιστήτω μοι· ἢ τίς ὁ δικαιούμενός μοι; ἐγγισάτω τῷ παιδὶ κυρίου. 2. οὐαὶ ὑμῖν, ὅτι ὑμεῖς πάντες ὡς ἱμάτιον παλαιω- 2 θήσεσθε, καὶ σὴς καταφάγεται ὑμᾶς. καὶ πάλιν λέγει ὁ προφήτης, ἐπεὶ ὡς λίθος ἰσχυρὸς ἐτέθη εἰς συντριβήν· Ἰδοὺ ἐμβαλῶ εἰς τὰ θεμέλια Σιὼν λίθον πολυτελῆ, ἐκλεκτόν, ἀκρογωνιαῖον, ἔντιμον. 3. εἶτα τί λέγει; Καὶ ὃς ἐλπίσει ἐπ' αὐτὸν ζήσεται εἰς τὸν αἰῶνα. 3 ἐπὶ λίθον οὖν ἡμῶν ἡ ἐλπίς; μὴ γένοιτο. ἀλλ' ἐπεὶ ἐν ἰσχύι τέθεικεν τὴν σάρκα αὐτοῦ κύριος. λέγει γάρ· Καὶ ἔθηκέν με ὡς στερεὰν πέτραν. 4. λέγει δὲ πάλιν ὁ προφήτης· Λίθον ὃν ἀπεδοκίμασαν 4 οἱ οἰκοδομοῦντες, οὗτος ἐγενήθη εἰς κεφαλὴν γωνίας. καὶ πάλιν

---

9) Mt. 9, 13. — 12) Zach. 13, 6 sq. — 13) Ps. 22, 21. 119, 120. 22, 17. — 14) Ies. 50, 6 sq. — VI, 1 sq.) Ies. 50, 8 sq. — 2) Ies. 28, 16. — 3) Ies. 50, 7. — 4) Ps. 118, 22. 24.

λέγει· Αὕτη ἐστὶν ἡ ἡμέρα ἡ μεγάλη καὶ θαυμαστή, ἣν ἐποίησεν
5 ὁ κύριος. 5. ἁπλούστερον ὑμῖν γράφω, ἵνα συνιῆτε, ἐγὼ περίψημα
6 τῆς ἀγάπης ὑμῶν. 6. τί οὖν λέγει πάλιν ὁ προφήτης; Περιέσχεν με
συναγωγὴ πονηρευομένων, ἐκύκλωσάν με ὡσεὶ μέλισσαι κηρίον·
7 καί· Ἐπὶ τὸν ἱματισμόν μου ἔβαλον κλῆρον. 7. ἐν σαρκὶ οὖν
αὐτοῦ μέλλοντος φανεροῦσθαι καὶ πάσχειν, προεφανερώθη τὸ πάθος.
λέγει γὰρ ὁ προφήτης ἐπὶ τὸν Ἰσραήλ· Οὐαὶ τῇ ψυχῇ αὐτῶν, ὅτι
βεβούλευνται βουλὴν πονηρὰν καθ᾽ ἑαυτῶν, εἰπόντες· Δήσωμεν
8 τὸν δίκαιον, ὅτι δύσχρηστος ἡμῖν ἐστίν. 8. τί λέγει ὁ ἄλλος προ-
φήτης Μωϋσῆς αὐτοῖς; Ἰδοὺ τάδε λέγει κύριος ὁ θεός· Εἰσέλθατε
εἰς τὴν γῆν τὴν ἀγαθήν, ἣν ὤμοσεν κύριος τῷ Ἀβραὰμ καὶ Ἰσαὰκ
καὶ Ἰακώβ, καὶ κατακληρονομήσατε αὐτήν, γῆν ῥέουσαν γάλα
9 καὶ μέλι. 9. τί λέγει ἡ γνῶσις; μάθετε. ἐλπίσατε, φησίν, ἐπὶ
τὸν ἐν σαρκὶ μέλλοντα φανεροῦσθαι ὑμῖν Ἰησοῦν. ἄνθρωπος γὰρ γῆ
ἐστὶν πάσχουσα· ἀπὸ προσώπου γὰρ τῆς γῆς ἡ πλάσις τοῦ Ἀδὰμ
10 ἐγένετο. 10. τί οὖν λέγει· Εἰς τὴν γῆν τὴν ἀγαθήν, γῆν ῥέουσαν
γάλα καὶ μέλι; εὐλογητὸς ὁ κύριος ἡμῶν, ἀδελφοί, ὁ σοφίαν καὶ
νοῦν θέμενος ἐν ἡμῖν τῶν κρυφίων αὐτοῦ. λέγει γὰρ ὁ προφήτης
παραβολὴν κυρίου· τίς νοήσει, εἰ μὴ σοφὸς καὶ ἐπιστήμων καὶ ἀγαπῶν
11 τὸν κύριον αὐτοῦ; 11 ἐπεὶ οὖν ἀνακαινίσας ἡμᾶς ἐν τῇ ἀφέσει τῶν
ἁμαρτιῶν, ἐποίησεν ἡμᾶς ἄλλον τύπον, ὡς παιδίων ἔχειν τὴν ψυχήν,
12 ὡς ἂν δὴ ἀναπλάσσοντος αὐτοῦ ἡμᾶς. 12. λέγει γὰρ ἡ γραφὴ περὶ
ἡμῶν, ὡς λέγει τῷ υἱῷ· Ποιήσωμεν κατ᾽ εἰκόνα καὶ καθ᾽ ὁμοίω-
σιν ἡμῶν τὸν ἄνθρωπον, καὶ ἀρχέτωσαν τῶν θηρίων τῆς γῆς
καὶ τῶν πετεινῶν τοῦ οὐρανοῦ καὶ τῶν ἰχθύων τῆς θαλάσσης.
καὶ εἶπεν κύριος ἰδὼν τὸ καλὸν πλάσμα ἡμῶν· Αὐξάνεσθε καὶ
13 πληθύνεσθε καὶ πληρώσατε τὴν γῆν. ταῦτα πρὸς τὸν υἱόν. 13. πάλιν
σοι ἐπιδείξω πῶς πρὸς ἡμᾶς λέγει. δευτέραν πλάσιν ἐπ᾽ ἐσχάτων
ἐποίησεν. λέγει δὲ κύριος· Ἰδοὺ ποιῶ τὰ ἔσχατα ὡς τὰ πρῶτα.
εἰς τοῦτο οὖν ἐκήρυξεν ὁ προφήτης· Εἰσέλθατε εἰς γῆν ῥέουσαν
14 γάλα καὶ μέλι, καὶ κατακυριεύσατε αὐτῆς. 14. ἴδε οὖν, ἡμεῖς

---

6) Ps. 22, 17. 118, 12. Ps. 22, 19. — 7) Ies. 3, 9 sq. — 8) Ex. 33, 1. 3.
— 22) Gen. 1, 26. 28. — 13) Ἰδοὺ — πρῶτα unde?

ἀναπεπλάσμεθα, καθὼς πάλιν ἐν ἑτέρῳ προφήτῃ λέγει· Ἰδού, λέγει
κύριος, ἐξελῶ τούτων, τουτέστιν ὧν προέβλεπεν τὸ πνεῦμα κυρίου,
τὰς λιθίνας καρδίας καὶ ἐμβαλῶ σαρκίνας. ὅτι αὐτὸς ἐν σαρκὶ
ἔμελλεν φανεροῦσθαι καὶ ἐν ἡμῖν κατοικεῖν. 15. ναὸς γὰρ ἅγιος, 15
ἀδελφοί μου, τῷ κυρίῳ τὸ κατοικητήριον ἡμῶν τῆς καρδίας. 16. λέγει 16
γὰρ κύριος πάλιν· Καὶ ἐν τίνι ὀφθήσομαι τῷ κυρίῳ τῷ θεῷ μου
καὶ δοξασθήσομαι; λέγει· Ἐξομολογήσομαί σοι ἐν ἐκκλησίᾳ ἀδελ-
φῶν μου καὶ ψαλῶ σοι ἀναμέσον ἐκκλησίας ἁγίων. οὐκοῦν ἡμεῖς
ἐσμὲν οὓς εἰσήγαγεν εἰς τὴν γῆν τὴν ἀγαθήν. 17. τί οὖν τὸ γάλα 17
καὶ τὸ μέλι; ὅτι πρῶτον τὸ παιδίον μέλιτι, εἶτα γάλακτι ζωοποιεῖται.
οὕτως οὖν καὶ ἡμεῖς τῇ πίστει τῆς ἐπαγγελίας καὶ τῷ λόγῳ ζωοποι-
ούμενοι ζήσομεν κατακυριεύοντες τῆς γῆς. 18. προειρήκαμεν δὲ ἐπάνω· 18
Καὶ αὐξανέσθωσαν καὶ πληθυνέσθωσαν καὶ ἀρχέτωσαν τῶν
ἰχθύων. τίς οὖν ὁ δυνάμενος νῦν ἄρχειν θηρίων ἢ ἰχθύων ἢ πετεινῶν
τοῦ οὐρανοῦ; αἰσθάνεσθαι γὰρ ὀφείλομεν ὅτι τὸ ἄρχειν ἐξουσίας ἐστίν,
ἵνα τις ἐπιτάξας κυριεύσῃ. 19. εἰ οὖν οὐ γίνεται τοῦτο νῦν, ἄρα ἡμῖν 19
εἴρηκεν πότε· ὅταν καὶ αὐτοὶ τελειωθῶμεν κληρονόμοι τῆς διαθήκης
κυρίου γενέσθαι.

VII. Οὐκοῦν νοεῖτε, τέκνα εὐφροσύνης, ὅτι πάντα ὁ καλὸς κύριος 1
προεφανέρωσεν ἡμῖν, ἵνα γνῶμεν ᾧ κατὰ πάντα εὐχαριστοῦντες ὀφεί-
λομεν αἰνεῖν. 2. εἰ οὖν ὁ υἱὸς τοῦ θεοῦ, ὢν κύριος καὶ μέλλων 2
κρίνειν ζῶντας καὶ νεκρούς, ἔπαθεν ἵνα ἡ πληγὴ αὐτοῦ ζωοποιήσῃ
ἡμᾶς, πιστεύσωμεν ὅτι ὁ υἱὸς τοῦ θεοῦ οὐκ ἠδύνατο παθεῖν εἰ μὴ
δι᾽ ἡμᾶς. 3. ἀλλὰ καὶ σταυρωθεὶς ἐποτίζετο ὄξει καὶ χολῇ. ἀκούσατε 3
πῶς περὶ τούτου πεφανέρωκαν οἱ ἱερεῖς τοῦ ναοῦ. γεγραμμένης ἐντο-
λῆς· Ὃς ἂν μὴ νηστεύσῃ τὴν νηστείαν, θανάτῳ ἐξολεθρευθήσεται,
ἐνετείλατο κύριος, ἐπεὶ καὶ αὐτὸς ὑπὲρ τῶν ἡμετέρων ἁμαρτιῶν
ἔμελλεν τὸ σκεῦος τοῦ πνεύματος προσφέρειν θυσίαν, ἵνα καὶ ὁ τύπος
ὁ γενόμενος ἐπὶ Ἰσαὰκ τοῦ προσενεχθέντος ἐπὶ τὸ θυσιαστήριον τελε-
σθῇ. 4. τί οὖν λέγει ἐν τῷ προφήτῃ; Καὶ φαγέτωσαν ἐκ τοῦ 4
τράγου τοῦ προσφερομένου τῇ νηστείᾳ ὑπὲρ πασῶν τῶν ἁμαρ-

---

14) Ez. 11, 19. 36, 26. — 16) Ps. 42, 3. Ps. 22, 23. — 18) Gen. 1, 26. 28.
— VII, 3) Mt. 27, 34. 48. Lev. 23, 29. — 4) unde?

τιῶν. προσέχετε ἀκριβῶς· Καὶ φαγέτωσαν οἱ ἱερεῖς μόνοι πάντες
5 τὸ ἔντερον ἄπλυτον μετὰ ὄξους. 5. πρὸς τί; Ἐπειδὴ ἐμέ, ὑπὲρ
ἁμαρτιῶν μέλλοντα τοῦ λαοῦ μου τοῦ καινοῦ προσφέρειν τὴν σάρκα
μου, μέλλετε ποτίζειν χολὴν μετὰ ὄξους, φάγετε ὑμεῖς μόνοι, τοῦ
λαοῦ νηστεύοντος καὶ κοπτομένου ἐπὶ σάκκου καὶ σποδοῦ· ἵνα δείξῃ
6 ὅτι δεῖ αὐτὸν πολλὰ παθεῖν ὑπ᾽ αὐτῶν. 6. ἃ ἐνετείλατο προσ-
έχετε· Λάβετε δύο τράγους καλοὺς καὶ ὁμοίους καὶ προσ-
ενέγκατε, καὶ λαβέτω ὁ ἱερεὺς τὸν ἕνα εἰς ὁλοκαύτωμα ὑπὲρ
7 ἁμαρτιῶν. 7. τὸν δὲ ἕνα τί ποιήσωσιν; Ἐπικατάρατος, φησίν, ὁ
8 εἷς. προσέχετε πῶς ὁ τύπος τοῦ Ἰησοῦ φανεροῦται· 8. Καὶ ἐμπτύ-
σατε πάντες καὶ κατακεντήσατε, καὶ περίθετε τὸ ἔριον τὸ κόκ-
κινον περὶ τὴν κεφαλὴν αὐτοῦ, καὶ οὕτως εἰς ἔρημον βληθήτω.
καὶ ὅταν γένηται οὕτως, ἄγει ὁ βαστάζων τὸν τράγον εἰς τὴν ἔρη-
μον, καὶ ἀφαιρεῖ τὸ ἔριον καὶ ἐπιτίθησιν αὐτὸ ἐπὶ φρύγανον τὸ
λεγόμενον ῥαχία, οὗ καὶ τοὺς βλαστοὺς εἰώθαμεν τρώγειν ἐν τῇ
χώρᾳ εὑρίσκοντες. οὕτω μόνης τῆς ῥάχου οἱ καρποὶ γλυκεῖς εἰσίν.
9 9. τί οὖν τοῦτό ἐστιν; προσέχετε· Τὸν μὲν ἕνα ἐπὶ τὸ θυσια-
στήριον, τὸν δὲ ἕνα ἐπικατάρατον, καὶ ὅτι τὸν ἐπικατάρατον
ἐστεφανωμένον· ἐπειδὴ ὄψονται αὐτὸν τότε τῇ ἡμέρᾳ τὸν ποδήρη
ἔχοντα τὸν κόκκινον περὶ τὴν σάρκα, καὶ ἐροῦσιν· Οὐχ οὗτός ἐστιν
ὅν ποτε ἡμεῖς ἐσταυρώσαμεν ἐξουθενήσαντες καὶ κατακεντήσαντες
καὶ ἐμπτύσαντες; ἀληθῶς οὗτος ἦν ὁ τότε λέγων ἑαυτὸν υἱὸν τοῦ
10 θεοῦ εἶναι. 10. πῶς γὰρ ὅμοιος ἐκείνῳ; εἰς τοῦτο ὁμοίους τοὺς τρά-
γους, καλούς, ἴσους, ἵνα ὅταν ἴδωσιν αὐτὸν τότε ἐρχόμενον, ἐκπλα-
γῶσιν ἐπὶ τῇ ὁμοιότητι τοῦ τράγου. οὐκοῦν ἴδε τὸν τράγον τὸν τύ-
11 πον τοῦ μέλλοντος πάσχειν Ἰησοῦ. 11. τί δὲ ὅτι τὸ ἔριον μέσον τῶν
ἀκανθῶν τιθέασιν; τύπος ἐστὶν τοῦ Ἰησοῦ τῇ ἐκκλησίᾳ θέμενος, ὅτι
ὃς ἐὰν θέλῃ τὸ ἔριον ἆραι τὸ κόκκινον, δεῖ αὐτὸν πολλὰ παθεῖν διὰ
τὸ εἶναι φοβερὰν τὴν ἄκανθαν, καὶ θλιβέντα κυριεῦσαι αὐτοῦ. Οὕτω,
φησίν, οἱ θέλοντές με ἰδεῖν καὶ ἅψασθαί μου τῆς βασιλείας ὀφείλου-
σιν θλιβέντες καὶ παθόντες λαβεῖν με.

1   VIII. Τίνα δὲ δοκεῖτε τύπον εἶναι, ὅτι ἐντέταλται τῷ Ἰσραηλ

6 sq.) Lev. 16, 7 sq. — 8) unde?

προσφέρειν δάμαλιν τοὺς ἄνδρας ἐν οἷς εἰσὶν ἁμαρτίαι τέλειαι, καὶ
σφάξαντας κατακαίειν, καὶ αἴρειν τότε τὸ παιδία σποδὸν καὶ βάλλειν
εἰς ἄγγη, καὶ περιτιθέναι τὸ ἔριον τὸ κόκκινον ἐπὶ ξύλον (ἴδε πάλιν
ὁ τύπος ὁ τοῦ σταυροῦ καὶ τὸ ἔριον τὸ κόκκινον) καὶ τὸ ὕσσωπον,
καὶ οὕτως ῥαντίζειν τὰ παιδία καθ᾽ ἕνα τὸν λαόν, ἵνα ἁγνίζωνται
ἀπὸ τῶν ἁμαρτιῶν; 2. νοεῖτε πῶς ἐν ἁπλότητι λέγει ὑμῖν· ὁ μόσχος 2
ὁ Ἰησοῦς ἐστίν, οἱ προσφέροντες ἄνδρες ἁμαρτωλοὶ οἱ προσενέγκαν-
τες αὐτὸν ἐπὶ τὴν σφαγήν. εἶτα οὐκέτι ἄνδρες, οὐκέτι ἁμαρ-
τωλῶν ἡ δόξα. 3. οἱ ῥαντίζοντες παῖδες οἱ εὐαγγελισάμενοι ἡμῖν 3
τὴν ἄφεσιν τῶν ἁμαρτιῶν καὶ τὸν ἁγνισμὸν τῆς καρδίας, οἷς ἔδωκεν
τοῦ εὐαγγελίου τὴν ἐξουσίαν, οὖσιν δεκαδύο εἰς μαρτύριον τῶν φυλῶν
(ὅτι δεκαδύο φυλαὶ τοῦ Ἰσραήλ), εἰς τὸ κηρύσσειν. 4. διατί δὲ τρεῖς 4
παῖδες οἱ ῥαντίζοντες; εἰς μαρτύριον Ἀβραάμ, Ἰσαάκ, Ἰακώβ, ὅτι
οὗτοι μεγάλοι τῷ θεῷ. 5. ὅτι δὲ τὸ ἔριον ἐπὶ τὸ ξύλον· ὅτι ἡ βα- 5
σιλεία Ἰησοῦ ἐπὶ ξύλου, καὶ ὅτι οἱ ἐλπίζοντες ἐπ᾽ αὐτὸν ζήσονται
εἰς τὸν αἰῶνα. 6. διατί δὲ ἅμα τὸ ἔριον καὶ τὸ ὕσσωπον; ὅτι ἐν τῇ 6
βασιλείᾳ αὐτοῦ ἡμέραι ἔσονται πονηραὶ καὶ ῥυπαραί, ἐν αἷς ἡμεῖς
σωθησόμεθα· ὅτι ὁ ἀλγῶν σάρκα διὰ τοῦ ῥύπου τοῦ ὑσσώπου ἰᾶται.
7. καὶ διὰ τοῦτο οὕτως γενόμενα ἡμῖν μέν ἐστιν φανερά, ἐκείνοις δὲ 7
σκοτεινά, ὅτι οὐκ ἤκουσαν φωνῆς κυρίου.

  IX. Λέγει γὰρ πάλιν περὶ τῶν ὠτίων, πῶς περιέτεμεν ἡμῶν 1
τὴν καρδίαν. λέγει κύριος ἐν τῷ προφήτῃ· Εἰς ἀκοὴν ὠτίου ὑπή-
κουσάν μου. καὶ πάλιν λέγει. Ἀκοῇ ἀκούσονται οἱ πόρρωθεν,
ἃ ἐποίησα γνώσονται· καί· Περιτμήθητε, λέγει κύριος, τὰς καρ-
δίας ὑμῶν. 2. καὶ πάλιν λέγει· Ἄκουε, Ἰσραήλ, ὅτι τάδε λέγει 2
κύριος ὁ θεός σου. καὶ πάλιν τὸ πνεῦμα κυρίου προφητεύει· Τίς
ἐστιν ὁ θέλων ζῆσαι εἰς τὸν αἰῶνα; ἀκοῇ ἀκουσάτω τῆς φωνῆς
τοῦ παιδός μου. 3. καὶ πάλιν λέγει· Ἄκουε οὐρανέ, καὶ ἐνωτίζου 3
γῆ, ὅτι κύριος ἐλάλησεν ταῦτα εἰς μαρτύριον. καὶ πάλιν λέγει·
Ἀκούσατε λόγον κυρίου, ἄρχοντες τοῦ λαοῦ τούτου. καὶ πάλιν
λέγει· Ἀκούσατε, τέκνα, φωνῆς βοῶντος ἐν τῇ ἐρήμῳ. 4. οὐκ- 4

VIII, 1) Num. 19, 2 sq. — IX, 1) Ps. 18, 45. Ies. 33, 13. Ier. 4, 4. —
2) Ier. 7, 2 sq. Ps. 34, 13. Ex. 15, 26. — 3) Ies. 1, 2. 10. Ies. 40, 3.

οὖν περιέτεμεν ἡμῶν τὰς ἀκοάς, ἵνα ἀκούσαντες λόγον πιστεύσωμεν
ἡμεῖς. ἀλλὰ καὶ ἡ περιτομὴ ἐφ᾽ ᾗ πεποίθασιν κατήργηται· περιτομὴν
γὰρ εἴρηκεν οὐ σαρκὸς γενηθῆναι. ἀλλὰ παρέβησαν, ὅτι ἄγγελος πονη-
5 ρὸς ἐσόφιζεν αὐτούς. 5. λέγει πρὸς αὐτούς· Τάδε λέγει κύριος ὁ θεὸς
ὑμῶν (ὧδε εὑρίσκω ἐντολήν)· Μὴ σπείρητε ἐπ᾽ ἀκάνθαις, περι-
τμήθητε τῷ κυρίῳ ὑμῶν. καὶ τί λέγει; Περιτμήθητε τὸ σκληρὸν
τῆς καρδίας ὑμῶν, καὶ τὸν τράχηλον ὑμῶν οὐ σκληρυνεῖτε.
λάβε πάλιν· Ἰδού, λέγει κύριος, πάντα τὰ ἔθνη ἀπερίτμητα
6 ἀκροβυστίαν, ὁ δὲ λαὸς οὗτος ἀπερίτμητος καρδίας. 6. ἀλλ᾽
ἐρεῖς· Καὶ μὴν περιτέτμηται ὁ λαὸς εἰς σφραγῖδα. ἀλλὰ καὶ πᾶς
Σύρος καὶ Ἄραψ καὶ πάντες οἱ ἱερεῖς τῶν εἰδώλων. ἆρα οὖν κἀκεῖ-
νοι ἐκ τῆς διαθήκης αὐτῶν εἰσίν· ἀλλὰ καὶ οἱ Αἰγύπτιοι ἐν περιτομῇ
7 εἰσίν. 7. μάθετε οὖν, τέκνα ἀγάπης, περὶ πάντων πλουσίως, ὅτι
Ἀβραὰμ πρῶτος περιτομὴν δοὺς ἐν πνεύματι προβλέψας εἰς τὸν Ἰη-
8 σοῦν περιέτεμεν, λαβὼν τριῶν γραμμάτων δόγματα. 8. λέγει γάρ·
Καὶ περιέτεμεν Ἀβραὰμ ἐκ τοῦ οἴκου αὐτοῦ ἄνδρας δεκαοκτὼ
καὶ τριακοσίους. τίς οὖν ἡ δοθεῖσα αὐτῷ γνῶσις; μάθετε ὅτι τοὺς
δεκαοκτὼ πρώτους, καὶ διάστημα ποιήσας λέγει τριακοσίους. τὸ δε-
καοκτὼ· Ι δέκα, Η ὀκτώ· ἔχεις Ἰησοῦν. ὅτι δὲ ὁ σταυρὸς ἐν τῷ Τ
ἤμελλεν ἔχειν τὴν χάριν, λέγει καὶ τριακοσίους. δηλοῖ οὖν τὸν μὲν
9 Ἰησοῦν ἐν τοῖς δυσὶν γράμμασιν, καὶ ἐν τῷ ἑνὶ τὸν σταυρόν. 9. οἶδεν
ὁ τὴν ἔμφυτον δωρεὰν τῆς διδαχῆς αὐτοῦ θέμενος ἐν ἡμῖν· οὐδεὶς
γνησιώτερον ἔμαθεν ἀπ᾽ ἐμοῦ λόγον· ἀλλὰ οἶδα ὅτι ἄξιοί ἐστε ὑμεῖς.
1   Χ. Ὅτι δὲ Μωϋσῆς εἶπεν· Οὐ φάγεσθε χοῖρον οὔτε ἀετὸν
οὔτε ὀξύπτερον οὔτε κόρακα, οὔτε πάντα ἰχθὺν ὃς οὐκ ἔχει
2 λεπίδα ἐν ἑαυτῷ, τρία ἔλαβεν ἐν τῇ συνέσει δόγματα. 2. πέρας
γέ τοι λέγει αὐτοῖς ἐν τῷ Δευτερονομίῳ· Καὶ διαθήσομαι πρὸς
τὸν λαὸν τοῦτον τὰ δικαιώματά μου. ἆρα οὖν οὐκ ἔστιν ἐντολὴ
3 θεοῦ τὸ μὴ τρώγειν, Μωϋσῆς δὲ ἐν πνεύματι ἐλάλησεν. 3. τὸ οὖν
χοιρίον πρὸς τοῦτο εἶπεν· οὐ κολληθήσῃ, φησίν, ἀνθρώποις τοιού-
τοις, οἵτινές εἰσιν ὅμοιοι χοίρων· τουτέστιν ὅταν σπαταλῶσιν, ἐπιλαν-

---

5) Ier. 4, 3 sq. Deut. 10, 16. Ier. 9, 25 sq. — 8) Gen. 17, 23 sqq.
cf. 14, 14. — X, 1) Lev. 11. Deut. 14. — 2) Deut. 4, 1 sq.

θάνονται τοῦ κυρίου, ὅταν δὲ ὑστεροῦνται, ἐπιγινώσκουσιν τὸν κύ-
ριον, ὡς καὶ ὁ χοῖρος ὅταν τρώγει, τὸν κύριον οὐκ οἶδεν, ὅταν
δὲ πεινᾷ κραυγάζει, καὶ λαβὼν πάλιν σιωπᾷ. 4. Οὔτε φάγῃ 4
τὸν ἀετὸν οὐδὲ τὸν ὀξύπτερον οὐδὲ τὸν ἰκτῖνα οὐδὲ τὸν κό-
ρακα· οὐ μή, φησίν, κολληθήσῃ οὐδὲ ὁμοιωθήσῃ ἀνθρώποις τοιού-
τοις, οἵτινες οὐκ οἴδασιν διὰ κόπου καὶ ἱδρῶτος πορίζειν ἑαυτοῖς τὴν
τροφήν, ἀλλὰ ἁρπάζουσιν τὰ ἀλλότρια ἐν ἀνομίᾳ αὐτῶν καὶ ἐπιτη-
ροῦσιν ὡς ἐν ἀκεραιοσύνῃ περιπατοῦντες, καὶ περιβλέπονται τίνα ἐκ-
δύσωσιν διὰ τὴν πλεονεξίαν, ὡς καὶ τὰ ὄρνεα ταῦτα μόνα ἑαυτοῖς
οὐ πορίζει τὴν τροφήν, ἀλλὰ ἀργὰ καθήμενα ἐκζητεῖ πῶς ἀλλο-
τρίας σάρκας καταφάγῃ, ὄντα λοιμὰ τῇ πονηρίᾳ αὐτῶν. 5. Καὶ οὐ 5
φάγῃ, φησίν, σμύραιναν οὐδὲ πώλυπα οὐδὲ σηπίαν· οὐ μή,
φησίν, ὁμοιωθήσῃ κολλώμενος ἀνθρώποις τοιούτοις, οἵτινες εἰς τέλος
εἰσὶν ἀσεβεῖς καὶ κεκριμένοι ἤδη τῷ θανάτῳ, ὡς καὶ ταῦτα τὰ ἰχθύ-
δια μόνα ἐπικατάρατα ἐν τῷ βυθῷ νήχεται, μὴ κολυμβῶντα ὡς τὰ
λοιπά, ἀλλὰ ἐν τῇ γῇ κάτω τοῦ βυθοῦ κατοικεῖ. 6. ἀλλὰ καὶ 6
τὴν δασύποδα οὐ φάγῃ. πρὸς τί; οὐ μὴ γένῃ παιδοφθόρος, οὐδὲ
ὁμοιωθήσῃ τοῖς τοιούτοις. ὅτι ὁ λαγωὸς κατ' ἐνιαυτὸν πλεονεκτεῖ
τὴν ἀφόδευσιν· ὅσα γὰρ ἔτη ζῇ, τοσαύτας ἔχει τρύπας. 7. ἀλλὰ 7
οὐδὲ τὴν ὕαιναν φάγῃ. οὐ μή, φησίν, γένῃ μοιχὸς οὐδὲ φθορεύς,
οὐδὲ ὁμοιωθήσῃ τοῖς τοιούτοις. πρὸς τί; ὅτι τὸ ζῶον τοῦτο παρ'
ἐνιαυτὸν ἀλλάσσει τὴν φύσιν, καὶ ποτὲ μὲν ἄρρεν, ποτὲ δὲ θῆλυ
γίνεται. 8. ἀλλὰ καὶ τὴν γαλῆν ἐμίσησεν καλῶς. οὐ μή, φησίν, 8
γενηθῇς τοιοῦτος, οἵους ἀκούομεν ἀνομίαν ποιοῦντας ἐν τῷ στόματι
δι' ἀκαθαρσίαν, οὐδὲ κολληθήσῃ ταῖς ἀκαθάρτοις ταῖς τὴν ἀνομίαν
ποιούσαις ἐν τῷ στόματι. τὸ γὰρ ζῶον τοῦτο τῷ στόματι κύει.
9. περὶ μὲν τῶν βρωμάτων λαβὼν Μωϋσῆς τρία δόγματα οὕτως ἐν 9
πνεύματι ἐλάλησεν, οἱ δὲ κατ' ἐπιθυμίαν τῆς σαρκὸς ὡς περὶ βρώ-
σεως προσεδέξαντο. 10. λαμβάνει δὲ τῶν αὐτῶν τριῶν δογμάτων 10
γνῶσιν Δαυίδ, καὶ λέγει ὁμοίως· Μακάριος ἀνὴρ ὃς οὐκ ἐπορεύθη
ἐν βουλῇ ἀσεβῶν, καθὼς οἱ ἰχθύες πορεύονται ἐν σκότει εἰς τὰ
βάθη, καὶ ἐν ὁδῷ ἁμαρτωλῶν οὐκ ἔστη, καθὼς οἱ δοκοῦντες φο-

10) Ps. 1, 1.

βεῖσθαι τὸν κύριον ἁμαρτάνουσιν ὡς ὁ χοῖρος, καὶ ἐπὶ καθέδραν
λοιμῶν οὐκ ἐκάθισεν, καθὼς τὰ πετεινὰ τὰ καθήμενα εἰς ἁρπαγήν.
11 ἔχετε τελείως καὶ περὶ τῆς βρώσεως. 11. πάλιν λέγει Μωϋσῆς· Φά-
γέσθε πᾶν διχηλοῦν καὶ μαρυκώμενον. τί λέγει; ὁ τὴν τροφὴν
λαμβάνων οἶδεν τὸν τρέφοντα αὐτόν, καὶ ἐπ᾽ αὐτῷ ἀναπαυόμενος
εὐφραίνεσθαι δοκεῖ. καλῶς εἶπεν βλέπων τὴν ἐντολήν. τί οὖν λέγει;
κολλᾶσθε μετὰ τῶν φοβουμένων τὸν κύριον, μετὰ τῶν μελετώντων
ὃ ἔλαβον διάσταλμα ῥήματος ἐν τῇ καρδίᾳ, μετὰ τῶν λαλούντων
δικαιώματα κυρίου καὶ τηρούντων, μετὰ τῶν εἰδότων ὅτι ἡ μελέτη
ἐστὶν ἔργον εὐφροσύνης καὶ ἀναμαρυκωμένων τὸν λόγον κυρίου. τί
δὲ τὸ διχηλοῦν; ὅτι ὁ δίκαιος καὶ ἐν τούτῳ τῷ κόσμῳ περιπατεῖ καὶ
τὸν ἅγιον αἰῶνα ἐκδέχεται. βλέπετε πῶς ἐνομοθέτησεν ὁ Μωϋσῆς κα-
12 λῶς. 12. ἀλλὰ πόθεν ἐκείνοις ταῦτα νοῆσαι ἢ συνιέναι; ἡμεῖς δὲ δι-
καίως νοήσαντες τὰς ἐντολάς, λαλοῦμεν ὡς ἠθέλησεν κύριος. διὰ τοῦτο
περιέτεμεν τὰς ἀκοὰς ἡμῶν καὶ τὰς καρδίας, ἵνα συνιῶμεν ταῦτα.

1 XI. Ζητήσωμεν δὲ εἰ ἐμέλησεν τῷ κυρίῳ προφανερῶσαι περὶ τοῦ
ὕδατος καὶ περὶ τοῦ σταυροῦ. περὶ μὲν τοῦ ὕδατος γέγραπται ἐπὶ τὸν
Ἰσραήλ, πῶς τὸ βάπτισμα τὸ φέρον ἄφεσιν ἁμαρτιῶν οὐ μὴ προσδέξον-
2 ται, ἀλλ᾽ ἑαυτοῖς οἰκοδομήσουσιν. 2. λέγει γὰρ ὁ προφήτης· Ἔκστηθι
οὐρανέ, καὶ ἐπὶ τούτῳ πλεῖον φριξάτω ἡ γῆ, ὅτι δύο καὶ πο-
νηρὰ ἐποίησεν ὁ λαὸς οὗτος· ἐμὲ ἐγκατέλιπον πηγὴν ζωῆς,
3 καὶ ἑαυτοῖς ὤρυξαν βόθρον θανάτου. 3. Μὴ πέτρα ἔρημός
ἐστιν τὸ ὄρος τὸ ἅγιόν μου Σινᾶ; ἔσεσθε γὰρ ὡς πετεινοῦ
4 νοσσοὶ ἀνιπτάμενοι νοσσιᾶς ἀφῃρημένης. 4. καὶ πάλιν λέγει ὁ
προφήτης· Ἐγὼ πορεύσομαι ἔμπροσθέν σου, καὶ ὄρη ὁμαλιῶ καὶ
πύλας χαλκᾶς συντρίψω καὶ μοχλοὺς σιδηροῦς συνκλάσω, καὶ
δώσω σοι θησαυροὺς σκοτεινούς, ἀποκρύφους, ἀοράτους, ἵνα γνῶ-
σιν ὅτι ἐγὼ κύριος ὁ θεός. καί· Κατοικήσεις ἐν ὑψηλῷ σπηλαίῳ
5 πέτρας ἰσχυρᾶς. 5. καί· Τὸ ὕδωρ αὐτοῦ πιστόν· βασιλέα μετὰ
6 δόξης ὄψεσθε, καὶ ἡ ψυχὴ ὑμῶν μελετήσει φόβον κυρίου. 6. καὶ
πάλιν ἐν ἄλλῳ προφήτῃ λέγει· Ἔσται ὁ ταῦτα ποιῶν ὡς τὸ ξύλον

---

11) Lev. 11, 3. Deut. 14, 6. — XI, 2) Ier. 2, 12 sq. — 3) Ies. 16, 1 sq.
— 4) Ies. 45, 2 sq. 33, 16. — 5) Ies. 33, 16 sqq. — 6 sq.) Ps. 1, 3—6.

τὸ πεφυτευμένον παρὰ τὰς διεξόδους τῶν ὑδάτων, ὃ τὸν καρπὸν
αὐτοῦ δώσει ἐν καιρῷ αὐτοῦ, καὶ τὸ φύλλον αὐτοῦ οὐκ ἀπο-
ρυήσεται, καὶ πάντα ὅσα ἂν ποιῇ κατευοδωθήσεται. 7. οὐχ οὕτως
οἱ ἀσεβεῖς, οὐχ οὕτως, ἀλλ' ἢ ὡς ὁ χνοῦς ὃν ἐκρίπτει ὁ ἄνεμος
ἀπὸ προσώπου τῆς γῆς. διὰ τοῦτο οὐκ ἀναστήσονται οἱ ἀσεβεῖς
ἐν κρίσει, οὐδὲ ἁμαρτωλοὶ ἐν βουλῇ δικαίων· ὅτι γινώσκει κύριος
ὁδὸν δικαίων, καὶ ὁδὸς ἀσεβῶν ἀπολεῖται. 8. αἰσθάνεσθε πῶς τὸ
ὕδωρ καὶ τὸν σταυρὸν ἐπὶ τὸ αὐτὸ ὥρισεν. τοῦτο γὰρ λέγει· Μα-
κάριοι οἳ ἐπὶ τὸν σταυρὸν ἐλπίσαντες κατέβησαν εἰς τὸ ὕδωρ· ὅτι τὸν
μὲν μισθὸν λέγει ἐν καιρῷ αὐτοῦ· τότε, φησίν, ἀποδώσω. νῦν δὲ
ὃ λέγει· Τὰ φύλλα οὐκ ἀπορυήσεται, τοῦτο λέγει ὅτι πᾶν ῥῆμα ὃ
ἐὰν ἐξελεύσεται ἐξ ὑμῶν διὰ τοῦ στόματος ὑμῶν ἐν πίστει καὶ ἀγάπῃ,
ἔσται εἰς ἐπιστροφὴν καὶ ἐλπίδα πολλοῖς. 9. καὶ πάλιν ἕτερος προ-
φήτης λέγει· Καὶ ἦν ἡ γῆ τοῦ Ἰακὼβ ἐπαινουμένη παρὰ πᾶσαν
τὴν γῆν. τοῦτο λέγει· τὸ σκεῦος τοῦ πνεύματος αὐτοῦ δοξάζει.
10. εἶτα τί λέγει; Καὶ ἦν ποταμὸς ἕλκων ἐκ δεξιῶν, καὶ ἀνέβαι-
νεν ἐξ αὐτοῦ δένδρα ὡραῖα· καὶ ὃς ἂν φάγῃ ἐξ αὐτῶν ζήσεται
εἰς τὸν αἰῶνα. 11. τοῦτο λέγει ὅτι ἡμεῖς μὲν καταβαίνομεν εἰς τὸ
ὕδωρ γέμοντες ἁμαρτιῶν καὶ ῥύπου, καὶ ἀναβαίνομεν καρποφοροῦντες
ἐν τῇ καρδίᾳ, τὸν φόβον καὶ τὴν ἐλπίδα εἰς τὸν Ἰησοῦν ἐν τῷ πνεύ-
ματι ἔχοντες. Καὶ ὃς ἂν φάγῃ ἀπὸ τούτων ζήσεται εἰς τὸν αἰῶνα,
τοῦτο λέγει· ὃς ἄν, φησίν, ἀκούσῃ τούτων λαλουμένων καὶ πιστεύσῃ,
ζήσεται εἰς τὸν αἰῶνα.

XII. Ὁμοίως πάλιν περὶ τοῦ σταυροῦ ὁρίζει ἐν ἄλλῳ προφήτῃ
λέγοντι· Καὶ πότε ταῦτα συστελεσθήσεται; λέγει κύριος· Ὅταν
ξύλον κλιθῇ καὶ ἀναστῇ, καὶ ὅταν ἐκ ξύλου αἷμα στάξῃ. ἔχεις
πάλιν περὶ τοῦ σταυροῦ καὶ τοῦ σταυροῦσθαι μέλλοντος. 2. λέγει
δὲ πάλιν ἐν τῷ Μωϋσῇ, πολεμουμένου τοῦ Ἰσραὴλ ὑπὸ τῶν ἀλλο-
φύλων, καὶ ἵνα ὑπομνήσῃ αὐτοὺς πολεμουμένους ὅτι διὰ τὰς ἁμαρ-
τίας αὐτῶν παρεδόθησαν εἰς θάνατον· λέγει εἰς τὴν καρδίαν Μωϋσέως
τὸ πνεῦμα, ἵνα ποιήσῃ τύπον σταυροῦ καὶ τοῦ μέλλοντος πάσχειν,

---

9) unde? — 10) Ezech. 47, 1—12? — XII, 1) unde? 4 Esra 5, 5. —
2 sqq.) Ex. 17, 8 sqq.

ὅτι ἐὰν μή, φησίν, ἐλπίσωσιν ἐπ᾽ αὐτῷ, εἰς τὸν αἰῶνα πολεμηθή-
σονται. τίθησιν οὖν Μωϋσῆς ἓν ἐφ᾽ ἓν ὅπλον ἐν μέσῳ τῆς πυγμῆς,
καὶ ὑψηλότερος σταθεὶς πάντων ἐξέτεινεν τὰς χεῖρας. καὶ οὕτως πά-
λιν ἐνίκα ὁ Ἰσραήλ. εἶτα, ὁπόταν καθεῖλεν, πάλιν ἐθανατοῦντο.
3 3. πρὸς τί; ἵνα γνῶσιν ὅτι οὐ δύνανται σωθῆναι, ἐὰν μὴ ἐπ᾽ αὐτῷ
4 ἐλπίσωσιν. 4. καὶ πάλιν ἐν ἑτέρῳ προφήτῃ λέγει· Ὅλην τὴν ἡμέραν
ἐξεπέτασα τὰς χεῖράς μου πρὸς λαὸν ἀπειθῆ καὶ ἀντιλέγοντα
5 ὁδῷ δικαίᾳ μου. 5. πάλιν Μωϋσῆς ποιεῖ τύπον τοῦ Ἰησοῦ, ὅτι δεῖ
αὐτὸν παθεῖν καὶ αὐτὸς ζωοποιήσει ὃν δόξουσιν ἀπολωλεκέναι ἐν
σημείῳ, πίπτοντος τοῦ Ἰσραήλ. ἐποίησεν γὰρ κύριος πάντα ὄφιν
δάκνειν αὐτούς, καὶ ἀπέθνησκον (ἐπειδὴ ἡ παράβασις διὰ τοῦ ὄφεως
ἐν Εὔᾳ ἐγένετο), ἵνα ἐλέγξῃ αὐτοὺς ὅτι διὰ τὴν παράβασιν αὐτῶν
6 εἰς θλῖψιν θανάτου παραδοθήσονται. 6. πέρας γέ τοι αὐτὸς Μωϋσῆς
ἐντειλάμενος· Οὐκ ἔσται ὑμῖν οὔτε χωνευτὸν οὔτε γλυπτὸν εἰς
θεὸν ὑμῖν, αὐτὸς ποιεῖ, ἵνα τύπον τοῦ Ἰησοῦ δείξῃ. ποιεῖ οὖν
Μωϋσῆς χαλκοῦν ὄφιν καὶ τίθησιν ἐνδόξως, καὶ κηρύγματι καλεῖ τὸν
7 λαόν. 7. ἐλθόντες οὖν ἐπὶ τὸ αὐτὸ ἐδέοντο Μωϋσέως ἵνα περὶ αὐτῶν
ἀνενέγκῃ δέησιν περὶ τῆς ἰάσεως αὐτῶν. εἶπεν δὲ πρὸς αὐτοὺς Μωϋ-
σῆς· Ὅταν, φησίν, δηχθῇ τις ὑμῶν, ἐλθέτω ἐπὶ τὸν ὄφιν τὸν ἐπὶ τοῦ
ξύλου ἐπικείμενον, καὶ ἐλπισάτω πιστεύσας ὅτι αὐτὸς ὢν νεκρὸς δύναται
ζωοποιῆσαι, καὶ παραχρῆμα σωθήσεται. καὶ οὕτως ἐποίουν. ἔχεις πάλιν
καὶ ἐν τούτοις τὴν δόξαν τοῦ Ἰησοῦ, ὅτι ἐν αὐτῷ πάντα καὶ εἰς αὐ-
8 τόν. 8. τί λέγει πάλιν Μωϋσῆς Ἰησοῦ υἱῷ Ναυή, ἐπιθεὶς αὐτῷ τοῦτο
τὸ ὄνομα, ὄντι προφήτῃ, ἵνα μόνον ἀκούσῃ πᾶς ὁ λαὸς ὅτι ὁ πατὴρ
9 πάντα φανεροῖ περὶ τοῦ υἱοῦ Ἰησοῦ; 9. λέγει οὖν Μωϋσῆς Ἰησοῦ
υἱῷ Ναυή, ἐπιθεὶς τοῦτο ὄνομα, ὁπότε ἔπεμψεν αὐτὸν κατάσκοπον
τῆς γῆς· Λάβε βιβλίον εἰς τὰς χεῖράς σου καὶ γράψον ἃ λέγει
κύριος, ὅτι ἐκκόψει ἐκ ῥιζῶν τὸν οἶκον πάντα τοῦ Ἀμαλὴκ ὁ
10 υἱὸς τοῦ θεοῦ ἐπ᾽ ἐσχάτων τῶν ἡμερῶν. 10. ἴδε πάλιν Ἰησοῦς,
οὐχὶ υἱὸς ἀνθρώπου ἀλλὰ υἱὸς τοῦ θεοῦ, τύπῳ δὲ ἐν σαρκὶ φανερω-
θείς. ἐπεὶ οὖν μέλλουσιν λέγειν ὅτι Χριστὸς υἱὸς Δαυὶδ ἐστιν, αὐτὸς

---

4) Ies. 65, 2. — 5) Num. 21, 6 sqq. — 6) Deut. 27, 15. — 7) Num
21, 8 sqq. — 8) Num. 13, 17. — 9) Ex. 17, 14. — 10) Mt. 22, 43 sq.

προφητεύει ὁ Δαυίδ, φοβούμενος καὶ συνίων τὴν πλάνην τῶν ἁμαρτω-
λῶν· Εἶπεν κύριος τῷ κυρίῳ μου· Κάθου ἐκ δεξιῶν μου ἕως
ἂν θῶ τοὺς ἐχθρούς σου ὑποπόδιον τῶν ποδῶν σου. 11. καὶ 11
πάλιν λέγει οὕτως Ἡσαΐας· Εἶπεν κύριος τῷ Χριστῷ μου κυρίῳ, οὗ
ἐκράτησα τῆς δεξιᾶς αὐτοῦ, ἐπακοῦσαι ἔμπροσθεν αὐτοῦ ἔθνη,
καὶ ἰσχὺν βασιλέων διαρρήξω. ἴδε πῶς Δαυὶδ λέγει αὐτὸν κύριον,
καὶ υἱὸν οὐ λέγει.

XIII. Ἴδωμεν δὲ εἰ οὗτος ὁ λαὸς κληρονομεῖ ἢ ὁ πρῶτος, καὶ 1
εἰ ἡ διαθήκη εἰς ἡμᾶς ἢ εἰς ἐκείνους. 2. ἀκούσατε οὖν περὶ τοῦ 2
λαοῦ τί λέγει ἡ γραφή· Ἐδεῖτο δὲ Ἰσαὰκ περὶ Ῥεβέκκας τῆς
γυναικὸς αὐτοῦ, ὅτι στεῖρα ἦν. καὶ συνέλαβεν. εἶτα ἐξῆλθεν
Ῥεβέκκα πυθέσθαι παρὰ κυρίου. καὶ εἶπεν κύριος πρὸς αὐτήν·
Δύο ἔθνη ἐν τῇ γαστρί σου καὶ δύο λαοὶ ἐν τῇ κοιλίᾳ σου, καὶ
ὑπερέξει λαὸς λαοῦ, καὶ ὁ μείζων δουλεύσει τῷ ἐλάσσονι.
3. αἰσθάνεσθαι ὀφείλετε τίς ὁ Ἰσαὰκ καὶ τίς ἡ Ῥεβέκκα, καὶ ἐπὶ 3
τίνων δέδειχεν ὅτι μείζων ὁ λαὸς οὗτος ἢ ἐκεῖνος. 4. καὶ ἐν ἄλλῃ 4
προφητείᾳ λέγει φανερώτερον ὁ Ἰακὼβ πρὸς Ἰωσὴφ τὸν υἱὸν αὐτοῦ,
λέγων· Ἰδού, οὐκ ἐστέρησέν με κύριος τοῦ προσώπου σου· προσ-
άγαγέ μοι τοὺς υἱούς σου, ἵνα εὐλογήσω αὐτούς. 5. καὶ προσ- 5
ήγαγεν Ἐφραὶμ καὶ Μανασσῆ, τὸν Μανασσῆ θέλων ἵνα εὐλογηθῇ,
ὅτι πρεσβύτερος ἦν· ὁ γὰρ Ἰωσὴφ προσήγαγεν εἰς τὴν δεξιὰν χεῖρα
τοῦ πατρὸς Ἰακώβ. εἶδεν δὲ Ἰακὼβ τύπον τῷ πνεύματι τοῦ λαοῦ
τοῦ μεταξύ. καὶ τί λέγει; Καὶ ἐποίησεν Ἰακὼβ ἐναλλὰξ τὰς χεῖρας
αὐτοῦ, καὶ ἐπέθηκεν τὴν δεξιὰν ἐπὶ τὴν κεφαλὴν Ἐφραὶμ τοῦ
δευτέρου καὶ νεωτέρου, καὶ εὐλόγησεν αὐτόν. καὶ εἶπεν Ἰωσὴφ
πρὸς Ἰακώβ· Μετάθες σου τὴν δεξιὰν ἐπὶ τὴν κεφαλὴν Μανασσῆ,
ὅτι πρωτότοκός μου υἱός ἐστιν. καὶ εἶπεν Ἰακὼβ πρὸς Ἰωσήφ·
Οἶδα, τέκνον, οἶδα· ἀλλ᾽ ὁ μείζων δουλεύσει τῷ ἐλάσσονι. καὶ
οὗτος δὲ εὐλογηθήσεται. 6. βλέπετε ἐπὶ τίνων τέθεικεν, τὸν λαὸν 6
τοῦτον εἶναι πρῶτον καὶ τῆς διαθήκης κληρονόμον. 7. εἰ οὖν ἔτι 7
καὶ διὰ τοῦ Ἀβραὰμ ἐμνήσθη, ἀπέχομεν τὸ τέλειον τῆς γνώσεως

---

10) Ps. 110, 1. — 11) Ies. 45, 1. — XIII, 2) Gen. 25, 21 sqq. —
4) Gen. 48, 11. 9. — 5) Gen. 48, 14 sqq.

ἡμῶν. τί οὖν λέγει τῷ Ἀβραάμ, ὅτε μόνος πιστεύσας ἐτέθη εἰς
δικαιοσύνην; Ἰδοὺ τέθεικά σε, Ἀβραάμ, πατέρα ἐθνῶν τῶν πι-
στευόντων δι' ἀκροβυστίας τῷ θεῷ.

1   XIV. Ναί. ἀλλὰ τὴν διαθήκην ἣν ὤμοσεν τοῖς πατράσι δοῦναι
τῷ λαῷ, εἰ δέδωκεν ζητῶμεν. δέδωκεν· αὐτοὶ δὲ οὐκ ἐγένοντο ἄξιοι
2 λαβεῖν διὰ τὰς ἁμαρτίας αὐτῶν. 2. λέγει γὰρ ὁ προφήτης· Καὶ ἦν
Μωϋσῆς νηστεύων ἐν ὄρει Σινᾶ, τοῦ λαβεῖν τὴν διαθήκην κυρίου
πρὸς τὸν λαόν, ἡμέρας τεσσεράκοντα καὶ νύκτας τεσσεράκοντα.
καὶ ἔλαβεν Μωϋσῆς παρὰ κυρίου τὰς δύο πλάκας τὰς γεγραμ-
μένας τῷ δακτύλῳ τῆς χειρὸς κυρίου ἐν πνεύματι. καὶ λαβὼν
3 Μωϋσῆς κατέφερεν πρὸς τὸν λαὸν δοῦναι. 3. καὶ εἶπεν κύριος πρὸς
Μωϋσῆν· Μωϋσῆ Μωϋσῆ, κατάβηθι τὸ τάχος, ὅτι ὁ λαός σου
ὃν ἐξήγαγες ἐκ γῆς Αἰγύπτου ἠνόμησεν. καὶ συνῆκεν Μωϋσῆς
ὅτι ἐποίησαν ἑαυτοῖς πάλιν χωνεύματα, καὶ ἔρριψεν ἐκ τῶν
χειρῶν τὰς πλάκας, καὶ συνετρίβησαν αἱ πλάκες τῆς διαθήκης
4 κυρίου. 4. Μωϋσῆς μὲν ἔλαβεν, αὐτοὶ δὲ οὐκ ἐγένοντο ἄξιοι. πῶς
δὲ ἡμεῖς ἐλάβομεν; μάθετε. Μωϋσῆς θεράπων ὢν ἔλαβεν, αὐτὸς δὲ
κύριος ἡμῖν ἔδωκεν εἰς λαὸν κληρονομίας, δι' ἡμᾶς ὑπομείνας.
5 5. ἐφανερώθη δὲ ἵνα κἀκεῖνοι τελειωθῶσιν τοῖς ἁμαρτήμασιν καὶ
ἡμεῖς διὰ τοῦ κληρονομοῦντος διαθήκην κυρίου Ἰησοῦ λάβωμεν, ὃς
εἰς τοῦτο ἡτοιμάσθη, ἵνα αὐτὸς φανεὶς τὰς ἤδη δεδαπανημένας ἡμῶν
καρδίας τῷ θανάτῳ καὶ παραδεδομένας τῇ τῆς πλάνης ἀνομίᾳ λυτρω-
6 σάμενος ἐκ τοῦ σκότους, διάθηται ἐν ἡμῖν διαθήκην λόγῳ. 6. γέ-
γραπται γὰρ πῶς αὐτῷ ὁ πατὴρ ἐντέλλεται, λυτρωσάμενον ἡμᾶς ἐκ
7 τοῦ σκότους, ἑτοιμάσαι ἑαυτῷ λαὸν ἅγιον. 7. λέγει οὖν ὁ προφήτης·
Ἐγὼ κύριος ὁ θεός σου ἐκάλεσά σε ἐν δικαιοσύνῃ, καὶ κρατήσω
τῆς χειρός σου καὶ ἐνισχύσω σε, καὶ ἔδωκά σε εἰς διαθήκην
γένους, εἰς φῶς ἐθνῶν, ἀνοῖξαι ὀφθαλμοὺς τυφλῶν, καὶ ἐξαγαγεῖν
ἐκ δεσμῶν πεπεδημένους καὶ ἐξ οἴκου φυλακῆς καθημένους ἐν
8 σκότει. γινώσκομεν οὖν πόθεν ἐλυτρώθημεν. 8. πάλιν ὁ προφήτης
λέγει· Ἰδοὺ τέθεικά σε εἰς φῶς ἐθνῶν, τοῦ εἶναί σε εἰς σωτη-

---

7) Gen. 15, 6. 17, 5. Rom. 4, 11 sq. — XIV, 2) Ex. 24, 18. 31, 18. —
3) Ex. 32, 7 sqq. — 7) Ies. 42, 6 sq. — 8) Ies. 49, 6 sq.

ρίαν ἕως ἐσχάτου τῆς γῆς· οὕτως λέγει κύριος ὁ λυτρωσάμενός σε
θεός. 9. καὶ πάλιν ὁ προφήτης λέγει· Πνεῦμα κυρίου ἐπ᾽ ἐμέ, οὗ 9
εἵνεκεν ἔχρισέν με εὐαγγελίσασθαι ταπεινοῖς χάριν, ἀπέσταλκέν
μειάσασθαι τοὺς συντετριμμένους τὴν καρδίαν, κηρῦξαι αἰχμαλώ-
τοις ἄφεσιν καὶ τυφλοῖς ἀνάβλεψιν, καλέσαι ἐνιαυτὸν κυρίου δεκτὸν
καὶ ἡμέραν ἀνταποδόσεως, παρακαλέσαι πάντας τοὺς πενθοῦντας.

XV. Ἔτι οὖν καὶ περὶ τοῦ σαββάτου γέγραπται ἐν τοῖς δέκα 1
λόγοις, ἐν οἷς ἐλάλησεν ἐν τῷ ὄρει Σινᾶ πρὸς Μωϋσῆν κατὰ πρόσ-
ωπον· Καὶ ἁγιάσατε τὸ σάββατον κυρίου χερσὶν καθαραῖς καὶ
καρδίᾳ καθαρᾷ. 2. καὶ ἐν ἑτέρῳ λέγει· Ἐὰν φυλάξωσιν οἱ υἱοί 2
μου τὸ σάββατον, τότε ἐπιθήσω τὸ ἔλεός μου ἐπ᾽ αὐτούς. 3. τὸ 3
σάββατον λέγει ἐν ἀρχῇ τῆς κτίσεως· Καὶ ἐποίησεν ὁ θεὸς ἐν ἓξ
ἡμέραις τὰ ἔργα τῶν χειρῶν αὐτοῦ, καὶ συνετέλεσεν ἐν τῇ ἡμέρᾳ
τῇ ἑβδόμῃ καὶ κατέπαυσεν ἐν αὐτῇ, καὶ ἡγίασεν αὐτήν. 4. προσ- 4
έχετε, τέκνα, τί λέγει τό· Συνετέλεσεν ἐν ἓξ ἡμέραις. τοῦτο
λέγει ὅτι ἐν ἑξακισχιλίοις ἔτεσιν συντελέσει κύριος τὰ σύνπαντα. ἡ
γὰρ ἡμέρα παρ᾽ αὐτῷ χίλια ἔτη. αὐτὸς δέ μοι μαρτυρεῖ λέγων·
Ἰδοὺ σήμερον ἡμέρα ἔσται ὡς χίλια ἔτη. οὐκοῦν, τέκνα, ἐν ἓξ
ἡμέραις, ἐν τοῖς ἑξακισχιλίοις ἔτεσιν συντελεσθήσεται τὰ σύνπαντα.
5. Καὶ κατέπαυσεν τῇ ἡμέρᾳ τῇ ἑβδόμῃ. τοῦτο λέγει· ὅταν ἐλθὼν 5
ὁ υἱὸς αὐτοῦ καταργήσει τὸν καιρὸν τοῦ ἀνόμου καὶ κρινεῖ τοὺς ἀσε-
βεῖς καὶ ἀλλάξει τὸν ἥλιον καὶ τὴν σελήνην καὶ τοὺς ἀστέρας, τότε
καλῶς καταπαύσεται ἐν τῇ ἡμέρᾳ τῇ ἑβδόμῃ. 6. πέρας γέ τοι λέγει· 6
Ἁγιάσεις αὐτὴν χερσὶν καθαραῖς καὶ καρδίᾳ καθαρᾷ. εἰ οὖν ἣν
ὁ θεὸς ἡμέραν ἡγίασεν, νῦν τις δύναται ἁγιάσαι εἰ μὴ καθαρὸς ὢν
τῇ καρδίᾳ, ἐν πᾶσιν πεπλανήμεθα. 7. ἴδε οὖν ἄρα τότε καλῶς κατα- 7
παυόμενοι ἁγιάσομεν αὐτήν, ὅτε δυνησόμεθα αὐτοὶ δικαιωθέντες καὶ
ἀπολαβόντες τὴν ἐπαγγελίαν, μηκέτι οὔσης τῆς ἀνομίας, καινῶν δὲ
γεγονότων πάντων ὑπὸ κυρίου· τότε δυνησόμεθα αὐτὴν ἁγιάσαι,
αὐτοὶ ἁγιασθέντες πρῶτον. 8. πέρας γέ τοι λέγει αὐτοῖς· Τὰς νεο- 8

---

9) Ies. 61, 1 sq. — XV, 1) Ex. 20, 8 sqq. cf. Ps. 24, 4. — 2) Ier. 17, 24 sq.
cf. Ex. 31, 13 sqq. — 3) Gen. 2, 2. — 4) Ps. 90, 4. — 6) cf. v. 1. —
8) Ies. 1, 13.

μηνίας ὑμῶν καὶ τὰ σάββατα οὐκ ἀνέχομαι. ὁρᾶτε πῶς λέγει·
Οὐ τὰ νῦν σάββατα ἐμοὶ δεκτά, ἀλλὰ ὃ πεποίηκα, ἐν ᾧ καταπαύσας
τὰ πάντα ἀρχὴν ἡμέρας ὀγδόης ποιήσω, ὅ ἐστιν ἄλλου κόσμου ἀρχήν.
9 9. διὸ καὶ ἄγομεν τὴν ἡμέραν τὴν ὀγδόην εἰς εὐφροσύνην, ἐν ᾗ καὶ
ὁ Ἰησοῦς ἀνέστη ἐκ νεκρῶν καὶ φανερωθεὶς ἀνέβη εἰς οὐρανούς.

1   XVI. Ἔτι δὲ καὶ περὶ τοῦ ναοῦ ἐρῶ ὑμῖν, πῶς πλανώμενοι οἱ
ταλαίπωροι εἰς τὴν οἰκοδομὴν ἤλπισαν, καὶ οὐκ ἐπὶ τὸν θεὸν αὐτῶν
2 τὸν ποιήσαντα αὐτούς, ὡς ὄντα οἶκον θεοῦ. 2. σχεδὸν γὰρ ὡς τὰ
ἔθνη ἀφιέρωσαν αὐτὸν ἐν τῷ ναῷ. ἀλλὰ πῶς λέγει κύριος κατ-
αργῶν αὐτόν; μάθετε· Τίς ἐμέτρησεν τὸν οὐρανὸν σπιθαμῇ, ἢ
τίς τὴν γῆν δρακί; οὐκ ἐγώ; λέγει κύριος. Ὁ οὐρανός μοι θρό-
νος, ἡ δὲ γῆ ὑποπόδιον τῶν ποδῶν μου· ποῖον οἶκον οἰκοδο-
μήσετέ μοι; ἢ τίς τόπος τῆς καταπαύσεώς μου; ἐγνώκατε ὅτι
3 ματαία ἡ ἐλπὶς αὐτῶν. 3. πέρας γέ τοι πάλιν λέγει· Ἰδοὺ οἱ καθε-
4 λόντες τὸν ναὸν τοῦτον, αὐτοὶ αὐτὸν οἰκοδομήσουσιν. 4. γίνεται.
διὰ γὰρ τὸ πολεμεῖν αὐτοὺς καθῃρέθη ὑπὸ τῶν ἐχθρῶν. νῦν καὶ
5 αὐτοὶ καὶ οἱ τῶν ἐχθρῶν ὑπηρέται ἀνοικοδομήσουσιν αὐτόν. 5. πάλιν
ὡς ἔμελλεν ἡ πόλις καὶ ὁ ναὸς καὶ ὁ λαὸς Ἰσραὴλ παραδίδοσθαι,
ἐφανερώθη. λέγει γὰρ ἡ γραφή· Καὶ ἔσται ἐπ' ἐσχάτων τῶν
ἡμερῶν, καὶ παραδώσει κύριος τὰ πρόβατα τῆς νομῆς καὶ τὴν
μάνδραν καὶ τὸν πύργον αὐτῶν εἰς καταφθοράν. καὶ ἐγένετο
6 καθ' ἃ ἐλάλησεν κύριος. 6. ζητήσωμεν οὖν εἰ ἔστιν ναὸς θεοῦ. ἔστιν,
ὅπου αὐτὸς λέγει ποιεῖν καὶ καταρτίζειν. γέγραπται γάρ· Καὶ ἔσται
τῆς ἑβδομάδος συντελουμένης, οἰκοδομηθήσεται ναὸς θεοῦ ἐν-
7 δόξως ἐπὶ τῷ ὀνόματι κυρίου. 7. εὑρίσκω οὖν ὅτι ἐστὶν ναός.
πῶς οὖν οἰκοδομηθήσεται ἐπὶ τῷ ὀνόματι κυρίου; μάθετε. πρὸ τοῦ
ἡμᾶς πιστεῦσαι τῷ θεῷ ἦν ἡμῶν τὸ κατοικητήριον τῆς καρδίας φθαρ-
τὸν καὶ ἀσθενές, ὡς ἀληθῶς οἰκοδομητὸς ναὸς διὰ χειρός· ὅτι ἦν
πλήρης μὲν εἰδωλολατρείας καὶ ἦν οἶκος δαιμονίων, διὰ τὸ ποιεῖν ὅσα
8 ἦν ἐναντία τῷ θεῷ. 8. οἰκοδομηθήσεται δὲ ἐπὶ τῷ ὀνόματι κυρίου.
προσέχετε, ἵνα ὁ ναὸς τοῦ κυρίου ἐνδόξως οἰκοδομηθῇ. πῶς; μάθετε.

XVI, 2) Ies. 40, 12. 66, 1. — 3) Ies. 49, 17. — 5) Henoch 89, 56.
66 sq.? — 6) Dan. 9, 24 sqq.?

λαβόντες τὴν ἄφεσιν τῶν ἁμαρτιῶν καὶ ἐλπίσαντες ἐπὶ τὸ ὄνομα ἐγε-
νόμεθα καινοί, πάλιν ἐξ ἀρχῆς κτιζόμενοι· διὸ ἐν τῷ κατοικητηρίῳ
ἡμῶν ἀληθῶς ὁ θεὸς κατοικεῖ ἐν ἡμῖν. 9. πῶς; ὁ λόγος αὐτοῦ τῆς 9
πίστεως, ἡ κλῆσις αὐτοῦ τῆς ἐπαγγελίας, ἡ σοφία τῶν δικαιωμάτων,
αἱ ἐντολαὶ τῆς διδαχῆς, αὐτὸς ἐν ἡμῖν προφητεύων, αὐτὸς ἐν ἡμῖν
κατοικῶν, τοὺς τῷ θανάτῳ δεδουλωμένους, ἀνοίγων ἡμῖν ·τὴν θύραν
τοῦ ναοῦ, ὅ ἐστιν στόμα, μετάνοιαν διδοὺς ἡμῖν εἰσάγει εἰς τὸν ἄφθαρ-
τον ναόν. 10. ὁ γὰρ ποθῶν σωθῆναι βλέπει οὐκ εἰς τὸν ἄνθρωπον 10
ἀλλὰ εἰς τὸν ἐν αὐτῷ κατοικοῦντα καὶ λαλοῦντα, ἐπ᾽ αὐτῷ ἐκπλησ-
σόμενος ἐπὶ τῷ μηδέποτε μήτε τοῦ λέγοντος τὰ ῥήματα ἀκηκοέναι ἐκ
τοῦ στόματος μήτε αὐτός ποτε ἐπιτεθυμηκέναι ἀκούειν. τοῦτό ἐστιν
πνευματικὸς ναὸς οἰκοδομούμενος τῷ κυρίῳ.

XVII. Ἐφ᾽ ὅσον ἦν ἐν δυνατῷ καὶ ἁπλότητι δηλῶσαι ὑμῖν, ἐλ- 1
πίζει μου ἡ ψυχὴ τῇ ἐπιθυμίᾳ μου μὴ παραλελοιπέναι τι τῶν ἀνη-
κόντων εἰς σωτηρίαν. 2. ἐὰν γὰρ περὶ τῶν ἐνεστώτων ἢ μελλόντων 2
γράφω ὑμῖν, οὐ μὴ νοήσητε, διὰ τὸ ἐν παραβολαῖς κεῖσθαι. ταῦτα
μὲν οὕτως.

XVIII. Μεταβῶμεν δὲ καὶ ἐπὶ ἑτέραν γνῶσιν καὶ διδαχήν. Ὁδοὶ 1
δύο εἰσὶν διδαχῆς καὶ ἐξουσίας, ἥ τε τοῦ φωτὸς καὶ ἡ τοῦ σκότους.
διαφορὰ δὲ πολλὴ τῶν δύο ὁδῶν. ἐφ᾽ ἧς μὲν γάρ εἰσιν τεταγμένοι
φωταγωγοὶ ἄγγελοι τοῦ θεοῦ, ἐφ᾽ ἧς δὲ ἄγγελοι τοῦ σατανᾶ. 2. καὶ 2
ὁ μέν ἐστιν κύριος ἀπὸ αἰώνων καὶ εἰς τοὺς αἰῶνας, ὁ δὲ ἄρχων
καιροῦ τοῦ νῦν τῆς ἀνομίας.

XIX. Ἡ οὖν ὁδὸς τοῦ φωτός ἐστιν αὕτη· ἐάν τις θέλων ὁδὸν 1
ὁδεύειν ἐπὶ τὸν ὡρισμένον τόπον, σπεύσῃ τοῖς ἔργοις αὐτοῦ. ἔστιν
οὖν ἡ δοθεῖσα ἡμῖν γνῶσις τοῦ περιπατεῖν ἐν αὐτῇ τοιαύτη· 2. ἀγα- 2
πήσεις τὸν ποιήσαντά σε, φοβηθήσῃ τόν σε πλάσαντα, δοξάσεις τόν σε
λυτρωσάμενον ἐκ θανάτου· ἔσῃ ἁπλοῦς τῇ καρδίᾳ καὶ πλούσιος τῷ
πνεύματι· οὐ κολληθήσῃ μετὰ πορευομένων ἐν ὁδῷ θανάτου, μισή-
σεις πᾶν ὃ οὐκ ἔστιν ἀρεστὸν τῷ θεῷ, μισήσεις πᾶσαν ὑπόκρισιν· οὐ
μὴ ἐγκαταλίπῃς ἐντολὰς κυρίου. 3. οὐχ ὑψώσεις σεαυτόν, ἔσῃ δὲ 3
ταπεινόφρων κατὰ πάντα. οὐκ ἀρεῖς ἐπὶ σεαυτὸν δόξαν. οὐ λήμψῃ
βουλὴν πονηρὰν κατὰ τοῦ πλησίον σου· οὐ δώσεις τῇ ψυχῇ σου
θράσος. 4. οὐ πορνεύσεις, οὐ μοιχεύσεις, οὐ παιδοφθορήσεις· οὐ μή 4

σου ὁ λόγος τοῦ θεοῦ ἐξέλθῃ ἐν ἀκαθαρσίᾳ τινῶν. οὐ λήμψῃ πρόσ-
ωπον ἐλέγξαι τινὰ ἐπὶ παραπτώματι. ἔσῃ πραΰς, ἔσῃ ἡσύχιος, ἔσῃ
τρέμων τοὺς λόγους οὓς ἤκουσας. οὐ μνησικακήσεις τῷ ἀδελφῷ σου.
5 5. οὐ μὴ διψυχήσῃς πότερον ἔσται ἢ οὔ. οὐ μὴ λάβῃς ἐπὶ ματαίῳ
τὸ ὄνομα κυρίου. ἀγαπήσεις τὸν πλησίον σου ὑπὲρ τὴν ψυχήν σου.
οὐ φονεύσεις τέκνον ἐν φθορᾷ, οὐδὲ πάλιν γεννηθὲν ἀποκτενεῖς. οὐ
μὴ ἄρῃς τὴν χεῖρά σου ἀπὸ τοῦ υἱοῦ σου ἢ ἀπὸ τῆς θυγατρός σου,
6 ἀλλὰ ἀπὸ νεότητος διδάξεις φόβον θεοῦ. 6. οὐ μὴ γένῃ ἐπιθυμῶν
τὰ τοῦ πλησίον σου, οὐ μὴ γένῃ πλεονέκτης. οὐδὲ κολληθήσῃ ἐκ
ψυχῆς σου μετὰ ὑψηλῶν, ἀλλὰ μετὰ ταπεινῶν καὶ δικαίων ἀναστρα-
φήσῃ. τὰ συμβαίνοντά σοι ἐνεργήματα ὡς ἀγαθὰ προσδέξῃ, εἰδὼς
7 ὅτι ἄνευ θεοῦ οὐδὲν γίνεται. 7. οὐκ ἔσῃ διγνώμων οὐδὲ γλωσσώδης.
ὑποταγήσῃ κυρίοις ὡς τύπῳ θεοῦ ἐν αἰσχύνῃ καὶ φόβῳ. οὐ μὴ ἐπι-
τάξῃς δούλῳ σου ἢ παιδίσκῃ ἐν πικρίᾳ, τοῖς ἐπὶ τὸν αὐτὸν θεὸν ἐλ-
πίζουσιν, μήποτε οὐ μὴ φοβηθήσονται τὸν ἐπ᾽ ἀμφοτέροις θεόν· ὅτι
ἦλθεν οὐ κατὰ πρόσωπον καλέσαι, ἀλλ᾽ ἐφ᾽ οὓς τὸ πνεῦμα ἡτοίμασεν.
8 8. κοινωνήσεις ἐν πᾶσιν τῷ πλησίον σου, καὶ οὐκ ἐρεῖς ἴδια εἶναι·
εἰ γὰρ ἐν τῷ ἀφθάρτῳ κοινωνοί ἐστε, πόσῳ μᾶλλον ἐν τοῖς φθαρ-
τοῖς. οὐκ ἔσῃ πρόγλωσσος· παγὶς γὰρ τὸ στόμα θανάτου. ὅσον
9 δύνασαι ὑπὲρ τῆς ψυχῆς σου ἁγνεύσεις. 9. μὴ γίνου πρὸς μὲν τὸ
λαβεῖν ἐκτείνων τὰς χεῖρας, πρὸς δὲ τὸ δοῦναι συσπῶν. ἀγαπήσεις
ὡς κόρην τοῦ ὀφθαλμοῦ σου πάντα τὸν λαλοῦντά σοι τὸν λόγον
10 κυρίου. 10. μνησθήσῃ ἡμέραν κρίσεως νυκτὸς καὶ ἡμέρας, καὶ ἐκ-
ζητήσεις καθ᾽ ἑκάστην ἡμέραν τὰ πρόσωπα τῶν ἁγίων, ἢ διὰ λόγου
κοπιῶν καὶ πορευόμενος εἰς τὸ παρακαλέσαι καὶ μελετῶν εἰς τὸ σῶσαι
ψυχὴν τῷ λόγῳ, ἢ διὰ τῶν χειρῶν σου ἐργάσῃ εἰς λύτρον ἁμαρτιῶν
11 σου. 11. οὐ διστάσεις δοῦναι οὐδὲ διδοὺς γογγύσεις, γνώσῃ δὲ τίς
ὁ τοῦ μισθοῦ καλὸς ἀνταποδότης. φυλάξεις ἃ παρέλαβες, μήτε προσ-
τιθεὶς μήτε ἀφαιρῶν. εἰς τέλος μισήσεις τὸν πονηρόν. κρινεῖς δι-
12 καίως. 12. οὐ ποιήσεις σχίσμα, εἰρηνεύσεις δὲ μαχομένους συναγαγών.
ἐξομολογήσῃ ἐπὶ ἁμαρτίαις σου. οὐ προσήξεις ἐπὶ προσευχὴν ἐν συν-
ειδήσει πονηρᾷ. αὕτη ἐστὶν ἡ ὁδὸς τοῦ φωτός.

---

4) Ies. 66, 2. — 5) Ex. 20, 7. Lev. 19, 18. — 9) Sir. 4, 31.

XX. Ἡ δὲ τοῦ μέλανος ὁδός ἐστιν σκολιὰ καὶ κατάρας μεστή. 1
ὁδὸς γάρ ἐστιν θανάτου αἰωνίου μετὰ τιμωρίας, ἐν ᾗ ἐστιν τὰ ἀπολ-
λύντα τὴν ψυχὴν αὐτῶν· εἰδωλολατρεία, θρασύτης, ὕψος δυνάμεως,
ὑπόκρισις, διπλοκαρδία, μοιχεία, φόνος, ἁρπαγή, ὑπερηφανία, παρά-
βασις, δόλος, κακία, αὐθάδεια, φαρμακεία, μαγεία, πλεονεξία, ἀφοβία
θεοῦ. 2. διῶκται τῶν ἀγαθῶν, μισοῦντες ἀλήθειαν, ἀγαπῶντες ψεύδη, 2
οὐ γινώσκοντες μισθὸν δικαιοσύνης, οὐ κολλώμενοι ἀγαθῷ, οὐ κρίσει
δικαίᾳ, χήρᾳ καὶ ὀρφανῷ οὐ προσέχοντες, ἀγρυπνοῦντες οὐκ εἰς φόβον
θεοῦ ἀλλὰ ἐπὶ τὸ πονηρόν, ὧν μακρὰν καὶ πόρρω πραΰτης καὶ ὑπο-
μονή, ἀγαπῶντες μάταια, διώκοντες ἀνταπόδομα, οὐκ ἐλεῶντες πτω-
χόν, οὐ πονοῦντες ἐπὶ καταπονουμένῳ, εὐχερεῖς ἐν καταλαλιᾷ, οὐ
γινώσκοντες τὸν ποιήσαντα αὐτούς, φονεῖς τέκνων, φθορεῖς πλάσματος
θεοῦ, ἀποστρεφόμενοι τὸν ἐνδεόμενον καὶ καταπονοῦντες τὸν θλι-
βόμενον, πλουσίων παράκλητοι, πενήτων ἄνομοι κριταί, πανθαμάρ-
τητοι.

XXI. Καλὸν οὖν ἐστιν μαθόντα τὰ δικαιώματα τοῦ κυρίου, ὅσα 1
γέγραπται, ἐν τούτοις περιπατεῖν. ὁ γὰρ ταῦτα ποιῶν ἐν τῇ βασι-
λείᾳ τοῦ θεοῦ δοξασθήσεται· ὁ ἐκεῖνα ἐκλεγόμενος μετὰ τῶν ἔρ-
γων αὐτοῦ συναπολεῖται. διὰ τοῦτο ἀνάστασις, διὰ τοῦτο ἀνταπό-
δομα. 2. ἐρωτῶ τοὺς ὑπερέχοντας, εἴ τινά μου γνώμης ἀγαθῆς 2
λαμβάνετε συμβουλίαν· ἔχετε μεθ᾽ ἑαυτῶν εἰς οὓς ἐργάσησθε τὸ
καλόν· μὴ ἐλλείπητε. 3. ἐγγὺς ἡ ἡμέρα ἐν ᾗ συναπολεῖται πάντα 3
τῷ πονηρῷ. ἐγγὺς ὁ κύριος καὶ ὁ μισθὸς αὐτοῦ. 4. ἔτι καὶ ἔτι 4
ἐρωτῶ ὑμᾶς· ἑαυτῶν γίνεσθε νομοθέται ἀγαθοί, ἑαυτῶν μένετε σύμ-
βουλοι πιστοί, ἄρατε ἐξ ὑμῶν πᾶσαν ὑπόκρισιν. 5. ὁ δὲ θεός, ὁ τοῦ παν- 5
τὸς κόσμου κυριεύων, δῴη ὑμῖν σοφίαν, σύνεσιν, ἐπιστήμην, γνῶσιν
τῶν δικαιωμάτων αὐτοῦ, ὑπομονήν. 6. γίνεσθε δὲ θεοδίδακτοι, ἐκζη- 6
τοῦντες τί ζητεῖ κύριος ἀφ᾽ ὑμῶν, καὶ ποιεῖτε ἵνα εὑρεθῆτε ἐν ἡμέρᾳ
κρίσεως. 7. εἰ δέ τίς ἐστιν ἀγαθοῦ μνεία, μνημονεύετέ μου μελετῶν- 7
τες ταῦτα, ἵνα καὶ ἡ ἐπιθυμία καὶ ἡ ἀγρυπνία εἴς τι ἀγαθὸν χωρήσῃ.
ἐρωτῶ ὑμᾶς, χάριν αἰτούμενος. 8. ἕως ἔτι τὸ καλὸν σκεῦός ἐστιν 8

XXI, 3) Ies. 40, 10.

μεθ᾽ ὑμῶν, μὴ ἐλλείπητε μηδενὶ ἑαυτῶν, ἀλλὰ συνεχῶς ἐκζητεῖτε
9 ταῦτα καὶ ἀναπληροῦτε πᾶσαν ἐντολήν· ἔστιν γὰρ ἄξια. 9. διὸ
μᾶλλον ἐσπούδασα γράψαι ἀφ᾽ ὧν ἠδυνήθην, εἰς τὸ εὐφρᾶναι ὑμᾶς.
Σώζεσθε, ἀγάπης τέκνα καὶ εἰρήνης. ὁ κύριος τῆς δόξης καὶ πάσης
χάριτος μετὰ τοῦ πνεύματος ὑμῶν.

Ἐπιστολὴ Βαρνάβα.

PAPIAE FRAGMENTA
CUM TESTIMONIIS VETERUM SCRIPTORUM.

I.

Quando et creatura renovata et liberata multitudinem fructi-
ficabit universae escae, ex rore caeli et ex fertilitate terrae: quem-
admodum presbyteri meminerunt, qui Iohannem discipulum domini
viderunt, audisse se ab eo, quemadmodum de temporibus illis do-
cebat dominus et dicebat:

,Venient dies, in quibus vineae nascentur, singulae decem
millia palmitum habentes, et in uno palmite dena millia bra-
chiorum, et in uno vero palmite dena millia flagellorum, et in
unoquoque flagello dena millia botruum, et in unoquoque botro
dena millia acinorum, et unumquodque acinum expressum dabit
vigintiquinque metretas vini. Et cum eorum apprehenderit ali-
quis sanctorum botrum, alius clamabit: Botrus ego melior sum,
me sume, per me dominum benedic. Similiter et granum tritici
decem millia spicarum generaturum, et unamquamque spicam
habituram decem millia granorum, et unumquodque granum
quinque bilibres similae clarae mundae: et reliqua autem poma
et semina et herbam secundum congruentiam iis consequentem:
et omnia animalia iis cibis utentia quae a terra accipiuntur,
pacifica et consentanea invicem fieri, subiecta hominibus cum
omni subiectione.‘

Haec autem et Papias Iohannis auditor, Polycarpi autem con-
tubernalis, vetus homo, per scripturam testimonium perhibet, in quarto
librorum suorum: sunt enim illi quinque libri conscripti.

(*Ταῦτα δὲ καὶ Παπίας ὁ Ἰωάννου μὲν ἀκουστὴς, Πολυκάρπου δὲ ἑταῖρος γεγονὼς, ἀρχαῖος ἀνὴρ, ἐγγράφως ἐπιμαρτυρεῖ ἐν τῇ τετάρτῃ τῶν ἑαυτοῦ βιβλίων· ἔστι γὰρ αὐτῷ πέντε βιβλία συντεταγμένα.* Euseb. h. e. III, 39, 1.) Et adiecit dicens:
,Haec autem credibilia sunt credentibus. Et Iuda', inquit, ,proditore non credente et interrogante: quomodo ergo tales geniturae a domino perficientur?' dixisse dominum: ,Videbunt qui venient in illa.'

[Iren. V, 33, 3 sq. Mass., Harvey T. II p. 417 sq.]

II.

1   *Τοῦ δὲ Παπία συγγράμματα πέντε τὸν ἀριθμὸν φέρεται, ἃ καὶ ἐπιγέγραπται λογίων κυριακῶν ἐξηγήσεις. τούτων καὶ Εἰρηναῖος ὡς μόνων αὐτῷ γραφέντων μνημονεύει, ὧδέ πως λέγων· Ταῦτα δὲ καὶ*
2 *κτλ.* (cf. Iren. V, 33, 4). 2. *Καὶ ὁ μὲν Εἰρηναῖος ταῦτα. Αὐτός γε μὴν ὁ Παπίας κατὰ τὸ προοίμιον τῶν αὐτοῦ λόγων ἀκροατὴν μὲν καὶ αὐτόπτην οὐδαμῶς ἑαυτὸν γενέσθαι τῶν ἱερῶν ἀποστόλων ἐμφαίνει, παρειληφέναι δὲ τὰ τῆς πίστεως παρὰ τῶν ἐκείνοις γνωρίμων διδάσκει δι᾽ ὧν φησι λέξεων·*

3   3. „*Οὐκ ὀκνήσω δέ σοι καὶ ὅσα ποτὲ παρὰ τῶν πρεσβυτέρων καλῶς ἔμαθον καὶ καλῶς ἐμνημόνευσα, συγκατατάξαι ταῖς ἑρμηνείαις, διαβεβαιούμενος ὑπὲρ αὐτῶν ἀλήθειαν. οὐ γὰρ τοῖς τὰ πολλὰ λέγουσιν ἔχαιρον ὥσπερ οἱ πολλοί, ἀλλὰ τοῖς τἀληθῆ διδάσκουσιν, οὐδὲ τοῖς τὰς ἀλλοτρίας ἐντολὰς μνημονεύουσιν, ἀλλὰ τοῖς τὰς παρὰ τοῦ κυρίου τῇ πίστει δεδομένας καὶ ἀπ᾽*
4 *αὐτῆς παραγινομένοις τῆς ἀληθείας. 4. Εἰ δέ που καὶ παρηκολουθηκώς τις τοῖς πρεσβυτέροις ἔλθοι, τοὺς τῶν πρεσβυτέρων ἀνέκρινον λόγους· τί Ἀνδρέας ἢ τί Πέτρος εἶπεν ἢ τί Φίλιππος ἢ τί Θωμᾶς ἢ Ἰάκωβος ἢ τί Ἰωάννης ἢ Ματθαῖος ἤ τις ἕτερος τῶν τοῦ κυρίου μαθητῶν, ἅ τε Ἀριστίων καὶ ὁ πρεσβύτερος Ἰωάννης, οἱ τοῦ κυρίου μαθηταί, λέγουσιν. οὐ γὰρ τὰ ἐκ τῶν βιβλίων τοσοῦτόν με ὠφελεῖν ὑπελάμβανον, ὅσον τὰ παρὰ ζώσης φωνῆς καὶ μενούσης.*"

5   5. *Ἔνθα καὶ ἐπιστῆσαι ἄξιον δὶς καταριθμοῦντι αὐτῷ τὸ Ἰωάννου ὄνομα, ὧν τὸν μὲν πρότερον Πέτρῳ καὶ Ἰακώβῳ καὶ Ματθαίῳ*

καὶ τοῖς λοιποῖς ἀποστόλοις συγκαταλέγει, σαφῶς δηλῶν τὸν εὐαγγε-
λιστήν, τὸν δ᾽ ἕτερον Ἰωάννην διαστείλας τὸν λόγον ἑτέροις παρὰ
τὸν τῶν ἀποστόλων ἀριθμὸν κατατάσσει, προτάξας αὐτοῦ τὸν Ἀρι-
στίωνα, 6. σαφῶς τε αὐτὸν πρεσβύτερον ὀνομάζει, ὡς καὶ διὰ τού- 6
των ἀποδείκνυσθαι τὴν ἱστορίαν ἀληθῆ τῶν δύο κατὰ τὴν Ἀσίαν
ὁμωνυμίᾳ κεχρῆσθαι εἰρηκότων, δύο τε ἐν Ἐφέσῳ γενέσθαι μνήματα
καὶ ἑκάτερον Ἰωάννου ἔτι νῦν λέγεσθαι. Οἷς καὶ ἀναγκαῖον προσέ-
χειν τὸν νοῦν· εἰκὸς γὰρ τὸν δεύτερον, εἰ μή τις ἐθέλοι τὸν πρῶτον,
τὴν ἐπ᾽ ὀνόματος φερομένην Ἰωάννου ἀποκάλυψιν ἑωρακέναι. 7. Καὶ 7
ὁ νῦν δὲ ἡμῖν δηλούμενος Παπίας τοὺς μὲν τῶν ἀποστόλων λόγους
παρὰ τῶν αὐτοῖς παρηκολουθηκότων ὁμολογεῖ παρειληφέναι, Ἀριστί-
ωνος δὲ καὶ τοῦ πρεσβυτέρου Ἰωάννου αὐτήκοον ἑαυτόν φησι γενέ-
σθαι. Ὀνομαστὶ γοῦν πολλάκις αὐτῶν μνημονεύσας, ἐν τοῖς αὐτοῦ
συγγράμμασι τίθησιν αὐτῶν καὶ παραδόσεις. Καὶ ταῦτα δ᾽ ἡμῖν οὐκ
εἰς τὸ ἄχρηστον εἰρήσθω.

8. Ἄξιον δὲ ταῖς ἀποδοθείσαις τοῦ Παπία φωναῖς προσάψαι λέξεις 8
ἑτέρας αὐτοῦ, δι᾽ ὧν παράδοξά τινα ἱστορεῖ καὶ ἄλλα, ὡσὰν ἐκ πα-
ραδόσεως εἰς αὐτὸν ἐλθόντα. 9. Τὸ μὲν οὖν κατὰ τὴν Ἱεράπολιν 9
Φίλιππον τὸν ἀπόστολον ἅμα ταῖς θυγατράσι διατρῖψαι, διὰ τῶν
πρόσθεν δεδήλωται, ὡς δὲ κατὰ τοὺς αὐτοὺς ὁ Παπίας γενόμενος
διήγησιν παρειληφέναι θαυμασίαν ὑπὸ τῶν τοῦ Φιλίππου θυγατέρων
μνημονεύει, τὰ νῦν σημειωτέον. Νεκροῦ γὰρ ἀνάστασιν κατ᾽ αὐτὸν
γεγονυῖαν ἱστορεῖ, καὶ αὖ πάλιν ἕτερον παράδοξον περὶ Ἰοῦστον τὸν
ἐπικληθέντα Βαρσαββᾶν γεγονός, ὡς δηλητήριον φάρμακον ἐμπιόντος
καὶ μηδὲν ἀηδὲς διὰ τὴν τοῦ κυρίου χάριν ὑπομείναντος. 10. Τοῦτον 10
δὲ τὸν Ἰοῦστον μετὰ τὴν τοῦ σωτῆρος ἀνάληψιν τοὺς ἱεροὺς ἀπο-
στόλους μετὰ Ματθία στῆσαί τε καὶ ἐπεύξασθαι ἀντὶ τοῦ προδότου
Ἰούδα ἐπὶ τὸν κλῆρον τῆς ἀναπληρώσεως τοῦ αὐτῶν ἀριθμοῦ, ἡ τῶν
πράξεων ὧδέ πως ἱστορεῖ γραφή· Καὶ ἔστησαν δύο, Ἰωσὴφ τὸν κα-
λούμενον Βαρσαββᾶν, ὃς ἐπεκλήθη Ἰοῦστος, καὶ Ματθίαν· καὶ προσ-
ευξάμενοι εἶπαν. 11. Καὶ ἄλλα δὲ ὁ αὐτὸς ὡσὰν ἐκ παραδόσεως 11
ἀγράφου εἰς αὐτὸν ἥκοντα παρατέθειται, ξένας τέ τινας παραβολὰς
τοῦ σωτῆρος καὶ διδασκαλίας αὐτοῦ, καί τινα ἄλλα μυθικώτερα.
12. Ἐν οἷς καὶ χιλιάδα τινά φησιν ἐτῶν ἔσεσθαι μετὰ τὴν ἐκ νεκρῶν 12

ἀνάστασιν, σωματικῶς τῆς Χριστοῦ βασιλείας ἐπὶ ταυτησὶ τῆς γῆς
ὑποστησομένης. Ἃ καὶ ἡγοῦμαι τὰς ἀποστολικὰς παρεκδεξάμενον διη-
γήσεις ὑπολαβεῖν, τὰ ἐν ὑποδείγμασι πρὸς αὐτῶν μυστικῶς εἰρημένα
13 μὴ συνεωρακότα. 13. Σφόδρα γάρ τοι σμικρὸς ὢν τὸν νοῦν, ὡσὰν ἐκ
τῶν αὐτοῦ λόγων τεκμηράμενον εἰπεῖν, φαίνεται· πλὴν καὶ τοῖς μετ᾽
αὐτὸν πλείστοις ὅσοις τῶν ἐκκλησιαστικῶν τῆς ὁμοίας αὐτῷ δόξης
παραίτιος γέγονε, τὴν ἀρχαιότητα τἀνδρὸς προβεβλημένοις, ὥσπερ οὖν
14 Εἰρηναίῳ, καὶ εἴ τις ἄλλος τὰ ὅμοια φρονῶν ἀναπέφηνεν. 14. Καὶ
ἄλλας δὲ τῇ ἑαυτοῦ γραφῇ παραδίδωσιν Ἀριστίωνος τοῦ πρόσθεν δε-
δηλωμένου τῶν τοῦ κυρίου λόγων διηγήσεις καὶ τοῦ πρεσβυτέρου
Ἰωάννου παραδόσεις, ἐφ᾽ ἃς τοὺς φιλομαθεῖς ἀναπέμψαντες, ἀναγκαίως
νῦν προσθήσομεν ταῖς προεκτεθείσαις αὐτοῦ φωναῖς παράδοσιν, ἢ περὶ
Μάρκου τοῦ τὸ εὐαγγέλιον γεγραφότος ἐκτέθειται διὰ τούτων·

15 15. „Καὶ τοῦτο ὁ πρεσβύτερος ἔλεγε· Μάρκος μὲν ἑρμηνευτὴς
Πέτρου γενόμενος, ὅσα ἐμνημόνευσεν, ἀκριβῶς ἔγραψεν, οὐ μέντοι
τάξει, τὰ ὑπὸ τοῦ Χριστοῦ ἢ λεχθέντα ἢ πραχθέντα. οὔτε γὰρ
ἤκουσε τοῦ κυρίου, οὔτε παρηκολούθησεν αὐτῷ, ὕστερον δέ, ὡς
ἔφην, Πέτρῳ, ὃς πρὸς τὰς χρείας ἐποιεῖτο τὰς διδασκαλίας, ἀλλ᾽
οὐχ ὥσπερ σύνταξιν τῶν κυριακῶν ποιούμενος λογίων, ὥστε οὐδὲν
ἥμαρτε Μάρκος, οὕτως ἔνια γράψας ὡς ἀπεμνημόνευσεν. ἑνὸς
γὰρ ἐποιήσατο πρόνοιαν, τοῦ μηδὲν ὧν ἤκουσε παραλιπεῖν ἢ
ψεύσασθαί τι ἐν αὐτοῖς.“

16 Ταῦτα μὲν οὖν ἱστόρηται τῷ Παπίᾳ περὶ τοῦ Μάρκου. 16. Περὶ
δὲ τοῦ Ματθαίου ταῦτ᾽ εἴρηται·

„Ματθαῖος μὲν οὖν Ἑβραΐδι διαλέκτῳ τὰ λόγια συνεγράψατο
ἡρμήνευσε δ᾽ αὐτὰ ὡς ἦν δυνατὸς ἕκαστος.“

Κέχρηται δ᾽ αὐτὸς μαρτυρίαις ἀπὸ τῆς Ἰωάννου προτέρας ἐπι-
στολῆς καὶ ἀπὸ τῆς Πέτρου ὁμοίως. ἐκτέθειται δὲ καὶ ἄλλην ἱστορίαν
περὶ γυναικὸς ἐπὶ πολλαῖς ἁμαρτίαις διαβληθείσης ἐπὶ τοῦ κυρίου, ἣν
τὸ κατ᾽ Ἑβραίους εὐαγγέλιον περιέχει. Καὶ ταῦτα δ᾽ ἡμῖν ἀναγκαίως
πρὸς τοῖς ἐκτεθεῖσιν ἐπιτετηρήσθω.

[Euseb. h. e. III, 39 ed. Heinichen; cf. Rufin. h. e. ed. P. T. Cac-
ciari P. I p. 172. Niceph. h. e. ed. Fronto Duc. T. I p. 252.]

III.

Ἀπολιναρίου· Οὐκ ἀπέθανε τῇ ἀγχόνῃ Ἰούδας, ἀλλ' ἐπεβίω καθ-
αιρεθεὶς πρὸ τοῦ ἀποπνιγῆναι. καὶ τοῦτο δηλοῦσιν αἱ τῶν ἀποστό-
λων πράξεις, ὅτι πρηνὴς γενόμενος ἐλάκησε μέσος, καὶ ἐξεχύθη τὰ
σπλάγχνα αὐτοῦ. τοῦτο δὲ σαφέστερον ἱστορεῖ Παπίας ὁ Ἰωάννου μα-
θητὴς λέγων οὕτως ἐν τῷ δ΄ τῆς ἐξηγήσεως τῶν κυριακῶν λόγων·

„Μέγα δὲ ἀσεβείας ὑπόδειγμα ἐν τούτῳ τῷ κόσμῳ περιεπάτη-
σεν ὁ Ἰούδας πρησθεὶς ἐπὶ τοσοῦτον τὴν σάρκα, ὥστε μηδὲ ὁπόθεν
ἅμαξα ῥᾳδίως διέρχεται ἐκεῖνον δύνασθαι διελθεῖν, ἀλλὰ μηδὲ
αὐτὸν μόνον τὸν τῆς κεφαλῆς ὄγκον αὐτοῦ. τὰ μὲν γὰρ βλέφαρα
τῶν ὀφθαλμῶν αὐτοῦ φασὶ τοσοῦτον ἐξοιδῆσαι, ὡς αὐτὸν μὲν
καθόλου τὸ φῶς μὴ βλέπειν, τοὺς ὀφθαλμοὺς δὲ αὐτοῦ μηδὲ
ὑπὸ ἰατροῦ [διὰ] διόπτρας ὀφθῆναι δύνασθαι· τοσοῦτον βάθος
εἶχεν ἀπὸ τῆς ἔξωθεν ἐπιφανείας· τὸ δὲ αἰδοῖον αὐτοῦ πάσης
μὲν ἀσχημοσύνης ἀηδέστερον καὶ μεῖζον φαίνεσθαι, φέρεσθαι δὲ
δι' αὐτοῦ ἐκ παντὸς τοῦ σώματος. συρρέοντας ἰχῶράς τε καὶ
σκώληκας εἰς ὕβριν δι' αὐτῶν μόνων τῶν ἀναγκαίων. μετὰ πολ-
λὰς δὲ βασάνους καὶ τιμωρίας ἐν ἰδίῳ, φασί, χωρίῳ τελευτή-
σαντος, ἀπὸ τῆς ὀδμῆς ἔρημον καὶ ἀοίκητον τὸ χωρίον μέχρι
τῆς νῦν γενέσθαι, ἀλλ' οὐδὲ μέχρι τῆς σήμερον δύνασθαί τινα
ἐκεῖνον τὸν τόπον παρελθεῖν, ἐὰν μὴ τὰς ῥῖνας ταῖς χερσὶν ἐπι-
φράξῃ. τοσαύτη διὰ τῆς σαρκὸς αὐτοῦ καὶ ἐπὶ τῆς γῆς ἔκρυσις
ἐχώρησεν."

[Textus constitutus est e Catena ad Acta SS. Apostt. ed. Cramer.
Oxon. 1838 p. 12 sq. Theophylact. in Act. 1, 18 sq. Catena ad
Evang. S. Mtth. et S. Mrc. ed. Cramer. Oxon. 1840 p. 231. Oe-
cum. in Act. 2. Boissonade, Anecd. Gr. Par. 1830 T. II p. 464 sq.
Scholion in Act. 1, 18 ap. Ch. F. Matthaei (*Apostelgesch.* 1782
p. 304). Theophyl. Opp. ed. Ven. 1754. T. I p. 154. Eythym.
Zigab. in IV Evv. T. I p. 1085 ed. Matth.]

IV.

Παππίας δὲ οὕτως ἐπὶ λέξεως· „Ἐνίοις δὲ αὐτῶν, δηλαδὴ τῶν
πάλαι θείων ἀγγέλων, καὶ τῆς περὶ τὴν γῆν διακοσμήσεως ἔδωκεν

ἄρχειν καὶ καλῶς ἄρχειν παρηγγύησε." καὶ ἑξῆς φησίν· „Εἰς οὐδὲν
δέον συνέβη τελευτῆσαι τὴν τάξιν αὐτῶν."

[Andreas Caesariensis in Apoc. c. 34, serm. 12. edit. Morel. Opp.
S. Chrysost. p. 52.]

V.

Περὶ μέντοι τοῦ θεοπνεύστου τῆς βίβλου (τῆς ἀποκαλύψεως
᾽Ιωάννου scil.) περιττὸν μηκύνειν τὸν λόγον ἡγούμεθα, τῶν μακα-
ρίων Γρηγορίου φημὶ τοῦ θεολόγου καὶ Κυρίλλου, προσέτι δὲ καὶ
τῶν ἀρχαιοτέρων Παππίου, Εἰρηναίου, Μεθοδίου καὶ ῾Ιππολύτου ταύτῃ
προσμαρτυρούντων τὸ ἀξιόπιστον.

[Andreas Caesariensis in praef. in Apoc. p. 2.]

VI.

Λαβόντες τὰς ἀφορμὰς ἐκ Παπίου τοῦ πάνυ τοῦ ῾Ιεραπολίτου,
τοῦ ἐν τῷ ἐπιστηθίῳ φοιτήσαντος, καὶ Κλήμεντος, Πανταίνου τῆς
᾽Αλεξανδρέων ἱερέως καὶ ᾽Αμμωνίου σοφωτάτου, τῶν ἀρχαίων καὶ
πρώτων συνῳδῶν ἐξηγητῶν, εἰς Χριστὸν καὶ τὴν ἐκκλησίαν πᾶσαν
τὴν ἑξαήμερον νοησάντων.

[Anast. Sinaita, Contempl. anagog. in hexaëm. lib. I. B. PP. Par.
1589. T. I p. 183.]

VII.

Οἱ μὲν οὖν ἀρχαιότεροι τῶν ἐκκλησιῶν ἐξηγητῶν, λέγω δὴ Φί-
λων ὁ φιλόσοφος καὶ τῶν ἀποστόλων ὁμόχρονος καὶ Παπίας ὁ πολὺς
ὁ ᾽Ιωάννου τοῦ εὐαγγελιστοῦ φοιτητὴς ὁ ῾Ιεραπολίτης . . . . . καὶ οἱ
ἀμφ᾽ αὐτοὺς πνευματικῶς τὰ περὶ παραδείσου ἐθεώρησαν εἰς τὴν Χρι-
στοῦ ἐκκλησίαν ἀναφερόμενοι.

[Anastas. Sinaita, l. c. I VII p. 269; Graece primus Nolte ea edid.
in: Tüb. Theol. Quartalschr. 1867 p. 56.]

VIII.

Τοὺς κατὰ θεὸν ἀκακίαν ἀσκοῦντας παῖδας ἐκάλουν, ὡς καὶ Πα-
πίας δηλοῖ βιβλίῳ πρώτῳ τῶν κυριακῶν ἐξηγήσεων καὶ Κλήμης ὁ
᾽Αλεξανδρεὺς ἐν τῷ Παιδαγωγῷ.

[Maximus Confess. Schol. in libr. Dionys. Opp. Dionys. ed. Cord.
I p. 32 de eccl. hierarch. c. 2.]

IX.

Ταῦτά φησιν αἰνιττόμενος οἶμαι Παπίαν τὸν Ἱεραπόλεως τῆς κατ᾿ Ἀσίαν τότε γενόμενον ἐπίσκοπον καὶ συνακμάσαντα τῷ θείῳ εὐαγγελιστῇ Ἰωάννῃ. οὗτος γὰρ ὁ Παπίας ἐν τῷ τετάρτῳ αὐτοῦ βιβλίῳ τῶν κυριακῶν ἐξηγήσεων τὰς διὰ βρωμάτων εἶπεν ἐν τῇ ἀναστάσει ἀπολαύσεις. — καὶ Εἰρηναῖος δὲ ὁ Λουγδούνου ἐν τῷ κατὰ αἱρέσεων πέμπτῳ λόγῳ τὸ αὐτό φησι καὶ παράγει μάρτυρα τῶν ὑπ᾿ αὐτοῦ εἰρημένων τὸν λεχθέντα Παπίαν.

[Maximus Confess. l. c. p. 422 de eccl. hierarch. c. 7.]

X.

.... οὐ μὴν ἀλλ᾿ οὐδὲ Παπίαν τὸν Ἱεραπόλεως ἐπίσκοπον καὶ μάρτυρα, οὐδὲ Εἰρηναῖον τὸν ὅσιον ἐπίσκοπον Λουγδούνων (scil. ἀποδέχεται Στέφανος), ἐν οἷς λέγουσιν αἰσθητῶν τινῶν βρωμάτων ἀπόλαυσιν εἶναι τὴν τῶν οὐρανῶν βασιλείαν.

[Photius Biblioth. (ed. Bekker 1824 p. 291) Cod. 232 e Stephani Gob. Opp.]

XI.

Μετὰ δὲ Δομετιανὸν ἐβασίλευσε Νερούας ἔτος ἕν, ὃς ἀνακαλεσάμενος Ἰωάννην ἐκ τῆς νήσου ἀπέλυσεν οἰκεῖν ἐν Ἐφέσῳ. μόνος τότε περιὼν τῷ βίῳ ἐκ τῶν ιβ᾿ μαθητῶν καὶ συγγραψάμενος τὸ κατ᾿ αὐτὸν εὐαγγέλιον μαρτυρίου κατηξίωται. Παπίας γὰρ ὁ Ἱεραπόλεως ἐπίσκοπος, αὐτόπτης τούτου γενόμενος, ἐν τῷ δευτέρῳ λόγῳ τῶν κυριακῶν λογίων φάσκει, ὅτι ὑπὸ Ἰουδαίων ἀνῃρέθη· πληρώσας δηλαδὴ μετὰ τοῦ ἀδελφοῦ τὴν τοῦ Χριστοῦ περὶ αὐτῶν πρόρρησιν καὶ τὴν ἑαυτῶν ὁμολογίαν περὶ τούτου καὶ συγκατάθεσιν. εἰπὼν γὰρ ὁ κύριος πρὸς αὐτούς· Δύνασθε πιεῖν τὸ ποτήριον ὃ ἐγὼ πίνω; καὶ κατανευσάντων προθύμως καὶ συνθεμένων· Τὸ ποτήριόν μου, φησίν, πίεσθε καὶ τὸ βάπτισμα ὃ ἐγὼ βαπτίζομαι βαπτισθήσεσθε. καὶ εἰκότως· ἀδύνατον γὰρ θεὸν ψεύσασθαι. οὕτω δὲ καὶ ὁ πολυμαθὴς Ὠριγένης ἐν τῇ κατὰ Ματθαῖον ἑρμηνείᾳ διαβεβαιοῦται, ὡς ὅτι μεμαρτύρηκεν Ἰωάννης, ἐκ τῶν διαδόχων τῶν ἀποστόλων ὑποσημαινάμενος τοῦτο μεμαθηκέναι. καὶ μὲν δὴ καὶ ὁ πολυΐστωρ Εὐσέβιος ἐν τῇ

ἐκκλ. ἱστορ. (III, 1) φησί· Θωμᾶς μὲν τὴν Παρθίαν εἴληχεν, Ἰωάννης
δὲ τὴν Ἀσίαν, πρὸς οὓς καὶ διατρίψας ἐτελεύτησεν ἐν Ἐφέσῳ.
[Ex Georg. Hamart. saec. IX Chron. cod. Coisl. ed. Nolte, *Tüb. Theol.
Quartalschr.* 1862 p. 466 sq.; cf. Georg. Hamart. Chronic. ed. Ed. de
Muralto. 1859. Prolegg. p. XVII sq.]

XII.

Διέπρεπέ γε μὴν κατὰ τούτους ἐπὶ τῆς Ἀσίας τῶν ἀποστό-
λων ὁμιλητὴς Πολύκαρπος, τῆς κατὰ Σμύρναν ἐκκλησίας πρὸς τῶν
αὐτοπτῶν καὶ ὑπηρετῶν τοῦ κυρίου τὴν ἐπισκοπὴν ἐγκεχειρισμένος.
καθ᾿ ὃν ἐγνωρίζετο Παπίας τῆς ἐν Ἱεραπόλει παροικίας καὶ αὐτὸς
ἐπίσκοπος, (ἀνὴρ τὰ πάντα ὅτι μάλιστα λογιώτατος καὶ τῆς γραφῆς
εἰδήμων AEᵃG [ad m.] H).

[Euseb. h. e. III, 36, 1. 2 ed. Heinichen.]

XIII.

Ἰωάννην τὸν θεολόγον καὶ ἀπόστολον Εἰρηναῖος καὶ ἄλλοι
ἱστοροῦσι παραμεῖναι τῷ βίῳ ἕως τῶν χρόνων Τραϊανοῦ· μεθ᾿ ὃν
Παππίας Ἱεραπολίτης καὶ Πολύκαρπος Σμύρνης ἐπίσκοπος ἀκουσταὶ
αὐτοῦ ἐγνωρίζοντο.

[Euseb. Chronic. (Syncell. 655, 14) ad Olymp. 220. ed. A. Schoene.
Vol. II. p. 162.]

XIV.

Papias, Ioannis auditor, Hierapolitanus in Asia episcopus,
quinque tantum scripsit volumina, quae praenotavit ‚Explanatio Ser-
monum Domini‘. In quibus quum se in praefatione asserat, non
varias opiniones sequi, sed apostolos habere auctores, ait: ‚Consi-
derabam, quid Andreas, quid Petrus dixissent, quid Philippus, quid
Thomas, quid Iacobus, quid Ioannes, quid Matthaeus, vel alius qui-
libet discipulorum domini: quid etiam Aristion et senior Ioannes,
discipuli domini, loquebantur. Non enim tantum mihi libri ad legen-
dum prosunt, quantum viva vox, usque hodie in suis auctoribus per-
sonans.‘ Ex quo apparet in ipso catalogo nominum, alium esse
Ioannem, qui inter apostolos ponitur, et alium seniorem Ioannem,
quem post Aristionem enumerat. Hoc autem diximus propter supe-
riorem opinionem, quam a plerisque retulimus traditam, duas poste-

riores epistulas Ioannis non apostoli esse, sed presbyteri. Hic
dicitur mille annorum Iudaicam edidisse δευτέρωσιν, quem secuti
sunt Irenaeus et Apollinarius et caeteri, qui post resurrectionem
aiunt in carne cum sanctis dominum regnaturum. Tertullianus quo-
que in libro de spe fidelium et Victorinus Petabionensis et Lactantius
hac opinione ducuntur.

[Hieronym. de vir. ill. 18. Opp. ed. Vallarsius T. II. p. 859.]

XV.

Porro Iosephi libros et sanctorum Papiae et Polycarpi vo-
lumina, falsus ad te rumor pertulit a me esse translata: quia nec
otii mei nec virium est, tantas res eadem in alteram linguam expri-
mere venustate.

[Hieronym. ad Lucinium. Ep. 71 (28) c. 5. Opp. ed. Vall. T. I. p. 434.]

XVI.

Refert Irenaeus. . . . . . Papiae auditoris evangelistae Ioannis dis-
cipulus . . . . .

[Hieronym. ad Theodoram. Ep. 75 (29) c. 3. Opp. ed. Vall. T. I. p. 454.]

XVII.

Σὺν τῷ ἁγίῳ δὲ Πολυκάρπῳ καὶ ἄλλοι θ᾽ ἀπὸ Φιλαδελφείας
μαρτυροῦσιν ἐν Σμύρνῃ· καὶ ἐν Περγάμῳ δὲ ἕτεροι, ἐν οἷς ἦν καὶ
Παπίας καὶ ἄλλοι πολλοί, ὧν καὶ ἔγγραφα φέρονται τὰ μαρτύρια.

[Chronic. pasch. ad Olymp. 235b ed. Dindorf. Vol. I. p. 481.]

XVIII.

Incipit argumentum secundum Iohannem.

Evangelium Iohannis manifestatum et datum est ecclesiis ab Io-
hanne adhuc in corpore constituto; sicut Papias nomine Hierapoli-
tanus, discipulus Iohannis carus, in exotericis id est in extremis
quinque libris retulit. Disscripsit vero evangelium dictante Iohanne
recte. Verum Martion haereticus, cum ab eo fuisset improbatus,
eo quod contraria sentiebat, abiectus est a Iohanne. Is vero scripta
vel epistolas ad eum pertulerat a fratribus, qui in Ponto fuerunt.

[Vatic. Alex. Nr. 14 Bibl. Lat. (Evv.) saec. IX ed. I. M. Thomasius
Cardinalis. Opp. I. p. 344. Romae 1747; cf. Tischendorf, Nov. Test.
Graece. Edit. VIII crit. mai 1869. Vol. I. p. 967 sq.]

XIX.

Ὕστατος γὰρ τούτων Ἰωάννης ὁ τῆς βροντῆς υἱὸς μετακλη-
θείς, πάνυ γηραλέου αὐτοῦ γενομένου, ὡς παρέδοσαν ἡμῖν ὅ τε
Εἰρηναῖος καὶ Εὐσέβιος καὶ ἄλλοι πιστοὶ κατὰ διαδοχὴν γεγονότες
ἱστορικοί, κατ᾽ ἐκεῖνο καιροῦ αἱρέσεων ἀναφυεισῶν δεινῶν ὑπηγόρευσε
τὸ εὐαγγέλιον τῷ ἑαυτοῦ μαθητῇ Παπίᾳ εὐβιώτῳ τῷ Ἱεραπολίτῃ,
πρὸς ἀναπλήρωσιν τῶν πρὸ αὐτοῦ κηρυξάντων τὸν λόγον τοῖς ἀνὰ
πᾶσαν τὴν οἰκουμένην ἔθνεσιν.

[Ex Catena Graec. PP. in S. Ioan. ex antiquissimo Graeco cod. msto.
nunc primum in lucem edita a B. Corderio. Antverp. 1630.]

Codex Argentin in which the following M.S. was contained was burned in 1870 an diep η Messtrup.

[ΙΟΥΣΤΙΝΟΥ ΦΙΛΟΣΟΦΟΥ ΚΑΙ ΜΑΡΤΥΡΟΣ] ΠΡΟΣ ΔΙΟΓΝΗΤΟΝ.

Theories of date:
1. A production of 3rd Century (Harnack)
2. After Constantine periode (Overbeck)
3. of 2 century before 135. (Küper)

I. Ἐπειδὴ ὁρῶ, κράτιστε Διόγνητε, ὑπερεσπουδακότα σε τὴν
θεοσέβειαν τῶν Χριστιανῶν μαθεῖν καὶ πάνυ σαφῶς καὶ ἐπιμελῶς
πυνθανόμενον περὶ αὐτῶν, τίνι τε θεῷ πεποιθότες καὶ πῶς θρη-
σκεύοντες αὐτὸν τόν τε κόσμον ὑπερορῶσι πάντες καὶ θανάτου κατα-
φρονοῦσι, καὶ οὔτε τοὺς νομιζομένους ὑπὸ τῶν Ἑλλήνων θεοὺς λογί-
ζονται οὔτε τὴν Ἰουδαίων δεισιδαιμονίαν φυλάσσουσι, καὶ τίνα τὴν
φιλοστοργίαν ἔχουσι πρὸς ἀλλήλους, καὶ τί δήποτε καινὸν τοῦτο γένος
ἢ ἐπιτήδευμα εἰσῆλθεν εἰς τὸν βίον νῦν καὶ οὐ πρότερον· ἀποδέχομαί
γε τῆς προθυμίας σε ταύτης καὶ παρὰ τοῦ θεοῦ, τοῦ καὶ τὸ λέγειν
καὶ τὸ ἀκούειν ἡμῖν χορηγοῦντος, αἰτοῦμαι δοθῆναι ἐμοὶ μὲν εἰπεῖν
οὕτως ὡς μάλιστα ἂν ἀκούσαντά σε βελτίω γενέσθαι, σοί τε οὕτως
ἀκοῦσαι ὡς μὴ λυπηθῆναι τὸν εἰπόντα.

contents of §1. Introduction Address to Diognetus who desires to be taught the truths of Christianity.

II. Ἄγε δὴ καθάρας σεαυτὸν ἀπὸ πάντων τῶν προκατεχόντων
σου τὴν διάνοιαν λογισμῶν, καὶ τὴν ἀπατῶσάν σε συνήθειαν ἀπο-
σκευασάμενος, καὶ γενόμενος ὥσπερ ἐξ ἀρχῆς καινὸς ἄνθρωπος, ὡς
ἂν καὶ λόγου καινοῦ, καθάπερ καὶ αὐτὸς ὡμολόγησας, ἀκροατὴς
ἐσόμενος· ἴδε μὴ μόνον τοῖς ὀφθαλμοῖς ἀλλὰ καὶ τῇ φρονήσει τίνος
ὑποστάσεως ἢ τίνος εἴδους τυγχάνουσιν οὓς ἐρεῖτε καὶ νομίζετε θεούς.

Superficial leading of mere service of idols.
Showing the inherent unreasonableness of the worship of idols.

2. οὐχ ὁ μέν τις λίθος ἐστὶν ὅμοιος τῷ πατουμένῳ, ὁ δ᾽ ἐστὶ χαλκὸς
οὐ κρείσσων τῶν εἰς τὴν χρῆσιν ἡμῖν κεχαλκευμένων σκευῶν, ὁ δὲ

In Strassburg MS. the Epistle was ascribed to Justin Martyr
Lightfoot's date 150
Diognetus may have been tutor of Marcus Aurelius.

ξύλον ἤδη καὶ σεσηπός, ὁ δὲ ἄργυρος χρήζων ἀνθρώπου τοῦ φυλά-
ξαντος ἵνα μὴ κλαπῇ, ὁ δὲ σίδηρος ὑπὸ ἰοῦ διεφθαρμένος, ὁ δὲ
ὄστρακον, οὐδὲν τοῦ κατεσκευασμένου πρὸς τὴν ἀτιμοτάτην ὑπηρεσίαν
εὐπρεπέστερον; 3. οὐ φθαρτῆς ὕλης ταῦτα πάντα; οὐχ ὑπὸ σιδήρου 3
καὶ πυρὸς κεχαλκευμένα; οὐχ ὃ μὲν αὐτῶν λιθοξόος ὃ δὲ χαλκεὺς
ὃ δὲ ἀργυροκόπος ὃ δὲ κεραμεὺς ἔπλασεν; οὐ πρὶν ἢ ταῖς τέχναις
τούτων εἰς τὴν μορφὴν τούτων ἐκτυπωθῆναι ἦν ἕκαστον αὐτῶν ἑκάστῳ
εἰκάζειν μεταμεμορφωμένον; οὐ τὰ νῦν ἐκ τῆς αὐτῆς ὕλης ὄντα σκεύη
γένοιτ᾽ ἄν, εἰ τύχοι τῶν αὐτῶν τεχνιτῶν, ὅμοια τοιούτοις; 4. οὐ ταῦτα 4
πάλιν τὰ νῦν ὑφ᾽ ὑμῶν προσκυνούμενα δύναιτ᾽ ἂν ὑπὸ ἀνθρώπων
σκεύη ὅμοια γενέσθαι τοῖς λοιποῖς; οὐ κωφὰ πάντα, οὐ τυφλά, οὐκ
ἄψυχα, οὐκ ἀναίσθητα, οὐκ ἀκίνητα; οὐ πάντα σηπόμενα, οὐ πάντα
φθειρόμενα; 5. ταῦτα θεοὺς καλεῖτε, τούτοις δουλεύετε, τούτοις προσ- 5
κυνεῖτε· τέλεον δ᾽ αὐτοῖς ἐξομοιοῦσθε. 6. διὰ τοῦτο μισεῖτε Χρι- 6
στιανούς, ὅτι τούτους οὐχ ἡγοῦνται θεούς. 7. ὑμεῖς γὰρ αἰνεῖν νομί- 7
ζοντες καὶ οἰόμενοι, οὐ πολὺ πλέον αὐτῶν καταφρονεῖτε; οὐ πολὺ
μᾶλλον αὐτοὺς χλευάζετε καὶ ὑβρίζετε, τοὺς μὲν λιθίνους καὶ ὀστρα-
κίνους σέβοντες ἀφυλάκτους, τοὺς δὲ ἀργυρέους καὶ χρυσοῦς ἐγκλεί-
οντες ταῖς νυξί, καὶ ταῖς ἡμέραις φύλακας παρακαθιστάντες, ἵνα μὴ
κλαπῶσιν; 8. αἷς δὲ δοκεῖτε τιμαῖς προσφέρειν, εἰ μὲν αἰσθάνονται 8
κολάζετε μᾶλλον αὐτούς, εἰ δὲ ἀναισθητοῦσιν ἐλέγχοντες αἵματι καὶ
κνίσαις αὐτοὺς θρησκεύετε. 9. ταῦθ᾽ ὑμῶν τις ὑπομεινάτω, ταῦτα 9
ἀνασχέσθω τις ἑαυτῷ γενέσθαι. ἀλλὰ ἄνθρωπος μὲν οὐδὲ εἷς ταύτης
τῆς κολάσεως ἑκὼν ἀνέξεται, αἴσθησιν γὰρ ἔχει καὶ λογισμόν· ὁ δὲ
λίθος ἀνέχεται, ἀναισθητεῖ γάρ. οὐκοῦν τὴν αἴσθησιν αὐτοῦ ἐλέγχετε.
10. περὶ μὲν οὖν τοῦ μὴ δεδουλῶσθαι Χριστιανοὺς τοιούτοις θεοῖς 10
πολλὰ μὲν ἂν καὶ ἄλλα εἰπεῖν ἔχοιμι· εἰ δέ τινι μὴ δοκοίη κἂν
ταῦτα ἱκανά, περισσὸν ἡγοῦμαι καὶ τὸ πλείω λέγειν.

III. Ἑξῆς δὲ περὶ τοῦ μὴ κατὰ τὰ αὐτὰ Ἰουδαίοις θεοσεβεῖν 1
αὐτοὺς οἶμαί σε μάλιστα ποθεῖν ἀκοῦσαι. 2. Ἰουδαῖοι τοίνυν εἰ μὲν 2
ἀπέχονται ταύτης τῆς προειρημένης λατρείας, καλῶς θεὸν ἕνα τῶν
πάντων σέβειν καὶ δεσπότην ἀξιοῦσι φρονεῖν· εἰ δὲ τοῖς προειρημένοις
ὁμοιοτρόπως τὴν θρησκείαν προσάγουσιν αὐτῷ ταύτην, διαμαρτά-
νουσιν. 3. ἃ γὰρ τοῖς ἀναισθήτοις καὶ κωφοῖς προσφέροντες οἱ Ἑλ- 3

[margin notes, handwritten:] The misapplied cultural by which the Jews worship the one God is contained in the and the follow by Chapter

The Jews are better than the Greeks in that they worship one God, but as bad in the method of worship. The one offer to Gods who cannot perceive; the other to a God who does not need.

ληνες ἀφροσύνης δεῖγμα παρέχουσι, ταῦθ' οὗτοι καθάπερ προσδεο-
μένῳ τῷ θεῷ λογιζόμενοι παρέχειν μωρίαν εἰκὸς μᾶλλον ἡγοῖντ' ἄν,
4 οὐ θεοσέβειαν. 4. ὁ γὰρ ποιήσας τὸν οὐρανὸν καὶ τὴν γῆν καὶ
πάντα τὰ ἐν αὐτοῖς καὶ πᾶσιν ἡμῖν χορηγῶν ὧν προσδεόμεθα, οὐδε-
νὸς ἂν αὐτὸς προσδέοιτο τούτων ὧν τοῖς οἰομένοις διδόναι παρέχει
5 αὐτός. 5. οἱ δέ γε θυσίας αὐτῷ δι' αἵματος καὶ κνίσης καὶ ὁλοκαυ-
τωμάτων ἐπιτελεῖν οἰόμενοι καὶ ταύταις ταῖς τιμαῖς αὐτὸν γεραίρειν,
οὐδέν μοι δοκοῦσι διαφέρειν τῶν εἰς τὰ κωφὰ τὴν αὐτὴν ἐνδεικνυμέ-
νων φιλοτιμίαν· τῶν μὲν μὴ δυναμένοις τῆς τιμῆς μεταλαμβάνειν,
τῶν δὲ δοκούντων παρέχειν τῷ μηδενὸς προσδευομένῳ.

The Jews are foolish and profane in their customs of circumcision, choice of clean and unclean creatures, feasts and fasts &c.

1 IV. Ἀλλὰ μὴν τό γε περὶ τὰς βρώσεις αὐτῶν ψοφοδεές, καὶ τὴν
περὶ τὰ σάββατα δεισιδαιμονίαν, καὶ τὴν τῆς περιτομῆς ἀλαζονείαν,
καὶ τὴν τῆς νηστείας καὶ νουμηνίας εἰρωνείαν, καταγέλαστα καὶ οὐδε-
2 νὸς ἄξια λόγου οὐ νομίζω σε χρῄζειν παρ' ἐμοῦ μαθεῖν. 2. τό τε γὰρ
τῶν ὑπὸ τοῦ θεοῦ κτισθέντων εἰς χρῆσιν ἀνθρώπων ἃ μὲν ὡς καλῶς
κτισθέντα παραδέχεσθαι, ἃ δ' ὡς ἄχρηστα καὶ περισσὰ παραιτεῖσθαι,
3 πῶς οὐκ ἀθέμιστον; 3. τὸ δὲ καταψεύδεσθαι θεοῦ ὡς κωλύοντος ἐν
4 τῇ τῶν σαββάτων ἡμέρᾳ καλόν τι ποιεῖν, πῶς οὐκ ἀσεβές; 4. τὸ δὲ
καὶ τὴν μείωσιν τῆς σαρκὸς μαρτύριον ἐκλογῆς ἀλαζονεύεσθαι ὡς διὰ
5 τοῦτο ἐξαιρέτως ἠγαπημένους ὑπὸ θεοῦ, πῶς οὐ χλεύης ἄξιον; 5. τὸ
δὲ παρεδρεύοντας αὐτοὺς ἄστροις καὶ σελήνῃ τὴν παρατήρησιν τῶν
μηνῶν καὶ τῶν ἡμερῶν ποιεῖσθαι, καὶ τὰς οἰκονομίας θεοῦ καὶ τὰς
τῶν καιρῶν ἀλλαγὰς καταδιαιρεῖν πρὸς τὰς αὐτῶν ὁρμάς, ἃς μὲν εἰς
ἑορτάς, ἃς δὲ εἰς πένθη· τίς ἂν θεοσεβείας καὶ οὐκ ἀφροσύνης πολὺ
6 πλέον ἡγήσαιτο δεῖγμα; 6. τῆς μὲν οὖν κοινῆς εἰκαιότητος καὶ ἀπά-
της καὶ τῆς Ἰουδαίων πολυπραγμοσύνης καὶ ἀλαζονείας ὡς ὀρθῶς
ἀπέχονται Χριστιανοί, ἀρκούντως σε νομίζω μεμαθηκέναι· τὸ δὲ τῆς
ἰδίας αὐτῶν θεοσεβείας μυστήριον μὴ προσδοκήσῃς δύνασθαι παρὰ
ἀνθρώπου μαθεῖν.

The characteristics of the Christians.

1 V. Χριστιανοὶ γὰρ οὔτε γῇ οὔτε φωνῇ οὔτε ἔθεσι διακεκριμένοι
2 τῶν λοιπῶν εἰσὶν ἀνθρώπων. 2. οὔτε γάρ που πόλεις ἰδίας κατοι-
κοῦσιν οὔτε διαλέκτῳ τινὶ παρηλλαγμένῃ χρῶνται οὔτε βίον παρά-
3 σημον ἀσκοῦσιν. 3. οὐ μὴν ἐπινοίᾳ τινὶ καὶ φροντίδι πολυπραγμόνων
ἀνθρώπων μάθημα τοιοῦτ' αὐτοῖς ἐστὶν εὑρημένον, οὐδὲ δόγματος

ἀνθρωπίνου προεστᾶσιν ὥσπερ ἔνιοι. 4. κατοικοῦντες δὲ πόλεις Ἑλ-
ληνίδας τε καὶ βαρβάρους ὡς ἕκαστος ἐκληρώθη, καὶ τοῖς ἐγχωρίοις
ἔθεσιν ἀκολουθοῦντες ἔν τε ἐσθῆτι καὶ διαίτῃ καὶ τῷ λοιπῷ βίῳ,
θαυμαστὴν καὶ ὁμολογουμένως παράδοξον ἐνδείκνυνται τὴν κατάστασιν
τῆς ἑαυτῶν πολιτείας. 5. πατρίδας οἰκοῦσιν ἰδίας, ἀλλ᾽ ὡς πάροικοι·
μετέχουσι πάντων ὡς πολῖται, καὶ πάνθ᾽ ὑπομένουσιν ὡς ξένοι· πᾶσα
ξένη πατρίς ἐστιν αὐτῶν, καὶ πᾶσα πατρὶς ξένη. 6. γαμοῦσιν ὡς
πάντες, τεκνογονοῦσιν· ἀλλ᾽ οὐ ῥίπτουσι τὰ γεννώμενα. 7. τράπεζαν
κοινὴν παρατίθενται, ἀλλ᾽ οὐ κοινήν. 8. ἐν σαρκὶ τυγχάνουσιν, ἀλλ᾽
οὐ κατὰ σάρκα ζῶσιν. 9. ἐπὶ γῆς διατρίβουσιν, ἀλλ᾽ ἐν οὐρανῷ πολι-
τεύονται. 10. πείθονται τοῖς ὡρισμένοις νόμοις, καὶ τοῖς ἰδίοις βίοις
νικῶσι τοὺς νόμους. 11. ἀγαπῶσι πάντας, καὶ ὑπὸ πάντων διώκονται.
12. ἀγνοοῦνται, καὶ κατακρίνονται· θανατοῦνται, καὶ ζωοποιοῦνται.
13. πτωχεύουσι, καὶ πλουτίζουσι πολλούς· πάντων ὑστεροῦνται, καὶ
ἐν πᾶσι περισσεύουσιν. 14. ἀτιμοῦνται, καὶ ἐν ταῖς ἀτιμίαις δοξά-
ζονται· βλασφημοῦνται, καὶ δικαιοῦνται. 15. λοιδοροῦνται, καὶ εὐλο-
γοῦσιν· ὑβρίζονται, καὶ τιμῶσιν. 16. ἀγαθοποιοῦντες ὡς κακοὶ κολά-
ζονται· κολαζόμενοι χαίρουσιν ὡς ζωοποιούμενοι. 17. ὑπὸ Ἰουδαίων
ὡς ἀλλόφυλοι πολεμοῦνται καὶ ὑπὸ Ἑλλήνων διώκονται, καὶ τὴν
αἰτίαν τῆς ἔχθρας εἰπεῖν οἱ μισοῦντες οὐκ ἔχουσιν.

　　VI. Ἁπλῶς δ᾽ εἰπεῖν, ὅπερ ἐστὶν ἐν σώματι ψυχή, τοῦτ᾽ εἰσὶν
ἐν κόσμῳ Χριστιανοί. 2. ἔσπαρται κατὰ πάντων τῶν τοῦ σώματος
μελῶν ἡ ψυχή, καὶ Χριστιανοὶ κατὰ τὰς τοῦ κόσμου πόλεις. 3. οἰκεῖ
μὲν ἐν τῷ σώματι ψυχή, οὐκ ἔστι δὲ ἐκ τοῦ σώματος· καὶ Χριστια-
νοὶ ἐν κόσμῳ οἰκοῦσιν, οὐκ εἰσὶ δὲ ἐκ τοῦ κόσμου. 4. ἀόρατος ἡ
ψυχὴ ἐν ὁρατῷ φρουρεῖται τῷ σώματι· καὶ Χριστιανοὶ γινώσκονται
μὲν ὄντες ἐν τῷ κόσμῳ, ἀόρατος δὲ αὐτῶν ἡ θεοσέβεια μένει. 5. μισεῖ
τὴν ψυχὴν ἡ σὰρξ καὶ πολεμεῖ μηδὲν ἀδικουμένη, διότι ταῖς ἡδοναῖς
κωλύεται χρῆσθαι· μισεῖ καὶ Χριστιανοὺς ὁ κόσμος μηδὲν ἀδικού-
μενος, ὅτι ταῖς ἡδοναῖς ἀντιτάσσονται. 6. ἡ ψυχὴ τὴν μισοῦσαν
ἀγαπᾷ σάρκα καὶ τὰ μέλη· καὶ Χριστιανοὶ τοὺς μισοῦντας ἀγαπῶσιν.
7. ἐγκέκλεισται μὲν ἡ ψυχὴ τῷ σώματι, συνέχει δὲ αὐτὴ τὸ σῶμα·
καὶ Χριστιανοὶ κατέχονται μὲν ὡς ἐν φρουρᾷ τῷ κόσμῳ, αὐτοὶ δὲ
συνέχουσι τὸν κόσμον. 8. ἀθάνατος ἡ ψυχὴ ἐν θνητῷ σκηνώματι

κατοικεῖ· καὶ Χριστιανοὶ παροικοῦσιν ἐν φθαρτοῖς, τὴν ἐν οὐρανοῖς
9 ἀφθαρσίαν προσδεχόμενοι. 9. κακουργουμένη σιτίοις καὶ ποτοῖς ἡ
ψυχὴ βελτιοῦται· καὶ Χριστιανοὶ κολαζόμενοι καθ᾽ ἡμέραν πλεονά-
10 ζουσι μᾶλλον. 10. Εἰς τοσαύτην αὐτοὺς τάξιν ἔθετο ὁ θεός, ἣν οὐ
θεμιτὸν αὐτοῖς παραιτήσασθαι.

1   VII. Οὐ γὰρ ἐπίγειον, ὡς ἔφην, εὕρημα τοῦτ᾽ αὐτοῖς παρεδόθη,
οὐδὲ θνητὴν ἐπίνοιαν φυλάσσειν οὕτως ἀξιοῦσιν ἐπιμελῶς, οὐδὲ ἀνθρω-
2 πίνων οἰκονομίαν μυστηρίων πεπίστευνται. 2. ἀλλ᾽ αὐτὸς ἀληθῶς ὁ
παντοκράτωρ καὶ παντοκτίστης καὶ ἀόρατος θεός, αὐτὸς ἀπ᾽ οὐρανῶν
τὴν ἀλήθειαν καὶ τὸν λόγον τὸν ἅγιον καὶ ἀπερινόητον ἀνθρώποις
ἐνίδρυσε καὶ ἐγκατεστήριξε ταῖς καρδίαις αὐτῶν, οὐ καθάπερ ἄν τις
εἰκάσειεν ἄνθρωπος, ὑπηρέτην τινὰ πέμψας ἢ ἄγγελον ἢ ἄρχοντα ἤ
τινα τῶν διεπόντων τὰ ἐπίγεια ἤ τινα τῶν πεπιστευμένων τὰς ἐν
οὐρανοῖς διοικήσεις, ἀλλ᾽ αὐτὸν τὸν τεχνίτην καὶ δημιουργὸν τῶν
ὅλων, ᾧ τοὺς οὐρανοὺς ἔκτισεν, ᾧ τὴν θάλασσαν ἰδίοις ὅροις ἐνέ-
κλεισεν, οὗ τὰ μυστήρια πιστῶς πάντα φυλάσσει τὰ στοιχεῖα, παρ᾽
οὗ τὰ μέτρα τῶν τῆς ἡμέρας δρόμων ἥλιος εἴληφε φυλάσσειν, ᾧ
πειθαρχεῖ σελήνη νυκτὶ φαίνειν κελεύοντι, ᾧ πειθαρχεῖ τὰ ἄστρα τῷ
τῆς σελήνης ἀκολουθοῦντα δρόμῳ, ᾧ πάντα διατέτακται καὶ διώρι-
σται καὶ ὑποτέτακται, οὐρανοὶ καὶ τὰ ἐν οὐρανοῖς, γῆ καὶ τὰ ἐν τῇ
γῇ, θάλασσα καὶ τὰ ἐν τῇ θαλάσσῃ, πῦρ, ἀήρ, ἄβυσσος, τὰ ἐν
ὕψεσι, τὰ ἐν βάθεσι, τὰ ἐν τῷ μεταξύ· τοῦτον πρὸς αὐτοὺς ἀπέ-
3 στειλεν. 3. ἆρά γε, ὡς ἀνθρώπων ἄν τις λογίσαιτο, ἐπὶ τυραννίδι
4 καὶ φόβῳ καὶ καταπλήξει; 4. οὐμενοῦν· ἀλλ᾽ ἐν ἐπιεικείᾳ καὶ πραΰ-
τητι ὡς βασιλεὺς πέμπων υἱὸν βασιλέα ἔπεμψεν, ὡς θεὸν ἔπεμψεν,
ὡς ἄνθρωπον πρὸς ἀνθρώπους ἔπεμψεν, ὡς σώζων ἔπεμψεν, ὡς
5 πείθων, οὐ βιαζόμενος· βία γὰρ οὐ πρόσεστι τῷ θεῷ. 5. ἔπεμψεν
6 ὡς καλῶν, οὐ διώκων· ἔπεμψεν ὡς ἀγαπῶν, οὐ κρίνων. 6. πέμψει
γὰρ αὐτὸν κρίνοντα, καὶ τίς αὐτοῦ τὴν παρουσίαν ὑποστήσεται; . . .
7 7. [Οὐχ ὁρᾷς] παραβαλλομένους θηρίοις, ἵνα ἀρνήσωνται τὸν κύριον,
8 καὶ μὴ νικωμένους; 8. οὐχ ὁρᾷς ὅσῳ πλείονες κολάζονται, τοσούτῳ
9 πλεονάζοντας ἄλλους; 9. ταῦτα ἀνθρώπου οὐ δοκεῖ τὰ ἔργα, ταῦτα
δύναμίς ἐστι θεοῦ· ταῦτα τῆς παρουσίας αὐτοῦ δείγματα.

1   VIII. Τίς γὰρ ὅλως ἀνθρώπων ἠπίστατο τί ποτ᾽ ἐστὶ θεος, πρὶν

αὐτὸν ἐλθεῖν; 2. ἢ τοὺς κενοὺς καὶ ληρώδεις ἐκείνων λόγους ἀποδέχῃ
τῶν ἀξιοπίστων φιλοσόφων; ὧν οἱ μέν τινες πῦρ ἔφασαν εἶναι τὸν
θεόν (οὗ μέλλουσι χωρήσειν αὐτοί, τοῦτο καλοῦσι θεόν), οἱ δὲ ὕδωρ,
οἱ δ' ἄλλο τι τῶν στοιχείων τῶν ἐκτισμένων ὑπὸ θεοῦ. 3. καίτοι
γε εἴ τις τούτων τῶν λόγων ἀπόδεκτός ἐστι, δύναιτ' ἂν καὶ τῶν
λοιπῶν κτισμάτων ἓν ἕκαστον ὁμοίως ἀποφαίνεσθαι θεόν. 4. ἀλλὰ
ταῦτα μὲν τερατεία καὶ πλάνη τῶν γοήτων ἐστίν· 5. ἀνθρώπων δὲ
οὐδεὶς οὔτε εἶδεν οὔτε ἐγνώρισεν, αὐτὸς δὲ ἑαυτὸν ἐπέδειξεν. 6. ἐπέ-
δειξε δὲ διὰ πίστεως, ᾗ μόνῃ θεὸν ἰδεῖν συγκεχώρηται. 7. Ὁ γὰρ
δεσπότης καὶ δημιουργὸς τῶν ὅλων θεός, ὁ ποιήσας τὰ πάντα καὶ
κατὰ τάξιν διακρίνας, οὐ μόνον φιλάνθρωπος ἐγένετο ἀλλὰ καὶ μα-
κρόθυμος. 8. ἀλλ' οὗτος ἦν μὲν ἀεὶ τοιοῦτος, καὶ ἔστι, καὶ ἔσται·
χρηστὸς καὶ ἀγαθὸς καὶ ἀόργητος καὶ ἀληθής, καὶ μόνος ἀγαθός
ἐστιν· 9. ἐννοήσας δὲ μεγάλην καὶ ἄφραστον ἔννοιαν ἀνεκοινώσατο
μόνῳ τῷ παιδί. 10. Ἐν ὅσῳ μὲν οὖν κατεῖχεν ἐν μυστηρίῳ καὶ
διετήρει τὴν σοφὴν αὐτοῦ βουλήν, ἀμελεῖν ἡμῶν καὶ ἀφρονιστεῖν
ἐδόκει· 11. ἐπεὶ δὲ ἀπεκάλυψε διὰ τοῦ ἀγαπητοῦ παιδὸς καὶ ἐφανέ-
ρωσε τὰ ἐξ ἀρχῆς ἡτοιμασμένα, πάνθ' ἅμα παρέσχεν ἡμῖν, καὶ
μετασχεῖν τῶν εὐεργεσιῶν αὐτοῦ καὶ ἰδεῖν καὶ νοῆσαι ἃ τίς ἂν
πώποτε προσεδόκησεν ἡμῶν;

    IX. Πάντ' οὖν ἤδη παρ' ἑαυτῷ σὺν τῷ παιδὶ οἰκονομηκώς,
μέχρι μὲν τοῦ πρόσθεν χρόνου εἴασεν ἡμᾶς ὡς ἐβουλόμεθα ἀτάκτοις
φοραῖς φέρεσθαι, ἡδοναῖς καὶ ἐπιθυμίαις ἀπαγομένους, οὐ πάντως
ἐφηδόμενος τοῖς ἁμαρτήμασιν ἡμῶν, ἀλλ' ἀνεχόμενος, οὐδὲ τῷ τότε
τῆς ἀδικίας καιρῷ συνευδοκῶν, ἀλλὰ τὸν νῦν τῆς δικαιοσύνης δημι-
ουργῶν, ἵνα ἐν τῷ τότε χρόνῳ ἐλεγχθέντες ἐκ τῶν ἰδίων ἔργων
ἀνάξιοι ζωῆς νῦν ὑπὸ τῆς τοῦ θεοῦ χρηστότητος ἀξιωθῶμεν καὶ τὸ
καθ' ἑαυτοὺς φανερώσαντες ἀδύνατον εἰσελθεῖν εἰς τὴν βασιλείαν τοῦ
θεοῦ τῇ δυνάμει τοῦ θεοῦ δυνατοὶ γενηθῶμεν. 2. ἐπεὶ δὲ πεπλή-
ρωτο μὲν ἡ ἡμετέρα ἀδικία, καὶ τελείως πεφανέρωτο ὅτι ὁ μισθὸς
αὐτῆς κόλασις καὶ θάνατος προσεδοκᾶτο, ἦλθε δὲ ὁ καιρὸς ὃν θεὸς
προέθετο λοιπὸν φανερῶσαι τὴν ἑαυτοῦ χρηστότητα καὶ δύναμιν
(ὦ τῆς ὑπερβαλλούσης φιλανθρωπίας καὶ ἀγάπης τοῦ θεοῦ), οὐκ
ἐμίσησεν ἡμᾶς οὐδὲ ἀπώσατο οὐδὲ ἐμνησικάκησεν, ἀλλὰ ἐμακροθύ-

μησεν, ἠνέσχετο, ἐλεῶν αὐτὸς τὰς ἡμετέρας ἁμαρτίας ἀνεδέξατο, αὐτὸς
τὸν ἴδιον υἱὸν ἀπέδοτο λύτρον ὑπὲρ ἡμῶν, τὸν ἅγιον ὑπὲρ ἀνόμων,
τὸν ἄκακον ὑπὲρ τῶν κακῶν, τὸν δίκαιον ὑπὲρ τῶν ἀδίκων, τὸν ἄφθαρ-
3 τον ὑπὲρ τῶν φθαρτῶν, τὸν ἀθάνατον ὑπὲρ τῶν θνητῶν. 3. Τί γὰρ
ἄλλο τὰς ἁμαρτίας ἡμῶν ἠδυνήθη καλύψαι ἢ ἐκείνου δικαιοσύνη;
4 4. ἐν τίνι δικαιωθῆναι δυνατὸν τοὺς ἀνόμους ἡμᾶς καὶ ἀσεβεῖς ἢ ἐν
5 μόνῳ τῷ υἱῷ τοῦ θεοῦ; 5. ὢ τῆς γλυκείας ἀνταλλαγῆς, ὢ τῆς ἀνεξ-
ιχνιάστου δημιουργίας, ὢ τῶν ἀπροσδοκήτων εὐεργεσιῶν· ἵνα ἀνομία
μὲν πολλῶν ἐν δικαίῳ ἑνὶ κρυβῇ, δικαιοσύνη δὲ ἑνὸς πολλοὺς ἀνό-
6 μους δικαιώσῃ. 6. ἐλέγξας οὖν ἐν μὲν τῷ πρόσθεν χρόνῳ τὸ ἀδύ-
νατον τῆς ἡμετέρας φύσεως εἰς τὸ τυχεῖν ζωῆς, νῦν δὲ τὸν σωτῆρα
δείξας δυνατὸν σώζειν καὶ τὰ ἀδύνατα, ἐξ ἀμφοτέρων ἐβουλήθη
πιστεύειν ἡμᾶς τῇ χρηστότητι αὐτοῦ, αὐτὸν ἡγεῖσθαι τροφέα, πα-
τέρα, διδάσκαλον, σύμβουλον, ἰατρόν, νοῦν, φῶς, τιμήν, δόξαν, ἰσχύν,
ζωήν, περὶ ἐνδύσεως καὶ τροφῆς μὴ μεριμνᾶν.

1   X. Ταύτην καὶ σὺ τὴν πίστιν ἐὰν ποθῇς, κατάλαβε πρῶτον μὲν
2 ἐπίγνωσιν πατρός. 2. ὁ γὰρ θεὸς τοὺς ἀνθρώπους ἠγάπησε, δι' οὓς
ἐποίησε τὸν κόσμον, οἷς ὑπέταξε πάντα τὰ ἐν [τῇ γῇ], οἷς λόγον
ἔδωκεν, οἷς νοῦν, οἷς μόνοις ἄ[νω] πρὸς αὐτὸν ὁρᾶν ἐπέτρεψεν, οὓς ἐκ
τῆς ἰδίας εἰκόνος ἔπλασε, πρὸς οὓς ἀπέστειλε τὸν υἱὸν αὐτοῦ τὸν
μονογενῆ, οἷς τὴν ἐν οὐρανῷ βασιλείαν ἐπηγγείλατο καὶ δώσει τοῖς
3 ἀγαπήσασιν αὐτόν. 3. ἐπιγνοὺς δέ, τίνος οἴει πληρωθήσεσθαι χαρᾶς;
4 ἢ πῶς ἀγαπήσεις τὸν οὕτως προαγαπήσαντά σε; 4. ἀγαπήσας δὲ
μιμητὴς ἔσῃ αὐτοῦ τῆς χρηστότητος. καὶ μὴ θαυμάσῃς εἰ δύναται
5 μιμητὴς ἄνθρωπος γενέσθαι θεοῦ· δύναται θέλοντος αὐτοῦ. 5. οὐ
γὰρ τὸ καταδυναστεύειν τῶν πλησίον οὐδὲ τὸ πλέον ἔχειν βούλεσθαι
τῶν ἀσθενεστέρων οὐδὲ τὸ πλουτεῖν καὶ βιάζεσθαι τοὺς ὑποδεεστέ-
ρους εὐδαιμονεῖν ἐστίν, οὐδὲ ἐν τούτοις δύναταί τις μιμήσασθαι θεόν,
6 ἀλλὰ ταῦτα ἐκτὸς τῆς ἐκείνου μεγαλειότητος· 6. ἀλλ' ὅστις τὸ τοῦ
πλησίον ἀναδέχεται βάρος, ὃς ἐν ᾧ κρείσσων ἐστὶν ἕτερον τὸν ἐλατ-
τούμενον εὐεργετεῖν ἐθέλει, ὃς ἃ παρὰ τοῦ θεοῦ λαβὼν ἔχει, ταῦτα
τοῖς ἐπιδεομένοις χορηγῶν θεὸς γίνεται τῶν λαμβανόντων, οὗτος
7 μιμητής ἐστι θεοῦ. 7. Τότε θεάσῃ τυγχάνων ἐπὶ γῆς ὅτι θεὸς ἐν
οὐρανοῖς πολιτεύεται, τότε μυστήρια θεοῦ λαλεῖν ἄρξῃ, τότε τοὺς

[marginalia, handwritten:] The first thing is a knowledge of God, who has been so good to men. And when you consider the kind of life springs from God even than of this word you will be filled with wonder.

κολαζομένους ἐπὶ τῷ μὴ θέλειν ἀρνήσασθαι θεὸν καὶ ἀγαπήσεις καὶ
θαυμάσεις, τότε τῆς ἀπάτης τοῦ κόσμου καὶ τῆς πλάνης καταγνώσῃ,
ὅταν τὸ ἀληθῶς ἐν οὐρανῷ ζῆν ἐπιγνῷς, ὅταν τοῦ δοκοῦντος ἐνθάδε
θανάτου καταφρονήσῃς, ὅταν τὸν ὄντως θάνατον φοβηθῇς, ὃς φυλάσ-
σεται τοῖς κατακριθησομένοις εἰς τὸ πῦρ τὸ αἰώνιον, ὃ τοὺς παραδο-
θέντας αὐτῷ μέχρι τέλους κολάσει. 8. τότε τοὺς ὑπομένοντας ὑπὲρ 8
δικαιοσύνης θαυμάσεις τὸ πῦρ τὸ πρόσ[καιρον], καὶ μακαρίσεις, ὅταν
ἐκεῖνο τὸ πῦρ ἐπιγνῷς . . .

The author of the following Chapters may have been Pantaenus (180-210) or is shown by Alexandrian phraseology and sentiments

[XI. Οὐ ξένα ὁμιλῶ οὐδὲ παραλόγως ζητῶ, ἀλλὰ ἀποστόλων　1 *The following*
γενόμενος μαθητὴς γίνομαι διδάσκαλος ἐθνῶν, τὰ παραδοθέντα ἀξίως　*Chapters do not belong to the Epistle*
ὑπηρετῶν γινομένοις ἀληθείας μαθηταῖς. 2. τίς γὰρ ὀρθῶς διδαχθεὶς　*Added by a later hand.*
καὶ λόγῳ προσφιλὴς γενηθεὶς οὐκ ἐπιζητεῖ σαφῶς μαθεῖν τὰ διὰ
λόγου δειχθέντα φανερῶς μαθηταῖς; οἷς ἐφανέρωσεν ὁ λόγος φανείς,　*I am a teacher*
παρρησίᾳ λαλῶν, ὑπὸ ἀπίστων μὴ νοούμενος, μαθηταῖς δὲ διηγού-　*of those things that*
μενος, οἳ πιστοὶ λογισθέντες ὑπ' αὐτοῦ ἔγνωσάν πατρὸς μυστήρια.　*the apostles have*
3. οὗ χάριν ἀπέστειλε λόγον, ἵνα κόσμῳ φανῇ, ὃς ὑπὸ λαοῦ ἀτιμα-　3 *taught me, and*
σθείς, διὰ ἀποστόλων κηρυχθείς, ὑπὸ ἐθνῶν ἐπιστεύθη. 4. Οὗτος ὁ　4 *they practise are*
ἀπ' ἀρχῆς, ὁ καινὸς φανεὶς καὶ παλαιὸς εὑρεθεὶς καὶ πάντοτε νέος　*allowed to believers in these*
ἐν ἁγίων καρδίαις γεννώμενος. 5. οὗτος ὁ ἀεί, ὁ σήμερον υἱὸς　*also.*
λογισθείς, δι' οὗ πλουτίζεται ἡ ἐκκλησία καὶ χάρις ἁπλουμένη ἐν　*A hint at doc-*
ἁγίοις πληθύνεται, παρέχουσα νοῦν, φανεροῦσα μυστήρια, διαγγέλ-　*trine of Grace.*
λουσα καιρούς, χαίρουσα ἐπὶ πιστοῖς, ἐπιζητοῦσι δωρουμένη, οἷς
ὅρκια πίστεως οὐ θραύεται οὐδὲ ὅρια πατέρων παρορίζεται. 6. εἶτα 6
φόβος νόμου ᾄδεται καὶ προφητῶν χάρις γινώσκεται καὶ εὐαγγελίων
πίστις ἵδρυται καὶ ἀποστόλων παράδοσις φυλάσσεται καὶ ἐκκλησίας
χάρις σκιρτᾷ. 7. ἣν χάριν μὴ λυπῶν ἐπιγνώσῃ ἃ λόγος ὁμιλεῖ δι' 7
ὧν βούλεται, ὅτε θέλει. 8. ὅσα γὰρ θελήματι τοῦ κελεύοντος λόγου 8
ἐκινήθημεν ἐξειπεῖν μετὰ πόνου, ἐξ ἀγάπης τῶν ἀποκαλυφθέντων
ἡμῖν γινόμεθα ὑμῖν κοινωνοί.

XII. Οἷς ἐντυχόντες καὶ ἀκούσαντες μετὰ σπουδῆς εἴσεσθε ὅσα　1 *Those who*
παρέχει ὁ θεὸς τοῖς ἀγαπῶσιν ὀρθῶς, οἱ γενόμενοι παράδεισος τρυφῆς,　*listen attentively*
πάγκαρπον ξύλον, εὐθαλοῦν, ἀνατείλαντες ἐν ἑαυτοῖς, ποικίλοις καρ-　*to these truths*

2 ποῖς κεκοσμημένοι. 2. ἐν γὰρ τούτῳ τῷ χωρίῳ ξύλον γνώσεως καὶ
ξύλον ζωῆς πεφύτευται· ἀλλ' οὐ τὸ τῆς γνώσεως ἀναιρεῖ, ἀλλ' ἡ
3 παρακοὴ ἀναιρεῖ. 3. οὐδὲ γὰρ ἄσημα τὰ γεγραμμένα, ὡς θεὸς ἀπ'
ἀρχῆς ξύλον γνώσεως καὶ ξύλον ζωῆς ἐν μέσῳ παραδείσου ἐφύτευσε,
διὰ γνώσεως ζωὴν ἐπιδεικνύς. ᾗ μὴ καθαρῶς χρησάμενοι οἱ ἀπ'
4 ἀρχῆς πλάνη τοῦ ὄφεως γεγύμνωνται. 4. οὐδὲ γὰρ ζωὴ ἄνευ γνώ-
σεως, οὐδὲ γνῶσις ἀσφαλὴς ἄνευ ζωῆς ἀληθοῦς· διὸ πλησίον ἑκάτε-
5 ρον πεφύτευται. 5. ἣν δύναμιν ἐνιδὼν ὁ ἀπόστολος τήν τε ἄνευ
ἀληθείας προστάγματος εἰς ζωὴν ἀσκουμένην γνῶσιν μεμφόμενος
6 λέγει· Ἡ γνῶσις φυσιοῖ, ἡ δὲ ἀγάπη οἰκοδομεῖ. 6. ὁ γὰρ νομίζων
εἰδέναι τι ἄνευ γνώσεως ἀληθοῦς καὶ μαρτυρουμένης ὑπὸ τῆς ζωῆς,
οὐκ ἔγνω· ὑπὸ τοῦ ὄφεως πλανᾶται, μὴ ἀγαπήσας τὸ ζῆν. ὁ δὲ
μετὰ φόβου ἐπιγνοὺς καὶ ζωὴν ἐπιζητῶν ἐπ' ἐλπίδι φυτεύει, καρπὸν
7 προσδοκῶν. 7. Ἤτω σοι καρδία γνῶσις, ζωὴ δὲ λόγος ἀληθής, χω-
8 ρούμενος. 8. οὗ ξύλον φέρων καὶ καρπὸν [αἵ]ρῶν τρυγήσεις ἀεὶ τὰ
παρὰ θεῷ ποθούμενα, ὧν ὄφις οὐχ ἅπτεται οὐδὲ πλάνη συγχρωτί-
9 ζεται· οὐθὲ Εὔα φθείρεται, ἀλλὰ παρθένος πιστεύεται· 9. καὶ σωτή-
ριον δείκνυται, καὶ ἀπόστολοι συνετίζονται, καὶ τὸ κυρίου πάσχα
προέρχεται, καὶ καιροὶ συνάγονται καὶ μετακόσμια ἁρμόζεται, καὶ
διδάσκων ἁγίους ὁ λόγος εὐφραίνεται, δι' οὗ πατὴρ δοξάζεται· ᾧ ἡ
δόξα εἰς τοὺς αἰῶνας. ἀμήν.]

XX, 5) I Cor. 8, 1.

ΠΡΟΣ ΕΦΕΣΙΟΥΣ ΙΓΝΑΤΙΟΣ.

Ἰγνάτιος, ὁ καὶ Θεοφόρος, τῇ εὐλογημένῃ ἐν μεγέθει θεοῦ πα-
τρὸς πληρώματι, τῇ προωρισμένῃ πρὸ αἰώνων εἶναι διὰ παντὸς
εἰς δόξαν παράμονον, ἄτρεπτον ἡνωμένην καὶ ἐκλελεγμένην ἐν
πάθει ἀληθινῷ, ἐν θελήματι τοῦ πατρὸς καὶ Ἰησοῦ Χριστοῦ,
τοῦ θεοῦ ἡμῶν, τῇ ἐκκλησίᾳ τῇ ἀξιομακαρίστῳ, τῇ οὔσῃ ἐν
Ἐφέσῳ τῆς Ἀσίας, πλεῖστα ἐν Ἰησοῦ Χριστῷ καὶ ἐν ἀμώμῳ
χαρᾷ χαίρειν.

I. Ἀποδεξάμενος ἐν θεῷ τὸ πολυαγάπητόν σου ὄνομα, ὃ κέκτησθε **1**
φύσει δικαίᾳ κατὰ πίστιν καὶ ἀγάπην ἐν Χριστῷ Ἰησοῦ, τῷ σωτῆρι
ἡμῶν· μιμηταὶ ὄντες θεοῦ, ἀναζωπυρήσαντες ἐν αἵματι θεοῦ τὸ
συγγενικὸν ἔργον τελείως ἀπηρτίσατε. 2. ἀκούσαντες γὰρ δεδε- **2**
μένον ἀπὸ Συρίας ὑπὲρ τοῦ κοινοῦ ὀνόματος καὶ ἐλπίδος, ἐλπίζοντα
τῇ προσευχῇ ὑμῶν ἐπιτυχεῖν ἐν Ῥώμῃ θηριομαχῆσαι, ἵνα ἐπιτυχεῖν
δυνηθῶ μαθητὴς εἶναι, ἰδεῖν ἐσπουδάσατε. 3. Ἐπεὶ οὖν τὴν πολυ- **3**
πληθίαν ὑμῶν ἐν ὀνόματι θεοῦ ἀπείληφα ἐν Ὀνησίμῳ, τῷ ἐν ἀγάπῃ
ἀδιηγήτῳ, ὑμῶν δὲ ἐν σαρκὶ ἐπισκόπῳ· ὃν εὔχομαι κατὰ Ἰησοῦν
Χριστὸν ὑμᾶς ἀγαπᾶν καὶ πάντας ὑμᾶς αὐτῷ ἐν ὁμοιότητι εἶναι.
εὐλογητὸς γὰρ ὁ χαρισάμενος ὑμῖν ἀξίοις οὖσι τοιοῦτον ἐπίσκοπον
κεκτῆσθαι.

II. Περὶ δὲ τοῦ συνδούλου μου Βούρρου, τοῦ κατὰ θεὸν διακό- **1**
νου ὑμῶν ἐν πᾶσιν εὐλογημένου, εὔχομαι παραμεῖναι αὐτὸν εἰς τιμὴν
ὑμῶν καὶ τοῦ ἐπισκόπου. καὶ Κρόκος δὲ, ὁ θεοῦ ἄξιος καὶ ὑμῶν,
ὃν ἐξεμπλάριον τῆς ἀφ' ὑμῶν ἀγάπης ἀπέλαβον, κατὰ πάντα με
ἀνέπαυσεν, ὡς καὶ αὐτὸν ὁ πατὴρ Ἰησοῦ Χριστοῦ ἀναψύξαι, ἅμα
Ὀνησίμῳ καὶ Βούρρῳ καὶ Εὔπλῳ καὶ Φρόντωνι, δι' ὧν πάντας ὑμᾶς

2 κατὰ ἀγάπην εἶδον. 2. Ὀναίμην ὑμῶν διὰ παντός, ἐάνπερ ἄξιος ὦ.
πρέπον οὖν ἐστὶν κατὰ πάντα τρόπον δοξάζειν Ἰησοῦν Χριστὸν τὸν
δοξάσαντα ὑμᾶς, ἵνα ἐν μιᾷ ὑποταγῇ κατηρτισμένοι, ὑποτασσόμενοι
τῷ ἐπισκόπῳ καὶ τῷ πρεσβυτερίῳ, κατὰ πάντα ἦτε ἡγιασμένοι.

1   III. Οὐ διατάσσομαι ὑμῖν ὡς ὤν τις. εἰ γὰρ καὶ δέδεμαι ἐν τῷ
ὀνόματι, οὔπω ἀπήρτισμαι ἐν Ἰησοῦ Χριστῷ. νῦν γὰρ ἀρχὴν ἔχω
τοῦ μαθητεύεσθαι, καὶ προσλαλῶ ὑμῖν ὡς συνδιδασκαλίταις μου.
ἐμὲ γὰρ ἔδει ὑφ᾽ ὑμῶν ὑπαλειφθῆναι πίστει, νουθεσίᾳ, ὑπομονῇ,
2 μακροθυμίᾳ. 2. Ἀλλ᾽ ἐπεὶ ἡ ἀγάπη οὐκ ἐᾷ με σιωπᾶν περὶ ὑμῶν,
διὰ τοῦτο προέλαβον παρακαλεῖν ὑμᾶς, ὅπως συντρέχητε τῇ γνώμῃ
τοῦ θεοῦ. καὶ γὰρ Ἰησοῦς Χριστός, τὸ ἀδιάκριτον ἡμῶν ζῆν, τοῦ
πατρὸς ἡ γνώμη, ὡς καὶ οἱ ἐπίσκοποι, οἱ κατὰ τὰ πέρατα ὁρισθέντες,
ἐν Ἰησοῦ Χριστοῦ γνώμῃ εἰσίν.

1   IV. Ὅθεν πρέπει ὑμῖν συντρέχειν τῇ τοῦ ἐπισκόπου γνώμῃ, ὅπερ
καὶ ποιεῖτε. τὸ γὰρ ἀξιονόμαστον ὑμῶν πρεσβυτέριον, τοῦ θεοῦ ἄξιον,
οὕτως συνήρμοσται τῷ ἐπισκόπῳ, ὡς χορδαὶ κιθάρᾳ. διὰ τοῦτο ἐν
τῇ ὁμονοίᾳ ὑμῶν καὶ συμφώνῳ ἀγάπῃ Ἰησοῦς Χριστὸς ᾄδεται.
2 2. καὶ οἱ κατ᾽ ἄνδρα δὲ χορὸς γίνεσθε, ἵνα σύμφωνοι ὄντες ἐν
ὁμονοίᾳ, χρῶμα θεοῦ λαβόντες ἐν ἑνότητι ᾄδετε ἐν φωνῇ μιᾷ διὰ
Ἰησοῦ Χριστοῦ τῷ πατρί, ἵνα ὑμῶν καὶ ἀκούσῃ καὶ ἐπιγινώσκῃ, δι᾽
ὧν εὖ πράσσετε, μέλη ὄντας τοῦ υἱοῦ αὐτοῦ. χρήσιμον οὖν ἐστιν,
ὑμᾶς ἐν ἀμώμῳ ἑνότητι εἶναι, ἵνα καὶ θεοῦ πάντοτε μετέχετε.

1   V. Εἰ γὰρ ἐγὼ ἐν μικρῷ χρόνῳ τοιαύτην συνήθειαν ἔσχον πρὸς
τὸν ἐπίσκοπον ὑμῶν, οὐκ ἀνθρωπίνην οὖσαν, ἀλλὰ πνευματικήν, πόσῳ
μᾶλλον ὑμᾶς μακαρίζω, τοὺς ἐγκεκραμένους αὐτῷ ὡς ἡ ἐκκλησία
Ἰησοῦ Χριστῷ, καὶ ὡς Ἰησοῦς Χριστὸς τῷ πατρί, ἵνα πάντα ἐν ἑνό-
τητι σύμφωνα ᾖ. 2. Μηδεὶς πλανάσθω· ἐὰν μή τις ᾖ ἐντὸς τοῦ
θυσιαστηρίου, ὑστερεῖται τοῦ ἄρτου τοῦ θεοῦ. εἰ γὰρ ἑνὸς καὶ δευ-
τέρου προσευχὴ τοσαύτην ἰσχὺν ἔχει, πόσῳ μᾶλλον ἥ τε τοῦ ἐπισκό-
3 που καὶ πάσης τῆς ἐκκλησίας. 3. Ὁ οὖν μὴ ἐρχόμενος ἐπὶ τὸ αὐτό,
οὗτος ἤδη ὑπερηφανεῖ καὶ ἑαυτὸν διέκρινεν. γέγραπται γάρ· ὑπερ-
ηφάνοις ὁ θεὸς ἀντιτάσσεται. σπουδάσωμεν οὖν μὴ ἀντιτάσσεσθαι
τῷ ἐπισκόπῳ, ἵνα ὦμεν θεῷ ὑποτασσόμενοι.

V, 2) Mt. 18, 16—20, — 3) Prov. 3, 34 (I Petr. 5, 5).

VI. Καὶ ὅσον βλέπει τις σιγῶντα ἐπίσκοπον, πλειόνως αὐτὸν 1
φοβείσθω· πάντα γὰρ ὃν πέμπει ὁ οἰκοδεσπότης εἰς ἰδίαν οἰκονομίαν, *Relation of each.*
οὕτως δεῖ ἡμᾶς αὐτὸν δέχεσθαι, ὡς αὐτὸν τὸν πέμψαντα. τὸν οὖν *to bishop.*
ἐπίσκοπον δῆλον ὅτι ὡς αὐτὸν τὸν κύριον δεῖ προσβλέπειν. 2. Αὐτὸς 2
μὲν οὖν Ὀνήσιμος ὑπερεπαινεῖ ὑμῶν τὴν ἐν θεῷ εὐταξίαν, ὅτι
πάντες κατὰ ἀλήθειαν ζῆτε, καὶ ὅτι ἐν ὑμῖν οὐδεμία αἵρεσις κατοι-
κεῖ. ἀλλ᾽ οὐδὲ ἀκούετέ τινος πλέον, εἴπερ Ἰησοῦ Χριστοῦ λαλοῦντος
ἐν ἀληθείᾳ.

VII. Εἰώθασι γάρ τινες δόλῳ πονηρῷ τὸ ὄνομα περιφέρειν, ἄλλα 1
τινὰ πράσσοντες ἀνάξια θεοῦ· οὓς δεῖ ὑμᾶς ὡς θηρία ἐκκλίνειν.
εἰσὶν γὰρ κύνες λυσσῶντες, λαθροδῆκται· οὓς δεῖ ὑμᾶς φυλάσσεσθαι,
ὄντας δυσθεραπεύτους. 2. Εἷς ἰατρός ἐστιν σαρκικός τε καὶ πνευμα- 2 *Christology.*
τικός, γεννητὸς καὶ ἀγέννητος, ἐν σαρκὶ γενόμενος θεός, ἐν θανάτῳ *Creed*
ζωὴ ἀληθινή, καὶ ἐκ Μαρίας καὶ ἐκ θεοῦ, πρῶτον παθητὸς καὶ τότε *Virgin Birth*
ἀπαθής, Ἰησοῦς Χριστὸς ὁ κύριος ἡμῶν.

VIII. Μὴ οὖν τις ὑμᾶς ἐξαπατάτω, ὥσπερ οὐδὲ ἐξαπατᾶσθε, 1
ὅλοι ὄντες θεοῦ. ὅταν γὰρ μηδεμία ἔρις ἐνήρεισται ἐν ὑμῖν, ἡ δυ-
ναμένη ὑμᾶς βασανίσαι, ἄρα κατὰ θεὸν ζῆτε. περίψημα ὑμῶν, καὶ
ἁγνίζομαι ὑπὲρ ὑμῶν Ἐφεσίων, ἐκκλησίας τῆς διαβοήτου τοῖς αἰῶσιν.
2. Οἱ σαρκικοὶ τὰ πνευματικὰ πράσσειν οὐ δύνανται, οὐδὲ οἱ πνευμα- 2
τικοὶ τὰ σαρκικά· ὥσπερ οὐδὲ ἡ πίστις τὰ τῆς ἀπιστίας, οὐδὲ ἡ ἀπι-
στία τὰ τῆς πίστεως. ἃ δὲ καὶ κατὰ σάρκα πράσσετε, ταῦτα πνευ-
ματικά ἐστιν· ἐν Ἰησοῦ γὰρ Χριστῷ πάντα πράσσετε.

IX. Ἔγνων δὲ παροδεύσαντάς τινας ἐκεῖθεν, ἔχοντας κακὴν 1
διδαχήν· οὓς οὐκ εἰάσατε σπεῖραι εἰς ὑμᾶς, βύσαντες τὰ ὦτα, εἰς τὸ
μὴ παραδέξασθαι τὰ σπειρόμενα ὑπ᾽ αὐτῶν, ὡς ὄντες λίθοι ναοῦ πα-
τρός, ἡτοιμασμένοι εἰς οἰκοδομὴν θεοῦ πατρός, ἀναφερόμενοι εἰς τὰ
ὕψη διὰ τῆς μηχανῆς Ἰησοῦ Χριστοῦ, ὅς ἐστιν σταυρός, σχοινίῳ χρώ-
μενοι τῷ πνεύματι τῷ ἁγίῳ. ἡ δὲ πίστις ὑμῶν ἀναγωγεὺς ὑμῶν, ἡ
δὲ ἀγάπη ὁδὸς ἡ ἀναφέρουσα εἰς θεόν. 2. Ἐστὲ οὖν καὶ σύνοδοι 2
πάντες, θεοφόροι καὶ ναοφόροι, χριστοφόροι, ἁγιοφόροι, κατὰ πάντα
κεκοσμημένοι ἐν ταῖς ἐντολαῖς Ἰησοῦ Χριστοῦ· οἷς καὶ ἀγαλλιῶμαι,
ὅτι ἠξιώθην, δι᾽ ὧν γράφω, προσομιλῆσαι ὑμῖν καὶ συγχαρῆναι, ὅτι
καθ᾽ ὅλον βίον οὐδὲν ἀγαπᾶτε εἰ μὴ μόνον τὸν θεόν.

1   X. Καὶ ὑπὲρ τῶν·ἄλλων δὲ ἀνθρώπων ἀδιαλείπτως προσεύχεσθε.
ἔστιν γὰρ ἐν αὐτοῖς ἐλπὶς μετανοίας, ἵνα θεοῦ τύχωσιν. ἐπιτρέψατε
2 οὖν αὐτοῖς κἂν ἐκ τῶν ἔργων ὑμῖν μαθητευθῆναι. 2. πρὸς τὰς ὀργὰς
αὐτῶν ὑμεῖς πραεῖς, πρὸς τὰς μεγαλορρημοσύνας αὐτῶν ὑμεῖς ταπει-
νόφρονες, πρὸς τὰς βλασφημίας αὐτῶν ὑμεῖς τὰς προσευχάς, πρὸς
τὴν πλάνην αὐτῶν ὑμεῖς ἑδραῖοι τῇ πίστει, πρὸς τὸ ἄγριον αὐτῶν
3 ὑμεῖς ἥμεροι, μὴ σπουδάζοντες ἀντιμιμήσασθαι αὐτούς. 3. Ἀδελφοὶ
αὐτῶν εὑρεθῶμεν τῇ ἐπιεικείᾳ· μιμηταὶ δὲ τοῦ κυρίου σπουδάζωμεν
εἶναι — τίς πλέον ἀδικηθείς, τίς ἀποστερηθείς, τίς ἀθετηθείς —, ἵνα
μὴ τοῦ διαβόλου βοτάνη τις εὑρεθῇ ἐν ὑμῖν· ἀλλ᾽ ἐν πάσῃ ἁγνείᾳ
καὶ σωφροσύνῃ μένετε ἐν Ἰησοῦ Χριστῷ σαρκικῶς καὶ πνευματικῶς.

1   XI. Ἔσχατοι καιροί· λοιπὸν αἰσχυνθῶμεν, φοβηθῶμεν τὴν μα-
κροθυμίαν τοῦ θεοῦ, ἵνα μὴ ἡμῖν εἰς κρῖμα γένηται. ἢ γὰρ τὴν
μέλλουσαν ὀργὴν φοβηθῶμεν, ἢ τὴν ἐνεστῶσαν χάριν ἀγαπήσωμεν·
ἓν τῶν δύο· μόνον ἐν Χριστῷ Ἰησοῦ εὑρεθῆναι εἰς τὸ ἀληθινὸν ζῆν.
2 2. Χωρὶς τούτου μηδὲν ὑμῖν πρεπέτω, ἐν ᾧ τὰ δεσμὰ περιφέρω, τοὺς
πνευματικοὺς μαργαρίτας, ἐν οἷς γένοιτό μοι ἀναστῆναι τῇ προσευχῇ
ὑμῶν, ἧς γένοιτό μοι ἀεὶ μέτοχον εἶναι, ἵνα ἐν ὶ κλήρῳ Ἐφεσίων
εὑρεθῶ τῶν Χριστιανῶν, οἳ καὶ τοῖς ἀποστόλοις πάντοτε συνῆσαν ἐν
δυνάμει Ἰησοῦ Χριστοῦ.

1   XII. Οἶδα τίς εἰμι καὶ τίσιν γράφω. ἐγὼ κατάκριτος, ὑμεῖς ἠλεη-
2 μένοι· ἐγὼ ὑπὸ κίνδυνον, ὑμεῖς ἐστηριγμένοι. 2. πάροδός ἐστε τῶν
εἰς θεὸν ἀναιρουμένων, Παύλου συμμύσται, τοῦ ἡγιασμένου, τοῦ με-
μαρτυρημένου, ἀξιομακαρίστου, οὗ γένοιτό μοι ὑπὸ τὰ ἴχνη εὑρεθῆναι,
ὅταν θεοῦ ἐπιτύχω, ὃς ἐν πάσῃ ἐπιστολῇ μνημονεύει ὑμῶν ἐν Χριστῷ
Ἰησοῦ.

1   XIII. Σπουδάζετε οὖν πυκνότερον συνέρχεσθαι εἰς εὐχαριστίαν
θεοῦ καὶ εἰς δόξαν. ὅταν γὰρ πυκνῶς ἐπὶ τὸ αὐτὸ γίνεσθε, καθαι-
ροῦνται αἱ δυνάμεις τοῦ σατανᾶ, καὶ λύεται ὁ ὄλεθρος αὐτοῦ ἐν τῇ
2 ὁμονοίᾳ ὑμῶν τῆς πίστεως. 2. Οὐδέν ἐστιν ἄμεινον εἰρήνης, ἐν ᾗ
πᾶς πόλεμος καταργεῖται ἐπουρανίων καὶ ἐπιγείων.

1   XIV. Ὧν οὐδὲν λανθάνει ὑμᾶς, ἐὰν τελείως εἰς Ἰησοῦν Χριστὸν
ἔχητε τὴν πίστιν καὶ τὴν ἀγάπην, ἥτις ἐστὶν ἀρχὴ ζωῆς καὶ τέλος·
ἀρχὴ μὲν πίστις, τέλος δὲ ἀγάπη. τὰ δὲ δύο, ἐν ἑνότητι γενόμενα,

θεός ἐστιν· τὰ δὲ ἄλλα πάντα εἰς καλοκἀγαθίαν ἀκόλουθά ἐστιν. *Creed.*

.2. Οὐδεὶς πίστιν ἐπαγγελλόμενος ἁμαρτάνει, οὐδὲ ἀγάπην κεκτημένος 2 *professing faith*
μισεῖ. Φανερὸν τὸ δένδρον ἀπὸ τοῦ καρποῦ αὐτοῦ· οὕτως οἱ
ἐπαγγελλόμενοι Χριστοῦ εἶναι, δι᾽ ὧν πράσσουσιν ὀφθήσονται. οὐ γὰρ
νῦν ἐπαγγελίας τὸ ἔργον, ἀλλ᾽ ἐν δυνάμει πίστεως ἐάν τις εὑρεθῇ
καὶ εἰς τέλος.

XV. Ἄμεινόν ἐστιν σιωπᾶν καὶ εἶναι, ἢ λαλοῦντα μὴ εἶναι. 1
καλὸν τὸ διδάσκειν, ἐὰν ὁ λέγων ποιῇ. εἷς οὖν διδάσκαλος, ὃς εἶπεν,
καὶ ἐγένετο· καὶ ἃ σιγῶν δὲ πεποίηκεν, ἄξια τοῦ πατρός ἐστιν.
2. Ὁ λόγον Ἰησοῦ κεκτημένος ἀληθῶς, δύναται καὶ τῆς ἡσυχίας αὐ- 2
τοῦ ἀκούειν, ἵνα τέλειος ᾖ, ἵνα δι᾽ ὧν λαλεῖ πράσσῃ, καὶ δι᾽ ὧν σιγᾷ
γινώσκηται. 3. Οὐδὲν λανθάνει τὸν κύριον, ἀλλὰ καὶ τὰ κρυπτὰ 3
ἡμῶν ἐγγὺς αὐτῷ ἐστίν. πάντα οὖν ποιῶμεν, ὡς αὐτοῦ ἐν ἡμῖν κατ-
οικοῦντος, ἵνα ὦμεν αὐτοῦ ναοὶ, καὶ αὐτὸς ᾖ ἐν ἡμῖν θεὸς ἡμῶν·
ὅπερ καὶ ἔστιν καὶ φανήσεται πρὸ προσώπου ἡμῶν, ἐξ ὧν δικαίως
ἀγαπῶμεν αὐτόν.

XVI. Μὴ πλανᾶσθε, ἀδελφοί μου. οἱ οἰκοφθόροι βασιλείαν 1
θεοῦ οὐ κληρονομήσουσιν. 2. εἰ οὖν οἱ κατὰ σάρκα ταῦτα πράσ- 2
σοντες ἀπέθανον, πόσῳ μᾶλλον, ἐάν τις πίστιν θεοῦ ἐν κακῇ διδασκα-
λίᾳ φθείρῃ, ὑπὲρ ἧς Ἰησοῦς Χριστὸς ἐσταυρώθη; ὁ τοιοῦτος, ῥυπαρὸς
γενόμενος, εἰς τὸ πῦρ τὸ ἄσβεστον χωρήσει, ὁμοίως καὶ ὁ ἀκούων
αὐτοῦ.

XVII. Διὰ τοῦτο μύρον ἔλαβεν ἐπὶ τῆς κεφαλῆς αὐτοῦ ὁ κύριος, 1
ἵνα πνέῃ τῇ ἐκκλησίᾳ ἀφθαρσίαν. μὴ ἀλείφεσθε δυσωδίαν τῆς διδα-
σκαλίας τοῦ ἄρχοντος τοῦ αἰῶνος τούτου, μὴ αἰχμαλωτίσῃ ὑμᾶς ἐκ
τοῦ προκειμένου ζῆν. 2. Διὰ τί δὲ οὐ πάντες φρόνιμοι γινόμεθα, 2
λαβόντες θεοῦ γνῶσιν, ὅ ἐστιν Ἰησοῦς Χριστός; τί μωρῶς ἀπολλύ-
μεθα, ἀγνοοῦντες τὸ χάρισμα, ὃ πέπομφεν ἀληθῶς ὁ κύριος;

XVIII. Περίψημα τὸ ἐμὸν πνεῦμα τοῦ σταυροῦ, ὅ ἐστιν σκάν- 1
δαλον τοῖς ἀπιστοῦσιν, ἡμῖν δὲ σωτηρία καὶ ζωὴ αἰώνιος. ποῦ σοφός;

XIV, 2) Mt. 12, 33. — XV, 1) Ps. 33, 9. — 3) Apoc. 21, 3. —
XVI, 1) I Cor. 6, 9 sq. — XVII, 1) Mt. 26, 7. Io. 12, 3. — XVIII, 1) I Cor.
1, 20 cf. 18—28.

2 *ποῦ συζητητής; ποῦ καύχησις τῶν λεγομένων συνετῶν*; 2. Ὁ *γὰρ
θεὸς ἡμῶν Ἰησοῦς ὁ Χριστὸς ἐκυοφορήθη ὑπὸ Μαρίας κατ᾽ οἰκονο-
μίαν θεοῦ ἐκ σπέρματος μὲν Δαβὶδ, πνεύματος δὲ ἁγίου· ὃς ἐγεννήθη
καὶ ἐβαπτίσθη, ἵνα τῷ πάθει τὸ ὕδωρ καθαρίσῃ.*

1   XIX. *Καὶ ἔλαθεν τὸν ἄρχοντα τοῦ αἰῶνος τούτου ἡ παρθενία
Μαρίας καὶ ὁ τοκετὸς αὐτῆς, ὁμοίως καὶ ὁ θάνατος τοῦ κυρίου· τρία
2 μυστήρια κραυγῆς, ἅτινα ἐν ἡσυχίᾳ θεοῦ ἐπράχθη. 2. Πῶς οὖν
ἐφανερώθη τοῖς αἰῶσιν; ἀστὴρ ἐν οὐρανῷ ἔλαμψεν ὑπὲρ πάντας τοὺς
ἀστέρας, καὶ τὸ φῶς αὐτοῦ ἀνεκλάλητον ἦν, καὶ ξενισμὸν παρεῖχεν
ἡ καινότης αὐτοῦ. τὰ δὲ λοιπὰ πάντα ἄστρα ἅμα ἡλίῳ καὶ σελήνῃ
χορὸς ἐγένετο τῷ ἀστέρι· αὐτὸς δὲ ἦν ὑπερβάλλων τὸ φῶς αὐτοῦ
ὑπὲρ πάντα· ταραχή τε ἦν, πόθεν ἡ καινότης ἡ ἀνόμοιος αὐτοῖς.
3 3. ὅθεν ἐλύετο πᾶσα μαγεία, καὶ πᾶς δεσμὸς ἠφανίζετο κακίας·
ἄγνοια καθῃρεῖτο, παλαιὰ βασιλεία διεφθείρετο θεοῦ ἀνθρωπίνως
φανερουμένου εἰς καινότητα ἀϊδίου ζωῆς· ἀρχὴν δὲ ἐλάμβανεν τὸ
παρὰ θεῷ ἀπηρτισμένον. ἔνθεν τὰ πάντα συνεκινεῖτο, διὰ τὸ μελε-
τᾶσθαι θανάτου κατάλυσιν.*

1   XX. *Ἐάν με καταξιώσῃ Ἰησοῦς Χριστὸς ἐν τῇ προσευχῇ ὑμῶν,
καὶ θέλημα ᾖ, ἐν τῷ δευτέρῳ βιβλιδίῳ, ὃ μέλλω γράφειν ὑμῖν,
προσδηλώσω ὑμῖν, ἧς ἠρξάμην οἰκονομίας εἰς τὸν καινὸν ἄνθρωπον
Ἰησοῦν Χριστόν, ἐν τῇ αὐτοῦ πίστει καὶ ἐν τῇ αὐτοῦ ἀγάπῃ, ἐν πά-
2 θει αὐτοῦ καὶ ἀναστάσει· μάλιστα ἐὰν ὁ κύριός μοι ἀποκαλύψῃ τι. 2. Οἱ
κατ᾽ ἄνδρα κοινῇ πάντες ἐν χάριτι ἐξ ὀνόματος συνέρχεσθε ἐν μιᾷ
πίστει καὶ ἐν Ἰησοῦ Χριστῷ, τῷ κατὰ σάρκα ἐκ γένους Δαβὶδ, τῷ
υἱῷ ἀνθρώπου καὶ υἱῷ θεοῦ, εἰς τὸ ὑπακούειν ὑμᾶς τῷ ἐπισκόπῳ
καὶ τῷ πρεσβυτερίῳ ἀπερισπάστῳ διανοίᾳ, ἕνα ἄρτον κλῶντες, ὅς ἐστιν
φάρμακον ἀθανασίας, ἀντίδοτος τοῦ μὴ ἀποθανεῖν, ἀλλὰ ζῆν ἐν Ἰη-
σοῦ Χριστῷ διὰ παντός.*

1   XXI. *Ἀντίψυχον ὑμῶν ἐγώ, καὶ ὧν ἐπέμψατε εἰς θεοῦ τιμὴν
εἰς Σμύρναν, ὅθεν καὶ γράφω ὑμῖν, εὐχαριστῶν τῷ κυρίῳ, ἀγαπῶν
Πολύκαρπον ὡς καὶ ὑμᾶς. μνημονεύετέ μου, ὡς καὶ ὑμῶν Ἰησοῦς
2 Χριστός. 2. Προσεύχεσθε ὑπὲρ τῆς ἐκκλησίας τῆς ἐν Συρίᾳ, ὅθεν*

XIX, 2) Mt. 2, 1 sqq.

δεδεμένος εἰς Ῥώμην ἀπάγομαι, ἔσχατος ὢν τῶν ἐκεῖ πιστῶν, ὥσπερ ἠξιώθην εἰς τιμὴν θεοῦ εὑρεθῆναι. ἔρρωσθε ἐν θεῷ πατρὶ καὶ ἐν Ἰησοῦ Χριστῷ, τῇ κοινῇ ἐλπίδι ἡμῶν.

written from Smyrna.

ΜΑΓΝΗΣΙΕΥΣΙΝ ΙΓΝΑΤΙΟΣ.

Ἰγνάτιος, ὁ καὶ Θεοφόρος, τῇ εὐλογημένῃ ἐν χάριτι θεοῦ πατρὸς ἐν Χριστῷ Ἰησοῦ τῷ σωτῆρι ἡμῶν, ἐν ᾧ ἀσπάζομαί τὴν ἐκκλησίαν τὴν οὖσαν ἐν Μαγνησίᾳ τῇ πρὸς Μαιάνδρῳ καὶ εὔχομαι ἐν θεῷ πατρὶ καὶ ἐν Ἰησοῦ Χριστῷ πλεῖστα χαίρειν.

I. Γνοὺς ὑμῶν τὸ πολυεύτακτον τῆς κατὰ θεὸν ἀγάπης, ἀγαλ- 1 λιώμενος προειλόμην ἐν πίστει Ἰησοῦ Χριστοῦ προσλαλῆσαι ὑμῖν. 2. καταξιωθεὶς γὰρ ὀνόματος θεοπρεπεστάτου, ἐν οἷς περιφέρω 2 δεσμοῖς ἰδὼν τὰς ἐκκλησίας, ἐν αἷς ἕνωσιν εὔχομαι σαρκὸς καὶ πνεύματος Ἰησοῦ Χριστοῦ, τοῦ διὰ παντὸς ἡμᾶς ζῆν, πίστεώς τε καὶ ἀγάπης, ἧς οὐδὲν προκέκριται, τὸ δὲ κυριώτερον Ἰησοῦ καὶ πατρός· 3. ἐν ᾧ ὑπομένοντες τὴν πᾶσαν ἐπήρειαν τοῦ ἄρχοντος τοῦ αἰῶνος 3 τούτου καὶ διαφυγόντες, θεοῦ τευξόμεθα.

II. Ἐπεὶ οὖν ἠξιώθην ἰδεῖν ὑμᾶς διὰ Δαμᾶ τοῦ ἀξιοθέου ὑμῶν ἐπισκόπου καὶ πρεσβυτέρων ἀξίων Βάσσου καὶ Ἀπολλωνίου καὶ τοῦ συνδούλου μου διακόνου Ζωτίωνος, οὗ ἐγὼ ὀναίμην, ὅτι ὑποτάσσεται τῷ ἐπισκόπῳ ὡς χάριτι θεοῦ, καὶ τῷ πρεσβυτερίῳ ὡς νόμῳ Ἰησοῦ Χριστοῦ.

III. Καὶ ὑμῖν δὲ πρέπει μὴ συγχρᾶσθαι τῇ ἡλικίᾳ τοῦ ἐπισκό- 1 που, ἀλλὰ κατὰ δύναμιν θεοῦ πατρὸς πᾶσαν ἐντροπὴν αὐτῷ ἀπονέμειν, καθὼς ἔγνων καὶ τοὺς ἁγίους πρεσβυτέρους οὐ προσειληφότας τὴν φαινομένην νεωτερικὴν τάξιν, ἀλλ' ὡς φρονίμους ἐν θεῷ συγχωροῦντας αὐτῷ, οὐκ αὐτῷ δέ, ἀλλὰ τῷ πατρὶ Ἰησοῦ Χριστοῦ, τῷ πάντων ἐπισκόπῳ. 2. Εἰς τιμὴν οὖν ἐκείνου τοῦ θελήσαντος ἡμᾶς, πρέπον 2 ἐστὶν ἐπακούειν κατὰ μηδεμίαν ὑπόκρισιν· ἐπεὶ οὐχὶ τὸν ἐπίσκοπον

τοῦτον τὸν βλεπόμενον πλανᾷ τις, ἀλλὰ τὸν ἀόρατον παραλογίζεται.
τὸ δὲ τοιοῦτον οὐ πρὸς σάρκα ὁ λόγος, ἀλλὰ πρὸς θεὸν, τὸν τὰ κρύ-
φια εἰδότα.

IV. Πρέπον οὖν ἐστὶν, μὴ μόνον καλεῖσθαι Χριστιανοὺς, ἀλλὰ
καὶ εἶναι· ὥσπερ καί τινες ἐπίσκοπον μὲν καλοῦσιν, χωρὶς δὲ αὐτοῦ
πάντα πράσσουσιν. οἱ τοιοῦτοι δὲ οὐκ εὐσυνείδητοί μοι εἶναι φαίνον-
ται, διὰ τὸ μὴ βεβαίως κατ᾽ ἐντολὴν συναθροίζεσθαι.

1   V. Ἐπεὶ οὖν τέλος τὰ πράγματα ἔχει, καὶ πρόκειται τὰ δύο
ὁμοῦ, ὅ τε θάνατος καὶ ἡ ζωή, καὶ ἕκαστος εἰς τὸν ἴδιον τόπον
2 μέλλει χωρεῖν· 2. ὥσπερ γάρ ἐστιν νομίσματα δύο, ὃ μὲν θεοῦ, ὃ δὲ
κόσμου, καὶ ἕκαστον αὐτῶν ἴδιον χαρακτῆρα ἐπικείμενον ἔχει, οἱ
ἄπιστοι τοῦ κόσμου τούτου, οἱ δὲ πιστοὶ ἐν ἀγάπῃ χαρακτῆρα θεοῦ
πατρὸς διὰ Ἰησοῦ Χριστοῦ· δι᾽ οὗ ἐὰν μὴ αὐθαιρέτως ἔχομεν τὸ
ἀποθανεῖν εἰς τὸ αὐτοῦ πάθος, τὸ ζῆν αὐτοῦ οὐκ ἔστιν ἐν ἡμῖν.

1   VI Ἐπεὶ οὖν ἐν τοῖς προγεγραμμένοις προσώποις τὸ πᾶν πλῆθος
ἐθεώρησα ἐν πίστει καὶ ἠγάπησα, παραινῶ, ἐν ὁμονοίᾳ θεοῦ σπουδά-
ζετε πάντα πράσσειν, προκαθημένου τοῦ ἐπισκόπου εἰς τύπον θεοῦ
καὶ τῶν πρεσβυτέρων εἰς τύπον συνεδρίου τῶν ἀποστόλων καὶ τῶν
διακόνων, τῶν ἐμοὶ γλυκυτάτων, πεπιστευμένων διακονίαν Ἰησοῦ Χρι-
2 στοῦ, ὃς πρὸ αἰώνων παρὰ πατρὶ ἦν καὶ ἐν τέλει ἐφάνη. 2. Πάντες
οὖν, ὁμοήθειαν θεοῦ λαβόντες, ἐντρέπεσθε ἀλλήλους, καὶ μηδεὶς κατὰ
σάρκα βλεπέτω τὸν πλησίον, ἀλλ᾽ ἐν Ἰησοῦ Χριστῷ ἀλλήλους διὰ
παντὸς ἀγαπᾶτε. μηδὲν ἔστω ἐν ὑμῖν, ὃ δυνήσεται ὑμᾶς μερίσαι,
ἀλλ᾽ ἑνώθητε τῷ ἐπισκόπῳ καὶ τοῖς προκαθημένοις εἰς τύπον καὶ δι-
δαχὴν ἀφθαρσίας.

1   VII. Ὥσπερ οὖν ὁ κύριος ἄνευ τοῦ πατρὸς οὐδὲν ἐποίησεν, ἡνω-
μένος ὤν, οὔτε δι᾽ ἑαυτοῦ, οὔτε διὰ τῶν ἀποστόλων· οὕτως μηδὲ
ὑμεῖς ἄνευ τοῦ ἐπισκόπου καὶ τῶν πρεσβυτέρων μηδὲν πράσσετε·
μηδὲ πειράσητε εὔλογόν τι φαίνεσθαι ἰδίᾳ ὑμῖν, ἀλλ᾽ ἐπὶ τὸ αὐτό.
μία προσευχή, μία δέησις, εἷς νοῦς, μία ἐλπὶς ἐν ἀγάπῃ, ἐν τῇ χαρᾷ
2 τῇ ἀμώμῳ, ὅ ἐστιν Ἰησοῦς Χριστός, οὗ ἄμεινον οὐδέν ἐστιν. 2. πάν-
τες ὡς εἰς ἕνα ναὸν συντρέχετε θεοῦ, ὡς ἐπὶ ἓν θυσιαστήριον, ἐπὶ

V, 1) Act. 1, 25. — VI, 2) Tit. 2, 7.

ἕνα Ἰησοῦν Χριστὸν, τὸν ἀφ᾽ ἑνὸς πατρὸς προελθόντα καὶ εἰς ἕνα ὄντα καὶ χωρήσαντα.

VIII. Μὴ πλανᾶσθε ταῖς ἑτεροδοξίαις μηδὲ μυθεύμασιν τοῖς πα- 1 λαιοῖς, ἀνωφελέσιν οὖσιν. εἰ γὰρ μέχρι νῦν κατὰ νόμον Ἰουδαϊσμὸν ζῶμεν, ὁμολογοῦμεν χάριν μὴ εἰληφέναι. 2. Οἱ γὰρ θειότατοι προ- 2 φῆται κατὰ Χριστὸν Ἰησοῦν ἔζησαν. διὰ τοῦτο καὶ ἐδιώχθησαν, ἐνπνεόμενοι ὑπὸ τῆς χάριτος αὐτοῦ, εἰς τὸ πληροφορηθῆναι τοὺς ἀπειθοῦντας, ὅτι εἷς θεός ἐστιν, ὁ φανερώσας ἑαυτὸν διὰ Ἰησοῦ Χριστοῦ τοῦ υἱοῦ αὐτοῦ, ὅς ἐστιν αὐτοῦ λόγος, ἀπὸ σιγῆς προελθών, ὃς κατὰ πάντα εὐηρέστησεν τῷ πέμψαντι αὐτόν.

IX. Εἰ οὖν οἱ ἐν παλαιοῖς πράγμασιν ἀναστραφέντες εἰς καινό- 1 τητα ἐλπίδος ἦλθον, μηκέτι σαββατίζοντες, ἀλλὰ κατὰ κυριακὴν ζῶν- τες, ἐν ᾗ καὶ ἡ ζωὴ ἡμῶν ἀνέτειλεν δι᾽ αὐτοῦ καὶ τοῦ θανάτου αὐτοῦ — 2. ὅ τινες ἀρνοῦνται· δι᾽ οὗ μυστηρίου ἐλάβομεν τὸ πιστεύειν· 2 καὶ διὰ τοῦτο ὑπομένομεν, ἵνα εὑρεθῶμεν μαθηταὶ Ἰησοῦ Χριστοῦ τοῦ μόνου διδασκάλου ἡμῶν —, πῶς ἡμεῖς δυνησόμεθα ζῆσαι χωρὶς αὐτοῦ· 3. οὗ καὶ οἱ προφῆται μαθηταὶ ὄντες τῷ πνεύματι, ὡς διδά- 3 σκαλον αὐτὸν προσεδόκων· καὶ διὰ τοῦτο, ὃν δικαίως ἀνέμενον, παρ- ὼν ἤγειρεν αὐτοὺς ἐκ νεκρῶν.

X. Μὴ οὖν ἀναισθητῶμεν τῆς χρηστότητος αὐτοῦ. ἂν γὰρ ἡμᾶς 1 μιμήσεται, καθὰ πράσσομεν, οὐκέτι ἐσμέν. διὰ τοῦτο, μαθηταὶ αὐτοῦ γενόμενοι, μάθωμεν κατὰ Χριστιανισμὸν ζῆν. ὃς γὰρ ἄλλῳ ὀνόματι καλεῖται πλέον τούτου, οὐκ ἔστιν τοῦ θεοῦ. 2. ὑπέρθεσθε οὖν τὴν 2 κακὴν ζύμην, τὴν παλαιωθεῖσαν καὶ ἐνοξίσασαν, καὶ μεταβάλεσθε εἰς νέαν ζύμην, ὅ ἐστιν Ἰησοῦς Χριστός. ἁλίσθητε ἐν αὐτῷ, ἵνα μὴ διαφθαρῇ τις ἐν ὑμῖν, ἐπεὶ ἀπὸ τῆς ὀσμῆς ἐλεγχθήσεσθε. 3. ἄτοπόν 3 ἐστιν, Χριστὸν Ἰησοῦν λαλεῖν καὶ ἰουδαΐζειν. ὁ γὰρ Χριστιανισμὸς οὐκ εἰς Ἰουδαϊσμὸν ἐπίστευσεν, ἀλλ᾽ Ἰουδαϊσμὸς εἰς Χριστιανισμὸν, εἰς ὃν πᾶσα γλῶσσα πιστεύσασα εἰς θεὸν συνήχθη.

XI. Ταῦτα δὲ, ἀγαπητοί μου, οὐκ ἐπεὶ ἔγνων τινὰς ἐξ ὑμῶν οὕτως ἔχοντας, ἀλλ᾽ ὡς μικρότερος ὑμῶν θέλω προφυλάσσεσθαι ὑμᾶς,

---

VIII, 1) I Tim. 1, 4. Tit. 1, 14. 3, 9. — 2) Ioann. 8, 29. — IX, 3) Mt. 27, 52 sq.

μὴ ἐμπεσεῖν εἰς τὰ ἄγκιστρα τῆς κενοδοξίας, ἀλλὰ πεπληροφορῆσθαι
ἐν τῇ γεννήσει καὶ τῷ πάθει καὶ τῇ ἀναστάσει τῇ γενομένῃ ἐν καιρῷ
τῆς ἡγεμονίας Ποντίου Πιλάτου· πραχθέντα ἀληθῶς καὶ βεβαίως ὑπὸ
Ἰησοῦ Χριστοῦ, τῆς ἐλπίδος ἡμῶν, ἧς ἐκτραπῆναι μηδενὶ ὑμῶν γένοιτο.
XII. Ὀναίμην ὑμῶν κατὰ πάντα, ἐάνπερ ἄξιος ὦ. εἰ γὰρ καὶ
δέδεμαι, πρὸς ἕνα τῶν λελυμένων ὑμῶν οὐκ εἰμι. οἶδα ὅτι οὐ φυσι-
οῦσθε· Ἰησοῦν γὰρ Χριστὸν ἔχετε ἐν ἑαυτοῖς· καὶ μᾶλλον, ὅταν
ἐπαινῶ ὑμᾶς, οἶδα ὅτι ἐντρέπεσθε, ὡς γέγραπται, ὅτι ὁ δίκαιος ἑαυ-
τοῦ κατήγορος.

1   XIII. Σπουδάζετε οὖν βεβαιωθῆναι ἐν τοῖς δόγμασιν τοῦ κυρίου
καὶ τῶν ἀποστόλων, ἵνα πάντα, ὅσα ποιῆτε, κατευοδωθῇ σαρκὶ καὶ
πνεύματι, πίστει καὶ ἀγάπῃ, ἐν υἱῷ καὶ πατρὶ καὶ ἐν πνεύματι, ἐν
ἀρχῇ καὶ ἐν τέλει, μετὰ τοῦ ἀξιοπρεπεστάτου ἐπισκόπου ὑμῶν καὶ
ἀξιοπλόκου πνευματικοῦ στεφάνου τοῦ πρεσβυτερίου ὑμῶν καὶ τῶν
2   κατὰ θεὸν διακόνων. 2. Ὑποτάγητε τῷ ἐπισκόπῳ καὶ ἀλλήλοις, ὡς
ὁ Χριστὸς τῷ πατρὶ κατὰ σάρκα, καὶ οἱ ἀπόστολοι τῷ Χριστῷ καὶ
τῷ πατρὶ καὶ τῷ πνεύματι· ἵνα ἕνωσις ᾖ σαρκική τε καὶ πνευματική.

XIV. Εἰδὼς ὅτι θεοῦ γέμετε, συντόμως παρεκέλευσα ὑμᾶς.
μνημονεύετέ μου ἐν ταῖς προσευχαῖς ὑμῶν, ἵνα θεοῦ ἐπιτύχω, καὶ
τῆς ἐν Συρίᾳ ἐκκλησίας — ὅθεν οὐκ ἄξιός εἰμι καλεῖσθαι· ἐπιδέομαι
γὰρ τῆς ἡνωμένης ὑμῶν ἐν θεῷ προσευχῆς καὶ ἀγάπης — εἰς τὸ
ἀξιωθῆναι τὴν ἐν Συρίᾳ ἐκκλησίαν διὰ τῆς ἐκκλησίας ὑμῶν δρο-
σισθῆναι.

XV. Ἀσπάζονται ὑμᾶς Ἐφέσιοι ἀπὸ Σμύρνης, ὅθεν καὶ γράφω
ὑμῖν, παρόντες εἰς δόξαν θεοῦ, ὥσπερ καὶ ὑμεῖς, οἳ κατὰ πάντα με
ἀνέπαυσαν ἅμα Πολυκάρπῳ, ἐπισκόπῳ Σμυρναίων. καὶ αἱ λοιπαὶ δὲ
ἐκκλησίαι ἐν τιμῇ Ἰησοῦ Χριστοῦ ἀσπάζονται ὑμᾶς. ἔρρωσθε ἐν
ὁμονοίᾳ θεοῦ, κεκτημένοι ἀδιάκριτον πνεῦμα, ὅς ἐστιν Ἰησοῦς Χριστός.

XII. Prov. 18, 17. — XIII, 1) Ps. 1, 3.

written from Smyrna.

ΤΡΑΛΛΙΑΝΟΙΣ ΙΓΝΑΤΙΟΣ.

Ἰγνάτιος, ὁ καὶ Θεοφόρος, ἠγαπημένῃ θεῷ, πατρὶ Ἰησοῦ Χριστοῦ, ἐκκλησίᾳ ἁγίᾳ, τῇ οὔσῃ ἐν Τράλλεσιν τῆς Ἀσίας, ἐκλεκτῇ καὶ ἀξιοθέῳ, εἰρηνευούσῃ ἐν σαρκὶ καὶ πνεύματι τῷ πάθει Ἰησοῦ Χριστοῦ, τῆς ἐλπίδος ἡμῶν ἐν τῇ εἰς αὐτὸν ἀναστάσει· ἣν καὶ ἀσπάζομαι ἐν τῷ πληρώματι, ἐν ἀποστολικῷ χαρακτῆρι καὶ εὔχομαι πλεῖστα χαίρειν.

I. Ἄμωμον διάνοιαν καὶ ἀδιάκριτον ἐν ὑπομονῇ ἔγνων ὑμᾶς 1 ἔχοντας, οὐ κατὰ χρῆσιν, ἀλλὰ κατὰ φύσιν, καθὼς ἐδήλωσέν μοι Πολύβιος, ὁ ἐπίσκοπος ὑμῶν, ὃς παρεγένετο θελήματι θεοῦ καὶ Ἰησοῦ Χριστοῦ ἐν Σμύρνῃ, καὶ οὕτως μοι συνεχάρη δεδεμένῳ ἐν Ἰησοῦ Χριστῷ, ὥστε με τὸ πᾶν πλῆθος ὑμῶν ἐν αὐτῷ θεωρεῖσθαι. 2. ἀπο- 2 δεξάμενος οὖν τὴν κατὰ θεὸν εὔνοιαν δι' αὐτοῦ, ἐδόξασα, εὑρὼν ὑμᾶς ὡς ἔγνων μιμητὰς ὄντας θεοῦ.

II. Ὅταν γὰρ τῷ ἐπισκόπῳ ὑποτάσσησθε ὡς Ἰησοῦ Χριστῷ, 1 φαίνεσθέ μοι οὐ κατὰ ἀνθρώπους ζῶντες, ἀλλὰ κατὰ Ἰησοῦν Χριστόν, τὸν δι' ἡμᾶς ἀποθανόντα, ἵνα πιστεύσαντες εἰς τὸν θάνατον αὐτοῦ τὸ ἀποθανεῖν ἐκφύγητε. 2. Ἀναγκαῖον οὖν ἐστιν, ὥσπερ ποιεῖτε, ἄνευ 2 τοῦ ἐπισκόπου μηδὲν πράσσειν ὑμᾶς· ἀλλ' ὑποτάσσεσθε καὶ τῷ πρε- σβυτερίῳ, ὡς τοῖς ἀποστόλοις Ἰησοῦ Χριστοῦ, τῆς ἐλπίδος ἡμῶν, ἐν ᾧ διάγοντες εὑρεθησόμεθα. 3. Δεῖ δὲ καὶ τοὺς διακόνους ὄντας μυ- 3 στηρίων Ἰησοῦ Χριστοῦ κατὰ πάντα τρόπον πᾶσιν ἀρέσκειν. οὐ γὰρ βρωμάτων καὶ ποτῶν εἰσὶν διάκονοι, ἀλλ' ἐκκλησίας θεοῦ ὑπηρέται. δέον οὖν αὐτοὺς φυλάσσεσθαι τὰ ἐγκλήματα ὡς πῦρ.

III. Ὁμοίως πάντες ἐντρεπέσθωσαν τοὺς διακόνους ὡς Ἰησοῦν 1 Χριστόν, ὡς καὶ τὸν ἐπίσκοπον, ὄντα τύπον τοῦ πατρὸς, τοὺς δὲ πρεσβυτέρους ὡς συνέδριον θεοῦ καὶ ὡς σύνδεσμον ἀποστόλων. χωρὶς τούτων ἐκκλησία οὐ καλεῖται. 2. περὶ ὧν πέπεισμαι ὑμᾶς οὕτως 2 ἔχειν. τὸ γὰρ ἐξεμπλάριον τῆς ἀγάπης ὑμῶν ἔλαβον καὶ ἔχω μεθ' ἑαυτοῦ ἐν τῷ ἐπισκόπῳ ὑμῶν, οὗ αὐτὸ τὸ κατάστημα μεγάλη μαθη- τεία, ἡ δὲ πραότης αὐτοῦ δύναμις· ὃν λογίζομαι καὶ τοὺς ἀθέους ἐντρέπεσθαι. 3. Ἀγαπῶν ὑμᾶς φείδομαι, συντονώτερον δυνάμενος γρά- 3 φειν ὑπὲρ τούτου· οὐκ εἰς τοῦτο ᾠήθην, ἵνα ὢν κατάκριτος ὡς ἀπό- στολος ὑμῖν διατάσσομαι.

1   IV. Πολλὰ φρονῶ ἐν θεῷ· ἀλλ' ἐμαυτὸν μετρῶ, ἵνα μὴ ἐν
καυχήσει ἀπόλωμαι. νῦν γάρ με δεῖ πλέον φοβεῖσθαι καὶ μὴ προσ-
έχειν τοῖς φυσιοῦσίν με. οἱ γὰρ λέγοντές μοι μαστιγοῦσίν με.
2   2. ἀγαπῶ μὲν γὰρ τὸ παθεῖν· ἀλλ' οὐκ οἶδα, εἰ ἄξιός εἰμι. τὸ γὰρ
ζῆλος πολλοῖς μὲν οὐ φαίνεται, ἐμὲ δὲ πλέον πολεμεῖ. χρήζω οὖν
πραότητος, ἐν ᾗ καταλύεται ὁ ἄρχων τοῦ αἰῶνος τούτου.

1   V. Μὴ οὐ δύναμαι τὰ ἐπουράνια γράψαι; ἀλλὰ φοβοῦμαι, μὴ
νηπίοις οὖσιν ὑμῖν βλάβην παραδῶ. καὶ συγγνωμονεῖτέ μοι, μήποτε
2   οὐ δυνηθέντες χωρῆσαι στραγγαλωθῆτε. 2. καὶ γὰρ ἐγώ, οὐ καθότι
δέδεμαι καὶ δύναμαι νοεῖν τὰ ἐπουράνια καὶ τὰς τοποθεσίας τὰς
ἀγγελικὰς καὶ τὰς συστάσεις τὰς ἀρχοντικάς, ὁρατά τε καὶ ἀόρατα,
παρὰ τοῦτο ἤδη καὶ μαθητής εἰμι. πολλὰ γὰρ ἡμῖν λείπει, ἵνα θεοῦ
μὴ λειπώμεθα.

1   VI. Παρακαλῶ οὖν ὑμᾶς, οὐκ ἐγώ, ἀλλ' ἡ ἀγάπη Ἰησοῦ Χρι-
στοῦ, μόνῃ τῇ χριστιανῇ τροφῇ χρῆσθαι, ἀλλοτρίας δὲ βοτάνης
2   ἀπέχεσθαι, ἥτις ἐστὶν αἵρεσις· 2. οἳ ἑαυτοῖς παρεμπλέκουσιν Ἰησοῦν
Χριστὸν καταξιοπιστευόμενοι, ὥσπερ θανάσιμον φάρμακον διδόντες
μετὰ οἰνομέλιτος, ὅπερ ὁ ἀγνοῶν ἡδέως λαμβάνει ἐν ἡδονῇ κακῇ τὸ
ἀποθανεῖν.

1   VII. Φυλάττεσθε οὖν τοὺς τοιούτους. τοῦτο δὲ ἔσται ὑμῖν μὴ
φυσιουμένοις, καὶ οὖσιν ἀχωρίστοις θεοῦ Ἰησοῦ Χριστοῦ καὶ τοῦ ἐπι-
2   σκόπου καὶ τῶν διαταγμάτων τῶν ἀποστόλων. 2. ὁ ἐντὸς θυσιαστη-
ρίου ὢν καθαρός ἐστιν, τουτέστιν ὁ χωρὶς ἐπισκόπου καὶ πρεσβυτερίου
καὶ διακόνου πράσσων τι, οὗτος οὐ καθαρός ἐστιν τῇ συνειδήσει.

1   VIII. Οὐκ ἐπεὶ ἔγνων τοιοῦτόν τι ἐν ὑμῖν, ἀλλὰ προφυλάσσω
ὑμᾶς ὄντας μου ἀγαπητούς, προορῶν τὰς ἐνέδρας τοῦ διαβόλου.
ὑμεῖς οὖν τὴν πραϋπάθειαν ἀναλαβόντες ἀνακτίσασθε ἑαυτοὺς ἐν
πίστει, ὅ ἐστιν σὰρξ τοῦ κυρίου, καὶ ἐν ἀγάπῃ, ὅ ἐστιν αἷμα Ἰησοῦ
2   Χριστοῦ. 2. μηδεὶς ὑμῶν κατὰ τοῦ πλησίον ἐχέτω. μὴ ἀφορμὰς
δίδοτε τοῖς ἔθνεσιν, ἵνα μὴ δι' ὀλίγους ἄφρονας τὸ ἐν θεῷ πλῆθος
βλασφημεῖται. οὐαὶ γάρ, δι' οὗ ἐπὶ ματαιότητι τὸ ὄνομά μου ἐπί
τινων βλασφημεῖται.

VIII, 2) Ies. 52, 5.

IX. Κωφώθητε οὖν, ὅταν ὑμῖν χωρὶς Ἰησοῦ Χριστοῦ λαλῇ τις, 1
τοῦ ἐκ γένους Δαβὶδ, τοῦ ἐκ Μαρίας, ὃς ἀληθῶς ἐγεννήθη, ἔφαγέν
τε καὶ ἔπιεν, ἀληθῶς ἐδιώχθη ἐπὶ Ποντίου Πιλάτου, ἀληθῶς ἐσταυ-
ρώθη καὶ ἀπέθανεν, βλεπόντων τῶν ἐπουρανίων καὶ ἐπιγείων καὶ
ὑποχθονίων· 2. ὃς καὶ ἀληθῶς ἠγέρθη ἀπὸ νεκρῶν, ἐγείραντος αὐ- 2
τὸν τοῦ πατρὸς αὐτοῦ· οὗ καὶ κατὰ τὸ ὁμοίωμα ἡμᾶς, τοὺς πιστεύ-
οντας αὐτῷ, οὕτως ἐγερεῖ ὁ πατὴρ αὐτοῦ ἐν Χριστῷ Ἰησοῦ, οὗ χωρὶς
τὸ ἀληθινὸν ζῆν οὐκ ἔχομεν.

X. Εἰ δέ, ὥσπερ τινὲς ἄθεοι ὄντες, τουτέστιν ἄπιστοι, λέγουσιν,
τὸ δοκεῖν πεπονθέναι αὐτόν, αὐτοὶ ὄντες τὸ δοκεῖν, ἐγὼ τί δέδεμαι,
τί δὲ καὶ εὔχομαι θηριομαχῆσαι; δωρεὰν οὖν ἀποθνήσκω· ἄρα οὖν
καταψεύδομαι τοῦ κυρίου.

XI. Φεύγετε οὖν τὰς κακὰς παραφυάδας, τὰς γεννώσας καρπὸν 1
θανατηφόρον, οὗ ἐὰν γεύσηταί τις, παρ᾽ αὐτὰ ἀποθνήσκει. οὗτοι γὰρ
οὔκ εἰσιν φυτεία πατρός. 2. εἰ γὰρ ἦσαν, ἐφαίνοντο ἂν κλάδοι τοῦ 2
σταυροῦ, καὶ ἦν ἂν ὁ καρπὸς αὐτῶν ἄφθαρτος· δι᾽ οὗ ἐν τῷ πάθει
αὐτοῦ προσκαλεῖται ὑμᾶς, ὄντας μέλη αὐτοῦ. οὐ δύναται οὖν κεφαλὴ
χωρὶς γεννηθῆναι ἄνευ μελῶν, τοῦ θεοῦ ἕνωσιν ἐπαγγελλομένου, ὅς
ἐστιν αὐτός.

XII. Ἀσπάζομαι ὑμᾶς ἀπὸ Σμύρνης, ἅμα ταῖς συμπαρούσαις μοι 1
ἐκκλησίαις τοῦ θεοῦ, οἳ κατὰ πάντα με ἀνέπαυσαν σαρκί τε καὶ
πνεύματι. 2. παρακαλεῖ ὑμᾶς τὰ δεσμά μου, ἃ ἕνεκεν Ἰησοῦ Χριστοῦ 2
περιφέρω, αἰτούμενος θεοῦ ἐπιτυχεῖν· διαμένετε ἐν τῇ ὁμονοίᾳ ὑμῶν
καὶ τῇ μετ᾽ ἀλλήλων προσευχῇ. πρέπει γὰρ ὑμῖν τοῖς καθ᾽ ἕνα,
ἐξαιρέτως καὶ τοῖς πρεσβυτέροις, ἀναψύχειν τὸν ἐπίσκοπον εἰς τιμὴν
πατρὸς Ἰησοῦ Χριστοῦ καὶ τῶν ἀποστόλων. 3. εὔχομαι ὑμᾶς ἐν 3
ἀγάπῃ ἀκοῦσαί μου, ἵνα μὴ εἰς μαρτύριον ὦ ἐν ὑμῖν γράψας. καὶ
περὶ ἐμοῦ δὲ προσεύχεσθε, τῆς ἀφ᾽ ὑμῶν ἀγάπης χρῄζοντος ἐν τῷ
ἐλέει τοῦ θεοῦ, εἰς τὸ καταξιωθῆναί με τοῦ κλήρου, οὗ περίκειμαι
ἐπιτυχεῖν, ἵνα μὴ ἀδόκιμος εὑρεθῶ.

XIII. Ἀσπάζεται ὑμᾶς ἡ ἀγάπη Σμυρναίων καὶ Ἐφεσίων. 1
μνημονεύετε ἐν ταῖς προσευχαῖς ὑμῶν τῆς ἐν Συρίᾳ ἐκκλησίας· ὅθεν

XI, 2) Mt. 15, 13. — XII, 3) I Cor. 9, 27.

2 καὶ οὐκ ἄξιός εἰμι λέγεσθαι, ὧν ἔσχατος ἐκείνων. 2. ἔρρωσθε ἐν
Ἰησοῦ Χριστῷ, ὑποτασσόμενοι τῷ ἐπισκόπῳ ὡς τῇ ἐντολῇ, ὁμοίως
καὶ τῷ πρεσβυτερίῳ· καὶ οἱ κατ' ἄνδρα ἀλλήλους ἀγαπᾶτε ἐν ἀμε-
3 ρίστῳ καρδίᾳ. 3. ἁγνίζεται ὑπὲρ ὑμῶν τὸ ἐμὸν πνεῦμα, οὐ μόνον
νῦν, ἀλλὰ καὶ ὅταν θεοῦ ἐπιτύχω. ἔτι γὰρ ὑπὸ κίνδυνόν εἰμι· ἀλλὰ
πιστὸς ὁ πατὴρ ἐν Ἰησοῦ Χριστῷ, πληρῶσαί μου τὴν αἴτησιν καὶ
ὑμῶν· ἐν ᾧ εὑρεθείητε ἄμωμοι.

Written from Smyrna

ΡΩΜΑΙΟΙΣ ΙΓΝΑΤΙΟΣ.

Ἰγνάτιος, ὁ καὶ Θεοφόρος, τῇ ἠλεημένῃ ἐν μεγαλειότητι πατρὸς
ὑψίστου καὶ Ἰησοῦ Χριστοῦ, τοῦ μόνου υἱοῦ αὐτοῦ, ἐκκλησίᾳ
ἠγαπημένῃ καὶ πεφωτισμένῃ ἐν θελήματι τοῦ θελήσαντος τὰ πάντα
ἃ ἔστιν κατὰ ἀγάπην Ἰησοῦ Χριστοῦ, τοῦ θεοῦ ἡμῶν· ἥτις καὶ
προκάθηται ἐν τύπῳ χωρίου Ῥωμαίων, ἀξίοθεος, ἀξιοπρεπής,
ἀξιομακάριστος, ἀξιέπαινος, ἀξιοεπίτευκτος, ἀξιόαγνος καὶ προκαθ-
ημένη τῆς ἀγάπης, χριστόνομος, πατρώνυμος, ἣν καὶ ἀσπάζομαι
ἐν ὀνόματι Ἰησοῦ Χριστοῦ, υἱοῦ πατρός· κατὰ σάρκα καὶ πνεῦμα
ἡνωμένοις πάσῃ ἐντολῇ αὐτοῦ, πεπληρωμένοις χάριτος θεοῦ
ἀδιακρίτως καὶ ἀποδιϋλισμένοις ἀπὸ παντὸς ἀλλοτρίου χρώματος
πλεῖστα ἐν Ἰησοῦ Χριστῷ, τῷ θεῷ ἡμῶν, ἀμώμως χαίρειν.

1 I. Ἐπεὶ εὐξάμενος θεῷ ἐπέτυχον ἰδεῖν ὑμῶν τὰ ἀξιόθεα πρόσωπα,
ὡς καὶ πλέον ἠτούμην λαβεῖν· δεδεμένος γὰρ ἐν Χριστῷ Ἰησοῦ ἐλπίζω
ὑμᾶς ἀσπάσασθαι, ἐάνπερ θέλημα ᾖ τοῦ ἀξιωθῆναί με εἰς τέλος εἶναι.
2 2. ἡ μὲν γὰρ ἀρχὴ εὐοικονόμητός ἐστιν, ἐάνπερ χάριτος ἐπιτύχω, εἰς
τὸ τὸν κλῆρόν μου ἀνεμποδίστως ἀπολαβεῖν. φοβοῦμαι γὰρ τὴν ὑμῶν
ἀγάπην, μὴ αὐτή με ἀδικήσῃ. ὑμῖν γὰρ εὐχερές ἐστιν, ὃ θέλετε
ποιῆσαι· ἐμοὶ δὲ δύσκολόν ἐστιν τοῦ θεοῦ ἐπιτυχεῖν, ἐάνπερ ὑμεῖς μὴ
φείσησθέ μου.

1 II. Οὐ γὰρ θέλω ὑμᾶς ἀνθρωπαρεσκῆσαι, ἀλλὰ θεῷ ἀρέσαι,
ὥσπερ καὶ ἀρέσκετε. οὐ γὰρ ἐγώ ποτε ἕξω καιρὸν τοιοῦτον θεοῦ
ἐπιτυχεῖν· οὔτε ὑμεῖς, ἐὰν σιωπήσητε, κρείττονι ἔργῳ ἔχετε ἐπιγρα-

φῆναι. ἐὰν γὰρ σιωπήσητε ἀπ᾽ ἐμοῦ, λόγος γενήσομαι θεοῦ· ἐὰν δὲ
ἐρασθῆτε τῆς σαρκός μου, πάλιν ἔσομαι ἠχώ. 2. πλέον μοι μὴ πα- 2
ράσχησθε τοῦ σπονδισθῆναι θεῷ, ὡς ἔτι θυσιαστήριον ἕτοιμόν ἐστιν,
ἵνα ἐν ἀγάπῃ χορὸς γενόμενοι ᾄσητε τῷ πατρὶ ἐν Χριστῷ Ἰησοῦ, ὅτι
τὸν ἐπίσκοπον Συρίας ὁ θεὸς κατηξίωσεν εὑρεθῆναι εἰς δύσιν, ἀπὸ
ἀνατολῆς μεταπεμψάμενος. καλὸν τὸ δῦναι ἀπὸ κόσμου πρὸς θεὸν,
ἵνα εἰς αὐτὸν ἀνατείλω.

III. Οὐδέποτε ἐβασκάνατε οὐδένα· ἄλλους ἐδιδάξατε. ἐγὼ δὲ 1
θέλω, ἵνα κἀκεῖνα βέβαια ᾖ, ἃ μαθητεύοντες ἐντέλλεσθε. 2. μόνον 2
μοι δύναμιν αἰτεῖσθε ἔσωθέν τε καὶ ἔξωθεν, ἵνα μὴ μόνον λέγω, ἀλλὰ
καὶ θέλω, ἵνα μὴ μόνον λέγωμαι Χριστιανὸς, ἀλλὰ καὶ εὑρεθῶ. ἐὰν
γὰρ εὑρεθῶ, καὶ λέγεσθαι δύναμαι, καὶ τότε πιστὸς εἶναι, ὅταν κόσμῳ
μὴ φαίνωμαι. 3. οὐδὲν φαινόμενον ἀγαθόν. ὁ γὰρ θεὸς ἡμῶν Ἰη- 3
σοῦς Χριστὸς ἐν πατρὶ ὢν μᾶλλον φαίνεται. οὐ πεισμονῆς τὸ ἔργον,
ἀλλὰ μεγέθους ἐστὶν ὁ Χριστιανισμὸς, ὅταν μισῆται ὑπὸ κόσμου.

IV. Ἐγὼ γράφω πάσαις ταῖς ἐκκλησίαις καὶ ἐντέλλομαι πᾶσιν, 1
ὅτι ἐγὼ ἑκὼν ὑπὲρ θεοῦ ἀποθνήσκω, ἐάνπερ ὑμεῖς μὴ κωλύσητε.
παρακαλῶ ὑμᾶς, μὴ εὔνοια ἄκαιρος γένησθέ μοι. ἄφετέ με θηρίων
εἶναι βοράν, δι᾽ ὧν ἔστιν θεοῦ ἐπιτυχεῖν. σῖτός εἰμι θεοῦ, καὶ δι᾽
ὀδόντων θηρίων ἀλήθομαι, ἵνα καθαρὸς ἄρτος εὑρεθῶ τοῦ Χριστοῦ.
2. μᾶλλον κολακεύσατε τὰ θηρία, ἵνα μοι τάφος γένωνται καὶ μηδὲν 2
καταλίπωσι τῶν τοῦ σώματός μου, ἵνα μὴ κοιμηθεὶς βαρύς τινι γένω-
μαι. τότε ἔσομαι μαθητὴς ἀληθὴς τοῦ Χριστοῦ, ὅτε οὐδὲ τὸ σῶμά
μου ὁ κόσμος ὄψεται. λιτανεύσατε τὸν Χριστὸν ὑπὲρ ἐμοῦ, ἵνα διὰ
τῶν ὀργάνων τούτων θεῷ θυσία εὑρεθῶ. 3. Οὐχ ὡς Πέτρος καὶ 3 He deprecates
Παῦλος διατάσσομαι ὑμῖν. ἐκεῖνοι ἀπόστολοι, ἐγὼ κατάκριτος· ἐκεῖνοι comparison between
ἐλεύθεροι, ἐγὼ δὲ μέχρι νῦν δοῦλος. ἀλλ᾽ ἐὰν πάθω, ἀπελεύθερος himself and apo-
Ἰησοῦ Χριστοῦ, καὶ ἀναστήσομαι ἐν αὐτῷ ἐλεύθερος. νῦν μανθάνω stles. Lardner
δεδεμένος μηδὲν ἐπιθυμεῖν. "Inspic." 362

V. Ἀπὸ Συρίας μέχρι Ῥώμης θηριομαχῶ διὰ γῆς καὶ θαλάσ- 1
σης, νυκτὸς καὶ ἡμέρας δεδεμένος δέκα λεοπάρδοις, ὅ ἐστι στρατιωτι-
κὸν τάγμα· οἳ καὶ εὐεργετούμενοι χείρους γίνονται. ἐν δὲ τοῖς ἀδικη-

---

IV, 3) I Cor. 9, 1.

μασιν αὐτῶν μᾶλλον μαθητεύομαι, ἀλλ᾽ οὐ παρὰ τοῦτο δεδικαίωμαι.

2 2. ὀναίμην τῶν θηρίων τῶν ἐμοὶ ἡτοιμασμένων, καὶ εὔχομαι σύντομά μοι εὑρεθῆναι· ἃ καὶ κολακεύσω, συντόμως με καταφαγεῖν, οὐχ ὥσπερ τινῶν δειλαινόμενα οὐχ ἥψαντο. κἂν αὐτὰ δὲ ἑκόντα μὴ θελήσῃ, 3 ἐγὼ προσβιάσομαι. 3. συγγνώμην μοι ἔχετε· τί μοι συμφέρει, ἐγὼ γινώσκω. νῦν ἄρχομαι μαθητὴς εἶναι. μηδέν με ζηλῶσαι τῶν ὁρατῶν καὶ ἀοράτων, ἵνα Ἰησοῦ Χριστοῦ ἐπιτύχω. πῦρ καὶ σταυρὸς θηρίων τε συστάσεις, ἀνατομαί, διαιρέσεις, σκορπισμοὶ ὀστέων, συγκοπὴ μελῶν, ἀλεσμοὶ ὅλου τοῦ σώματος, κακαὶ κολάσεις τοῦ διαβόλου ἐπ᾽ ἐμὲ ἐρχέσθωσαν, μόνον ἵνα Ἰησοῦ Χριστοῦ ἐπιτύχω.

1   VI. Οὐδέν μοι ὠφελήσει τὰ τερπνὰ τοῦ κόσμου, οὐδὲ αἱ βασιλεῖαι τοῦ αἰῶνος τούτου. καλόν μοι ἀποθανεῖν εἰς Χριστὸν Ἰησοῦν, ἢ βασιλεύειν τῶν περάτων τῆς γῆς. ἐκεῖνον ζητῶ, τὸν ὑπὲρ ἡμῶν ἀποθανόντα· ἐκεῖνον θέλω, τὸν δι᾽ ἡμᾶς ἀναστάντα. ὁ δὲ τοκετός 2 μοι ἐπίκειται. 2. σύγγνωτέ μοι, ἀδελφοί· μὴ ἐμποδίσητέ μοι ζῆσαι, μὴ θελήσητέ με ἀποθανεῖν· τὸν τοῦ θεοῦ θέλοντα εἶναι κόσμῳ μὴ χαρίσησθε μηδὲ ὕλῃ ἐξαπατήσητε· ἄφετέ με καθαρὸν φῶς λαβεῖν· 3 ἐκεῖ παραγενόμενος ἄνθρωπος ἔσομαι. 3. ἐπιτρέψατέ μοι μιμητὴν εἶναι τοῦ πάθους τοῦ θεοῦ μου. εἴ τις αὐτὸν ἐν ἑαυτῷ ἔχει, νοησάτω ὃ θέλω, καὶ συμπαθείτω μοι, εἰδὼς τὰ συνέχοντά με.

1   VII. Ὁ ἄρχων τοῦ αἰῶνος τούτου διαρπάσαι με βούλεται καὶ τὴν εἰς θεόν μου γνώμην διαφθεῖραι. μηδεὶς οὖν τῶν παρόντων ὑμῶν βοηθείτω αὐτῷ· μᾶλλον ἐμοῦ γίνεσθε, τουτέστιν τοῦ θεοῦ. μὴ λα-2 λεῖτε Ἰησοῦν Χριστόν, κόσμον δὲ ἐπιθυμεῖτε. 2. βασκανία ἐν ὑμῖν μὴ κατοικείτω. μηδ᾽ ἂν ἐγὼ παρὼν παρακαλῶ ὑμᾶς, πείσθητέ μοι· τούτοις δὲ μᾶλλον πείσθητε, οἷς γράφω ὑμῖν. ζῶν γὰρ γράφω ὑμῖν, ἐρῶν τοῦ ἀποθανεῖν. ὁ ἐμὸς ἔρως ἐσταύρωται, καὶ οὐκ ἔστιν ἐν ἐμοὶ πῦρ φιλόϋλον· ὕδωρ δὲ ζῶν καὶ λαλοῦν ἐν ἐμοί, ἔσωθέν μοι λέγον· 3 „δεῦρο πρὸς τὸν πατέρα". 3. οὐχ ἥδομαι τροφῇ φθορᾶς, οὐδὲ ἡδοναῖς τοῦ βίου τούτου. ἄρτον θεοῦ θέλω, ὅ ἐστιν σὰρξ Ἰησοῦ Χριστοῦ, τοῦ ἐκ σπέρματος Δαβίδ, καὶ πόμα θέλω τὸ αἷμα αὐτοῦ, ὅ ἐστιν ἀγάπη ἄφθαρτος.

Cred.

V, 1) I Cor. 4, 4. — VI, 1) Mt. 16, 26.

VIII. Οὐκέτι θέλω κατὰ ἀνθρώπους ζῆν. τοῦτο δὲ ἔσται, ἐὰν 1
ὑμεῖς θελήσητε. θελήσατε, ἵνα καὶ ὑμεῖς θεληθῆτε. 2. δι' ὀλίγων 2
γραμμάτων αἰτοῦμαι ὑμᾶς· πιστεύσατέ μοι. Ἰησοῦς δὲ Χριστὸς ὑμῖν
ταῦτα φανερώσει, ὅτι ἀληθῶς λέγω, τὸ ἀψευδὲς στόμα, ἐν ᾧ ὁ πατηρ
ἐλάλησεν ἀληθῶς. 3. αἰτήσασθε περὶ ἐμοῦ, ἵνα ἐπιτύχω. οὐ κατὰ 3
σάρκα ὑμῖν ἔγραψα, ἀλλὰ κατὰ γνώμην θεοῦ. ἐὰν πάθω, ἠθελήσατε·
ἐὰν ἀποδοκιμασθῶ, ἐμισήσατε.

IX. Μνημονεύετε ἐν τῇ προσευχῇ ὑμῶν τῆς ἐν Συρίᾳ ἐκκλησίας, 1
ἥτις ἀντὶ ἐμοῦ ποιμένι τῷ θεῷ χρῆται. μόνος αὐτὴν Ἰησοῦς Χριστὸς
ἐπισκοπήσει, καὶ ἡ ὑμῶν ἀγάπη. 2. ἐγὼ δὲ αἰσχύνομαι ἐξ αὐτῶν 2
λέγεσθαι· οὐδὲ γὰρ ἄξιός εἰμι, ὢν ἔσχατος αὐτῶν καὶ ἔκτρωμα. ἀλλ'
ἠλέημαί τις εἶναι, ἐὰν θεοῦ ἐπιτύχω. 3. Ἀσπάζεται ὑμᾶς τὸ ἐμὸν 3
πνεῦμα καὶ ἡ ἀγάπη τῶν ἐκκλησιῶν τῶν δεξαμένων με εἰς ὄνομα
Ἰησοῦ Χριστοῦ, οὐχ ὡς παροδεύοντα. καὶ γὰρ αἱ μὴ προσήκουσαί
μοι τῇ ὁδῷ, τῇ κατὰ σάρκα, κατὰ πόλιν με προῆγον.

X. Γράφω δὲ ὑμῖν ταῦτα ἀπὸ Σμύρνης δι' Ἐφεσίων τῶν ἀξιο- 1
μακαρίστων. ἔστιν δὲ καὶ ἅμα ἐμοὶ σὺν ἄλλοις πολλοῖς καὶ Κρόκος,
τὸ ποθητόν μοι ὄνομα. 2. περὶ τῶν προελθόντων με ἀπὸ Συρίας εἰς 2
Ῥώμην εἰς δόξαν τοῦ θεοῦ, πιστεύω ὑμᾶς ἐπεγνωκέναι, οἷς καὶ δη-
λώσατε ἐγγύς με ὄντα. πάντες γάρ εἰσιν ἄξιοι τοῦ θεοῦ καὶ ὑμῶν·
οὓς πρέπον ὑμῖν ἐστὶν κατὰ πάντα ἀναπαῦσαι. 3. ἔγραψα δὲ ὑμῖν 3
ταῦτα τῇ πρὸ ἐννέα καλανδῶν Σεπτεμβρίων. ἔρρωσθε εἰς τέλος ἐν
ὑπομονῇ Ἰησοῦ Χριστοῦ.

Written from Alexandria Troas.

ΦΙΛΑΔΕΛΦΕΥΣΙΝ ΙΓΝΑΤΙΟΣ.

Ἰγνάτιος, ὁ καὶ Θεοφόρος, ἐκκλησίᾳ θεοῦ πατρος καὶ κυρίου Ἰησοῦ
Χριστοῦ, τῇ οὔσῃ ἐν Φιλαδελφίᾳ τῆς Ἀσίας, ἠλεημένῃ καὶ
ἡδρασμένῃ ἐν ὁμονοίᾳ θεοῦ καὶ ἀγαλλιωμένῃ ἐν τῷ πάθει τοῦ
κυρίου ἡμῶν ἀδιακρίτως, καὶ ἐν τῇ ἀναστάσει αὐτοῦ πεπληρο-

IX, 2) I Cor. 15, 8.

φορημένη ἐν παντὶ ἐλέει· ἣν ἀσπάζομαι ἐν αἵματι Ἰησοῦ Χρι-
στοῦ· ἥτις ἐστὶν χαρὰ αἰώνιος καὶ παράμονος, μάλιστα ἐὰν ἐν
ἑνὶ ὦσιν σὺν τῷ ἐπισκόπῳ καὶ τοῖς σὺν αὐτῷ πρεσβυτέροις καὶ
διακόνοις, ἀποδεδειγμένοις ἐν γνώμῃ Ἰησοῦ Χριστοῦ, οὓς κατὰ
τὸ ἴδιον θέλημα ἐστήριξεν ἐν βεβαιωσύνῃ τῷ ἁγίῳ αὐτοῦ
πνεύματι.

1   I. Ὃν ἐπίσκοπον ἔγνων οὐκ ἀφ᾽ ἑαυτοῦ οὐδὲ δι᾽ ἀνθρώπων
κεκτῆσθαι τὴν διακονίαν τὴν εἰς τὸ κοινὸν ἀνήκουσαν οὐδὲ κατὰ
κενοδοξίαν, ἀλλ᾽ ἐν ἀγάπῃ θεοῦ πατρὸς καὶ κυρίου Ἰησοῦ Χριστοῦ·
οὗ καταπέπληγμαι τὴν ἐπιείκειαν, ὃς σιγῶν πλείονα δύναται τῶν μά-
2   ταια λαλούντων. 2. συνευρύθμισται γὰρ ταῖς ἐντολαῖς, ὡς χορδαῖς
κιθάρα. διὸ μακαρίζει μου ἡ ψυχὴ τὴν εἰς θεὸν αὐτοῦ γνώμην,
ἐπιγνοὺς ἐνάρετον καὶ τέλειον οὖσαν, τὸ ἀκίνητον αὐτοῦ καὶ τὸ ἀόρ-
γητον αὐτοῦ, ἐν πάσῃ ἐπιεικείᾳ θεοῦ ζῶντος.

1   II. Τέκνα οὖν φωτὸς ἀληθείας, φεύγετε τὸν μερισμὸν καὶ τὰς
κακοδιδασκαλίας· ὅπου δὲ ὁ ποιμήν ἐστιν, ἐκεῖ ὡς πρόβατα ἀκολου-
2   θεῖτε. 2. πολλοὶ γὰρ λύκοι ἀξιόπιστοι ἡδονῇ κακῇ αἰχμαλωτίζουσιν
τοὺς θεοδρόμους· ἀλλ᾽ ἐν τῇ ἑνότητι ὑμῶν οὐκ ἕξουσι τόπον.

1   III. Ἀπέχεσθε τῶν κακῶν βοτανῶν, ἅστινας οὐ γεωργεῖ Ἰησοῦς
Χριστὸς, διὰ τὸ μὴ εἶναι αὐτοὺς φυτείαν πατρός· οὐχ ὅτι παρ᾽ ὑμῖν
2   μερισμὸν εὗρον, ἀλλ᾽ ἀποδιϋλισμόν. 2. ὅσοι γὰρ θεοῦ εἰσὶν καὶ Ἰησοῦ
Χριστοῦ, οὗτοι μετὰ τοῦ ἐπισκόπου εἰσίν· καὶ ὅσοι ἂν μετανοήσαντες
ἔλθωσιν ἐπὶ τὴν ἑνότητα τῆς ἐκκλησίας, καὶ οὗτοι θεοῦ ἔσονται, ἵνα
3   ὦσιν κατὰ Ἰησοῦν Χριστὸν ζῶντες. 3. μὴ πλανᾶσθε, ἀδελφοί μου·
εἴ τις σχίζοντι ἀκολουθεῖ, βασιλείαν θεοῦ οὐ κληρονομεῖ· εἴ τις ἐν
ἀλλοτρίᾳ γνώμῃ περιπατεῖ, οὗτος τῷ πάθει οὐ συγκατατίθεται.

IV. Σπουδάσατε οὖν μιᾷ εὐχαριστίᾳ χρῆσθαι· μία γὰρ σὰρξ τοῦ
κυρίου ἡμῶν Ἰησοῦ Χριστοῦ, καὶ ἓν ποτήριον εἰς ἕνωσιν τοῦ αἵματος
αὐτοῦ· ἓν θυσιαστήριον, ὡς εἷς ἐπίσκοπος ἅμα τῷ πρεσβυτερίῳ καὶ
διακόνοις, τοῖς συνδούλοις μου· ἵνα, ὃ ἐὰν πράσσητε, κατὰ θεὸν
πράσσητε.

1   V. Ἀδελφοί μου, λίαν ἐκκέχυμαι ἀγαπῶν ὑμᾶς, καὶ ὑπεραγαλ-

---

I, 1) Gal. 1, 1. — III, 1) Mt. 15, 13. — 3) I Cor. 6, 9. 10.

λόμενος ἀσφαλίζομαι ὑμᾶς· οὐκ ἐγὼ δὲ, ἀλλ᾽ Ἰησοῦς Χριστὸς, ἐν ᾧ
δεδεμένος φοβοῦμαι μᾶλλον, ὡς ἔτι ὢν ἀναπάρτιστος· ἀλλ᾽ ἡ προσ-
ευχὴ ὑμῶν εἰς θεόν με ἀπαρτίσει, ἵνα ἐν ᾧ κλήρῳ ἠλεήθην ἐπιτύχω,
προσφυγὼν τῷ εὐαγγελίῳ ὡς σαρκὶ Ἰησοῦ, καὶ τοῖς ἀποστόλοις ὡς
πρεσβυτερίῳ ἐκκλησίας. 2. Καὶ τοὺς προφήτας δὲ ἀγαπῶμεν διὰ τὸ 2
καὶ αὐτοὺς εἰς τὸ εὐαγγέλιον κατηγγελκέναι καὶ εἰς αὐτὸν ἐλπίζειν
καὶ αὐτὸν ἀναμένειν· ἐν ᾧ καὶ πιστεύσαντες ἐσώθησαν, ἐν ἑνότητι
Ἰησοῦ Χριστοῦ ὄντες, ἀξιαγάπητοι καὶ ἀξιοθαύμαστοι ἅγιοι, ὑπὸ Ἰη-
σοῦ Χριστοῦ μεμαρτυρημένοι καὶ συνηριθμημένοι ἐν τῷ εὐαγγελίῳ
τῆς κοινῆς ἐλπίδος.

VI. Ἐὰν δέ τις Ἰουδαϊσμὸν ἑρμηνεύῃ ὑμῖν, μὴ ἀκούετε αὐτοῦ. 1
ἄμεινον γάρ ἐστιν παρὰ ἀνδρὸς περιτομὴν ἔχοντος Χριστιανισμὸν
ἀκούειν, ἢ παρὰ ἀκροβύστου Ἰουδαϊσμόν. ἐὰν δὲ ἀμφότεροι περὶ
Ἰησοῦ Χριστοῦ μὴ λαλῶσιν, οὗτοι ἐμοὶ στῆλαί εἰσιν καὶ τάφοι νεκρῶν,
ἐφ᾽ οἷς γέγραπται μόνον ὀνόματα ἀνθρώπων. 2. φεύγετε οὖν τὰς 2
κακοτεχνίας καὶ ἐνέδρας τοῦ ἄρχοντος τοῦ αἰῶνος τούτου, μήποτε
θλιβέντες τῇ γνώμῃ αὐτοῦ ἐξασθενήσετε ἐν τῇ ἀγάπῃ. ἀλλὰ πάντες
ἐπὶ τὸ αὐτὸ γίνεσθε ἐν ἀμερίστῳ καρδίᾳ. 3. Εὐχαριστῶ δὲ τῷ θεῷ 3
μου, ὅτι εὐσυνείδητός εἰμι ἐν ὑμῖν, καὶ οὐκ ἔχει τις καυχήσασθαι
οὔτε λάθρα, οὔτε φανερῶς, ὅτι ἐβάρησά τινα ἐν μικρῷ ἢ ἐν μεγάλῳ.
καὶ πᾶσι δὲ, ἐν οἷς ἐλάλησα, εὔχομαι, ἵνα μὴ εἰς μαρτύριον αὐτὸ
κτήσωνται.

VII. Εἰ γὰρ καὶ κατὰ σάρκα μέ τινες ἠθέλησαν πλανῆσαι, ἀλλὰ 1
τὸ πνεῦμα οὐ πλανᾶται, ἀπὸ θεοῦ ὄν. οἶδεν γὰρ, πόθεν ἔρχεται,
καὶ ποῦ ὑπάγει, καὶ τὰ κρυπτὰ ἐλέγχει. ἐκραύγασα, μεταξὺ ὢν ἐλά-
λουν, μεγάλῃ φωνῇ, θεοῦ φωνῇ· „τῷ ἐπισκόπῳ προσέχετε καὶ τῷ
πρεσβυτερίῳ καὶ διακόνοις". 2. εἰ δὲ ὑπώπτευσάν τινές με ὥσπερ 2
εἰδότα τὸν μερισμόν τινων λέγειν ταῦτα, μάρτυς δέ μοι, ἐν ᾧ δέδε-
μαι, ὅτι ἀπὸ σαρκὸς ἀνθρωπίνης οὐκ ἔγνων. τὸ δὲ πνεῦμα ἐκήρυσ-
σεν, λέγον τάδε· „χωρὶς τοῦ ἐπισκόπου μηδὲν ποιεῖτε· τὴν σάρκα
ὑμῶν ὡς ναὸν θεοῦ τηρεῖτε· τὴν ἕνωσιν ἀγαπᾶτε, τοὺς μερισμοὺς
φεύγετε· μιμηταὶ γίνεσθε Ἰησοῦ Χριστοῦ, ὡς καὶ αὐτὸς τοῦ πατρὸς
αὐτοῦ".

VII, 1) Ioann. 3, 8.

1   VIII. Ἐγὼ μὲν οὖν τὸ ἴδιον ἐποίουν, ὡς ἄνθρωπος εἰς ἕνωσιν
κατηρτισμένος. οὗ δὲ μερισμός ἐστιν καὶ ὀργὴ, θεὸς οὐ κατοικεῖ.
πᾶσιν οὖν μετανοοῦσιν ἀφίει ὁ κύριος, ἐὰν μετανοήσωσιν εἰς ἑνότητα
θεοῦ καὶ συνέδριον τοῦ ἐπισκόπου. πιστεύω τῇ χάριτι Ἰησοῦ Χρι-
2 στοῦ, ὃς λύσει ἀφ᾿ ὑμῶν πάντα δεσμόν. 2. Παρακαλῶ δὲ ὑμᾶς, μη-
δὲν κατ᾿ ἐρίθειαν πράσσειν, ἀλλὰ κατὰ χριστομαθίαν· ἐπεὶ ἤκουσά
τινων λεγόντων, ὅτι „ἐὰν μὴ ἐν τοῖς ἀρχείοις εὕρω, ἐν τῷ εὐαγγελίῳ,
οὐ πιστεύω“· καὶ λέγοντός μου αὐτοῖς, ὅτι „γέγραπται“, ἀπεκρίθησάν
μοι, ὅτι „πρόκειται“. ἐμοὶ δὲ ἀρχεῖά ἐστιν Ἰησοῦς Χριστός, τὰ ἄθικτα
ἀρχεῖα ὁ σταυρὸς αὐτοῦ καὶ ὁ θάνατος καὶ ἡ ἀνάστασις αὐτοῦ καὶ
ἡ πίστις ἡ δι᾿ αὐτοῦ· ἐν οἷς θέλω ἐν τῇ προσευχῇ ὑμῶν δικαιωθῆναι.

1   IX. Καλοὶ καὶ οἱ ἱερεῖς, κρείσσων δὲ ὁ ἀρχιερεὺς ὁ πεπιστευ-
μένος τὰ ἅγια τῶν ἁγίων, ὃς μόνος πεπίστευται τὰ κρυπτὰ τοῦ θεοῦ·
αὐτὸς ὢν θύρα τοῦ πατρός, δι᾿ ἧς εἰσέρχονται Ἀβραὰμ καὶ Ἰσαὰκ
καὶ Ἰακὼβ καὶ οἱ προφῆται καὶ οἱ ἀπόστολοι καὶ ἡ ἐκκλησία. πάντα
2 ταῦτα εἰς ἑνότητα θεοῦ. 2. ἐξαίρετον δέ τι ἔχει τὸ εὐαγγέλιον, τὴν
παρουσίαν τοῦ σωτῆρος, κυρίου ἡμῶν Ἰησοῦ Χριστοῦ, τὸ πάθος αὐτοῦ
καὶ τὴν ἀνάστασιν. οἱ γὰρ ἀγαπητοὶ προφῆται κατήγγειλαν εἰς αὐτόν·
τὸ δὲ εὐαγγέλιον ἀπάρτισμά ἐστιν ἀφθαρσίας. πάντα ὁμοῦ καλά ἐστιν,
ἐὰν ἐν ἀγάπῃ πιστεύητε.

1   X. Ἐπειδὴ κατὰ τὴν προσευχὴν ὑμῶν καὶ κατὰ τὰ σπλάγχνα,
ἃ ἔχετε ἐν Χριστῷ Ἰησοῦ, ἀπηγγέλη μοι, εἰρηνεύειν τὴν ἐκκλησίαν
τὴν ἐν Ἀντιοχείᾳ τῆς Συρίας, πρέπον ἐστὶν ὑμῖν ὡς ἐκκλησίᾳ θεοῦ,
χειροτονῆσαι διάκονον εἰς τὸ πρεσβεῦσαι ἐκεῖ θεοῦ πρεσβείαν, εἰς τὸ
συγχαρῆναι αὐτοῖς ἐπὶ τὸ αὐτὸ γενομένοις καὶ δοξάσαι τὸ ὄνομα.
2 2. μακάριος ἐν Ἰησοῦ Χριστῷ, ὃς καταξιωθήσεται τῆς τοιαύτης δια-
κονίας· καὶ ὑμεῖς δοξασθήσεσθε. θέλουσιν δὲ ὑμῖν οὐκ ἔστιν ἀδύνα-
τον ὑπὲρ ὀνόματος θεοῦ· ὡς καὶ αἱ ἔγγιστα ἐκκλησίαι ἔπεμψαν ἐπι-
σκόπους, αἱ δὲ πρεσβυτέρους καὶ διακόνους.

1   XI. Περὶ δὲ Φίλωνος τοῦ διακόνου ἀπὸ Κιλικίας, ἀνδρὸς μεμαρ-
τυρημένου, ὃς καὶ νῦν ἐν λόγῳ θεοῦ ὑπηρετεῖ μοι ἅμα Ῥέῳ
Ἀγαθόποδι, ἀνδρὶ ἐκλεκτῷ, ὃς ἀπὸ Συρίας μοι ἀκολουθεῖ, ἀπο-
ταξάμενος τῷ βίῳ, οἳ καὶ μαρτυροῦσιν ὑμῖν, κἀγὼ τῷ θεῷ εὐχαριστῶ
ὑπὲρ ὑμῶν, ὅτι ἐδέξασθε αὐτούς, ὡς καὶ ὑμᾶς ὁ κύριος. οἱ δὲ ἀτι-

μάσαντες αὐτοὺς λυτρωθείησαν ἐν τῇ χάριτι τοῦ Ἰησοῦ Χριστοῦ. 2. ἀσπάζεται ὑμᾶς ἡ ἀγάπη τῶν ἀδελφῶν τῶν ἐν Τρωάδι· ὅθεν καὶ 2 γράφω ὑμῖν διὰ Βούρρου, πεμφθέντος ἅμα ἐμοὶ ἀπὸ Ἐφεσίων καὶ Σμυρναίων εἰς λόγον τιμῆς. τιμήσει αὐτοὺς ὁ κύριος Ἰησοῦς Χριστὸς, εἰς ὃν ἐλπίζουσιν σαρκὶ, ψυχῇ, πίστει, ἀγάπῃ, ὁμονοίᾳ. ἔρρωσθε ἐν Χριστῷ Ἰησοῦ, τῇ κοινῇ ἐλπίδι ἡμῶν.

Written from Alexandria Troas.

ΣΜΥΡΝΑΙΟΙΣ ΙΓΝΑΤΙΟΣ.

Ἰγνάτιος, ὁ καὶ Θεοφόρος, ἐκκλησίᾳ θεοῦ πατρὸς καὶ τοῦ ἠγαπημένου Ἰησοῦ Χριστοῦ, ἠλεημένῃ ἐν παντὶ χαρίσματι, πεπληρωμένῃ ἐν πίστει καὶ ἀγάπῃ, ἀνυστερήτῳ οὔσῃ παντὸς χαρίσματος, θεοπρεπεστάτῃ καὶ ἁγιοφόρῳ, τῇ οὔσῃ ἐν Σμύρνῃ τῆς Ἀσίας, ἐν ἀμώμῳ πνεύματι καὶ λόγῳ θεοῦ πλεῖστα χαίρειν.

I. Δοξάζων Ἰησοῦν Χριστὸν τὸν θεὸν, τὸν οὕτως ὑμᾶς σοφί- 1 σαντα· ἐνόησα γὰρ ὑμᾶς κατηρτισμένους ἐν ἀκινήτῳ πίστει, ὥσπερ καθηλωμένους ἐν τῷ σταυρῷ τοῦ κυρίου Ἰησοῦ Χριστοῦ σαρκί τε καὶ πνεύματι καὶ ἡδρασμένους ἐν ἀγάπῃ ἐν τῷ αἵματι Χριστοῦ, πεπληροφορημένους εἰς τὸν κύριον ἡμῶν, ἀληθῶς ὄντα ἐκ γένους Δαβὶδ _Creed._ κατὰ σάρκα, υἱὸν θεοῦ κατὰ θέλημα καὶ δύναμιν θεοῦ γεγεννημένον ἀληθῶς ἐκ παρθένου, βεβαπτισμένον ὑπὸ Ἰωάννου, ἵνα πληρωθῇ πᾶσα δικαιοσύνη ὑπ᾽ αὐτοῦ· 2. ἀληθῶς ἐπὶ Ποντίου Πιλάτου καὶ 2 Ἡρώδου τετράρχου καθηλωμένον ὑπὲρ ἡμῶν ἐν σαρκί — ἀφ᾽ οὗ καρποῦ ἡμεῖς, ἀπὸ τοῦ θεομακαρίτου αὐτοῦ πάθους —, ἵνα ἄρῃ σύσσημον εἰς τοὺς αἰῶνας διὰ τῆς ἀναστάσεως εἰς τοὺς ἁγίους καὶ πιστοὺς αὐτοῦ εἴτε ἐν Ἰουδαίοις, εἴτε ἐν ἔθνεσιν ἐν ἑνὶ σώματι τῆς ἐκκλησίας αὐτοῦ.

II. Ταῦτα γὰρ πάντα ἔπαθεν δι᾽ ἡμᾶς, ἵνα σωθῶμεν· καὶ ἀληθῶς ἔπαθεν, ὡς καὶ ἀληθῶς ἀνέστησεν ἑαυτὸν, οὐχ ὥσπερ ἄπιστοί τινες λέγουσιν, τὸ δοκεῖν αὐτὸν πεπονθέναι, αὐτοὶ τὸ δοκεῖν ὄντες·

I, 1) Rom. 1, 4.   Mt. 3, 15. — 2) Ies. 5, 26.

καὶ καθὼς φρονοῦσιν καὶ συμβήσεται αὐτοῖς, οὖσιν ἀσωμάτοις καὶ δαιμονικοῖς.

1 III. Ἐγὼ γὰρ καὶ μετὰ τὴν ἀνάστασιν ἐν σαρκὶ αὐτὸν οἶδα καὶ
2 πιστεύω ὄντα. 2. Καὶ ὅτε πρὸς τοὺς περὶ Πέτρον ἦλθεν, ἔφη αὐτοῖς·
λάβετε, ψηλαφή σατέ με καὶ ἴδετε, ὅτι οὐκ εἰμὶ δαιμόνιον ἀσώ-
ματον. καὶ εὐθὺς αὐτοῦ ἥψαντο καὶ ἐπίστευσαν, κραθέντες τῇ σαρκὶ
αὐτοῦ καὶ τῷ πνεύματι. διὰ τοῦτο καὶ θανάτου κατεφρόνησαν,
3 ηὑρέθησαν δὲ ὑπὲρ θάνατον. 3. μετὰ δὲ τὴν ἀνάστασιν συνέφαγεν
αὐτοῖς καὶ συνέπιεν ὡς σαρκικὸς, καίπερ πνευματικῶς ἡνωμένος τῷ
πατρί.

1 IV. Ταῦτα δὲ παραινῶ ὑμῖν, ἀγαπητοί, εἰδὼς ὅτι καὶ ὑμεῖς
οὕτως ἔχετε. προφυλάσσω δὲ ὑμᾶς ἀπὸ τῶν θηρίων τῶν ἀνθρωπο-
μόρφων, οὓς οὐ μόνον δεῖ ὑμᾶς μὴ παραδέχεσθαι, ἀλλ᾽ εἰ δυνατὸν
μηδὲ συναντᾶν, μόνον δὲ προσεύχεσθαι ὑπὲρ αὐτῶν, ἐάν πως μετα-
νοήσωσιν, ὅπερ δύσκολον. τούτου δὲ ἔχει ἐξουσίαν Ἰησοῦς Χριστὸς,
2 τὸ ἀληθινὸν ἡμῶν ζῆν. 2. εἰ γὰρ τὸ δοκεῖν ταῦτα ἐπράχθη ὑπὸ
τοῦ κυρίου ἡμῶν, κἀγὼ τὸ δοκεῖν δέδεμαι. τί δὲ καὶ ἑαυτὸν ἔκδοτον
δέδωκα τῷ θανάτῳ, πρὸς πῦρ, πρὸς μάχαιραν, πρὸς θηρία; ἀλλ᾽
ἐγγὺς μαχαίρας ἐγγὺς θεοῦ, μεταξὺ θηρίων μεταξὺ θεοῦ· μόνον ἐν
τῷ ὀνόματι Ἰησοῦ Χριστοῦ. εἰς τὸ συμπαθεῖν αὐτῷ πάντα ὑπομενῶ,
αὐτοῦ με ἐνδυναμοῦντος τοῦ τελείου ἀνθρώπου γενομένου.

1 V. Ὃν τινες ἀγνοοῦντες ἀρνοῦνται, μᾶλλον δὲ ἠρνήθησαν ὑπ᾽
αὐτοῦ, ὄντες συνήγοροι τοῦ θανάτου μᾶλλον ἢ τῆς ἀληθείας· οὓς
οὐκ ἔπεισαν αἱ προφητεῖαι οὐδὲ ὁ νόμος Μωσέως, ἀλλ᾽ οὐδὲ μέχρι
νῦν τὸ εὐαγγέλιον οὐδὲ τὰ ἡμέτερα τῶν κατ᾽ ἄνδρα παθήματα.
2 2. καὶ γὰρ περὶ ἡμῶν τὸ αὐτὸ φρονοῦσιν. τί γάρ με ὠφελεῖ τις, εἰ
ἐμὲ ἐπαινεῖ, τὸν δὲ κύριόν μου βλασφημεῖ, μὴ ὁμολογῶν αὐτὸν σαρ-
κοφόρον; ὁ δὲ τοῦτο μὴ λέγων τελείως αὐτὸν ἀπήρνηται, ὢν νεκρο-
3 φόρος. 3. τὰ δὲ ὀνόματα αὐτῶν, ὄντα ἄπιστα, οὐκ ἔδοξέν μοι
ἐγγράψαι. ἀλλὰ μηδὲ γένοιτό μοι αὐτῶν μνημονεύειν, μέχρις οὗ με-
τανοήσωσιν εἰς τὸ πάθος, ὅ ἐστιν ἡμῶν ἀνάστασις.

1 VI. Μηδεὶς πλανάσθω· καὶ τὰ ἐπουράνια καὶ ἡ δόξα τῶν ἀγγέ-

III, 2) unde? — 3) Act. 10, 41.

λων καὶ οἱ ἄρχοντες ὁρατοί τε καὶ ἀόρατοι, ἐὰν μὴ πιστεύσωσιν εἰς
τὸ αἶμα Χριστοῦ, κἀκείνοις κρίσις ἐστίν. ὁ χωρῶν χωρείτω. τόπος
μηδένα φυσιούτω· τὸ γὰρ ὅλον ἐστὶν πίστις καὶ ἀγάπη, ὧν οὐδὲν
προκέκριται. 2. Καταμάθετε δὲ τοὺς ἑτεροδοξοῦντας εἰς τὴν χάριν 2
Ἰησοῦ Χριστοῦ τὴν εἰς ἡμᾶς ἐλθοῦσαν, πῶς ἐναντίοι εἰσὶν τῇ γνώμῃ
τοῦ θεοῦ. περὶ ἀγάπης οὐ μέλει αὐτοῖς, οὐ περὶ χήρας, οὐ περὶ
ὀρφανοῦ, οὐ περὶ θλιβομένου, οὐ περὶ δεδεμένου ἢ λελυμένου, οὐ περὶ
πεινῶντος ἢ διψῶντος.

VII. Εὐχαριστίας καὶ προσευχῆς ἀπέχονται διὰ τὸ μὴ ὁμολο- 1
γεῖν, τὴν εὐχαριστίαν σάρκα εἶναι τοῦ σωτῆρος ἡμῶν Ἰησοῦ Χριστοῦ,
τὴν ὑπὲρ τῶν ἁμαρτιῶν ἡμῶν παθοῦσαν, ἣν τῇ χρηστότητι ὁ πατὴρ
ἤγειρεν. οἱ οὖν ἀντιλέγοντες τῇ δωρεᾷ τοῦ θεοῦ συζητοῦντες
ἀποθνήσκουσιν. συνέφερε δὲ αὐτοῖς ἀγαπᾶν, ἵνα καὶ ἀναστῶσιν.
2. πρέπον οὖν ἐστιν ἀπέχεσθαι τῶν τοιούτων καὶ μήτε κατ᾽ ἰδίαν 2
περὶ αὐτῶν λαλεῖν μήτε κοινῇ, προσέχειν δὲ τοῖς προφήταις, ἐξαιρέτως
δὲ τῷ εὐαγγελίῳ, ἐν ᾧ τὸ πάθος ἡμῖν δεδήλωται, καὶ ἡ ἀνάστασις
τετελείωται. τοὺς δὲ μερισμοὺς φεύγετε ὡς ἀρχὴν κακῶν.

VIII. Πάντες τῷ ἐπισκόπῳ ἀκολουθεῖτε, ὡς Ἰησοῦς Χριστὸς τῷ 1
πατρί, καὶ τῷ πρεσβυτερίῳ ὡς τοῖς ἀποστόλοις· τοὺς δὲ διακόνους
ἐντρέπεσθε, ὡς θεοῦ ἐντολήν. μηδεὶς χωρὶς τοῦ ἐπισκόπου τι πρασ-
σέτω τῶν ἀνηκόντων εἰς τὴν ἐκκλησίαν. ἐκείνη βεβαία εὐχαριστία
ἡγείσθω, ἡ ὑπὸ τὸν ἐπίσκοπον οὖσα, ἢ ᾧ ἂν αὐτὸς ἐπιτρέψῃ.
2. ὅπου ἂν φανῇ ὁ ἐπίσκοπος, ἐκεῖ τὸ πλῆθος ἔστω· ὥσπερ ὅπου ἂν 2
ᾖ Χριστὸς Ἰησοῦς, ἐκεῖ ἡ καθολικὴ ἐκκλησία. οὐκ ἐξόν ἐστιν χωρὶς _The earliest use of_
τοῦ ἐπισκόπου οὔτε βαπτίζειν οὔτε ἀγάπην ποιεῖν· ἀλλ᾽ ὃ ἂν ἐκεῖνος _word catholic in con-_
δοκιμάσῃ, τοῦτο καὶ τῷ θεῷ εὐάρεστον, ἵνα ἀσφαλὲς ᾖ καὶ βέβαιον _nection with church_
πᾶν ὃ πράσσεται. _& refers to Χ[χ]iauity in_
general.

IX. Εὔλογόν ἐστιν λοιπὸν ἀνανῆψαι καὶ, ὡς ἔτι καιρὸν ἔχομεν, 1
εἰς θεὸν μετανοεῖν. καλῶς ἔχει, θεὸν καὶ ἐπίσκοπον εἰδέναι. ὁ τιμῶν
ἐπίσκοπον ὑπὸ θεοῦ τετίμηται· ὁ λάθρα ἐπισκόπου τι πράσσων τῷ
διαβόλῳ λατρεύει 2. Πάντα οὖν ὑμῖν ἐν χάριτι περισσευέτω· ἄξιοι 2
γάρ ἐστε. κατὰ πάντα με ἀνεπαύσατε, καὶ ὑμᾶς Ἰησοῦς Χριστός.

VI, 1) Mt. 19, 12.

ἀπόντα με καὶ παρόντα ἠγαπήσατε· ἀμείβοι ὑμῖν θεός, δι᾽ ὃν πάντα
ὑπομένοντες αὐτοῦ τεύξεσθε.

1   X. Φίλωνα καὶ Ῥέον Ἀγαθόπουν, οἳ ἐπηκολούθησάν μοι εἰς λό-
γον θεοῦ, καλῶς ἐποιήσατε ὑποδεξάμενοι ὡς διακόνους Χριστοῦ θεοῦ·
οἳ καὶ εὐχαριστοῦσιν τῷ κυρίῳ ὑπὲρ ὑμῶν, ὅτι αὐτοὺς ἀνεπαύσατε
2 κατὰ πάντα τρόπον. οὐδὲν ὑμῖν οὐ μὴ ἀπολεῖται. 2. ἀντίψυχον ὑμῶν
τὸ πνεῦμά μου καὶ τὰ δεσμά μου, ἃ οὐχ ὑπερηφανήσατε οὐδὲ ἐπῃσχύν-
θητε. οὐδὲ ὑμᾶς ἐπαισχυνθήσεται ἡ τελεία πίστις, Ἰησοῦς Χριστός.

1   XI. Ἡ προσευχὴ ὑμῶν ἀπῆλθεν ἐπὶ τὴν ἐκκλησίαν τὴν ἐν Ἀν-
τιοχείᾳ τῆς Συρίας· ὅθεν δεδεμένος θεοπρεπεστάτοις δεσμοῖς, πάντας
ἀσπάζομαι, οὐκ ὢν ἄξιος ἐκεῖθεν εἶναι, ἔσχατος αὐτῶν ὤν· κατὰ
θέλημα δὲ κατηξιώθην, οὐκ ἐκ συνειδότος, ἀλλ᾽ ἐκ χάριτος θεοῦ, ἣν
εὔχομαι τελείαν μοι δοθῆναι, ἵνα ἐν τῇ προσευχῇ ὑμῶν θεοῦ ἐπι-
2 τύχω. 2. ἵνα οὖν τέλειον ὑμῶν γένηται τὸ ἔργον καὶ ἐπὶ γῆς καὶ ἐν
οὐρανῷ, πρέπει εἰς τιμὴν θεοῦ χειροτονῆσαι τὴν ἐκκλησίαν ὑμῶν θεο-
πρεσβευτήν, εἰς τὸ γενόμενον ἕως Συρίας συγχαρῆναι αὐτοῖς, ὅτι εἰρη-
νεύουσιν καὶ ἀπέλαβον τὸ ἴδιον μέγεθος, καὶ ἀπεκατεστάθη αὐτοῖς τὸ
3 ἴδιον σωμάτιον. 3. ἐφάνη μοι οὖν ἄξιον πρᾶγμα, πέμψαι τινὰ τῶν
ὑμετέρων μετ᾽ ἐπιστολῆς, ἵνα συνδοξάσῃ τὴν κατὰ θεὸν αὐτοῖς γενο-
μένην εὐδίαν, καὶ ὅτι λιμένος ἤδη ἐτύγχανεν τῇ προσευχῇ ὑμῶν.
τέλειοι ὄντες, τέλεια καὶ φρονεῖτε. θέλουσιν γὰρ ὑμῖν εὖ πράσσειν
θεὸς ἕτοιμος εἰς τὸ παρασχεῖν.

1   XII. Ἀσπάζεται ὑμᾶς ἡ ἀγάπη τῶν ἀδελφῶν τῶν ἐν Τρωάδι·
ὅθεν καὶ γράφω ὑμῖν διὰ Βούρρου, ὃν ἀπεστείλατε μετ᾽ ἐμοῦ ἅμα
Ἐφεσίοις, τοῖς ἀδελφοῖς ὑμῶν, ὃς κατὰ πάντα με ἀνέπαυσεν. καὶ
ὄφελον πάντες αὐτὸν ἐμιμοῦντο, ὄντα ἐξεμπλάριον θεοῦ διακονίας.
2 ἀμείψεται αὐτὸν ἡ χάρις κατὰ πάντα. 2. Ἀσπάζομαι τὸν ἀξιόθεον
ἐπίσκοπον καὶ θεοπρεπὲς πρεσβυτέριον, τοὺς συνδούλους μου διακόνους
καὶ τοὺς κατ᾽ ἄνδρα καὶ κοινῇ πάντας ἐν ὀνόματι Ἰησοῦ Χριστοῦ καὶ
τῇ σαρκὶ αὐτοῦ καὶ τῷ αἵματι, πάθει τε καὶ ἀναστάσει, σαρκικῇ τε
καὶ πνευματικῇ ἑνότητι θεοῦ καὶ ὑμῶν. χάρις ὑμῖν, ἔλεος, εἰρήνη,
ὑπομονὴ διὰ παντός.

1   XIII. Ἀσπάζομαι τοὺς οἴκους τῶν ἀδελφῶν μου σὺν γυναιξὶ καὶ
τέκνοις καὶ τὰς παρθένους, τὰς λεγομένας χήρας. ἔρρωσθέ μοι ἐν

δυνάμει πνεύματος. ἀσπάζεται ὑμᾶς Φίλων, σὺν ἐμοὶ ὤν. 2. ἀσπάζο- 2
μαι τὸν οἶκον Ταουΐας, ἣν εὔχομαι ἑδρᾶσθαι πίστει καὶ ἀγάπῃ σαρκικῇ
τε καὶ πνευματικῇ. ἀσπάζομαι Ἄλκην, τὸ ποθητόν μοι ὄνομα, καὶ
Δάφνον, τὸν ἀσύγκριτον καὶ εὔτεκνον, καὶ πάντας κατ᾽ ὄνομα. ἔρρωσθε
ἐν χάριτι θεοῦ.

Σμυρναίοις ἀπὸ Τρωάδος.

written from Alexandria Troas

ΠΡΟΣ ΠΟΛΥΚΑΡΠΟΝ ΙΓΝΑΤΙΟΣ.

Ἰγνάτιος, ὁ καὶ Θεοφόρος, Πολυκάρπῳ ἐπισκόπῳ ἐκκλησίας Σμυρ-
ναίων, μᾶλλον ἐπισκοπημένῳ ὑπὸ θεοῦ πατρὸς καὶ κυρίου Ἰησοῦ
Χριστοῦ, πλεῖστα χαίρειν.

I. Ἀποδεχόμενός σου τὴν ἐν θεῷ γνώμην, ἡδρασμένην ὡς ἐπὶ 1
πέτραν ἀκίνητον, ὑπερδοξάζω, καταξιωθεὶς τοῦ προσώπου σου τοῦ
ἀμώμου, οὗ ὀναίμην ἐν θεῷ. 2. Παρακαλῶ σε ἐν χάριτι, ᾗ ἐνδέδυ- 2
σαι, προσθεῖναι τῷ δρόμῳ σου καὶ πάντας παρακαλεῖν, ἵνα σώζωνται.
ἐκδίκει σου τὸν τόπον ἐν πάσῃ ἐπιμελείᾳ σαρκικῇ τε καὶ πνευματικῇ.
τῆς ἑνώσεως φρόντιζε, ἧς οὐδὲν ἄμεινον. πάντας βάσταζε, ὡς καὶ σὲ
ὁ κύριος. πάντων ἀνέχου ἐν ἀγάπῃ, ὥσπερ καὶ ποιεῖς. 3. προσευχαῖς 3
σχόλαζε ἀδιαλείπτοις. αἰτοῦ σύνεσιν πλείονα ἧς ἔχεις. γρηγόρει,
ἀκοίμητον πνεῦμα κεκτημένος. τοῖς κατ᾽ ἄνδρα κατὰ ὁμοήθειαν θεοῦ
λάλει. πάντων τὰς νόσους βάσταζε, ὡς τέλειος ἀθλητής. ὅπου
πλείων κόπος, πολὺ κέρδος.

II. Καλοὺς μαθητὰς ἐὰν φιλῇς, χάρις σοι οὐκ ἔστιν· μᾶλλον 1
τοὺς λοιμοτέρους ἐν πραότητι ὑπότασσε. οὐ πᾶν τραῦμα τῇ αὐτῇ
ἐμπλάστρῳ θεραπεύεται. τοὺς παροξυσμοὺς ἐμβροχαῖς παῦε. 2. Φρό- 2
νιμος γίνου ὡς ὄφις ἐν ἅπασιν, καὶ ἀκέραιος εἰς ἀεὶ ὡς ἡ περι-
στερά. διὰ ταῦτα σαρκικὸς εἶ καὶ πνευματικός, ἵνα τὰ φαινόμενά σου
εἰς πρόσωπον κολακεύῃς· τὰ δὲ ἀόρατα αἴτει, ἵνα σοι φανερωθῇ,
ὅπως μηδενὸς λείπῃ καὶ παντὸς χαρίσματος περισσεύῃς. 3. Ὁ και- 3
ρὸς ἀπαιτεῖ σε, ὡς κυβερνῆται ἀνέμους καὶ ὡς χειμαζόμενος λιμένα,

---

I, 3) Mt. 8, 17. — II, 2) Mt. 10, 16.

εἰς τὸ θεοῦ ἐπιτυχεῖν. νῆφε ὡς θεοῦ ἀθλητής· τὸ θέμα ἀφθαρσίας
ζωὴ αἰώνιος, περὶ ἧς καὶ σὺ πέπεισαι. κατὰ πάντα σου ἀντίψυχον
ἐγὼ καὶ τὰ δεσμά μου, ἃ ἠγάπησας.

1   III. Οἱ δοκοῦντες ἀξιόπιστοι εἶναι καὶ ἑτεροδιδασκαλοῦντες μή
σε καταπλησσέτωσαν. στῆθι ἑδραῖος ὡς ἄκμων τυπτόμενος. μεγάλου
ἐστὶν ἀθλητοῦ τὸ δέρεσθαι καὶ νικᾶν. μάλιστα δὲ ἕνεκεν θεοῦ πάντα
2   ὑπομένειν ἡμᾶς δεῖ, ἵνα καὶ αὐτὸς ἡμᾶς ὑπομείνῃ. 2. πλέον σπου-
δαῖος γίνου οὗ εἶ. τοὺς καιροὺς καταμάνθανε. τὸν ὑπὲρ καιρὸν
προσδόκα, τὸν ἄχρονον, τὸν ἀόρατον, τὸν δι᾿ ἡμᾶς ὁρατόν· τὸν ἀψη-
λάφητον, τὸν ἀπαθῆ, τὸν δι᾿ ἡμᾶς παθητόν, τὸν κατὰ πάντα τρόπον
δι᾿ ἡμᾶς ὑπομείναντα.

1   IV. Χῆραι μὴ ἀμελείσθωσαν. μετὰ τὸν κύριον σὺ αὐτῶν φρον-
τιστὴς ἔσο. μηδὲν ἄνευ γνώμης σου γινέσθω, μηδὲ σὺ ἄνευ θεοῦ τι
2   πρᾶσσε· ὅπερ οὐδὲ πράσσεις. εὐστάθει. 2. πυκνότερον συναγωγαὶ γι-
3   νέσθωσαν· ἐξ ὀνόματος πάντας ζήτει. 3. Δούλους καὶ δούλας μὴ
ὑπερηφάνει· ἀλλὰ μηδὲ αὐτοὶ φυσιούσθωσαν, ἀλλ᾿ εἰς δόξαν θεοῦ
πλέον δουλευέτωσαν, ἵνα κρείττονος ἐλευθερίας ἀπὸ θεοῦ τύχωσιν.
μὴ ἐράτωσαν ἀπὸ τοῦ κοινοῦ ἐλευθεροῦσθαι, ἵνα μὴ δοῦλοι εὑρεθῶ-
σιν ἐπιθυμίας.

1   V. Τὰς κακοτεχνίας φεῦγε· μᾶλλον δὲ περὶ τούτων ὁμιλίαν
ποιοῦ. ταῖς ἀδελφαῖς μου προσλάλει, ἀγαπᾶν τὸν κύριον, καὶ τοῖς
συμβίοις ἀρκεῖσθαι σαρκὶ καὶ πνεύματι. ὁμοίως καὶ τοῖς ἀδελφοῖς
μου παράγγελλε ἐν ὀνόματι Ἰησοῦ Χριστοῦ, ἀγαπᾶν τὰς συμβίους ὡς
2   ὁ κύριος τὴν ἐκκλησίαν. 2. Εἴ τις δύναται ἐν ἁγνείᾳ μένειν, εἰς τι-
μὴν τῆς σαρκὸς τοῦ κυρίου ἐν ἀκαυχησίᾳ μενέτω. ἐὰν καυχήσηται,
ἀπώλετο· καὶ ἐὰν γνωσθῇ πλέον τοῦ ἐπισκόπου, ἔφθαρται. πρέπει δὲ
τοῖς γαμοῦσι καὶ ταῖς γαμουμέναις, μετὰ γνώμης τοῦ ἐπισκόπου τὴν
ἕνωσιν ποιεῖσθαι, ἵνα ὁ γάμος ᾖ κατὰ κύριον, καὶ μὴ κατ᾿ ἐπιθυμίαν.
πάντα εἰς τιμὴν θεοῦ γινέσθω.

1   VI. Τῷ ἐπισκόπῳ προσέχετε, ἵνα καὶ ὁ θεὸς ὑμῖν. ἀντίψυχον
ἐγὼ τῶν ὑποτασσομένων τῷ ἐπισκόπῳ, πρεσβυτέροις, διακόνοις· καὶ
μετ᾿ αὐτῶν μοι τὸ μέρος γένοιτο σχεῖν ἐν θεῷ. συγκοπιᾶτε ἀλλήλοις,

---

V, 2) Eph. 5, 25.

συναθλεῖτε, συντρέχετε, συμπάσχετε, συγκοιμᾶσθε, συνεγείρεσθε ὡς θεοῦ οἰκονόμοι καὶ πάρεδροι καὶ ὑπηρέται. 2. ἀρέσκετε ᾧ στρατεύεσθε, 2 ἀφ᾽ οὗ καὶ τὰ ὀψώνια κομίζεσθε. μή τις ὑμῶν δεσέρτωρ εὑρεθῇ. τὸ βάπτισμα ὑμῶν μενέτω ὡς ὅπλα, ἡ πίστις ὡς περικεφαλαία, ἡ ἀγάπη ὡς δόρυ, ἡ ὑπομονὴ ὡς πανοπλία. τὰ δεπόσιτα ὑμῶν τὰ ἔργα ὑμῶν, ἵνα τὰ ἄκκεπτα ὑμῶν ἄξια κομίσησθε. μακροθυμήσατε οὖν μετ᾽ ἀλλήλων ἐν πραότητι, ὡς ὁ θεὸς μεθ᾽ ὑμῶν. ὀναίμην ὑμῶν διὰ παντός.

VII. Ἐπειδὴ ἡ ἐκκλησία ἡ ἐν Ἀντιοχείᾳ τῆς Συρίας εἰρηνεύει, 1 ὡς ἐδηλώθη μοι, διὰ τὴν προσευχὴν ὑμῶν, κἀγὼ εὐθυμότερος ἐγενό- μην ἐν ἀμεριμνίᾳ θεοῦ, ἐάνπερ διὰ τοῦ παθεῖν θεοῦ ἐπιτύχω, εἰς τὸ εὑρεθῆναί με ἐν τῇ ἀναστάσει ὑμῶν μαθητήν. 2. Πρέπει, Πολύκαρπε 2 θεομακαριστότατε, συμβούλιον ἀγαγεῖν θεοπρεπέστατον καὶ χειροτονῆ- σαί τινα, ὃν ἀγαπητὸν λίαν ἔχετε καὶ ἄοκνον, ὃς δυνήσεται θεοδρόμος καλεῖσθαι· τοῦτον καταξιοῦσθαι, ἵνα πορευθεὶς εἰς Συρίαν δοξάσῃ ὑμῶν τὴν ἄοκνον ἀγάπην εἰς δόξαν θεοῦ. 3. Χριστιανὸς ἑαυτοῦ ἐξου- 3 σίαν οὐκ ἔχει, ἀλλὰ θεῷ σχολάζει. τοῦτο τὸ ἔργον θεοῦ ἐστιν καὶ ὑμῶν, ὅταν αὐτὸ ἀπαρτίσητε. πιστεύω γὰρ τῇ χάριτι, ὅτι ἕτοιμοί ἐστε εἰς εὐποιΐαν θεῷ ἀνήκουσαν. εἰδὼς ὑμῶν τὸ σύντονον τῆς ἀλη- θείας, δι᾽ ὀλίγων ὑμᾶς γραμμάτων παρεκάλεσα.

VIII. Ἐπεὶ οὖν πάσαις ταῖς ἐκκλησίαις οὐκ ἠδυνήθην γράψαι 1 διὰ τὸ ἐξαίφνης πλεῖν με ἀπὸ Τρωάδος εἰς Νεάπολιν, ὡς τὸ θέλημα προστάσσει, γράψεις ταῖς ἔμπροσθεν ἐκκλησίαις, ὡς θεοῦ γνώμην κεκτημένος, εἰς τὸ καὶ αὐτοὺς τὸ αὐτὸ ποιῆσαι, οἱ μὲν δυνάμενοι πεζοὺς πέμψαι, οἱ δὲ ἐπιστολὰς διὰ τῶν ὑπό σου πεμπομένων, ἵνα δοξασθῆτε αἰωνίῳ ἔργῳ, ὡς ἄξιος ὤν. 2. Ἀσπάζομαι πάντας ἐξ ὀνό- 2 ματος, καὶ τὴν τοῦ Ἐπιτρόπου σὺν ὅλῳ τῷ οἴκῳ αὐτῆς καὶ τῶν τέκνων. ἀσπάζομαι Ἄτταλον τὸν ἀγαπητόν μου. ἀσπάζομαι τὸν μέλ- λοντα καταξιοῦσθαι τοῦ εἰς Συρίαν πορεύεσθαι. ἔσται ἡ χάρις μετ᾽ αὐτοῦ διὰ παντὸς καὶ τοῦ πέμποντος αὐτὸν Πολυκάρπου. 3. ἐρρῶσθαι 3 ὑμᾶς διὰ παντὸς ἐν θεῷ ἡμῶν Ἰησοῦ Χριστῷ εὔχομαι, ἐν ᾧ δια- μείνητε ἐν ἑνότητι θεοῦ καὶ ἐπισκοπῇ. ἀσπάζομαι Ἄλκην, τὸ ποθη- τόν μοι ὄνομα. ἔρρωσθε ᾽ν κυρίῳ.

VI, 2) Eph. 6, 11 sqq. I Thess. 5, 8.

ΤΟΥ ΑΓΙΟΥ ΠΟΛΥΚΑΡΠΟΥ
ΕΠΙΣΚΟΠΟΥ ΣΜΥΡΝΗΣ ΚΑΙ ΙΕΡΟΜΑΡΤΥΡΟΣ
ΠΡΟΣ ΦΙΛΙΠΠΗΣΙΟΥΣ ΕΠΙΣΤΟΛΗ.

Πολύκαρπος καὶ οἱ σὺν αὐτῷ πρεσβύτεροι τῇ ἐκκλησίᾳ τοῦ θεοῦ τῇ παροικούσῃ Φιλίπποις· ἔλεος ὑμῖν καὶ εἰρήνη παρὰ θεοῦ παντοκράτορος καὶ Ἰησοῦ Χριστοῦ τοῦ σωτῆρος ἡμῶν πληθυνθείη.

1 I. Συνεχάρην ὑμῖν μεγάλως ἐν κυρίῳ ἡμῶν Ἰησοῦ Χριστῷ, δεξαμένοις τὰ μιμήματα τῆς ἀληθοῦς ἀγάπης καὶ προπέμψασιν, ὡς ἐπέβαλεν ὑμῖν, τοὺς ἐνειλιγμένους τοῖς ἁγιοπρεπέσι δεσμοῖς, ἅτινά ἐστι διαδήματα τῶν ἀληθῶς ὑπὸ θεοῦ καὶ τοῦ κυρίου ἡμῶν ἐκλελεγμέ- 2 νων· 2. καὶ ὅτι ἡ βεβαία τῆς πίστεως ὑμῶν ῥίζα, ἐξ ἀρχαίων καταγγελλομένη χρόνων, μέχρι νῦν διαμένει καὶ καρποφορεῖ εἰς τὸν κύριον ἡμῶν Ἰησοῦν Χριστόν, ὃς ὑπέμεινεν ὑπὲρ τῶν ἁμαρτιῶν ἡμῶν ἕως θανάτου καταντῆσαι, ὃν ἤγειρεν ὁ θεός, λύσας τὰς ὠδῖνας τοῦ 3 ᾅδου· 3. εἰς ὃν οὐκ ἰδόντες πιστεύετε χαρᾷ ἀνεκλαλήτῳ καὶ δεδοξασμένῃ, εἰς ἣν πολλοὶ ἐπιθυμοῦσιν εἰσελθεῖν, εἰδότες ὅτι χάριτί ἐστε σεσωσμένοι, οὐκ ἐξ ἔργων, ἀλλὰ θελήματι θεοῦ διὰ Ἰησοῦ Χριστοῦ.

1 II. Διὸ ἀναζωσάμενοι τὰς ὀσφύας ὑμῶν δουλεύσατε τῷ θεῷ ἐν φόβῳ καὶ ἀληθείᾳ, ἀπολιπόντες τὴν κενὴν ματαιολογίαν καὶ τὴν τῶν πολλῶν πλάνην, πιστεύσαντες εἰς τὸν ἐγείραντα τὸν κύριον ἡμῶν Ἰησοῦν Χριστὸν ἐκ νεκρῶν καὶ δόντα αὐτῷ δόξαν καὶ θρόνον ἐκ δεξιῶν αὐτοῦ· ᾧ ὑπετάγη τὰ πάντα ἐπουράνια καὶ ἐπίγεια, ᾧ πᾶσα πνοὴ λατρεύει, ὃς ἔρχεται κριτὴς ζώντων καὶ νεκρῶν, οὗ τὸ

1, 2) Act. 2, 24. — 3) I Petr. 1, 8. 1, 12. Eph. 2, 8. 9. — II, 1) I Petr. 1, 13. Ps. 2, 11. I Petr. 1, 21.

αἷμα ἐκζητήσει ὁ θεος ἀπο τῶν ἀπειθουντων αυτῷ. 2. ὁ δὲ ἐγείρας 2
αὐτὸν ἐκ νεκρῶν καὶ ἡμᾶς ἐγερεῖ, ἐὰν ποιῶμεν αὐτοῦ τὸ θέλημα καὶ
πορευώμεθα ἐν ταῖς ἐντολαῖς αὐτοῦ καὶ ἀγαπῶμεν ἃ ἠγάπησεν, ἀπε-
χόμενοι πάσης ἀδικίας, πλεονεξίας, φιλαργυρίας, καταλαλιᾶς, ψευδο-
μαρτυρίας· μὴ ἀποδιδόντες κακὸν ἀντὶ κακοῦ, ἢ λοιδορίαν ἀντὶ
λοιδορίας, ἢ γρόνθον ἀντὶ γρόνθου, ἢ κατάραν ἀντὶ κατάρας· 3. μνη- 3
μονεύοντες δὲ ὧν εἶπεν ὁ κύριος διδάσκων· μὴ κρίνετε, ἵνα μὴ κρι-
θῆτε· ἀφίετε, καὶ ἀφεθήσεται ὑμῖν· ἐλεᾶτε, ἵνα ἐλεηθῆτε· ᾧ μέτρῳ
μετρεῖτε, ἀντιμετρηθήσεται ὑμῖν· καὶ ὅτι μακάριοι οἱ πτωχοὶ καὶ
οἱ διωκόμενοι ἕνεκεν δικαιοσύνης, ὅτι αὐτῶν ἐστὶν ἡ βασιλεία
τοῦ θεοῦ.

III. Ταῦτα, ἀδελφοί, οὐκ ἐμαυτῷ ἐπιτρέψας γράφω ὑμῖν περὶ
τῆς δικαιοσύνης, ἀλλ᾽ ἐπεὶ ὑμεῖς προεπελακτίσασθέ με. 2. οὔτε γὰρ
ἐγώ, οὔτε ἄλλος ὅμοιος ἐμοὶ δύναται κατακολουθῆσαι τῇ σοφίᾳ τοῦ
μακαρίου καὶ ἐνδόξου Παύλου, ὃς γενόμενος ἐν ὑμῖν κατὰ πρόσωπον
τῶν τότε ἀνθρώπων ἐδίδαξεν ἀκριβῶς καὶ βεβαίως τὸν περὶ ἀληθείας
λόγον, ὃς καὶ ἀπὼν ὑμῖν ἔγραψεν ἐπιστολάς, εἰς ἃς ἐὰν ἐγκύπτητε,
δυνηθήσεσθε οἰκοδομεῖσθαι εἰς τὴν δοθεῖσαν ὑμῖν πίστιν· 3. ἥτις ἐστὶ
μήτηρ πάντων ἡμῶν, ἐπακολουθούσης τῆς ἐλπίδος, προαγούσης τῆς
ἀγάπης, τῆς εἰς θεὸν καὶ Χριστὸν καὶ εἰς τὸν πλησίον. ἐὰν γάρ τις
τούτων ἐντὸς ᾖ, πεπλήρωκεν ἐντολὴν δικαιοσύνης· ὁ γὰρ ἔχων ἀγά-
πην μακράν ἐστι πάσης ἁμαρτίας.

IV. Ἀρχὴ δὲ πάντων χαλεπῶν φιλαργυρία. εἰδότες οὖν, ὅτι
οὐδὲν εἰσηνέγκαμεν εἰς τὸν κόσμον, ἀλλ᾽ οὐδὲ ἐξενεγκεῖν τι ἔχο-
μεν, ὁπλισώμεθα τοῖς ὅπλοις τῆς δικαιοσύνης καὶ διδάξωμεν ἑαυτοὺς
πρῶτον πορεύεσθαι ἐν τῇ ἐντολῇ τοῦ κυρίου· 2. ἔπειτα καὶ τὰς γυ- 2
ναῖκας ὑμῶν ἐν τῇ δοθείσῃ αὐταῖς πίστει καὶ ἀγάπῃ καὶ ἁγνείᾳ,
στεργούσας τοὺς ἑαυτῶν ἄνδρας ἐν πάσῃ ἀληθείᾳ καὶ ἀγαπώσας πάν-
τας ἐξ ἴσου ἐν πάσῃ ἐγκρατείᾳ, καὶ τὰ τέκνα παιδεύειν τὴν παιδείαν
τοῦ φόβου τοῦ θεοῦ· 3. τὰς χήρας σωφρονούσας περὶ τὴν τοῦ κυρίου 3
πίστιν, ἐντυγχανούσας ἀδιαλείπτως περὶ πάντων, μακρὰν οὔσας πάσης

II, 2) I Petr. 3, 9. — 3) Mt. 7, 1. Luc. 6, 37. Luc. 6, 20. Mt. 5, 3. 10.
— III, 3) Gal. 4, 26. — IV, 1) I Tim. 6, 10. 7.

8*

διαβολῆς, καταλαλιᾶς, ψευδομαρτυρίας, φιλαργυρίας καὶ παντὸς κακοῦ·
γινωσκούσας ὅτι εἰσὶ θυσιαστήριον θεοῦ, καὶ ὅτι πάντα μωμοσκοπεῖ-
ται, καὶ λέληθεν αὐτὸν οὐδὲν οὔτε λογισμῶν, οὔτε εννοιῶν, οὔτε τι
τῶν κρυπτῶν τῆς καρδίας.

1   V. Εἰδότες οὖν, ὅτι θεὸς οὐ μυκτηρίζεται, ὀφείλομεν ἀξίως
2 τῆς ἐντολῆς αὐτοῦ καὶ δόξης περιπατεῖν. 2. Ὁμοίως διάκονοι ἄμεμπτοι
κατενώπιον αὐτοῦ τῆς δικαιοσύνης, ὡς θεοῦ καὶ Χριστοῦ διάκονοι,
καὶ οὐκ ἀνθρώπων· μὴ διάβολοι, μὴ δίλογοι, ἀφιλάργυροι, ἐγκρατεῖς
περὶ πάντα, εὔσπλαγχνοι, ἐπιμελεῖς, πορευόμενοι κατὰ τὴν ἀλήθειαν τοῦ
κυρίου, ὃς ἐγένετο διάκονος πάντων· ᾧ ἐὰν εὐαρεστήσωμεν ἐν τῷ νῦν
αἰῶνι, ἀποληψόμεθα καὶ τὸν μέλλοντα, καθὼς ὑπέσχετο ἡμῖν ἐγεῖραι
ἡμᾶς ἐκ νεκρῶν, καὶ ὅτι, ἐὰν πολιτευσώμεθα ἀξίως αὐτοῦ, καὶ συμ-
3 βασιλεύσομεν αὐτῷ, εἴγε πιστεύομεν. 3. Ὁμοίως καὶ νεώτεροι ἄμεμπτοι
ἐν πᾶσιν, πρὸ παντὸς προνοοῦντες ἀγνείας καὶ χαλιναγωγοῦντες ἑαυτοὺς
ἀπὸ παντὸς κακοῦ. καλὸν γὰρ τὸ ἀνακόπτεσθαι ἀπὸ τῶν ἐπιθυμιῶν ἐν
τῷ κόσμῳ, ὅτι πᾶσα ἐπιθυμία κατὰ τοῦ πνεύματος στρατεύεται,
καὶ οὔτε πόρνοι, οὔτε μαλακοὶ, οὔτε ἀρσενοκοῖται βασιλείαν
θεοῦ κληρονομήσουσιν, οὔτε οἱ ποιοῦντες τὰ ἄτοπα. διὸ δέον ἀπέχεσθαι
ἀπὸ πάντων τούτων, ὑποτασσομένους τοῖς πρεσβυτέροις καὶ διακόνοις
ὡς θεῷ καὶ Χριστῷ· τὰς παρθένους ἐν ἀμώμῳ καὶ ἁγνῇ συνειδήσει
περιπατεῖν.

1   VI. Καὶ οἱ πρεσβύτεροι δὲ εὔσπλαγχνοι, εἰς πάντας ἐλεήμονες,
ἐπιστρέφοντες τὰ ἀποπεπλανημένα, ἐπισκεπτόμενοι πάντας ἀσθενεῖς,
μὴ ἀμελοῦντες χήρας ἢ ὀρφανοῦ ἢ πένητος· ἀλλὰ προνοοῦντες ἀεὶ
τοῦ καλοῦ ἐνώπιον θεοῦ καὶ ἀνθρώπων, ἀπεχόμενοι πάσης ὀργῆς,
προσωποληψίας, κρίσεως ἀδίκου, μακρὰν ὄντες πάσης φιλαργυρίας, μὴ
ταχέως πιστεύοντες κατά τινος, μὴ ἀπότομοι ἐν κρίσει, εἰδότες ὅτι
2 πάντες ὀφειλέται ἐσμὲν ἁμαρτίας. 2. εἰ οὖν δεόμεθα τοῦ κυρίου, ἵνα
ἡμῖν ἀφῇ, ὀφείλομεν καὶ ἡμεῖς ἀφιέναι· ἀπέναντι γὰρ τῶν τοῦ κυρίου
καὶ θεοῦ ἐσμὲν ὀφθαλμῶν, καὶ πάντας δεῖ παραστῆναι τῷ βήματι
3 τοῦ Χριστοῦ, καὶ ἕκαστον ὑπὲρ ἑαυτοῦ λόγον δοῦναι. 3. οὕτως

V, 1) Gal. 6, 7. — 3) I Petr. 2, 11. (Gal. 5, 17.)   I Cor. 6, 9. 10. —
VI, 1) Prov. 3, 4. (II Cor. 8, 21.) — 2) Rom. 14, 10. 12.

οὖν δουλεύσωμεν αὐτῷ μετὰ φόβου καὶ πάσης εὐλαβείας, καθὼς αὐτὸς ἐνετείλατο καὶ οἱ εὐαγγελισάμενοι ἡμᾶς ἀπόστολοι καὶ οἱ προφῆται, οἱ προκηρύξαντες τὴν ἔλευσιν τοῦ κυρίου ἡμῶν, ζηλωταὶ περὶ τὸ καλὸν, ἀπεχόμενοι σκανδάλων καὶ τῶν ψευδαδέλφων καὶ τῶν ἐν ὑποκρίσει φερόντων τὸ ὄνομα τοῦ κυρίου, οἵτινες ἀποπλανῶσι κενοὺς ἀνθρώπους.

VII. Πᾶς γὰρ, ὃς ἂν μὴ ὁμολογῇ, Ἰησοῦν Χριστὸν ἐν σαρκὶ   1
ἐληλυθέναι, ἀντίχριστός ἐστιν· καὶ ὃς ἂν μὴ ὁμολογῇ τὸ μαρτύριον τοῦ σταυροῦ, ἐκ τοῦ διαβόλου ἐστίν· καὶ ὃς ἂν μεθοδεύῃ τὰ λόγια τοῦ κυρίου πρὸς τὰς ἰδίας ἐπιθυμίας καὶ λέγῃ, μήτε ἀνάστασιν μήτε κρίσιν εἶναι, οὗτος πρωτότοκός ἐστι τοῦ Σατανᾶ. 2. διὸ ἀπολιπόντες   2
τὴν ματαιότητα τῶν πολλῶν καὶ τὰς ψευδοδιδασκαλίας, ἐπὶ τὸν ἐξ ἀρχῆς ἡμῖν παραδοθέντα λόγον ἐπιστρέψωμεν, νήφοντες πρὸς τὰς εὐχὰς καὶ προσκαρτεροῦντες νηστείαις, δεήσεσιν αἰτούμενοι τὸν παντεπόπτην θεὸν, μὴ εἰσενεγκεῖν ἡμᾶς εἰς πειρασμὸν, καθὼς εἶπεν ὁ κύριος· τὸ μὲν πνεῦμα πρόθυμον, ἡ δὲ σὰρξ ἀσθενής.

VIII. Ἀδιαλείπτως οὖν προσκαρτερῶμεν τῇ ἐλπίδι ἡμῶν καὶ τῷ   1
ἀρραβῶνι τῆς δικαιοσύνης ἡμῶν, ὅς ἐστι Χριστὸς Ἰησοῦς, ὃς ἀνήνεγκεν ἡμῶν τὰς ἁμαρτίας τῷ ἰδίῳ σώματι ἐπὶ τὸ ξύλον, ὃς ἁμαρτίαν οὐκ ἐποίησεν, οὐδὲ εὑρέθη δόλος ἐν τῷ στόματι αὐτοῦ· ἀλλὰ δι' ἡμᾶς, ἵνα ζήσωμεν ἐν αὐτῷ, πάντα ὑπέμεινεν. 2. μιμηταὶ   2
οὖν γενώμεθα τῆς ὑπομονῆς αὐτοῦ· καὶ ἐὰν πάσχωμεν διὰ τὸ ὄνομα αὐτοῦ, δοξάζωμεν αὐτόν. τοῦτον γὰρ ἡμῖν τὸν ὑπογραμμὸν ἔθηκε δι' ἑαυτοῦ, καὶ ἡμεῖς τοῦτο ἐπιστεύσαμεν.

XI. Παρακαλῶ οὖν πάντας ὑμᾶς πειθαρχεῖν τῷ λόγῳ τῆς δικαιο-   1
σύνης καὶ ἀσκεῖν πᾶσαν ὑπομονὴν, ἣν καὶ εἴδετε κατ' ὀφθαλμοὺς οὐ μόνον ἐν τοῖς μακαρίοις Ἰγνατίῳ καὶ Ζωσίμῳ καὶ Ῥούφῳ, ἀλλὰ καὶ ἐν ἄλλοις τοῖς ἐξ ὑμῶν καὶ ἐν αὐτῷ Παύλῳ καὶ τοῖς λοιποῖς ἀποστόλοις· 2. πεπεισμένους, ὅτι οὗτοι πάντες οὐκ εἰς κενὸν ἔδραμον, ἀλλ'   2
ἐν πίστει καὶ δικαιοσύνῃ, καὶ ὅτι εἰς τὸν ὀφειλόμενον αὐτοῖς τόπον εἰσὶ παρὰ τῷ κυρίῳ, ᾧ καὶ συνέπαθον. οὐ γὰρ τὸν νῦν ἠγάπησαν

VII, 1) I Ioann. 4, 2. 3. II Ioann. 7. — 2) I Petr. 4, 7. Mt. 6, 13. Mt. 26, 41. — VIII, 1) I Petr. 2, 24. 22. — IX, 2) Philipp. 2, 16. II Tim. 4, 10.

αἰῶνα, ἀλλὰ τὸν ὑπὲρ ἡμῶν ἀποθανόντα καὶ δι᾽ ἡμᾶς ὑπὸ τοῦ θεοῦ
ἀναστάντα.

1   X.   In his ergo state et domini exemplar sequimini, firmi in
fide et immutabiles, fraternitatis amatores, diligentes invicem, in veri-
tate sociati, mansuetudinem domini alterutri praestolantes, nullum
2 despicientes. 2. cum possitis benefacere, nolite differre, *quia elee-
mosyna de morte liberat.* omnes vobis invicem subiecti estote, *con-
versationem vestram irreprehensibilem habentes in gentibus, ut ex
bonis operibus vestris* et vos laudem accipiatis, et dominus in vobis
3 non blasphemetur. 3. *vae autem per quem nomen domini blasphe-
matur.* sobrietatem ergo docete omnes, in qua et vos conversamini.

1   XI.   Nimis contristatus sum pro Valente, qui presbyter factus
est aliquando apud vos, quod sic ignoret is locum, qui datus est ei.
moneo itaque, ut abstineatis vos ab avaritia et sitis casti et veraces.
2 abstinete vos ab omni malo. 2. qui autem in his non potest se gu-
bernare, quomodo alii pronuntiat hoc? si quis non abstinuerit se ab
avaritia, ab idololatria coinquinabitur, et tanquam inter gentes iudi-
cabitur, qui ignorant iudicium domini. *aut nescimus, quia sancti
3 mundum iudicabunt?* sicut Paulus docet. 3. ego autem nihil tale
sensi in vobis vel audivi, in quibus laboravit beatus Paulus, qui
estis in principio epistulae eius. de vobis etenim gloriatur in omni-
bus ecclesiis, quae deum solae tunc cognoverant; nos autem nondum
4 noveramus. 4. valde ergo, fratres, contristor pro illo et pro coniuge
eius, quibus det dominus poenitentiam veram. sobrii ergo estote et
vos in hoc; *et non sicut inimicos tales existimetis,* sed sicut passi-
bilia membra et errantia eos revocate, ut omnium vestrum corpus
salvetis. hoc enim agentes, vos ipsos aedificatis.

1   XII.   Confido enim vos bene exercitatos esse in sacris literis,
et nihil vos latet; mihi autem non est concessum. modo, ut his
scripturis dictum est, *irascimini et nolite peccare, et sol non occi-
dat super iracundiam vestram.* beatus, qui meminerit; quod ego

---

X, 2) Tob. 4, 10. I Petr. 2, 12. — 3) Ies. 52, 5. — XI, 2) I Cor. 6, 2.
— 4) II Thess. 3, 15. — XII, 1) Ps. 4, 5. Eph. 4, 26.

credo esse in vobis. 2. Deus autem et pater domini nostri Iesu 2
Christi et ipse sempiternus pontifex, dei filius Iesus Christus, aedifi-
cet vos in fide et veritate et in omni mansuetudine et sine iracun-
dia et in patientia et in longanimitate et tolerantia et castitate; et
det vobis sortem et partem inter sanctos suos, et nobis vobiscum et
omnibus, qui sunt sub caelo, qui credituri sunt in dominum nostrum
Iesum Christum et in ipsius patrem, qui resuscitavit eum a mortuis.
3. pro omnibus sanctis orate. orate etiam pro regibus et potestati- 3
bus et principibus atque pro persequentibus et odientibus vos et pro
inimicis crucis, ut fructus vester manifestus sit in omnibus, ut sitis
in illo perfecti.

XIII. Ἐγράψατέ μοι καὶ ὑμεῖς καὶ Ἰγνάτιος, ἵνα ἐάν τις ἀπέρ- 1
χηται εἰς Συρίαν, καὶ τὰ παρ' ὑμῶν ἀποκομίσῃ γράμματα· ὅπερ
ποιήσω, ἐὰν λάβω καιρὸν εὔθετον εἴτε ἐγώ, εἴτε ὃν πέμψω πρεσβεύ-
σοντα καὶ περὶ ὑμῶν. 2. τὰς ἐπιστολὰς Ἰγνατίου τὰς πεμφθείσας
ἡμῖν ὑπ' αὐτοῦ καὶ ἄλλας, ὅσας εἴχομεν παρ' ἡμῖν, ἐπέμψαμεν ὑμῖν,
καθὼς ἐνετείλασθε· αἵτινες ὑποτεταγμέναι εἰσὶ τῇ ἐπιστολῇ ταύτῃ· ἐξ
ὧν μεγάλα ὠφεληθῆναι δυνήσεσθε. περιέχουσι γὰρ πίστιν καὶ ὑπο-
μονὴν καὶ πᾶσαν οἰκοδομήν, τὴν εἰς τὸν κύριον ἡμῶν ἀνήκουσαν.
et de ipso Ignatio et de his, qui cum eo sunt, quod certius agno-
veritis, significate.

XIV. Haec vobis scripsi per Crescentem, quem in praesenti
commendavi vobis, et nunc commendo. conversatus est enim nobis-
cum inculpabiliter; credo quia et vobiscum similiter. sororem autem
eius habebitis commendatam, cum venerit ad vos. incolumes estote
in domino Iesu Christo et gratia ipsius cum omnibus vestris. amen.

ΜΑΡΤΥΡΙΟΝ ΤΟΥ ΑΓΙΟΥ ΠΟΛΥΚΑΡΠΟΥ.

Ἡ ἐκκλησία τοῦ θεοῦ, ἡ παροικοῦσα Σμύρναν, τῇ ἐκκλησίᾳ τοῦ
θεοῦ, τῇ παροικούσῃ ἐν Φιλομηλίῳ καὶ πάσαις ταῖς κατὰ πάντα

XII, 3) I Tim. 2, 2. Philipp. 3, 18.

τόπον τῆς ἁγίας καὶ καθολικῆς ἐκκλησίας παροικίαις ἔλεος καὶ
εἰρήνη καὶ ἀγάπη θεοῦ πατρὸς καὶ τοῦ κυρίου ἡμῶν Ἰησοῦ
Χριστοῦ πληθυνθείη.

1   I. Ἐγράψαμεν ὑμῖν, ἀδελφοὶ, τὰ κατὰ τοὺς μαρτυρήσαντας καὶ
τὸν μακάριον Πολύκαρπον, ὅστις ὥσπερ ἐπισφραγίσας διὰ τῆς μαρτυ-
ρίας αὐτοῦ κατέπαυσε τὸν διωγμόν. σχεδὸν γὰρ πάντα τὰ προάγοντα
ἐγένετο, ἵνα ἡμῖν ὁ κύριος ἄνωθεν ἐπιδείξῃ τὸ κατὰ τὸ εὐαγγέλιον
2 μαρτύριον. 2. περιέμενεν γὰρ, ἵνα παραδοθῇ, ὡς καὶ ὁ κύριος, ἵνα
μιμηταὶ καὶ ἡμεῖς αὐτοῦ γενώμεθα, μὴ μόνον σκοποῦντες τὸ καθ᾽
ἑαυτοὺς, ἀλλὰ καὶ τὸ κατὰ τοῦ πέλας. ἀγάπης γὰρ ἀληθοῦς καὶ
βεβαίας ἐστὶν, μὴ μόνον ἑαυτὸν θέλειν σώζεσθαι, ἀλλὰ καὶ πάντας
τοὺς ἀδελφούς.

1   II. Μακάρια μὲν οὖν καὶ γενναῖα τὰ μαρτύρια πάντα τὰ κατὰ
τὸ θέλημα τοῦ θεοῦ γεγονότα. δεῖ γὰρ εὐλαβεστέρους ἡμᾶς ὑπάρ-
2 χοντας τῷ θεῷ τὴν κατὰ πάντων ἐξουσίαν ἀνατιθέναι. 2. τὸ γὰρ
γενναῖον αὐτῶν καὶ ὑπομονητικὸν καὶ φιλοδέσποτον τίς οὐκ ἂν θαυ-
μάσειεν· οἳ μάστιξι μὲν καταξανθέντες, ὥστε μέχρι τῶν ἔσω φλεβῶν
καὶ ἀρτηριῶν τὴν τῆς σαρκὸς οἰκονομίαν θεωρεῖσθαι, ὑπέμειναν, ὡς
καὶ τοὺς περιεστῶτας ἐλεεῖν καὶ ὀδύρεσθαι· τοὺς δὲ καὶ εἰς τοσοῦτον
γενναιότητος ἐλθεῖν, ὥστε μήτε γρύξαι μήτε στενάξαι τινὰ αὐτῶν,
ἐπιδεικνυμένους ἅπασιν ἡμῖν, ὅτι ἐκείνῃ τῇ ὥρᾳ βασανιζόμενοι τῆς
σαρκὸς ἀπεδήμουν οἱ μάρτυρες τοῦ Χριστοῦ, μᾶλλον δὲ ὅτι παρεστὼς
3 ὁ κύριος ὡμίλει αὐτοῖς. 3. καὶ προσέχοντες τῇ τοῦ Χριστοῦ χάριτι
τῶν κοσμικῶν κατεφρόνουν βασάνων, διὰ μιᾶς ὥρας τὴν αἰώνιον κό-
λασιν ἐξαγοραζόμενοι. καὶ τὸ πῦρ ἦν αὐτοῖς ψυχρὸν τὸ τῶν ἀπαν-
θρώπων βασανιστῶν. πρὸ ὀφθαλμῶν γὰρ εἶχον φυγεῖν τὸ αἰώνιον
καὶ μηδέποτε σβεννύμενον πῦρ, καὶ τοῖς τῆς καρδίας ὀφθαλμοῖς ἀνέ-
βλεπον τὰ τηρούμενα τοῖς ὑπομείνασιν ἀγαθὰ, ἃ οὔτε οὖς ἤκουσεν,
οὔτε ὀφθαλμὸς εἶδεν, οὔτε ἐπὶ καρδίαν ἀνθρώπου ἀνέβη, ἐκεί-
νοις δὲ ὑπεδείκνυτο ὑπὸ τοῦ κυρίου, οἵπερ μηκέτι ἄνθρωποι, ἀλλ᾽ ἤδη
4 ἄγγελοι ἦσαν. 4. ὁμοίως δὲ καὶ οἱ εἰς τὰ θηρία κριθέντες ὑπέμει-
ναν δεινὰς κολάσεις, κήρυκας ὑποστρωννύμενοι καὶ ἄλλαις ποικίλων

I, 2) Philipp. 2, 4. — II, 3) I Cor. 2, 9.

βασάνων ἰδέαις κολαζόμενοι, ἵνα, εἰ δυνηθείη, ὁ τύραννος διὰ τῆς ἐπι-
μόνου κολάσεως εἰς ἄρνησιν αὐτοὺς τρέψῃ.

III. Πολλὰ γὰρ ἐμηχανᾶτο κατ' αὐτῶν ὁ διάβολος. ἀλλὰ χάρις
τῷ θεῷ· κατὰ πάντων γὰρ οὐκ ἴσχυσεν. ὁ γὰρ γενναιότατος Γερμα-
νικὸς ἐπερρώννυεν αὐτῶν τὴν δειλίαν διὰ ˙τῆς ἐν αὐτῷ ὑπομονῆς· ὃς
καὶ ἐπισήμως ἐθηριομάχησεν. βουλομένου γὰρ τοῦ ἀνθυπάτου πείθειν
αὐτὸν καὶ λέγοντος, τὴν ἡλικίαν αὐτοῦ κατοικτεῖραι, ἑαυτῷ ἐπεσπάσατο
τὸ ·θηρίον προσβιασάμενος, τάχιον τοῦ ἀδίκου καὶ ἀνόμου βίου αὐτῶν
ἀπαλλαγῆναι βουλόμενος. ἐκ τούτου οὖν πᾶν τὸ πλῆθος, θαυμάσαν
τὴν γενναιότητα τοῦ θεοφιλοῦς καὶ θεοσεβοῦς γένους τῶν Χριστια-
νῶν, ἐπεβόησεν· „αἶρε τοὺς ἀθέους· ζητείσθω Πολύκαρπος".

IV. Εἷς δὲ, ὀνόματι Κόϊντος, Φρὺξ προσφάτως ἐληλυθὼς ἀπὸ
τῆς Φρυγίας, ἰδὼν τὰ θηρία ἐδειλίασεν. οὗτος δὲ ἦν ὁ παραβιασά-
μενος ἑαυτόν τε καί τινας προσελθεῖν ἑκόντας. τοῦτον ὁ ἀνθύπατος
πολλὰ ἐκλιπαρήσας ἔπεισεν ὀμόσαι καὶ ἐπιθῦσαι. διὰ τοῦτο οὖν,
ἀδελφοί, οὐκ ἐπαινοῦμεν τοὺς προσιόντας ἑκουσίους, ἐπειδὴ οὐχ οὕτως
διδάσκει τὸ εὐαγγέλιον.

V. Ὁ δὲ θαυμασιώτατος Πολύκαρπος τὸ μὲν πρῶτον ἀκούσας 1
οὐκ ἐταράχθη, ἀλλ' ἐβούλετο κατὰ πόλιν μένειν· οἱ δὲ πλείους ἔπει-
θον αὐτὸν ὑπεξελθεῖν. καὶ ὑπεξῆλθεν εἰς ἀγρίδιον, οὐ μακρὰν ἀπέχον
ἀπὸ τῆς πόλεως· καὶ διέτριβε μετ' ὀλίγων, νύκτα καὶ ἡμέραν οὐδὲν
ἕτερον ποιῶν, ἢ προσευχόμενος περὶ πάντων καὶ τῶν κατὰ τὴν οἰκου-
μένην ἐκκλησιῶν· ὅπερ ἦν σύνηθες αὐτῷ. 2. καὶ προσευχόμενος ἐν 2
ὀπτασίᾳ γέγονε πρὸ τριῶν ἡμερῶν τοῦ συλληφθῆναι αὐτὸν, καὶ εἶδεν
τὸ προσκεφάλαιον αὐτοῦ ὑπὸ πυρὸς κατακαιόμενον· καὶ στραφεὶς εἶπεν
πρὸς τοὺς σὺν αὐτῷ· „δεῖ με ζῶντα καυθῆναι".

VI. Καὶ ἐπιμενόντων τῶν ζητούντων αὐτὸν, μετέβη εἰς ἕτερον 1
ἀγρίδιον· καὶ εὐθέως ἐπέστησαν οἱ ζητοῦντες αὐτόν. καὶ μὴ εὑρόν-
τες, συνελάβοντο παιδάρια δύο, ὧν τὸ ἕτερον βασανιζόμενον ὡμολό-
γησεν. ἦν γὰρ καὶ ἀδύνατον λαθεῖν αὐτὸν, ἐπεὶ καὶ οἱ προδιδόντες
αὐτὸν οἰκεῖοι ὑπῆρχον. 2. καὶ ὁ εἰρήναρχος, ὁ κεκληρωμένος τὸ αὐτὸ 2
ὄνομα Ἡρώδῃ, ἔσπευσεν εἰς τὸ στάδιον αὐτὸν εἰσαγαγεῖν, ἵνα ἐκεῖνος
μὲν τὸν ἴδιον κλῆρον ἀπαρτίσῃ, Χριστοῦ κοινωνὸς γενόμενος, οἱ δὲ
προδόντες αὐτὸν τὴν αὐτὴν τῷ Ἰούδα ὑπόσχοιεν τιμωρίαν.

1   VII. Ἔχοντες οὖν τὸ παιδάριον, τῇ παρασκευῇ περὶ δείπνου
ὥραν ἐξῆλθον διωγμῖται καὶ ἱππεῖς μετὰ τῶν συνήθων αὐτοῖς ὅπλων,
ὡς ἐπὶ λῃστὴν τρέχοντες. καὶ ὀψὲ τῆς ὥρας συνεπελθόντες, ἐκεῖνον
μὲν εὗρον ἔν τινι δωματίῳ κατακείμενον ὑπερῴῳ· κἀκεῖθεν δὲ ἠδύ-
νατο εἰς ἕτερον χωρίον ἀπελθεῖν, ἀλλ᾽ οὐκ ἐβουλήθη, εἰπών· τὸ θέ-
2 λημα τοῦ θεοῦ γενέσθω. 2. ἀκούσας δὲ αὐτοὺς παρόντας, καταβὰς
διελέχθη αὐτοῖς, θαυμαζόντων τῶν παρόντων τὴν ἡλικίαν αὐτοῦ καὶ
τὸ εὐσταθές, καὶ ᾗ τοσαύτη σπουδὴ ᾖ τοῦ συλληφθῆναι τοιοῦτον
πρεσβύτην ἄνδρα. εὐθέως οὖν αὐτοῖς ἐκέλευσε παρατεθῆναι φαγεῖν
καὶ πιεῖν ἐν ἐκείνῃ τῇ ὥρᾳ, ὅσον ἂν βούλωνται· ἐξῃτήσατο δὲ αὐτούς,
ἵνα δώσωσιν αὐτῷ ὥραν πρὸς τὸ προσεύξασθαι ἀδεῶς. τῶν δὲ ἐπι-
τρεψάντων, σταθεὶς προσηύξατο πλήρης ὢν τῆς χάριτος τοῦ θεοῦ
οὕτως, ὡς ἐπὶ δύο ὥρας μὴ δύνασθαι σιγῆσαι καὶ ἐκπλήττεσθαι τοὺς
ἀκούοντας, πολλούς τε μετανοεῖν ἐπὶ τῷ ἐληλυθέναι ἐπὶ τοιοῦτον θεο-
πρεπῆ πρεσβύτην.

1   VIII. Ἐπεὶ δέ ποτε κατέπαυσε τὴν προσευχήν, μνημονεύσας
ἁπάντων καὶ τῶν πώποτε συμβεβληκότων αὐτῷ, μικρῶν τε καὶ μεγά-
λων, ἐνδόξων τε καὶ ἀδόξων καὶ πάσης τῆς κατὰ τὴν οἰκουμένην
καθολικῆς ἐκκλησίας, τῆς ὥρας ἐλθούσης τοῦ ἐξιέναι ἐν ὄνῳ καθίσαν-
2 τες αὐτὸν ἤγαγον εἰς τὴν πόλιν, ὄντος σαββάτου μεγάλου. 2. καὶ
ὑπήντα αὐτῷ ὁ εἰρήναρχος Ἡρώδης καὶ ὁ πατὴρ αὐτοῦ Νικήτης, οἳ
καὶ μεταθέντες αὐτὸν ἐπὶ τὴν καροῦχαν ἔπειθον παρακαθεζόμενοι καὶ
λέγοντες· „τί γὰρ κακόν ἐστιν εἰπεῖν· κύριος Καῖσαρ, καὶ ἐπιθῦσαι
καὶ τὰ τούτοις ἀκόλουθα καὶ διασώζεσθαι;" ὁ δὲ τὰ μὲν πρῶτα οὐκ
ἀπεκρίνατο αὐτοῖς· ἐπιμενόντων δὲ αὐτῶν ἔφη· „οὐ μέλλω ποιεῖν ὃ
3 συμβουλεύετέ μοι." 3. οἱ δὲ ἀποτυχόντες τοῦ πεῖσαι αὐτόν, δεινὰ
ῥήματα ἔλεγον καὶ μετὰ σπουδῆς καθήρουν αὐτόν, ὡς κατιόντα ἀπὸ
τῆς καροῦχας ἀποσῦραι τὸ ἀντικνήμιον. καὶ μὴ ἐπιστραφείς, ὡς οὐδὲν
πεπονθὼς προθύμως μετὰ σπουδῆς ἐπορεύετο, ἀγόμενος εἰς τὸ στάδιον,
θορύβου τηλικούτου ὄντος ἐν τῷ σταδίῳ, ὡς μηδὲ ἀκουσθῆναί τινα
δύνασθαι.

1   IX. Τῷ δὲ Πολυκάρπῳ εἰσιόντι εἰς τὸ στάδιον φωνὴ ἐξ οὐρα-

---

VII, 1) Mt. 26, 55. Act. 21, 14.

νοῦ ἐγένετο· „ἴσχυε Πολύκαρπε καὶ ἀνδρίζου." καὶ τὸν μὲν εἰπόντα
οὐδεὶς εἶδεν, τὴν δὲ φωνὴν τῶν ἡμετέρων οἱ παρόντες ἤκουσαν. καὶ
λοιπὸν προσαχθέντος αὐτοῦ, θόρυβος ἦν μέγας ἀκουσάντων, ὅτι Πο-
λύκαρπος συνείληπται. 2. προσαχθέντα οὖν αὐτὸν ἀνηρώτα ὁ ἀνθύ- 2
πατος, εἰ αὐτὸς εἴη Πολύκαρπος. τοῦ δὲ ὁμολογοῦντος, ἔπειθεν
ἀρνεῖσθαι, λέγων· „αἰδέσθητί σου τὴν ἡλικίαν," καὶ ἕτερα τούτοις
ἀκόλουθα, ὡς ἔθος αὐτοῖς λέγειν· „ὄμοσον τὴν Καίσαρος τύχην, με-
τανόησον, εἶπον· αἶρε τοὺς ἀθέους." ὁ δὲ Πολύκαρπος ἐμβριθεῖ τῷ
προσώπῳ εἰς πάντα τὸν ὄχλον τὸν ἐν τῷ σταδίῳ ἀνόμων ἐθνῶν ἐμ-
βλέψας καὶ ἐπισείσας αὐτοῖς τὴν χεῖρα, στενάξας τε καὶ ἀναβλέψας
εἰς τὸν οὐρανὸν, εἶπεν· „αἶρε τοὺς ἀθέους." 3. ἐγκειμένου δὲ τοῦ 3
ἡγουμένου καὶ λέγοντος· „ὄμοσον, καὶ ἀπολύω σε· λοιδόρησον τὸν
Χριστόν", ἔφη ὁ Πολύκαρπος· „ὀγδοήκοντα καὶ ἓξ ἔτη δουλεύω αὐτῷ,
καὶ οὐδέν με ἠδίκησεν· καὶ πῶς δύναμαι βλασφημῆσαι τὸν βασιλέα
μου, τὸν σώσαντά με;"

X. Ἐπιμένοντος δὲ πάλιν αὐτοῦ καὶ λέγοντος· „ὄμοσον τὴν Καί- 1
σαρος τύχην", ἀπεκρίνατο· „εἰ κενοδοξεῖς, ἵνα ὀμόσω τὴν Καίσαρος
τύχην, ὡς σὺ λέγεις, προσποιεῖ δὲ ἀγνοεῖν με, τίς εἰμι, μετὰ παρρη-
σίας ἄκουε, Χριστιανός εἰμι. εἰ δὲ θέλεις τὸν τοῦ Χριστιανισμοῦ
μαθεῖν λόγον, δὸς ἡμέραν καὶ ἄκουσον." 2. ἔφη ὁ ἀνθύπατος· „πεῖσον 2
τὸν δῆμον." ὁ δὲ Πολύκαρπος εἶπεν· „σὲ μὲν καὶ λόγου ἠξίωσα· δε-
διδάγμεθα γὰρ ἀρχαῖς καὶ ἐξουσίαις ὑπὸ τοῦ θεοῦ τεταγμέναις τιμὴν
κατὰ τὸ προσῆκον, τὴν μὴ βλάπτουσαν ἡμᾶς, ἀπονέμειν· ἐκείνους δὲ
οὐχ ἡγοῦμαι ἀξίους τοῦ ἀπολογεῖσθαι αὐτοῖς."

XI. Ὁ δὲ ἀνθύπατος εἶπε· „θηρία ἔχω, τούτοις σε παραβαλῶ, 1
ἐὰν μὴ μετανοήσῃς." ὁ δὲ εἶπεν· „κάλει· ἀμετάθετος γὰρ ἡμῖν ἡ
ἀπὸ τῶν κρειττόνων ἐπὶ τὰ χείρω μετάνοια· καλὸν δὲ μετατίθεσθαι
ἀπὸ τῶν χαλεπῶν ἐπὶ τὰ δίκαια." 2. ὁ δὲ πάλιν πρὸς αὐτόν· „πυρὶ 2
σε ποιῶ δαπανηθῆναι, εἰ τῶν θηρίων καταφρονεῖς, ἐὰν μὴ μετανοή-
σῃς." ὁ δὲ Πολύκαρπος εἶπεν· „πῦρ ἀπειλεῖς τὸ πρὸς ὥραν καιόμε-
νον καὶ μετ᾽ ὀλίγον σβεννύμενον· ἀγνοεῖς γὰρ τὸ τῆς μελλούσης
κρίσεως καὶ αἰωνίου κολάσεως τοῖς ἀσεβέσι τηρούμενον πῦρ. ἀλλὰ τί
βραδύνεις; φέρε ὃ βούλει."

X, 2) Rom. 13, 1. 7. I Petr. 2, 13 sqq.

1   XII. Ταῦτα δὲ καὶ ἕτερα πλείονα λέγων, θάρσους καὶ χαρᾶς
ἐνεπίμπλατο, καὶ τὸ πρόσωπον αὐτοῦ χάριτος ἐπληροῦτο, ὥστε οὐ
μόνον μὴ συμπεσεῖν ταραχθέντα ὑπὸ τῶν λεγομένων πρὸς αὐτόν,
ἀλλὰ τοὐναντίον τὸν ἀνθύπατον ἐκστῆναι, πέμψαι τε τὸν ἑαυτοῦ κή-
ρυκα, ἐν μέσῳ τοῦ σταδίου κηρῦξαι τρίς· „Πολύκαρπος ὡμολόγησεν
2   ἑαυτὸν Χριστιανὸν εἶναι." 2. τούτου λεχθέντος ὑπὸ τοῦ κήρυκος,
ἅπαν τὸ πλῆθος ἐθνῶν τε καὶ Ἰουδαίων τῶν τὴν Σμύρναν κατοικούν-
των ἀκατασχέτῳ θυμῷ καὶ μεγάλῃ φωνῇ ἐβόα· „οὗτός ἐστιν ὁ τῆς
Ἀσίας διδάσκαλος, ὁ πατὴρ τῶν Χριστιανῶν, ὁ τῶν ἡμετέρων θεῶν
καθαιρέτης, ὁ πολλοὺς διδάσκων μὴ θύειν μηδὲ προσκυνεῖν." ταῦτα
λέγοντες ἐπεβόων καὶ ἠρώτων τὸν Ἀσιάρχην Φίλιππον, ἵνα ἐπαφῇ τῷ
Πολυκάρπῳ λέοντα. ὁ δὲ ἔφη, μὴ εἶναι ἐξὸν αὐτῷ, ἐπειδὴ πεπληρώ-
3   κει τὰ κυνηγέσια. 3. τότε ἔδοξεν αὐτοῖς ὁμοθυμαδὸν ἐπιβοῆσαι, ὥστε
τὸν Πολύκαρπον ζῶντα κατακαυθῆναι. ἔδει γὰρ τὸ τῆς φανερωθείσης
ἐπὶ τοῦ προσκεφαλαίου ὀπτασίας πληρωθῆναι, ὅτε ἰδὼν αὐτὸ καιόμε-
νον προσευχόμενος, εἶπεν ἐπιστραφεὶς τοῖς σὺν αὐτῷ πιστοῖς προφητι-
κῶς· „δεῖ με ζῶντα καῆναι."

1   XIII. Ταῦτα οὖν μετὰ τοσούτου τάχους ἐγένετο, θᾶττον ἢ ἐλέ-
γετο, τῶν ὄχλων παραχρῆμα συναγόντων ἔκ τε τῶν ἐργαστηρίων καὶ
βαλανείων ξύλα καὶ φρύγανα, μάλιστα Ἰουδαίων προθύμως, ὡς ἔθος
2   αὐτοῖς, εἰς ταῦτα ὑπουργούντων. 2. ὅτε δὲ ἡ πυρὰ ἡτοιμάσθη, ἀπο-
θέμενος ἑαυτῷ πάντα τὰ ἱμάτια καὶ λύσας τὴν ζώνην, ἐπειρᾶτο καὶ
ὑπολύειν ἑαυτόν, μὴ πρότερον τοῦτο ποιῶν διὰ τὸ ἀεὶ ἕκαστον τῶν
πιστῶν σπουδάζειν, ὅστις τάχιον τοῦ χρωτὸς αὐτοῦ ἅψηται. παντὶ
γὰρ καλῷ ἀγαθῆς ἕνεκεν πολιτείας καὶ πρὸ τῆς μαρτυρίας ἐκεκόσμητο.
3   3. εὐθέως οὖν αὐτῷ περιετίθετο τὰ πρὸς τὴν πυρὰν ἡρμοσμένα ὄργανα.
μελλόντων δὲ αὐτῶν καὶ προσηλοῦν, εἶπεν· „ἄφετέ με οὕτως· ὁ γὰρ
δοὺς ὑπομεῖναι τὸ πῦρ, δώσει καὶ χωρὶς τῆς ὑμετέρας ἐκ τῶν ἥλων
ἀσφαλείας ἄσκυλτον ἐπιμεῖναι τῇ πυρᾷ."

1   XIV. Οἱ δὲ οὐ καθήλωσαν, προσέδησαν δὲ αὐτόν. ὁ δὲ ὀπίσω
τὰς χεῖρας ποιήσας καὶ προσδεθείς, ὥσπερ κριὸς ἐπίσημος ἐκ μεγάλου
ποιμνίου εἰς προσφοράν, ὁλοκαύτωμα δεκτὸν τῷ θεῷ ἡτοιμασμένον,
ἀναβλέψας εἰς τὸν οὐρανὸν εἶπε· „κύριε ὁ θεός, ὁ παντοκράτωρ, ὁ
τοῦ ἀγαπητοῦ καὶ εὐλογητοῦ παιδός σου Ἰησοῦ Χριστοῦ πατήρ, δι'

οὗ τὴν περὶ σοῦ ἐπίγνωσιν εἰλήφαμεν, ὁ θεὸς ἀγγέλων καὶ δυνάμεων καὶ πάσης κτίσεως παντός τε τοῦ γένους τῶν δικαίων, οἳ ζῶσιν ἐνώ- πιόν σου· 2. εὐλογῶ σε, ὅτι ἠξίωσάς με τῆς ἡμέρας καὶ ὥρας ταύ- 2 της, τοῦ λαβεῖν μέρος ἐν ἀριθμῷ τῶν μαρτύρων ἐν τῷ ποτηρίῳ τοῦ Χριστοῦ σου εἰς ἀνάστασιν ζωῆς αἰωνίου ψυχῆς τε καὶ σώματος ἐν ἀφθαρσίᾳ πνεύματος ἁγίου· ἐν οἷς προσδεχθείην ἐνώπιόν σου σήμερον ἐν θυσίᾳ πίονι καὶ προσδεκτῇ, καθὼς προητοίμασας καὶ προεφανέρω- σας καὶ ἐπλήρωσας, ὁ ἀψευδὴς καὶ ἀληθινὸς θεός. 3. διὰ τοῦτο καὶ 3 περὶ πάντων σε αἰνῶ, σὲ εὐλογῶ, σὲ δοξάζω διὰ τοῦ αἰωνίου καὶ ἐπουρανίου ἀρχιερέως Ἰησοῦ Χριστοῦ, ἀγαπητοῦ σου παιδός, δι᾽ οὗ σοι σὺν αὐτῷ καὶ πνεύματι ἁγίῳ δόξα καὶ νῦν καὶ εἰς τοὺς μέλλον- τας αἰῶνας. ἀμήν."

XV. Ἀναπέμψαντος δὲ αὐτοῦ τὸ ἀμὴν καὶ πληρώσαντος τὴν 1 εὐχὴν, οἱ τοῦ πυρὸς ἄνθρωποι ἐξῆψαν τὸ πῦρ. μεγάλης δὲ ἐκλαμψά- σης φλογός, θαῦμα εἴδομεν, οἷς ἰδεῖν ἐδόθη· οἳ καὶ ἐτηρήθημεν εἰς τὸ ἀναγγεῖλαι τοῖς λοιποῖς τὰ γενόμενα. 2. τὸ γὰρ πῦρ καμάρας 2 εἶδος ποιῆσαν, ὥσπερ ὀθόνη πλοίου ὑπὸ πνεύματος πληρουμένη κύκλῳ περιετείχισε τὸ σῶμα τοῦ μάρτυρος· καὶ ἦν μέσον οὐχ ὡς σὰρξ καιο- μένη, ἀλλ᾽ ὡς ἄρτος ὀπτώμενος, ἢ ὡς χρυσὸς καὶ ἄργυρος ἐν καμίνῳ πυρούμενος. καὶ γὰρ εὐωδίας τοσαύτης ἀντελαβόμεθα, ὡς λιβανωτοῦ πνέοντος ἢ ἄλλου τινὸς τῶν τιμίων ἀρωμάτων.

XVI. Πέρας οὖν ἰδόντες οἱ ἄνομοι μὴ δυνάμενον αὐτοῦ τὸ σῶμα 1 ὑπὸ τοῦ πυρὸς δαπανηθῆναι, ἐκέλευσαν προσελθόντα αὐτῷ κομφέκτορα παραβῦσαι ξιφίδιον. καὶ τοῦτο ποιήσαντος, ἐξῆλθε περὶ στύρακα πλῆθος αἵματος, ὥστε κατασβέσαι τὸ πῦρ καὶ θαυμάσαι πάντα τον ὄχλον, εἰ τοσαύτη τις διαφορὰ μεταξὺ τῶν τε ἀπίστων καὶ τῶν ἐκ- λεκτῶν· 2. ὧν εἷς καὶ οὗτος γεγόνει ὁ θαυμασιώτατος μάρτυς Πο- 2 λύκαρπος, ἐν τοῖς καθ᾽ ἡμᾶς χρόνοις διδάσκαλος ἀποστολικὸς καὶ προ- φητικὸς γενόμενος, ἐπίσκοπος τῆς ἐν Σμύρνῃ καθολικῆς ἐκκλησίας. *Oldest use of the word in its meaning as "orthodox".* πᾶν γὰρ ῥῆμα, ὃ ἀφῆκεν ἐκ τοῦ στόματος αὐτοῦ, ἐτελειώθη καὶ τε- λειωθήσεται.

XVII. Ὁ δὲ ἀντίζηλος καὶ βάσκανος καὶ πονηρὸς ὁ ἀντικείμενος 1 τῷ γένει τῶν δικαίων, ἰδὼν τό τε μέγεθος αὐτοῦ τῆς μαρτυρίας καὶ τὴν ἀπ᾽ ἀρχῆς ἀνεπίληπτον πολιτείαν, ἐστεφανωμένον τε τὸν τῆς

ἀφθαρσίας στέφανον καὶ βραβεῖον ἀναντίρρητον ἀπενηνεγμένον, ἐπετή-
δευσεν, ὡς μηδὲ τὸ σωμάτιον αὐτοῦ ὑφ' ἡμῶν ληφθῆναι, καίπερ πολ-
λῶν ἐπιθυμούντων τοῦτο ποιῆσαι καὶ κοινωνῆσαι τῷ ἁγίῳ αὐτοῦ
2 σαρκίῳ. 2. ὑπέβαλον γοῦν Νικήτην τὸν τοῦ Ἡρώδου πατέρα, ἀδελ-
φὸν δὲ Ἄλκης, ἐντυχεῖν τῷ ἄρχοντι, ὥστε μὴ δοῦναι αὐτοῦ τὸ σῶμα,
„μὴ, φησὶν, ἀφέντες τὸν ἐσταυρωμένον, τοῦτον ἄρξωνται σέβεσθαι"·
καὶ ταῦτα ὑποβαλλόντων καὶ ἐνισχυόντων Ἰουδαίων, οἳ καὶ ἐτήρησαν,
μελλόντων ἡμῶν ἐκ τοῦ πυρὸς αὐτὸ λαμβάνειν, ἀγνοοῦντες ὅτι οὔτε
τὸν Χριστόν ποτε καταλιπεῖν δυνησόμεθα, τὸν ὑπὲρ τῆς τοῦ παντὸς
κόσμου τῶν σωζομένων σωτηρίας παθόντα ἄμωμον ὑπὲρ ἁμαρτωλῶν,
3 οὔτε ἕτερόν τινα σέβεσθαι. 3. τοῦτον μὲν γὰρ υἱὸν ὄντα τοῦ θεοῦ
προσκυνοῦμεν, τοὺς δὲ μάρτυρας ὡς μαθητὰς καὶ μιμητὰς τοῦ κυρίου
ἀγαπῶμεν ἀξίως ἕνεκα εὐνοίας ἀνυπερβλήτου τῆς εἰς τὸν ἴδιον βασι-
λέα καὶ διδάσκαλον· ὧν γένοιτο καὶ ἡμᾶς κοινωνούς τε καὶ συμμαθη-
τὰς γενέσθαι.

1   XVIII. Ἰδὼν οὖν ὁ κεντυρίων τὴν τῶν Ἰουδαίων γενομένην φι-
λονεικίαν, θεὶς αὐτὸν ἐν μέσῳ, ὡς ἔθος αὐτοῖς, ἔκαυσεν. οὕτως τε
ἡμεῖς ὕστερον ἀνελόμενοι τὰ τιμιώτερα λίθων πολυτελῶν καὶ δοκιμώ-
τερα ὑπὲρ χρυσίον ὀστᾶ αὐτοῦ, ἀπεθέμεθα ὅπου καὶ ἀκόλουθον ἦν.
2 2. ἔνθα ὡς δυνατὸν ἡμῖν συναγομένοις ἐν ἀγαλλιάσει καὶ χαρᾷ παρέξει
ὁ κύριος ἐπιτελεῖν τὴν τοῦ μαρτυρίου αὐτοῦ ἡμέραν γενέθλιον, εἴς τε
τὴν τῶν προηθληκότων μνήμην καὶ τῶν μελλόντων ἄσκησίν τε καὶ
ἑτοιμασίαν.

1   XIX. Τοιαῦτα τὰ κατὰ τὸν μακάριον Πολύκαρπον, ὃς σὺν τοῖς
ἀπὸ Φιλαδελφίας δωδέκατος ἐν Σμύρνῃ μαρτυρήσας, μόνος ὑπὸ πάν-
των μᾶλλον μνημονεύεται, ὥστε καὶ ὑπὸ τῶν ἐθνῶν ἐν παντὶ τόπῳ
λαλεῖσθαι· οὐ μόνον διδάσκαλος γενόμενος ἐπίσημος, ἀλλὰ καὶ μάρ-
τυς ἔξοχος, οὗ τὸ μαρτύριον πάντες ἐπιθυμοῦσιν μιμεῖσθαι κατὰ τὸ
2 εὐαγγέλιον Χριστοῦ γενόμενον. 2. διὰ τῆς ὑπομονῆς καταγωνισάμενος
τὸν ἄδικον ἄρχοντα καὶ οὕτως τὸν τῆς ἀφθαρσίας στέφανον ἀπολαβών,
σὺν τοῖς ἀποστόλοις καὶ πᾶσι δικαίοις ἀγαλλιώμενος δοξάζει τὸν θεὸν
καὶ πατέρα παντοκράτορα καὶ εὐλογεῖ τὸν κύριον ἡμῶν Ἰησοῦν Χρι-
στόν, τὸν σωτῆρα τῶν ψυχῶν ἡμῶν καὶ κυβερνήτην τῶν σωμάτων
ἡμῶν καὶ ποιμένα τῆς κατὰ τὴν οἰκουμένην καθολικῆς ἐκκλησίας.

XX. Ὑμεῖς μὲν οὖν ἠξιώσατε διὰ πλειόνων δηλωϑῆναι ὑμῖν τὰ ₁
γενόμενα· ἡμεῖς δὲ κατὰ τὸ παρὸν ὡς ἐν κεφαλαίῳ μεμηνύκαμεν διὰ
τοῦ ἀδελφοῦ ἡμῶν Μαρκίωνος. μαϑόντες οὖν ταῦτα καὶ τοῖς ἐπέκεινα
ἀδελφοῖς τὴν ἐπιστολὴν διαπέμψασϑε, ἵνα καὶ ἐκεῖνοι δοξάσωσι τὸν
κύριον, τὸν ἐκλογὰς ποιοῦντα ἀπὸ τῶν ἰδίων δούλων. 2. Τῷ δὲ δυ- ₂
ναμένῳ πάντας ἡμᾶς εἰσαγαγεῖν ἐν τῇ αὐτοῦ χάριτι καὶ δωρεᾷ εἰς
τὴν αἰώνιον αὐτοῦ βασιλείαν, διὰ παιδὸς αὐτοῦ τοῦ μονογενοῦς Ἰησοῦ
Χριστοῦ ἡ δόξα, τιμή, κράτος, μεγαλωσύνη εἰς τοὺς αἰῶνας. προσαγο-
ρεύετε πάντας τοὺς ἁγίους. ὑμᾶς οἱ σὺν ἡμῖν προσαγορεύουσιν καὶ
Εὐάρεστος, ὁ γράψας, πανοικεί.

XXI. Μαρτυρεῖ δὲ ὁ μακάριος Πολύκαρπος μηνὸς Ξανϑικοῦ δευ-
τέρᾳ ἱσταμένου, πρὸ ἑπτὰ καλανδῶν Μαρτίων. σαββάτῳ μεγάλῳ, ὥρᾳ
ὀγδόῃ συνελήφϑη ὑπὸ Ἡρώδου ἐπὶ ἀρχιερέως Φιλίππου Τραλλιανοῦ,
ἀνϑυπατεύοντος Στατίου Κοδράτου, βασιλεύοντος δὲ εἰς τοὺς αἰῶνας
Ἰησοῦ Χριστοῦ· ᾧ ἡ δόξα, τιμή, μεγαλωσύνη, ϑρόνος αἰώνιος ἀπὸ
γενεᾶς εἰς γενεάν. ἀμήν.

XXII. [Ἐρρῶσϑαι ὑμᾶς εὐχόμεϑα, ἀδελφοί, στοιχοῦντας τῷ κατὰ
τὸ εὐαγγέλιον λόγῳ Ἰησοῦ Χριστοῦ· μεϑ᾽ οὗ δόξα τῷ ϑεῷ καὶ πατρὶ
καὶ ἁγίῳ πνεύματι ἐπὶ σωτηρίᾳ τῇ τῶν ἁγίων ἐκλεκτῶν· καϑὼς ἐμαρ-
τύρησεν ὁ μακάριος Πολύκαρπος, οὗ γένοιτο ἐν τῇ βασιλείᾳ Ἰησοῦ
Χριστοῦ πρὸς τὰ ἴχνη εὑρεϑῆναι ἡμᾶς.]
2. Ταῦτα μετεγράψατο μὲν Γάϊος ἐκ τῶν Εἰρηναίου, μαϑητοῦ
τοῦ Πολυκάρπου, ὃς καὶ συνεπολιτεύσατο τῷ Εἰρηναίῳ. ἐγὼ δὲ Σω-
κράτης ἐν Κορίνϑῳ ἐκ τῶν Γαΐου ἀντιγράφων ἔγραψα. ἡ χάρις μετὰ
πάντων.
3. Ἐγὼ δὲ πάλιν Πιόνιος ἐκ τοῦ προγεγραμμένου ἔγραψα
ἀναζητήσας αὐτά, κατὰ ἀποκάλυψιν φανερώσαντός μοι τοῦ μακαρίου
Πολυκάρπου, καϑὼς δηλώσω ἐν τῷ καϑεξῆς, συναγαγὼν αὐτὰ ἤδη
σχεδὸν ἐκ τοῦ χρόνου κεκμηκότα, ἵνα κἀμὲ συναγάγῃ ὁ κύριος Ἰη-
σοῦς Χριστὸς μετὰ τῶν ἐκλεκτῶν αὐτοῦ εἰς τὴν οὐράνιον βασιλείαν
αὐτοῦ, ᾧ ἡ δόξα σὺν πατρὶ καὶ ἁγίῳ πνεύματι εἰς τοὺς αἰῶνας τῶν
αἰώνων. ἀμήν.

EPILOGUS ALIUS

E CODICE MOSQUENSI DESCRIPTUS.

1   Ταῦτα μετεγράψατο μὲν Γάϊος ἐκ τῶν Εἰρηναίου συγγραμμάτων, ὃς καὶ συνεπολιτεύσατο τῷ Εἰρηναίῳ, μαθητῇ γεγονότι τοῦ ἁγίου Πολυκάρπου. οὗτος γὰρ ὁ Εἰρηναῖος κατὰ τὸν καιρὸν τοῦ μαρτυρίου τοῦ ἐπισκόπου Πολυκάρπου γενόμενος ἐν Ῥώμῃ, πολλοὺς ἐδίδαξεν· οὗ καὶ πολλὰ συγγράμματα κάλλιστα καὶ ὀρθότατα φέρεται· ἐν οἷς μέμνηται Πολυκάρπου, ὅτι παρ᾽ αὐτοῦ ἔμαθεν· ἱκανῶς τε πᾶσαν αἵρεσιν ἤλεγξεν καὶ τὸν ἐκκλησιαστικὸν κανόνα καὶ καθολικὸν, ὡς παρέλα-
2   βεν παρὰ τοῦ ἁγίου, καὶ παρέδωκεν. 2. λέγει δὲ καὶ τοῦτο· ὅτι συναντήσαντός ποτε τῷ ἁγίῳ Πολυκάρπῳ Μαρκίωνος, ἀφ᾽ οὗ οἱ λεγόμενοι Μαρκιωνισταὶ, καὶ εἰπόντος· „ἐπιγίνωσκε ἡμᾶς, Πολύκαρπε,“ εἶπεν αὐτὸς τῷ Μαρκίωνι· „ἐπιγινώσκω, ἐπιγινώσκω τὸν πρωτότοκον
3   τοῦ Σατανᾶ.“ 3. καὶ τοῦτο δὲ φέρεται ἐν τοῖς τοῦ Εἰρηναίου συγγράμμασιν, ὅτι ᾗ ἡμέρᾳ καὶ ὥρᾳ ἐν Σμύρνῃ ἐμαρτύρησεν ὁ Πολύκαρπος, ἤκουσεν φωνὴν ἐν τῇ Ῥωμαίων πόλει ὑπάρχων ὁ Εἰρηναῖος ὡς σάλπιγγος λεγούσης· „Πολύκαρπος ἐμαρτύρησεν.“

4   4. Ἐκ τούτου οὖν, ὡς προλέλεκται, τῶν τοῦ Εἰρηναίου συγγραμμάτων Γάϊος μετεγράψατο, ἐκ δὲ τῶν Γαΐου ἀντιγράφων Ἰσοκράτης ἐν Κορίνθῳ. ἐγὼ δὲ πάλιν Πιόνιος ἐκ τῶν Ἰσοκράτους ἀντιγράφων ἔγραψα κατὰ ἀποκάλυψιν τοῦ ἁγίου Πολυκάρπου ζητήσας αὐτὰ, συναγαγὼν αὐτὰ ἤδη σχεδὸν ἐκ τοῦ χρόνου κεκμηκότα, ἵνα κἀμὲ συναγάγῃ ὁ κύριος Ἰησοῦς Χριστὸς μετὰ τῶν ἐκλεκτῶν αὐτοῦ εἰς τὴν ἐπουράνιον αὐτοῦ βασιλείαν· ᾧ ἡ δόξα σὺν τῷ πατρὶ καὶ τῷ υἱῷ καὶ τῷ ἁγίῳ πνεύματι εἰς τοὺς αἰῶνας τῶν αἰώνων. ἀμήν.

ΠΟΙΜΗΝ.

1. Ὁ θρέψας με πέπρακέν με Ῥόδῃ τινὶ εἰς Ῥώμην. μετὰ 1 πολλὰ ἔτη ταύτην ἀνεγνωρισάμην καὶ ἠρξάμην αὐτὴν ἀγαπᾶν ὡς ἀδελφήν. 2. μετὰ χρόνον τινὰ λουομένην εἰς τὸν ποταμὸν τὸν Τί- 2 βεριν εἶδον, καὶ ἐπέδωκα αὐτῇ τὴν χεῖρα καὶ ἐξήγαγον αὐτὴν ἐκ τοῦ ποταμοῦ. ταύτης οὖν ἰδὼν τὸ κάλλος διελογιζόμην ἐν τῇ καρδίᾳ μου λέγων· Μακάριος ἤμην εἰ τοιαύτην γυναῖκα εἶχον καὶ τῷ κάλλει καὶ τῷ τρόπῳ. μόνον τοῦτο ἐβουλευσάμην, ἕτερον δὲ οὐδέν. 3. μετὰ 3 χρόνον τινὰ πορευομένου μου εἰς Κούμας καὶ δοξάζοντος τὰς κτίσεις τοῦ θεοῦ, ὡς μεγάλαι καὶ ἐκπρεπεῖς καὶ δυναταί εἰσιν, περιπατῶν ἀφύπνωσα. καὶ πνεῦμά με ἔλαβεν καὶ ἀπήνεγκέν με δι' ἀνοδίας τινός, δι' ἧς ἄνθρωπος οὐκ ἐδύνατο ὁδεῦσαι· ἦν δὲ ὁ τόπος κρημνώ- δης καὶ ἀπερρηγὼς ἀπὸ τῶν ὑδάτων. διαβὰς οὖν τὸν ποταμὸν ἐκεῖ- νον ἦλθον εἰς τὰ ὁμαλά, καὶ τιθῶ τὰ γόνατα καὶ ἠρξάμην προσεύχε- σθαι τῷ κυρίῳ καὶ ἐξομολογεῖσθαί μου τὰς ἁμαρτίας. 4. προσευχο- 4 μένου δέ μου ἠνοίγη ὁ οὐρανός, καὶ βλέπω τὴν γυναῖκα ἐκείνην ἣν ἐπεθύμησα ἀσπαζομένην με ἐκ τοῦ οὐρανοῦ, λέγουσαν· Ἑρμᾶ χαῖρε. 5. βλέψας δὲ εἰς αὐτὴν λέγω αὐτῇ· Κυρία, τί σὺ ὧδε ποιεῖς; ἡ δὲ 5 ἀπεκρίθη μοι· Ἀνελήμφθην ἵνα σου τὰς ἁμαρτίας ἐλέγξω πρὸς τὸν κύριον. 6. λέγω αὐτῇ· Νῦν σύ μου ἔλεγχος εἶ; Οὔ, φησίν, ἀλλὰ 6 ἄκουσον τὰ ῥήματα ἅ σοι μέλλω λέγειν. ὁ θεὸς ὁ ἐν τοῖς οὐρανοῖς κατοικῶν καὶ κτίσας ἐκ τοῦ μὴ ὄντος τὰ ὄντα καὶ πληθύνας καὶ αὐξήσας ἕνεκεν τῆς ἁγίας ἐκκλησίας αὐτοῦ, ὀργίζεταί σοι ὅτι ἥμαρτες εἰς ἐμέ. 7. ἀποκριθεὶς αὐτῇ λέγω· Εἰς σὲ ἥμαρτον; ποίῳ τρόπῳ; ἢ 7 πότε σοι αἰσχρὸν ῥῆμα ἐλάλησα; οὐ πάντοτέ σε ὡς θεὰν ἡγησάμην; οὐ πάντοτέ σε ἐνετράπην ὡς ἀδελφήν; τί μου καταψεύδῃ, ὦ γύναι,

8 τὰ πονηρὰ ταῦτα καὶ ἀκάθαρτα; 8. γελάσασά μοι λέγει· Ἐπὶ τὴν καρδίαν σου ἀνέβη ἡ ἐπιθυμία τῆς πονηρίας. ἢ οὐ δοκεῖ σοι ἀνδρὶ δικαίῳ πονηρὸν πρᾶγμα εἶναι ἐὰν ἀναβῇ αὐτοῦ ἐπὶ τὴν καρδίαν ἡ πονηρὰ ἐπιθυμία; ἁμαρτία γέ ἐστιν, καὶ μεγάλη, φησίν. ὁ γὰρ δίκαιος ἀνὴρ δίκαια βουλεύεται. ἐν τῷ οὖν δίκαια βουλεύεσθαι αὐτὸν κατορ-θοῦται ἡ δόξα αὐτοῦ ἐν τοῖς οὐρανοῖς καὶ εὐκατάλλακτον ἔχει τὸν κύριον ἐν παντὶ πράγματι αὐτοῦ· οἱ δὲ πονηρὰ βουλευόμενοι ἐν ταῖς καρδίαις αὐτῶν θάνατον καὶ αἰχμαλωτισμὸν ἑαυτοῖς ἐπισπῶνται, μά-λιστα οἱ τὸν αἰῶνα τοῦτον περιποιούμενοι καὶ γαυριῶντες ἐν τῷ πλούτῳ αὐτῶν καὶ μὴ ἀντεχόμενοι τῶν ἀγαθῶν τῶν μελλόντων.
9 9. μετανοήσουσιν αἱ ψυχαὶ αὐτῶν, οἵτινες οὐκ ἔχουσιν ἐλπίδα, ἀλλὰ ἑαυτοὺς ἀπεγνώκασιν καὶ τὴν ζωὴν αὐτῶν. ἀλλὰ σὺ προσεύχου πρὸς τὸν θεόν, καὶ ἰάσεται τὰ ἁμαρτήματά σου καὶ ὅλου τοῦ οἴκου σου καὶ πάντων τῶν ἁγίων.

1 2. Μετὰ τὸ λαλῆσαι αὐτὴν τὰ ῥήματα ταῦτα ἐκλείσθησαν οἱ οὐρανοί· κἀγὼ ὅλος ἤμην πεφρικὼς καὶ λυπούμενος. ἔλεγον δὲ ἐν ἐμαυτῷ· Εἰ αὕτη μοι ἡ ἁμαρτία ἀναγράφεται, πῶς δυνήσομαι σωθῆ-ναι; ἢ πῶς ἐξιλάσομαι τὸν θεὸν περὶ τῶν ἁμαρτιῶν μου τῶν τελείων;
2 ἢ ποίοις ῥήμασιν ἐρωτήσω τὸν κύριον ἵνα ἱλατεύσηταί μοι; 2. ταῦτά μου συμβουλευομένου καὶ διακρίνοντος ἐν τῇ καρδίᾳ μου, βλέπω κατέ-ναντί μου καθέδραν λευκὴν ἐξ ἐρίων χιονίνων γεγονυῖαν μεγάλην· καὶ ἦλθεν γυνὴ πρεσβῦτις ἐν ἱματισμῷ λαμπροτάτῳ, ἔχουσα βιβλίον εἰς τὰς χεῖρας, καὶ ἐκάθισεν μόνη, καὶ ἀσπάζεταί με· Ἑρμᾶ χαῖρε.
3 κἀγὼ λυπούμενος καὶ κλαίων εἶπον· Κυρία χαῖρε. 3. καὶ εἶπέν μοι· Τί στυγνός, Ἑρμᾶ, ὁ μακρόθυμος καὶ ἀστομάχητος, ὁ πάντοτε γελῶν, τί οὕτω κατηφὴς τῇ ἰδέᾳ καὶ οὐχ ἱλαρός; κἀγὼ εἶπον αὐτῇ· Ὑπὸ
4 γυναικὸς ἀγαθωτάτης λεγούσης ὅτι ἥμαρτον εἰς αὐτήν. 4. ἡ δὲ ἔφη· Μηδαμῶς ἐπὶ τὸν δοῦλον τοῦ θεοῦ τὸ πρᾶγμα τοῦτο. ἀλλὰ πάντως ἐπὶ τὴν καρδίαν σου ἀνέβη περὶ αὐτῆς. ἔστιν μὲν τοῖς δούλοις τοῦ θεοῦ ἡ τοιαύτη βουλὴ ἁμαρτίαν ἐπιφέρουσα· πονηρὰ γὰρ βουλὴ καὶ ἔκπληκτος, εἰς πάνσεμνον πνεῦμα καὶ ἤδη δεδοκιμασμένον, ἐὰν ἐπι-θυμήσῃ πονηρὸν ἔργον, καὶ μάλιστα Ἑρμᾶς ὁ ἐγκρατής, ὁ ἀπεχό-μενος πάσης ἐπιθυμίας πονηρᾶς καὶ πλήρης πάσης ἁπλότητος καὶ ἀκακίας μεγάλης.

3. Ἀλλ' οὐχ ἕνεκα τούτου ὀργίζεταί σοι ὁ θεός, ἀλλ' ἵνα τὸν 1
οἶκόν σου τὸν ἀνομήσαντα εἰς τὸν κύριον καὶ εἰς ὑμᾶς τοὺς γονεῖς
αὐτῶν ἐπιστρέψῃς. ἀλλὰ φιλότεκνος ὢν οὐκ ἐνουθέτεις σου τὸν οἶκον,
ἀλλὰ ἀφῆκας αὐτὸν καταφθαρῆναι δεινῶς· διὰ τοῦτό σοι ὀργίζεται ὁ
κύριος· ἀλλὰ ἰάσεταί σου πάντα τὰ προγεγονότα πονηρὰ ἐν τῷ οἴκῳ
σου· διὰ γὰρ τὰς ἐκείνων ἁμαρτίας καὶ ἀνομήματα σὺ κατεφθάρης
ἀπὸ τῶν βιωτικῶν πράξεων. 2. ἀλλ' ἡ πολυσπλαγχνία τοῦ κυρίου 2
ἠλέησέν σε καὶ τὸν οἶκόν σου καὶ ἰσχυροποιήσει σε καὶ θεμελιώσει
σε ἐν τῇ δόξῃ αὐτοῦ. σὺ μόνον μὴ ῥᾳθυμήσῃς, ἀλλὰ εὐψύχει καὶ
ἰσχυροποίει σου τὸν οἶκον. ὡς γὰρ ὁ χαλκεὺς σφυροκοπῶν τὸ ἔργον
αὐτοῦ περιγίνεται τοῦ πράγματος οὗ θέλει, οὕτω καὶ ὁ λόγος ὁ κα-
θημερινὸς ὁ δίκαιος περιγίνεται πάσης πονηρίας. μὴ διαλίπῃς οὖν
νουθετῶν σου τὰ τέκνα· οἶδα γὰρ ὅτι ἐὰν μετανοήσουσιν ἐξ ὅλης
καρδίας αὐτῶν, ἐνγραφήσονται εἰς τὰς βίβλους τῆς ζωῆς μετὰ τῶν
ἁγίων. 3. μετὰ τὸ παῆναι αὐτῆς τὰ ῥήματα ταῦτα λέγει μοι· Θέλεις 3
ἀκοῦσαί μου ἀναγινωσκούσης; λέγω κἀγώ· Θέλω, κυρία. λέγει μοι·
Γενοῦ ἀκροατὴς καὶ ἄκουε τὰς δόξας τοῦ θεοῦ. ἤκουσα μεγάλως
καὶ θαυμαστῶς ὃ οὐκ ἴσχυσα μνημονεῦσαι· πάντα γὰρ τὰ ῥήματα
ἔκφρικτα, ἃ οὐ δύναται ἄνθρωπος βαστάσαι. τὰ οὖν ἔσχατα ῥήματα
ἐμνημόνευσα· ἦν γὰρ ἡμῖν σύμφορα καὶ ἥμερα· 4. Ἰδοὺ ὁ θεὸς τῶν 4
δυνάμεων, ὁ ἀοράτῳ δυνάμει καὶ κραταιᾷ καὶ τῇ μεγάλῃ συνέσει αὐτοῦ
κτίσας τὸν κόσμον καὶ τῇ ἐνδόξῳ βουλῇ περιθεὶς τὴν εὐπρέπειαν τῇ
κτίσει αὐτοῦ, καὶ τῷ ἰσχυρῷ ῥήματι πήξας τὸν οὐρανὸν καὶ θεμελιώ-
σας τὴν γῆν ἐπὶ ὑδάτων, καὶ τῇ ἰδίᾳ σοφίᾳ καὶ προνοίᾳ κτίσας τὴν
ἁγίαν ἐκκλησίαν αὐτοῦ, ἣν καὶ ηὐλόγησεν, ἰδοὺ μεθιστάνει τοὺς
οὐρανοὺς καὶ τὰ ὄρη καὶ τοὺς βουνοὺς καὶ τὰς θαλάσσας, καὶ πάντα
ὁμαλὰ γίνεται τοῖς ἐκλεκτοῖς αὐτοῦ, ἵνα ἀποδῷ αὐτοῖς τὴν ἐπαγγελίαν
ἣν ἐπηγγείλατο μετὰ πολλῆς δόξης καὶ χαρᾶς, ἐὰν τηρήσωσιν τὰ
νόμιμα τοῦ θεοῦ ἃ παρέλαβον ἐν μεγάλῃ πίστει.

4. Ὅτε οὖν ἐτέλεσεν ἀναγινώσκουσα καὶ ἠγέρθη ἀπὸ τῆς καθέ- 1
δρας, ἦλθαν τέσσαρες νεανίαι καὶ ἦραν τὴν καθέδραν καὶ ἀπῆλθον
πρὸς τὴν ἀνατολήν. 2. προσκαλεῖται δέ με καὶ ἥψατο τοῦ στήθους 2
μου καὶ λέγει μοι· Ἤρεσέν σοι ἡ ἀνάγνωσίς μου; καὶ λέγω αὐτῇ·
Κυρία, ταῦτά μοι τὰ ἔσχατα ἀρέσκει, τὰ δὲ πρότερα χαλεπὰ καὶ

9*

σκληρά. ἡ δὲ ἔφη μοι λέγουσα· Ταῦτα τὰ ἔσχατα τοῖς δικαίοις, τὰ
3 δὲ πρότερα τοῖς ἔθνεσιν καὶ τοῖς ἀποστάταις. 3. λαλούσης αὐτῆς
μετ᾽ ἐμοῦ δύο τινὲς ἄνδρες ἐφάνησαν καὶ ἦραν αὐτὴν τῶν ἀγκώνων
καὶ ἀπῆλθαν, ὅπου καὶ ἡ καθέδρα, πρὸς τὴν ἀνατολήν. ἱλαρὰ δὲ
ἀπῆλθεν, καὶ ὑπάγουσα λέγει μοι· Ἀνδρίζου, Ἑρμᾶ.

Ὅρασις β΄.

1   1. Πορευομένου μου εἰς Κούμας κατὰ τὸν καιρὸν ὃν καὶ πέρυσι,
περιπατῶν ἀνεμνήσθην τῆς περυσινῆς ὁράσεως, καὶ πάλιν με αἴρει
2 πνεῦμα καὶ ἀποφέρει εἰς τὸν αὐτὸν τόπον ὅπου καὶ πέρυσι. 2. ἐλθὼν
οὖν εἰς τὸν τόπον τιθῶ τὰ γόνατα καὶ ἠρξάμην προσεύχεσθαι τῷ
κυρίῳ καὶ δοξάζειν αὐτοῦ τὸ ὄνομα, ὅτι με ἄξιον ἡγήσατο καὶ ἐγνώ-
3 ρισέν μοι τὰς ἁμαρτίας μου τὰς πρότερον. 3. μετὰ δὲ τὸ ἐγερθῆναί
με ἀπὸ τῆς προσευχῆς βλέπω ἀπέναντί μου τὴν πρεσβυτέραν ἣν καὶ
πέρυσιν ἑωράκειν, περιπατοῦσαν καὶ ἀναγινώσκουσαν βιβλαρίδιον. καὶ
λέγει μοι· Δύνῃ ταῦτα τοῖς ἐκλεκτοῖς τοῦ θεοῦ ἀναγγεῖλαι; λέγω
αὐτῇ· Κυρία, τοσαῦτα μνημονεῦσαι οὐ δύναμαι· δὸς δέ μοι τὸ βιβλί-
διον, ἵνα μεταγράψωμαι αὐτό. Λάβε, φησίν, καὶ ἀποδώσεις μοι.
4 4. ἔλαβον ἐγώ, καὶ εἴς τινα τόπον τοῦ ἀγροῦ ἀναχωρήσας μετε-
γραψάμην πάντα πρὸς γράμμα· οὐχ ηὕρισκον γὰρ τὰς συλλαβάς. τελέ-
σαντος οὖν μου τὰ γράμματα τοῦ βιβλιδίου ἐξαίφνης ἡρπάγη μου ἐκ
τῆς χειρὸς τὸ βιβλίδιον· ὑπὸ τίνος δὲ οὐκ εἶδον.

    2. Μετὰ δὲ δέκα καὶ πέντε ἡμέρας νηστεύσαντός μου καὶ πολλὰ
ἐρωτήσαντος τὸν κύριον ἀπεκαλύφθη μοι ἡ γνῶσις τῆς γραφῆς. ἦν δὲ
2 γεγραμμένα ταῦτα· 2. Τὸ σπέρμα σου, Ἑρμᾶ, ἠθέτησαν εἰς τὸν θεὸν
καὶ ἐβλασφήμησαν εἰς τὸν κύριον καὶ προέδωκαν τοὺς γονεῖς αὐτῶν
ἐν πονηρίᾳ μεγάλῃ, καὶ ἤκουσαν προδόται γονέων, καὶ προδόντες
οὐκ ὠφελήθησαν, ἀλλὰ ἔτι προσέθηκαν ταῖς ἁμαρτίαις αὐτῶν τὰς ἀσελ-
γείας καὶ συμφυρμοὺς πονηρίας, καὶ οὕτως ἐπλήσθησαν αἱ ἀνομίαι
3 αὐτῶν. 3. ἀλλὰ γνώρισον ταῦτα τὰ ῥήματα τοῖς τέκνοις σου πᾶσιν
καὶ τῇ συμβίῳ σου τῇ μελλούσῃ σου ἀδελφῇ· καὶ γὰρ αὕτη οὐκ
ἀπέχεται τῆς γλώσσης, ἐν ᾗ πονηρεύεται· ἀλλὰ ἀκούσασα τὰ ῥήματα
4 ταῦτα ἀφέξεται, καὶ ἕξει ἔλεος. 4. μετὰ τὸ γνωρίσαι σε ταῦτα τὰ
ῥήματα αὐτοῖς ἃ ἐνετείλατό μοι ὁ δεσπότης ἵνα σοι ἀποκαλυφθῇ,

τότε ἀφίενται αὐτοῖς αἱ ἁμαρτίαι πᾶσαι ἃς πρότερον ἥμαρτον, καὶ
πᾶσιν τοῖς ἁγίοις τοῖς ἁμαρτήσασιν μέχρι ταύτης τῆς ἡμέρας, ἐὰν ἐξ
ὅλης τῆς καρδίας μετανοήσωσιν καὶ ἄρωσιν ἀπὸ τῆς καρδίας αὐτῶν
τὰς διψυχίας. 5. ὤμοσεν γὰρ ὁ δεσπότης κατὰ τῆς δόξης αὐτοῦ 5
ἐπὶ τοὺς ἐκλεκτοὺς αὐτοῦ· ἐὰν ὡρισμένης τῆς ἡμέρας ταύτης ἔτι
ἁμάρτησις γένηται, μὴ ἔχειν αὐτοὺς σωτηρίαν· ἡ γὰρ μετάνοια τοῖς
δικαίοις ἔχει τέλος· πεπλήρωνται αἱ ἡμέραι μετανοίας πᾶσιν τοῖς
ἁγίοις· καὶ τοῖς δὲ ἔθνεσιν μετάνοιά ἐστιν ἕως ἐσχάτης ἡμέρας.
6. ἐρεῖς οὖν τοῖς προηγουμένοις τῆς ἐκκλησίας ἵνα κατορθώσωνται 6
τὰς ὁδοὺς αὐτῶν ἐν δικαιοσύνῃ, ἵνα ἀπολάβωσιν ἐκ πλήρους τὰς
ἐπαγγελίας μετὰ πολλῆς δόξης. 7. ἐμμείνατε οὖν οἱ ἐργαζόμενοι 7
τὴν δικαιοσύνην καὶ μὴ διψυχήσητε, ἵνα γένηται ὑμῶν ἡ πάροδος
μετὰ τῶν ἀγγέλων τῶν ἁγίων. μακάριοι ὑμεῖς ὅσοι ὑπομένετε τὴν
θλῖψιν τὴν ἐρχομένην τὴν μεγάλην, καὶ ὅσοι οὐκ ἀρνήσονται τὴν
ζωὴν αὐτῶν. 8. ὤμοσεν γὰρ κύριος κατὰ τοῦ υἱοῦ αὐτοῦ, τοὺς ἀρ- 8
νησαμένους τὸν κύριον αὐτῶν ἀπεγνωρίσθαι ἀπὸ τῆς ζωῆς αὐτῶν,
τοὺς νῦν μέλλοντας ἀρνεῖσθαι ταῖς ἐρχομέναις ἡμέραις· τοῖς δὲ πρό-
τερον ἀρνησαμένοις, διὰ τὴν πολυσπλαγχνίαν ἵλεως ἐγένετο αὐτοῖς.

3. Σὺ δέ, Ἑρμᾶ, μηκέτι μνησικακήσῃς τοῖς τέκνοις σου, μηδὲ 1
τὴν ἀδελφήν σου ἐάσῃς, ἵνα καθαρισθῶσιν ἀπὸ τῶν προτέρων ἁμαρ-
τιῶν αὐτῶν. παιδευθήσονται γὰρ παιδείᾳ δικαίᾳ, ἐὰν σὺ μὴ μνησι-
κακήσῃς αὐτοῖς. μνησικακία θάνατον κατεργάζεται. σὺ δέ, Ἑρμᾶ,
μεγάλας θλίψεις ἔσχες ἰδιωτικὰς διὰ τὰς παραβάσεις τοῦ οἴκου σου,
ὅτι οὐκ ἐμέλησέν σοι περὶ αὐτῶν. ἀλλὰ παρενεθυμήθης καὶ ταῖς
πραγματείαις σου συνανεφύρης ταῖς πονηραῖς· 2. ἀλλὰ σώζει σε τὸ 2
μὴ ἀποστῆναί σε ἀπὸ θεοῦ ζῶντος, καὶ ἡ ἁπλότης σου καὶ ἡ πολλὴ
ἐγκράτεια· ταῦτα σέσωκέν σε, ἐὰν ἐμμείνῃς, καὶ πάντας σώζει τοὺς
τὰ τοιαῦτα ἐργαζομένους καὶ πορευομένους ἐν ἀκακίᾳ καὶ ἁπλότητι.
οὗτοι κατισχύσουσιν πάσης πονηρίας καὶ παραμενοῦσιν εἰς ζωὴν αἰώ-
νιον. 3. μακάριοι πάντες οἱ ἐργαζόμενοι τὴν δικαιοσύνην. οὐ δια- 3
φθαρήσονται ἕως αἰῶνος. 4. ἐρεῖς δὲ Μαξίμῳ· Ἰδοὺ θλῖψις ἔρχεται· 4
ἐάν σοι φανῇ, πάλιν ἄρνησαι. ἐγγὺς κύριος τοῖς ἐπιστρεφομένοις,
ὡς γέγραπται ἐν τῷ Ἐλδὰδ καὶ Μωδάτ, τοῖς προφητεύσασιν ἐν τῇ
ἐρήμῳ τῷ λαῷ.

1   4. Ἀπεκαλύφθη δέ μοι, ἀδελφοί, κοιμωμένῳ ὑπὸ νεανίσκου
εὐειδεστάτου λέγοντός μοι· Τὴν πρεσβυτέραν, παρ᾽ ἧς ἔλαβες τὸ βιβλί-
διον, τίνα δοκεῖς εἶναι; ἐγώ φημι· Τὴν Σίβυλλαν. Πλανᾶσαι, φησίν,
οὐκ ἔστιν. Τίς οὖν ἐστίν; φημί. Ἡ Ἐκκλησία, φησίν. εἶπον αὐτῷ·
Διατί οὖν πρεσβυτέρα; Ὅτι, φησίν, πάντων πρώτη ἐκτίσθη· διὰ τοῦτο
2 πρεσβυτέρα, καὶ διὰ ταύτην ὁ κόσμος κατηρτίσθη. 2. μετέπειτα δὲ
ὅρασιν εἶδον ἐν τῷ οἴκῳ μου. ἦλθεν ἡ πρεσβυτέρα καὶ ἠρώτησέν
με εἰ ἤδη τὸ βιβλίον δέδωκα τοῖς πρεσβυτέροις. ἠρνησάμην δεδωκέ-
ναι. Καλῶς, φησίν, πεποίηκας· ἔχω γὰρ ῥήματα προσθεῖναι. ὅταν
οὖν ἀποτελέσω τὰ ῥήματα πάντα, διὰ σοῦ γνωρισθήσεται τοῖς ἐκ-
3 λεκτοῖς πᾶσιν. 3. γράψεις οὖν δύο βιβλαρίδια, καὶ πέμψεις ἓν Κλή-
μεντι καὶ ἓν Γραπτῇ. πέμψει οὖν Κλήμης εἰς τὰς ἔξω πόλεις,
ἐκείνῳ γὰρ ἐπιτέτραπται· Γραπτὴ δὲ νουθετήσει τὰς χήρας καὶ τοὺς
ὀρφανούς. σὺ δὲ ἀναγνώσῃ εἰς ταύτην τὴν πόλιν μετὰ τῶν πρεσβυ-
τέρων τῶν προϊσταμένων τῆς ἐκκλησίας.

Ὅρασις γ΄

1
2   1. ἣν εἶδον, ἀδελφοί, τοιαύτη. 2. νηστεύσας πολλάκις καὶ δεη-
θεὶς τοῦ κυρίου ἵνα μοι φανερώσῃ τὴν ἀποκάλυψιν ἥν μοι ἐπηγγεί-
λατο δεῖξαι διὰ τῆς πρεσβυτέρας ἐκείνης, αὐτῇ τῇ νυκτί μοι ὦπται
ἡ πρεσβυτέρα καὶ εἶπέν μοι· Ἐπεὶ οὕτως ἐνδεὴς εἶ καὶ σπουδαῖος
εἰς τὸ γνῶναι πάντα, ἐλθὲ εἰς τὸν ἀγρὸν ὅπου χονδρίζεις, καὶ περὶ
ὥραν πέμπτην ἐμφανισθήσομαί σοι καὶ δείξω σοι ἃ δεῖ σε ἰδεῖν.
3 3. ἠρώτησα αὐτὴν λέγων· Κυρία, εἰς ποῖον τόπον τοῦ ἀγροῦ; Ὅπου,
φησίν, θέλεις. ἐξελεξάμην τόπον καλὸν ἀνακεχωρηκότα. πρὶν δὲ λα-
λῆσαι αὐτῇ καὶ εἰπεῖν τὸν τόπον, λέγει μοι· Ἥξω ἐκεῖ ὅπου θέλεις.
4 4. ἐγενόμην οὖν, ἀδελφοί, εἰς τὸν ἀγρόν, καὶ συνεψήφισα τὰς ὥρας,
καὶ ἦλθον εἰς τὸν τόπον ὅπου διεταξάμην αὐτῇ ἐλθεῖν, καὶ βλέπω
συμψέλιον κείμενον ἐλεφάντινον, καὶ ἐπὶ τοῦ συμψελίου ἔκειτο κερβι-
κάριον λινοῦν, καὶ ἐπάνω λέντιον ἐξηπλωμένον λινοῦν καρπάσινον.
5 5. ἰδὼν ταῦτα κείμενα καὶ μηδένα ὄντα ἐν τῷ τόπῳ ἔκθαμβος ἐγε-
νόμην, καὶ ὡσεὶ τρόμος με ἔλαβεν, καὶ αἱ τρίχες μου ὀρθαί· καὶ ὡσεὶ
φρίκη μοι προσῆλθεν, μόνου μου ὄντος. ἐν ἐμαυτῷ οὖν γενόμενος
καὶ μνησθεὶς τῆς δόξης τοῦ θεοῦ καὶ λαβὼν θάρσος, θεὶς τὰ γόνατα

ἐξωμολογούμην τῷ κυρίῳ πάλιν τὰς ἁμαρτίας μου ὡς καὶ πρότερον.
6. ἡ δὲ ἦλθεν μετὰ νεανίσκων ἕξ, οὓς καὶ πρότερον ἑωράκειν, καὶ 6
ἐπεστάθη μοι καὶ κατηκροᾶτο προσευχομένου μου καὶ ἐξομολογου-
μένου τῷ κυρίῳ τὰς ἁμαρτίας μου. καὶ ἁψαμένη μου λέγει· Ἑρμᾶ,
παῦσαι περὶ τῶν ἁμαρτιῶν σου πάντα ἐρωτῶν· ἐρώτα καὶ περὶ δικαιο-
σύνης, ἵνα λάβῃς μέρος τι ἐξαυτῆς εἰς τὸν οἶκόν σου. 7. καὶ ἐξε- 7
γείρει με τῆς χειρὸς καὶ ἄγει με πρὸς τὸ συμψέλιον, καὶ λέγει τοῖς
νεανίσκοις· Ὑπάγετε καὶ οἰκοδομεῖτε. 8. καὶ μετὰ τὸ ἀναχωρῆσαι 8
τοὺς νεανίσκους καὶ μόνων ἡμῶν γεγονότων λέγει μοι· Κάθισον ὧδε.
λέγω αὐτῇ· Κυρία, ἄφες τοὺς πρεσβυτέρους πρῶτον καθίσαι. Ὅ σοι
λέγω, φησίν, κάθισον. 9. θέλοντος οὖν μου καθίσαι εἰς τὰ δεξιὰ 9
μέρη οὐκ εἴασέν με, ἀλλ᾽ ἐννεύει μοι τῇ χειρὶ ἵνα εἰς τὰ ἀριστερὰ
μέρη καθίσω. διαλογιζομένου μου οὖν καὶ λυπουμένου ὅτι οὐκ εἴασέν
με εἰς τὰ δεξιὰ μέρη καθίσαι, λέγει μοι· Λυπῇ, Ἑρμᾶ; ὁ εἰς τὰ
δεξιὰ μέρη τόπος ἄλλων ἐστίν, τῶν ἤδη εὐαρεστηκότων τῷ θεῷ καὶ
παθόντων εἵνεκα τοῦ ὀνόματος· σοὶ δὲ πολλὰ λείπει ἵνα μετ᾽ αὐτῶν
καθίσῃς· ἀλλὰ ὡς ἐμμένεις τῇ ἁπλότητί σου, μεῖνον, καὶ καθιῇ μετ᾽
αὐτῶν, καὶ ὅσοι ἐὰν ἐργάσωνται τὰ ἐκείνων ἔργα καὶ ὑπενέγκωσιν ἃ
καὶ ἐκεῖνοι ὑπήνεγκαν.

2. Τί, φημί, ὑπήνεγκαν; Ἄκουε, φησίν· μάστιγας, φυλακάς, θλί- 1
ψεις μεγάλας, σταυρούς, θηρία εἵνεκεν τοῦ ὀνόματος· διὰ τοῦτο ἐκεί-
νων ἐστὶν τὰ δεξιὰ μέρη τοῦ ἁγιάσματος, καὶ ὃς ἐὰν πάθῃ διὰ τὸ
ὄνομα· τῶν δὲ λοιπῶν τὰ ἀριστερὰ μέρη ἐστίν. ἀλλὰ ἀμφοτέρων,
καὶ τῶν ἐκ δεξιῶν καὶ τῶν ἐξ ἀριστερῶν καθημένων, τὰ αὐτὰ δῶρα
καὶ αἱ αὐταὶ ἐπαγγελίαι· μόνον ἐκεῖνοι ἐκ δεξιῶν κάθηνται καὶ ἔχου-
σιν δόξαν τινά. 2. σὺ δὲ κατεπίθυμος εἶ καθίσαι ἐκ δεξιῶν μετ᾽ 2
αὐτῶν, ἀλλὰ τὰ ὑστερήματά σου πολλά· καθαρισθήσῃ δὲ ἀπὸ τῶν
ὑστερημάτων σου· καὶ πάντες δὲ οἱ μὴ διψυχοῦντες καθαρισθήσονται
ἀπὸ πάντων τῶν ἁμαρτημάτων εἰς ταύτην τὴν ἡμέραν. 3. ταῦτα 3
εἴπασα ἤθελεν ἀπελθεῖν· πεσὼν δὲ αὐτῆς πρὸς τοὺς πόδας ἠρώτησα
αὐτὴν κατὰ τοῦ κυρίου ἵνα μοι ἐπιδείξῃ ὃ ἐπηγγείλατο ὅραμα. 4. ἡ 4
δὲ πάλιν ἐπελάβετό μου τῆς χειρὸς καὶ ἐγείρει με καὶ καθίζει ἐπὶ
τὸ συμψέλιον ἐξ εὐωνύμων· ἐκαθέζετο δὲ καὶ αὐτὴ ἐκ δεξιῶν. καὶ
ἐπάρασα ῥάβδον τινὰ λαμπρὰν λέγει μοι· Βλέπεις μέγα πρᾶγμα;

λέγω αὐτῇ· Κυρία, οὐδὲν βλέπω. λέγει μοι· Σύ, ἰδοὺ οὐχ ὁρᾷς
κατέναντί σου πύργον μέγαν οἰκοδομούμενον ἐπὶ ὑδάτων λίθοις τετρα-
5 γώνοις λαμπροῖς; 5. ἐν τετραγώνῳ δὲ ᾠκοδομεῖτο ὁ πύργος ὑπὸ τῶν
ἓξ νεανίσκων τῶν ἐληλυθότων μετ' αὐτῆς· ἄλλαι δὲ μυριάδες ἀνδρῶν
παρέφερον λίθους, οἱ μὲν ἐκ τοῦ βυθοῦ, οἱ δὲ ἐκ τῆς γῆς, καὶ ἐπ-
εδίδουν τοῖς ἓξ νεανίσκοις. ἐκεῖνοι δὲ ἐλάμβανον καὶ ᾠκοδόμουν·
6 6. τοὺς μὲν ἐκ τοῦ βυθοῦ λίθους ἑλκομένους πάντας οὕτως ἐτίθεσαν
εἰς τὴν οἰκοδομήν· ἡρμοσμένοι γὰρ ἦσαν καὶ συνεφώνουν τῇ ἁρμογῇ
μετὰ τῶν ἑτέρων λίθων· καὶ οὕτως ἐκολλῶντο ἀλλήλοις, ὥστε τὴν
ἁρμογὴν αὐτῶν μὴ φαίνεσθαι. ἐφαίνετο δὲ ἡ οἰκοδομὴ τοῦ πύργου
7 ὡς ἐξ ἑνὸς λίθου ᾠκοδομημένη. 7. τοὺς δὲ ἑτέρους λίθους τοὺς φερο-
μένους ἀπὸ τῆς ξηρᾶς τοὺς μὲν ἀπέβαλλον, τοὺς δὲ ἐτίθουν εἰς τὴν
οἰκοδομήν· ἄλλους δὲ κατέκοπτον καὶ ἔρριπτον μακρὰν ἀπὸ τοῦ πύρ-
8 γου. 8. ἄλλοι δὲ λίθοι πολλοὶ κύκλῳ τοῦ πύργου ἔκειντο, καὶ οὐκ
ἐχρῶντο αὐτοῖς εἰς τὴν οἰκοδομήν· ἦσαν γάρ τινες ἐξ αὐτῶν ἐψωρια-
κότες, ἕτεροι δὲ σχισμὰς ἔχοντες, ἄλλοι δὲ κεκολοβωμένοι, ἄλλοι δὲ
9 λευκοὶ καὶ στρογγύλοι, μὴ ἁρμόζοντες εἰς τὴν οἰκοδομήν. 9. ἔβλε-
πον δὲ ἑτέρους λίθους ῥιπτομένους μακρὰν ἀπὸ τοῦ πύργου καὶ ἐρχο-
μένους εἰς τὴν ὁδὸν καὶ μὴ μένοντας ἐν τῇ ὁδῷ, ἀλλὰ κυλιομένους
ἐκ τῆς ὁδοῦ εἰς τὴν ἀνοδίαν· ἑτέρους δὲ ἐπὶ πῦρ ἐμπίπτοντας καὶ
καιομένους· ἑτέρους δὲ πίπτοντας ἐγγὺς ὑδάτων καὶ μὴ δυναμένους
κυλισθῆναι εἰς τὸ ὕδωρ, καίπερ θελόντων κυλισθῆναι καὶ ἐλθεῖν εἰς
τὸ ὕδωρ.

1   3. Δείξασά μοι ταῦτα ἤθελεν ἀποτρέχειν. λέγω αὐτῇ· Κυρία,
τί μοι ὄφελος ταῦτα ἑωρακότι καὶ μὴ γινώσκοντι τί ἐστιν τὰ πράγ-
ματα; ἀποκριθεῖσά μοι λέγει· Πανοῦργος εἶ, ἄνθρωπε, θέλων γινώ-
σκειν τὰ περὶ τὸν πύργον. Ναί, φημί, κυρία, ἵνα τοῖς ἀδελφοῖς ἀναγ-
γείλω, καὶ ἱλαρώτεροι γίνωνται, καὶ ταῦτα ἀκούσαντες γινώσκωσιν τὸν
2 κύριον ἐν πολλῇ δόξῃ. 2. ἡ δὲ ἔφη· Ἀκούσονται μὲν πολλοί· ἀκού-
σαντες δέ τινες ἐξ αὐτῶν χαρήσονται, τινὲς δὲ κλαύσονται· ἀλλὰ καὶ
οὗτοι, ἐὰν ἀκούσωσιν καὶ μετανοήσωσιν, καὶ αὐτοὶ χαρήσονται. ἄκουε
οὖν τὰς παραβολὰς τοῦ πύργου· ἀποκαλύψω γάρ σοι πάντα. καὶ
μηκέτι μοι κόπους πάρεχε περὶ ἀποκαλύψεως· αἱ γὰρ ἀποκαλύψεις
αὗται τέλος ἔχουσιν· πεπληρωμέναι γάρ εἰσιν. ἀλλ' οὐ παύσῃ αἰτού-

μενος ἀποκαλύψεις· ἀναιδὴς γὰρ εἶ. 3. ὁ μὲν πύργος ὃν βλέπεις 3
οἰκοδομούμενον, ἐγώ εἰμι ἡ Ἐκκλησία, ἡ ὀφθεῖσά σοι καὶ νῦν καὶ
τὸ πρότερον· ὃ ἂν οὖν θελήσῃς ἐπερώτα περὶ τοῦ πύργου, καὶ ἀπο-
καλύψω σοι, ἵνα χαρῇς μετὰ τῶν ἁγίων. 4. λέγω αὐτῇ· Κυρία, ἐπεὶ 4
ἅπαξ ἄξιόν με ἡγήσω τοῦ πάντα μοι ἀποκαλύψαι, ἀποκάλυψον. ἡ
δὲ λέγει μοι· Ὃ ἐὰν ἐνδέχηταί σοι ἀποκαλυφθῆναι, ἀποκαλυφθήσε-
ται. μόνον ἡ καρδία σου πρὸς τὸν θεὸν ἤτω καὶ μὴ διψυχήσεις ὃ
ἂν ἴδῃς. 5. ἐπηρώτησα αὐτήν· Διατί ὁ πύργος ἐπὶ ὑδάτων ᾠκοδό- 5
μηται, κυρία; Εἶπά σοι, φησίν, καὶ τὸ πρότερον, καὶ ἐκζητεῖς ἐπι-
μελῶς· ἐκζητῶν οὖν εὑρίσκεις τὴν ἀλήθειαν. διατί οὖν ἐπὶ ὑδάτων
ᾠκοδόμηται ὁ πύργος, ἄκουε· ὅτι ἡ ζωὴ ὑμῶν διὰ ὕδατος ἐσώθη
καὶ σωθήσεται. τεθεμελίωται δὲ ὁ πύργος τῷ ῥήματι τοῦ παντο-
κράτορος καὶ ἐνδόξου ὀνόματος, κρατεῖται δὲ ὑπὸ τῆς ἀοράτου δυνά-
μεως τοῦ δεσπότου.

4. Ἀποκριθεὶς λέγω αὐτῇ· Κυρία, μεγάλως καὶ θαυμαστῶς ἔχει 1
τὸ πρᾶγμα τοῦτο. οἱ δὲ νεανίσκοι οἱ ἓξ οἱ οἰκοδομοῦντες τίνες εἰσίν,
κυρία; Οὗτοί εἰσιν οἱ ἅγιοι ἄγγελοι τοῦ θεοῦ οἱ πρῶτοι κτισθέντες,
οἷς παρέδωκεν ὁ κύριος πᾶσαν τὴν κτίσιν αὐτοῦ, αὔξειν καὶ οἰκοδο-
μεῖν καὶ δεσπόζειν τῆς κτίσεως πάσης. διὰ τούτων οὖν τελεσθήσεται
ἡ οἰκοδομὴ τοῦ πύργου. 2. Οἱ δὲ ἕτεροι οἱ παραφέροντες τοὺς λίθους 2
τίνες εἰσίν; Καὶ αὐτοὶ ἅγιοι ἄγγελοι τοῦ θεοῦ· οὗτοι δὲ οἱ ἓξ ὑπερ-
έχοντες αὐτούς εἰσιν. συντελεσθήσεται οὖν ἡ οἰκοδομὴ τοῦ πύργου,
καὶ πάντες ὁμοῦ εὐφρανθήσονται κύκλῳ τοῦ πύργου καὶ δοξάσουσιν
τὸν θεόν, ὅτι ἐτελέσθη ἡ οἰκοδομὴ τοῦ πύργου. 3. ἐπηρώτησα αὐτὴν 3
λέγων· Κυρία, ἤθελον γνῶναι τῶν λίθων τὴν ἔξοδον καὶ τὴν δύναμιν
αὐτῶν, ποταπή ἐστιν. ἀποκριθεῖσά μοι λέγει· Οὐχ ὅτι σὺ ἐκ πάν-
των ἀξιώτερος εἶ ἵνα σοι ἀποκαλυφθῇ· ἄλλοι γάρ σου πρότεροί εἰσιν
καὶ βελτίονές σου, οἷς ἔδει ἀποκαλυφθῆναι τὰ ὁράματα ταῦτα· ἀλλ'
ἵνα δοξασθῇ τὸ ὄνομα τοῦ θεοῦ, σοὶ ἀπεκαλύφθη καὶ ἀποκαλυφθή-
σεται διὰ τοὺς διψύχους, τοὺς διαλογιζομένους ἐν ταῖς καρδίαις αὐτῶν
εἰ ἄρα ἔστιν ταῦτα ἢ οὐκ ἔστιν. λέγε αὐτοῖς ὅτι ταῦτα πάντα ἐστὶν
ἀληθῆ, καὶ οὐθὲν ἔξωθέν ἐστιν τῆς ἀληθείας, ἀλλὰ πάντα ἰσχυρὰ
καὶ βέβαια καὶ τεθεμελιωμένα ἐστίν.

5. Ἄκουε νῦν περὶ τῶν λίθων τῶν ὑπαγόντων εἰς τὴν οἰκοδο- 1

μήν. οἱ μὲν οὖν λίθοι οἱ τετράγωνοι καὶ λευκοὶ καὶ συμφωνοῦντες
ταῖς ἁρμογαῖς αὐτῶν, οὗτοί εἰσιν οἱ ἀπόστολοι καὶ ἐπίσκοποι καὶ
διδάσκαλοι καὶ διάκονοι οἱ πορευθέντες κατὰ τὴν σεμνότητα τοῦ
θεοῦ καὶ ἐπισκοπήσαντες καὶ διδάξαντες καὶ διακονήσαντες ἁγνῶς
καὶ σεμνῶς τοῖς ἐκλεκτοῖς τοῦ θεοῦ, οἱ μὲν κεκοιμημένοι, οἱ δὲ ἔτι
ὄντες· καὶ πάντοτε ἑαυτοῖς συνεφώνησαν καὶ ἐν ἑαυτοῖς εἰρήνην ἔσχον
καὶ ἀλλήλων ἤκουον· διὰ τοῦτο ἐν τῇ οἰκοδομῇ τοῦ πύργου συμφω-
2 νοῦσιν αἱ ἁρμογαὶ αὐτῶν. 2. Οἱ δὲ ἐκ τοῦ βυθοῦ ἑλκόμενοι καὶ
ἐπιτιθέμενοι εἰς τὴν οἰκοδομὴν καὶ συμφωνοῦντες ταῖς ἁρμογαῖς αὐ-
τῶν μετὰ τῶν ἑτέρων λίθων τῶν ἤδη ᾠκοδομημένων τίνες εἰσίν;
3 Οὗτοί εἰσιν οἱ παθόντες ἕνεκεν τοῦ ὀνόματος τοῦ κυρίου. 3. Τοὺς
δὲ ἑτέρους λίθους τοὺς φερομένους ἀπὸ τῆς ξηρᾶς θέλω γνῶναι τίνες
εἰσίν, κυρία. ἔφη· Τοὺς μὲν εἰς τὴν οἰκοδομὴν ὑπάγοντας καὶ μὴ
λατομουμένους, τούτους ὁ κύριος ἐδοκίμασεν, ὅτι ἐπορεύθησαν ἐν τῇ
4 εὐθύτητι τοῦ κυρίου καὶ κατωρθώσαντο τὰς ἐντολὰς αὐτοῦ. 4. Οἱ
δὲ ἀγόμενοι καὶ τιθέμενοι εἰς τὴν οἰκοδομὴν τίνες εἰσίν; Νέοι εἰσὶν
ἐν τῇ πίστει καὶ πιστοί. νουθετοῦνται δὲ ὑπὸ τῶν ἀγγέλων εἰς τὸ
5 ἀγαθοποιεῖν, διότι εὑρέθη ἐν αὐτοῖς πονηρία. 5. Οὓς δὲ ἀπέβαλλον
καὶ ἐρίπτουν, τίνες εἰσίν; Οὗτοί εἰσιν ἡμαρτηκότες καὶ θέλοντες μετα-
νοῆσαι· διὰ τοῦτο μακρὰν οὐκ ἀπερίφησαν ἔξω τοῦ πύργου, ὅτι εὔχρη-
στοι ἔσονται εἰς τὴν οἰκοδομήν, ἐὰν μετανοήσωσιν. οἱ οὖν μέλλοντες
μετανοεῖν, ἐὰν μετανοήσωσιν, ἰσχυροὶ ἔσονται ἐν τῇ πίστει, ἐὰν νῦν
μετανοήσωσιν ἐν ᾧ οἰκοδομεῖται ὁ πύργος. ἐὰν δὲ τελεσθῇ ἡ οἰκο-
δομή, οὐκέτι ἔχουσιν τόπον, ἀλλ' ἔσονται ἔκβολοι. μόνον δὲ τοῦτο
ἔχουσιν, παρὰ τῷ πύργῳ κεῖσθαι.

1 6. Τοὺς δὲ κατακοπτομένους καὶ μακρὰν ῥιπτομένους ἀπὸ τοῦ
πύργου θέλεις γνῶναι; οὗτοί εἰσιν οἱ υἱοὶ τῆς ἀνομίας· ἐπίστευσαν
δὲ ἐν ὑποκρίσει, καὶ πᾶσα πονηρία οὐκ ἀπέστη ἀπ' αὐτῶν· διὰ τοῦτο
οὐκ ἔχουσιν σωτηρίαν, ὅτι οὐκ εἰσὶν εὔχρηστοι εἰς οἰκοδομὴν διὰ τὰς
πονηρίας αὐτῶν. διὰ τοῦτο συνεκόπησαν καὶ πόρρω ἀπερίφησαν διὰ
2 τὴν ὀργὴν τοῦ κυρίου, ὅτι παρώργισαν αὐτόν. 2. τοὺς δὲ ἑτέρους
οὓς ἑώρακας πολλοὺς κειμένους, μὴ ὑπάγοντας εἰς τὴν οἰκοδομήν,
οὗτοι οἱ μὲν ἐψωριακότες εἰσίν, οἱ ἐγνωκότες τὴν ἀλήθειαν, μὴ
ἐπιμείναντες δὲ ἐν αὐτῇ μηδὲ κολλώμενοι τοῖς ἁγίοις· διὰ τοῦτο

ἄχρηστοί εἰσιν. 3. Οἱ δὲ τὰς σχισμὰς ἔχοντες τίνες εἰσίν; Οὗτοί 3
εἰσιν οἱ κατ᾽ ἀλλήλων ἐν ταῖς καρδίαις ἔχοντες καὶ μὴ εἰρηνεύον
τες ἐν ἑαυτοῖς, οἱ εἰς μὲν πρόσωπον εἰρήνην ἔχοντες, ὅταν δὲ
ἀπ᾽ ἀλλήλων ἀποχωρήσωσιν, αἱ πονηρίαι αὐτῶν ἐν ταῖς καρδίαις
ἐμμένουσιν. αὗται οὖν αἱ σχισμαί εἰσιν ἃς ἔχουσιν οἱ λίθοι. 4. οἱ 4
δὲ κεκολοβωμένοι, οὗτοί εἰσιν πεπιστευκότες μὲν καὶ τὸ πλεῖον μέρος
ἔχοντες ἐν τῇ δικαιοσύνῃ, τινὰ δὲ μέρη ἔχουσιν τῆς ἀνομίας· διὰ
τοῦτο κολοβοὶ καὶ οὐχ ὁλοτελεῖς εἰσιν. 5. Οἱ δὲ λευκοὶ καὶ στρογ- 5
γύλοι καὶ μὴ ἁρμόζοντες εἰς τὴν οἰκοδομὴν τίνες εἰσίν, κυρία; ἀπο
κριθεῖσά μοι λέγει· Ἕως πότε μωρὸς εἶ καὶ ἀσύνετος, καὶ πάντα
ἐπερωτᾷς καὶ οὐδὲν νοεῖς; οὗτοί εἰσιν ἔχοντες μὲν πίστιν, ἔχοντες δὲ
καὶ πλοῦτον τοῦ αἰῶνος τούτου. ὅταν γένηται θλῖψις, διὰ τὸν πλοῦ
τον αὐτῶν καὶ διὰ τὰς πραγματείας ἀπαρνοῦνται τὸν κύριον αὐτῶν.
6. καὶ ἀποκριθεὶς αὐτῇ λέγω· Κυρία, πότε οὖν εὔχρηστοι ἔσονται εἰς 6
τὴν οἰκοδομήν; Ὅταν, φησίν, περικοπῇ αὐτῶν ὁ πλοῦτος ὁ ψυχαγω
γῶν αὐτούς, τότε εὔχρηστοι ἔσονται τῷ θεῷ. ὥσπερ γὰρ ὁ λίθος ὁ
στρογγύλος ἐὰν μὴ περικοπῇ καὶ ἀποβάλῃ ἐξ αὐτοῦ τι, οὐ δύναται
τετράγωνος γενέσθαι, οὕτω καὶ οἱ πλουτοῦντες ἐν τούτῳ τᾷ αἰῶνι,
ἐὰν μὴ περικοπῇ αὐτῶν ὁ πλοῦτος, οὐ δύνανται τῷ κυρίῳ εὔχρηστοι
γενέσθαι. 7. ἀπὸ σεαυτοῦ πρῶτον γνῶθι· ὅτε ἐπλούτεις, ἄχρηστος 7
ἦς, νῦν δὲ εὔχρηστος εἶ καὶ ὠφέλιμος τῇ ζωῇ. εὔχρηστοι γίνεσθε
τῷ θεῷ· καὶ γὰρ σὺ αὐτὸς χρᾶσαι ἐκ τῶν αὐτῶν λίθων.

7. Τοὺς δὲ ἑτέρους λίθους, οὓς εἶδες μακρὰν ἀπὸ τοῦ πύργου 1
ῥιπτομένους καὶ πίπτοντας εἰς τὴν ὁδὸν καὶ κυλιομένους ἐκ τῆς ὁδοῦ
εἰς τὰς ἀνοδίας· οὗτοί εἰσιν οἱ πεπιστευκότες μέν, ἀπὸ δὲ τῆς διψυ
χίας αὐτῶν ἀφίουσιν τὴν ὁδὸν αὐτῶν τὴν ἀληθινήν· δοκοῦντες οὖν
βελτίονα ὁδὸν δύνασθαι εὑρεῖν, πλανῶνται καὶ ταλαιπωροῦσιν περι
πατοῦντες ἐν ταῖς ἀνοδίαις. 2. οἱ δὲ πίπτοντες εἰς τὸ πῦρ καὶ καιό- 2
μενοι, οὗτοί εἰσιν οἱ εἰς τέλος ἀποστάντες τοῦ θεοῦ τοῦ ζῶντος, καὶ
οὐκέτι αὐτοῖς ἀνέβη ἐπὶ τὴν καρδίαν τοῦ μετανοῆσαι διὰ τὰς ἐπι
θυμίας τῆς ἀσελγείας αὐτῶν καὶ τῶν πονηριῶν ὧν εἰργάσαντο. 3. τοὺς 3
δὲ ἑτέρους τοὺς πίπτοντας ἐγγὺς τῶν ὑδάτων καὶ μὴ δυναμένους
κυλισθῆναι εἰς τὸ ὕδωρ θέλεις γνῶναι τίνες εἰσίν; οὗτοί εἰσιν οἱ
τὸν λόγον ἀκούσαντες καὶ θέλοντες βαπτισθῆναι εἰς τὸ ὄνομα τοῦ

κυρίου· εἶτα ὅταν αὐτοῖς ἔλθῃ εἰς μνείαν ἡ ἁγιότης τῆς ἀληθείας,
μετανοοῦσιν καὶ πορεύονται πάλιν ὀπίσω τῶν ἐπιθυμιῶν αὐτῶν τῶν
πονηρῶν. 4. ἐτέλεσεν οὖν τὴν ἐξήγησιν τοῦ πύργου. 5. ἀναιδευ-
σάμενος ἔτι αὐτὴν ἐπηρώτησα, εἰ ἄρα πάντες οἱ λίθοι οὗτοι ἀπο-
βεβλημένοι καὶ μὴ ἁρμόζοντες εἰς τὴν οἰκοδομὴν τοῦ πύργου, εἰ ἔστιν
αὐτοῖς μετάνοια καὶ ἔχουσιν τόπον εἰς τὸν πύργον τοῦτον. Ἔχουσιν,
φησίν, μετάνοιαν, ἀλλὰ εἰς τοῦτον τὸν πύργον οὐ δύνανται ἁρμόσαι.
6. ἑτέρῳ δὲ τόπῳ ἁρμόσουσιν πολὺ ἐλάττονι, καὶ τοῦτο ὅταν βασα-
νισθῶσιν καὶ ἐκπληρώσωσιν τὰς ἡμέρας τῶν ἁμαρτιῶν αὐτῶν. καὶ
διὰ τοῦτο μετατεθήσονται, ὅτι μετέλαβον τοῦ ῥήματος τοῦ δικαίου.
καὶ τότε αὐτοῖς συμβήσεται μετατεθῆναι ἐκ τῶν βασάνων αὐτῶν,
ἐὰν ἀναβῇ ἐπὶ τὴν καρδίαν αὐτῶν τὰ ἔργα ἃ εἰργάσαντο πονηρά.
ἐὰν δὲ μὴ ἀναβῇ ἐπὶ τὴν καρδίαν αὐτῶν, οὐ σώζονται διὰ τὴν σκληρο-
καρδίαν αὐτῶν.

8. Ὅτε οὖν ἐπαυσάμην ἐρωτῶν αὐτὴν περὶ πάντων τούτων,
λέγει μοι· Θέλεις ἄλλο ἰδεῖν; κατεπίθυμος ὢν τοῦ θεάσασθαι περι-
χαρὴς ἐγενόμην τοῦ ἰδεῖν. 2. ἐμβλέψασά μοι ὑπεμειδίασεν καὶ λέγει
μοι· Βλέπεις ἑπτὰ γυναῖκας κύκλῳ τοῦ πύργου; Βλέπω, φημί, κυρία.
Ὁ πύργος οὗτος ὑπὸ τούτων βαστάζεται κατ᾽ ἐπιταγὴν τοῦ κυρίου.
3. ἄκουε νῦν τὰς ἐνεργείας αὐτῶν. ἡ μὲν πρώτη αὐτῶν, ἡ κρατοῦσα
τὰς χεῖρας, Πίστις καλεῖται· διὰ ταύτης σώζονται οἱ ἐκλεκτοὶ τοῦ
θεοῦ. 4. ἡ δὲ ἑτέρα, ἡ περιεζωσμένη καὶ ἀνδριζομένη, Ἐγκράτεια
καλεῖται· αὕτη θυγάτηρ ἐστὶν τῆς Πίστεως. ὃς ἂν οὖν ἀκολουθήσῃ
αὐτῇ, μακάριος γίνεται ἐν τῇ ζωῇ αὐτοῦ, ὅτι πάντων τῶν πονηρῶν
ἔργων ἀφέξεται, πιστεύων ὅτι ἐὰν ἀφέξηται πάσης ἐπιθυμίας πονηρᾶς,
κληρονομήσει ζωὴν αἰώνιον. 5. Αἱ δὲ ἕτεραι, κυρία, τίνες εἰσίν;
Θυγατέρες ἀλλήλων εἰσίν· καλοῦνται δὲ ἡ μὲν Ἁπλότης, ἡ δὲ Ἐπι-
στήμη, ἡ δὲ Ἀκακία, ἡ δὲ Σεμνότης, ἡ δὲ Ἀγάπη. ὅταν οὖν τὰ
ἔργα τῆς μητρὸς αὐτῶν πάντα ποιήσῃς, δύνασαι ζῆσαι. 6. Ἤθελον,
φημί, γνῶναι, κυρία, τίς τίνα δύναμιν ἔχει αὐτῶν. Ἄκουε, φησίν,
τὰς δυνάμεις ἃς ἔχουσιν. 7. κρατοῦνται δὲ ὑπ᾽ ἀλλήλων αἱ δυνά-
μεις αὐτῶν καὶ ἀκολουθοῦσιν ἀλλήλαις, καθὼς καὶ γεγεννημέναι
εἰσίν. ἐκ τῆς Πίστεως γεννᾶται Ἐγκράτεια, ἐκ τῆς Ἐγκρατείας
Ἁπλότης, ἐκ τῆς Ἁπλότητος Ἀκακία, ἐκ τῆς Ἀκακίας Σεμνότης, ἐκ

τῆς Σεμνότητος Ἐπιστήμη, ἐκ τῆς Ἐπιστήμης Ἀγάπη. τούτων οὖν
τὰ ἔργα ἀγνὰ καὶ σεμνὰ καὶ θεῖά ἐστιν. 8. ὃς ἂν οὖν δουλεύσῃ 8
ταύταις καὶ ἰσχύσῃ κρατῆσαι τῶν ἔργων αὐτῶν, ἐν τῷ πύργῳ ἕξει
τὴν κατοίκησιν μετὰ τῶν ἁγίων τοῦ θεοῦ. 9. ἐπηρώτων δὲ αὐτὴν 9
περὶ τῶν καιρῶν, εἰ ἤδη συντέλειά ἐστιν. ἡ δὲ ἀνέκραγε φωνῇ με-
γάλῃ λέγουσα· Ἀσύνετε ἄνθρωπε, οὐχ ὁρᾷς τὸν πύργον ἔτι οἰκο-
δομούμενον; ὡς ἐὰν οὖν συντελεσθῇ ὁ πύργος οἰκοδομούμενος, ἔχει
τέλος. ἀλλὰ ταχὺ ἐποικοδομηθήσεται. μηκέτι με ἐπερώτα μηδέν·
ἀρκετή σοι ἡ ὑπόμνησις αὕτη καὶ τοῖς ἁγίοις, καὶ ἡ ἀνακαίνωσις τῶν
πνευμάτων ὑμῶν. 10. ἀλλ' οὐ σοὶ μόνῳ ἀπεκαλύφθη, ἀλλ' ἵνα πᾶ- 10
σιν δηλώσῃς αὐτά. 11. μετὰ τρεῖς ἡμέρας — νοῆσαί σε γὰρ δεῖ 11
πρῶτον — ἐντέλλομαί σοι πρῶτον, Ἑρμᾶ, τὰ ῥήματα ταῦτα ἅ σοι
μέλλω λέγειν, λαλῆσαι αὐτὰ πάντα εἰς τὰ ὦτα τῶν ἁγίων, ἵνα ἀκού-
σαντες αὐτὰ καὶ ποιήσαντες καθαρισθῶσιν ἀπὸ τῶν πονηριῶν αὐτῶν,
καὶ σὺ δὲ μετ' αὐτῶν.

9. Ἀκούσατέ μου, τέκνα. ἐγὼ ὑμᾶς ἐξέθρεψα ἐν πολλῇ ἁπλό- 1
τητι καὶ ἀκακίᾳ καὶ σεμνότητι διὰ τὸ ἔλεος τοῦ κυρίου τοῦ ἐφ' ὑμᾶς
στάξαντος τὴν δικαιοσύνην, ἵνα δικαιωθῆτε καὶ ἁγιασθῆτε ἀπὸ πάσης
πονηρίας καὶ ἀπὸ πάσης σκολιότητος. ὑμεῖς δὲ οὐ θέλετε παῆναι
ἀπὸ τῆς πονηρίας ὑμῶν. 2. νῦν οὖν ἀκούσατέ μου καὶ εἰρηνεύετε ἐν 2
ἑαυτοῖς καὶ ἐπισκέπτεσθε ἀλλήλους καὶ ἀντιλαμβάνεσθε ἀλλήλων,
καὶ μὴ μόνοι τὰ κτίσματα τοῦ θεοῦ μεταλαμβάνετε ἐκ καταχύματος,
ἀλλὰ μεταδίδοτε καὶ τοῖς ὑστερουμένοις· 3. οἱ μὲν γὰρ ἀπὸ τῶν 3
πολλῶν ἐδεσμάτων ἀσθένειαν τῇ σαρκὶ αὐτῶν ἐπισπῶνται καὶ λυμαί-
νονται τὴν σάρκα αὐτῶν· τῶν δὲ μὴ ἐχόντων ἐδέσματα λυμαίνεται
ἡ σὰρξ αὐτῶν διὰ τὸ μὴ ἔχειν τὸ ἀρκετὸν τῆς τροφῆς, καὶ διαφθεί-
ρεται τὸ σῶμα αὐτῶν. 4. αὕτη οὖν ἡ ἀσυγκρασία βλαβερὰ ὑμῖν 4
τοῖς ἔχουσι καὶ μὴ μεταδιδοῦσιν τοῖς ὑστερουμένοις. 5. βλέπετε τὴν 5
κρίσιν τὴν ἐπερχομένην. οἱ ὑπερέχοντες οὖν ἐκζητεῖτε τοὺς πεινῶν-
τας ἕως οὔπω ὁ πύργος ἐτελέσθη· μετὰ γὰρ τὸ τελεσθῆναι τὸν
πύργον θελήσετε ἀγαθοποιεῖν, καὶ οὐχ ἕξετε τόπον. 6. βλέπετε οὖν 6
ὑμεῖς οἱ γαυρούμενοι ἐν τῷ πλούτῳ ὑμῶν, μήποτε στενάξουσιν οἱ
ὑστερούμενοι, καὶ ὁ στεναγμὸς αὐτῶν ἀναβήσεται πρὸς τὸν κύριον,
καὶ ἐκκλεισθήσεσθε μετὰ τῶν ἀγαθῶν ὑμῶν ἔξω τῆς θύρας τοῦ

7 πύργου. 7. νῦν οὖν ὑμῖν λέγω τοῖς προηγουμένοις τῆς ἐκκλησίας καὶ
τοῖς πρωτοκαθεδρίταις· μὴ γίνεσθε ὅμοιοι τοῖς φαρμακοῖς. οἱ φαρ-
μακοὶ μὲν οὖν τὰ φάρμακα ἑαυτῶν εἰς τὰς πυξίδας βαστάζουσιν,
8 ὑμεῖς δὲ τὸ φάρμακον ὑμῶν καὶ τὸν ἰὸν εἰς τὴν καρδίαν. 8. ἐνεσκιρω-
μένοι ἐστὲ καὶ οὐ θέλετε καθαρίσαι τὰς καρδίας ὑμῶν καὶ συν-
κεράσαι ὑμῶν τὴν φρόνησιν ἐπὶ τὸ αὐτὸ ἐν καθαρᾷ καρδίᾳ, ἵνα
9 σχῆτε ἔλεος παρὰ τοῦ βασιλέως τοῦ μεγάλου. 9. βλέπετε οὖν, τέκνα,
μήποτε αὗται αἱ διχοστασίαι ὑμῶν ἀποστερήσουσιν τὴν ζωὴν ὑμῶν.
10 10. πῶς ὑμεῖς παιδεύειν θέλετε τοὺς ἐκλεκτοὺς κυρίου, αὐτοὶ μὴ
ἔχοντες παιδείαν; παιδεύετε οὖν ἀλλήλους καὶ εἰρηνεύετε ἐν αὐτοῖς,
ἵνα κἀγὼ κατέναντι τοῦ πατρὸς ἱλαρὰ σταθεῖσα λόγον ἀποδῶ ὑπὲρ
ὑμῶν πάντων τῷ κυρίῳ ὑμῶν.

1   10. Ὅτε οὖν ἐπαύσατο μετ᾿ ἐμοῦ λαλοῦσα, ἦλθον οἱ ἓξ νεα-
νίσκοι οἱ οἰκοδομοῦντες, καὶ ἀπήνεγκαν αὐτὴν πρὸς τὸν πύργον, καὶ
ἄλλοι τέσσαρες ἦραν τὸ συμψέλιον καὶ ἀπήνεγκαν καὶ αὐτὸ πρὸς τὸν
πύργον. τούτων τὸ πρόσωπον οὐκ εἶδον, ὅτι ἀπεστραμμένοι ἦσαν.
2 2. ὑπάγουσαν δὲ αὐτὴν ἠρώτων ἵνα μοι ἀποκαλύψῃ περὶ τῶν τριῶν
μορφῶν ἐν αἷς μοι ἐνεφανίσθη. ἀποκριθεῖσά μοι λέγει· Περὶ τούτων
3 ἕτερον δεῖ σε ἐπερωτῆσαι ἵνα σοι ἀποκαλυφθῇ. 3. ὤφθη δέ μοι,
ἀδελφοί, τῇ μὲν πρώτῃ ὁράσει τῇ περυσινῇ λίαν πρεσβυτέρα καὶ ἐν
4 καθέδρᾳ καθημένη. 4. τῇ δὲ ἑτέρᾳ ὁράσει τὴν μὲν ὄψιν νεωτέραν
εἶχεν, τὴν δὲ σάρκα καὶ τὰς τρίχας πρεσβυτέρας, καὶ ἑστηκυῖά μοι
5 ἐλάλει. ἱλαρωτέρα δὲ ἦν ἢ τὸ πρότερον. 5. τῇ δὲ τρίτῃ ὁράσει
ὅλη νεωτέρα καὶ κάλλει ἐκπρεπεστάτη, μόνας δὲ τὰς τρίχας πρεσβυ-
τέρας εἶχεν· ἱλαρὰ δὲ εἰς τέλος ἦν καὶ ἐπὶ συμψελίου καθημένη.
6 6. περὶ τούτων περίλυπος ἤμην λίαν τοῦ γνῶναί με τὴν ἀποκάλυψιν
ταύτην. καὶ βλέπω τὴν πρεσβυτέραν ἐν ὁράματι τῆς νυκτὸς λέγου-
σάν μοι· Πᾶσα ἐρώτησις ταπεινοφροσύνης χρῄζει· νήστευσον οὖν, καὶ
7 λήμψῃ ὃ αἰτεῖς παρὰ τοῦ κυρίου. 7. ἐνήστευσα οὖν μίαν ἡμέραν,
καὶ αὐτῇ τῇ νυκτί μοι ὤφθη νεανίσκος καὶ λέγει μοι· Τί σὺ ὑπὸ
χεῖρα αἰτεῖς ἀποκαλύψεις ἐν δεήσει; βλέπε μήποτε πολλὰ αἰτούμενος
8 βλάψῃς σου τὴν σάρκα. 8. ἀρκοῦσίν σοι αἱ ἀποκαλύψεις αὗται.
9 μήτι δύνῃ ἰσχυροτέρας ἀποκαλύψεις ὧν ἑώρακας ἰδεῖν; 9. ἀποκριθεὶς
αὐτῷ λέγω· Κύριε, τοῦτο μόνον αἰτοῦμαι, περὶ τῶν τριῶν μορφῶν

τῆς πρεσβυτέρας ἵνα ἀποκάλυψις ὁλοτελὴς γένηται. ἀποκριθείς μοι
λέγει· Μέχρι τίνος ἀσύνετοί ἐστε; ἀλλ᾽ αἱ διψυχίαι ὑμῶν ἀσυνέτους
ὑμᾶς ποιοῦσιν καὶ τὸ μὴ ἔχειν τὴν καρδίαν ὑμῶν πρὸς τὸν κύριον.
10. ἀποκριθεὶς αὐτῷ πάλιν εἶπον· Ἀλλ᾽ ἀπὸ σοῦ, κύριε, ἀκριβέστερον 10
αὐτὰ γνωσόμεθα.

11. Ἄκουε, φησίν, περὶ τῶν τριῶν μορφῶν ὧν ἐπιζητεῖς. 2. τῇ $\frac{1}{2}$
μὲν πρώτῃ ὁράσει διατί πρεσβυτέρα ὤφθη σοι καὶ ἐπὶ καθέδραν
καθημένη; ὅτι τὸ πνεῦμα ὑμῶν πρεσβύτερον καὶ ἤδη μεμαραμμένον
καὶ μὴ ἔχον δύναμιν ἀπὸ τῶν μαλακιῶν ὑμῶν καὶ διψυχιῶν. 3. ὥσπερ 3
γὰρ οἱ πρεσβύτεροι, μηκέτι ἔχοντες ἐλπίδα τοῦ ἀνανεῶσαι, οὐδὲν ἄλλο
προσδοκῶσιν εἰ μὴ τὴν κοίμησιν αὐτῶν, οὕτω καὶ ὑμεῖς μαλακισθέν-
τες ἀπὸ τῶν βιωτικῶν πραγμάτων παρεδώκατε ἑαυτοὺς εἰς τὰς ἀκη-
δίας, καὶ οὐκ ἐπερίψατε ἑαυτῶν τὰς μερίμνας ἐπὶ τὸν κύριον· ἀλλὰ
ἐθραύσθη ὑμῶν ἡ διάνοια, καὶ ἐπαλαιώθητε ταῖς λύπαις ὑμῶν.
4. Διατί οὖν ἐν καθέδρᾳ ἐκάθητο, ἤθελον γνῶναι, κύριε. Ὅτι πᾶς 4
ἀσθενὴς εἰς καθέδραν καθέζεται διὰ τὴν ἀσθένειαν αὐτοῦ, ἵνα συν-
κρατηθῇ ἡ ἀσθένεια τοῦ σώματος αὐτοῦ. ἔχεις τὸν τύπον τῆς πρώ-
της ὁράσεως.

12. Τῇ δὲ δευτέρᾳ ὁράσει εἶδες αὐτὴν ἑστηκυῖαν καὶ τὴν ὄψιν 1
νεωτέραν ἔχουσαν καὶ ἱλαρωτέραν παρὰ τὸ πρότερον, τὴν δὲ σάρκα
καὶ τὰς τρίχας πρεσβυτέρας. ἄκουε, φησίν, καὶ ταύτην τὴν παρα-
βολήν. 2. ὅταν πρεσβυτέρός τις, ἤδη ἀφηλπικὼς ἑαυτὸν διὰ τὴν 2
ἀσθένειαν αὐτοῦ καὶ τὴν πτωχότητα, οὐδὲν ἕτερον προσδέχεται εἰ
μὴ τὴν ἐσχάτην ἡμέραν τῆς ζωῆς αὐτοῦ· εἶτα ἐξαίφνης κατελείφθη
αὐτῷ κληρονομία, ἀκούσας δὲ ἐξηγέρθη καὶ περιχαρὴς γενόμενος ἐν-
εδύσατο τὴν ἰσχύν, καὶ οὐκέτι ἀνάκειται, ἀλλὰ ἔστηκεν, καὶ ἀνανεοῦ-
ται αὐτοῦ τὸ πνεῦμα τὸ ἤδη ἐφθαρμένον ἀπὸ τῶν προτέρων αὐτοῦ
πράξεων, καὶ οὐκέτι κάθηται, ἀλλὰ ἀνδρίζεται· οὕτως καὶ ὑμεῖς,
ἀκούσαντες τὴν ἀποκάλυψιν ἣν ὑμῖν ὁ κύριος ἀπεκάλυψεν. 3. ὅτι 3
ἐσπλαγχνίσθη ἐφ᾽ ὑμᾶς, καὶ ἀνενεώσατο τὰ πνεύματα ὑμῶν, καὶ ἀπέ-
θεσθε τὰς μαλακίας ὑμῶν, καὶ προσῆλθεν ὑμῖν ἰσχυρότης καὶ ἐνεδυ-
ναμώθητε ἐν τῇ πίστει, καὶ ἰδὼν ὁ κύριος τὴν ἰσχυροποίησιν ὑμῶν
ἐχάρη· καὶ διὰ τοῦτο ἐδήλωσεν ὑμῖν τὴν οἰκοδομὴν τοῦ πύργου, καὶ
ἕτερα δηλώσει, ἐὰν ἐξ ὅλης καρδίας εἰρηνεύετε ἐν ἑαυτοῖς.

1   **13.** Τῇ δὲ τρίτῃ ὁράσει εἶδες αὐτὴν νεωτέραν καὶ καλὴν καὶ
2 ἱλαράν, καὶ καλὴν τὴν μορφὴν αὐτῆς· 2. ὡς ἐὰν γάρ τινι λυπου-
μένῳ ἔλθῃ ἀγγελία ἀγαθή τις, εὐθὺς ἐπελάθετο τῶν προτέρων λυπῶν
καὶ οὐδὲν ἄλλο προσδέχεται εἰ μὴ τὴν ἀγγελίαν ἣν ἤκουσεν, καὶ
ἰσχυροποιεῖται λοιπὸν εἰς τὸ ἀγαθόν, καὶ ἀνανεοῦται αὐτοῦ τὸ πνεῦμα
διὰ τὴν χαρὰν ἣν ἔλαβεν· οὕτως καὶ ὑμεῖς ἀνανέωσιν εἰλήφατε τῶν
3 πνευμάτων ὑμῶν ἰδόντες ταῦτα τὰ ἀγαθά. 3. καὶ ὅτι ἐπὶ συμψελίου
εἶδες καθημένην, ἰσχυρὰ ἡ θέσις· ὅτι τέσσαρας πόδας ἔχει τὸ συμ-
ψέλιον καὶ ἰσχυρῶς ἕστηκεν· καὶ γὰρ ὁ κόσμος διὰ τεσσάρων στοι-
4 χείων κρατεῖται. 4. οἱ οὖν μετανοήσαντες ὁλοτελῶς νέοι ἔσονται καὶ
τεθεμελιωμένοι, οἱ ἐξ ὅλης καρδίας μετανοήσαντες. ἀπέχεις ὁλοτελῆ
τὴν ἀποκάλυψιν· μηκέτι μηδὲν αἰτήσεις περὶ ἀποκαλύψεως, ἐάν τι δὲ
δέῃ, ἀποκαλυφθήσεταί σοι.

Ὅρασις δ΄

1   **1.** ἣν εἶδον, ἀδελφοί, μετὰ ἡμέρας εἴκοσι τῆς προτέρας ὁράσεως
2 τῆς γενομένης, εἰς τύπον τῆς θλίψεως τῆς ἐπερχομένης. 2. ὑπῆγον εἰς
ἀγρὸν τῇ ὁδῷ τῇ Καμπανῇ. ἀπὸ τῆς ὁδοῦ τῆς δημοσίας ἐστὶν ὡσεὶ
3 στάδια δέκα· ῥᾳδίως δὲ ὁδεύεται ὁ τόπος. 3. μόνος οὖν περιπατῶν
ἀξιῶ τὸν κύριον ἵνα τὰς ἀποκαλύψεις καὶ τὰ ὁράματα ἅ μοι ἔδειξεν
διὰ τῆς ἁγίας Ἐκκλησίας αὐτοῦ τελειώσῃ, ἵνα με ἰσχυροποιήσῃ καὶ
δῷ τὴν μετάνοιαν τοῖς δούλοις αὐτοῦ τοῖς ἐσκανδαλισμένοις, ἵνα δοξα-
σθῇ τὸ ὄνομα αὐτοῦ τὸ μέγα καὶ ἔνδοξον, ὅτι με ἄξιον ἡγήσατο τοῦ
4 δεῖξαί μοι τὰ θαυμάσια αὐτοῦ. 4. καὶ δοξάζοντός μου καὶ εὐχαρι-
στοῦντος αὐτῷ, ὡς ἦχος φωνῆς μοι ἀπεκρίθη· Μὴ διψυχήσεις, Ἑρμᾶ.
ἐν ἐμαυτῷ ἠρξάμην διαλογίζεσθαι καὶ λέγειν· Ἐγὼ τί ἔχω διψυχῆ-
σαι, οὕτω τεθεμελιωμένος ὑπὸ τοῦ κυρίου καὶ ἰδὼν ἔνδοξα πράγματα;
5 5. καὶ προέβην μικρόν, ἀδελφοί, καὶ ἰδοὺ βλέπω κονιορτὸν ὡς εἰς
τὸν οὐρανόν, καὶ ἠρξάμην λέγειν ἐν ἑαυτῷ· Μήποτε κτήνη ἔρχονται
καὶ κονιορτὸν ἐγείρουσιν; οὕτω δὲ ἦν ἀπ᾽ ἐμοῦ ὡς ἀπὸ σταδίου.
6 6. γινομένου μείζονος καὶ μείζονος κονιορτοῦ ὑπενόησα εἶναί τι θεῖον·
μικρὸν ἐξέλαμψεν ὁ ἥλιος, καὶ ἰδοὺ βλέπω θηρίον μέγιστον ὡσε
κῆτός τι, καὶ ἐκ τοῦ στόματος αὐτοῦ ἀκρίδες πύριναι ἐξεπορεύοντο.
ἦν δὲ τὸ θηρίον τῷ μήκει ὡσεὶ ποδῶν ρ΄, τὴν δὲ κεφαλὴν εἶχεν ὡς

κεράμου. 7. καὶ ἠρξάμην κλαίειν καὶ ἐρωτᾶν τὸν κύριον ἵνα με 7
λυτρώσηται ἐξ αὐτοῦ. καὶ ἐπανεμνήσθην τοῦ ῥήματος οὗ ἀκηκόειν·
Μὴ διψυχήσεις, Ἑρμᾶ. 8. ἐνδυσάμενος οὖν, ἀδελφοί, τὴν πίστιν τοῦ 8
κυρίου καὶ μνησθεὶς ὧν ἐδίδαξέν με μεγαλείων, θαρσήσας εἰς τὸ
θηρίον ἐμαυτὸν ἔδωκα. οὕτω δὲ ἤρχετο τὸ θηρίον ῥοίζῳ, ὥστε
δύνασθαι αὐτὸ πόλιν λυμᾶναι. 9. ἔρχομαι ἐγγὺς αὐτοῦ, καὶ τὸ τηλι- 9
κοῦτο κῆτος ἐκτείνει ἑαυτὸ χαμαὶ καὶ οὐδὲν εἰ μὴ τὴν γλῶσσαν
προέβαλλεν, καὶ ὅλως οὐκ ἐκινήθη μέχρις ὅτε παρῆλθον αὐτό·
10. εἶχεν δὲ τὸ θηρίον ἐπὶ τῆς κεφαλῆς χρώματα τέσσερα· μέλαν, 10
εἶτα πυροειδὲς καὶ αἱματῶδες, εἶτα χρυσοῦν, εἶτα λευκόν.
  2. Μετὰ δὲ τὸ παρελθεῖν με τὸ θηρίον καὶ προελθεῖν ὡσεὶ 1
πόδας λ΄, ἰδοὺ ὑπαντᾷ μοι παρθένος κεκοσμημένη ὡς ἐκ νυμφῶνος
ἐκπορευομένη, ὅλη ἐν λευκοῖς καὶ ὑποδήμασιν λευκοῖς, κατακεκαλυμ-
μένη ἕως τοῦ μετώπου, ἐν μίτρᾳ δὲ ἦν ἡ κατακάλυψις αὐτῆς· εἶχεν
δὲ τὰς τρίχας αὐτῆς λευκάς. 2. ἔγνων ἐγὼ ἐκ τῶν προτέρων ὁρα- 2
μάτων ὅτι ἡ Ἐκκλησία ἐστίν, καὶ ἱλαρώτερος ἐγενόμην. ἀσπάζεταί
με λέγουσα· Χαῖρε σύ, ἄνθρωπε· καὶ ἐγὼ αὐτὴν ἀντησπασάμην·
Κυρία, χαῖρε. 3. ἀποκριθεῖσά μοι λέγει· Οὐδέν σοι ἀπήντησεν; λέγω 3
αὐτῇ· Κυρία, τηλικοῦτο θηρίον, δυνάμενον λαοὺς διαφθεῖραι· ἀλλὰ
τῇ δυνάμει τοῦ κυρίου καὶ τῇ πολυσπλαγχνίᾳ αὐτοῦ ἐξέφυγον αὐτό.
4. Καλῶς ἐξέφυγες, φησίν, ὅτι τὴν μέριμνάν σου ἐπὶ τὸν θεὸν 4
ἐπέριψας καὶ τὴν καρδίαν σου ἤνοιξας πρὸς τὸν κύριον, πιστεύσας
ὅτι δι᾽ οὐδενὸς δύνῃ σωθῆναι εἰ μὴ διὰ τοῦ μεγάλου καὶ ἐνδόξου
ὀνόματος. διὰ τοῦτο ὁ κύριος ἀπέστειλεν τὸν ἄγγελον αὐτοῦ τὸν ἐπὶ
τῶν θηρίων ὄντα, οὗ τὸ ὄνομά ἐστιν Θεγρί, καὶ ἐνέφραξεν τὸ στόμα
αὐτοῦ, ἵνα μή σε λυμάνῃ. μεγάλην θλῖψιν ἐκπέφευγας διὰ τὴν πίστιν
σου, καὶ ὅτι τηλικοῦτο θηρίον ἰδὼν οὐκ ἐδιψύχησας· 5. ὕπαγε οὖν 5
καὶ ἐξήγησαι τοῖς ἐκλεκτοῖς τοῦ κυρίου τὰ μεγαλεῖα αὐτοῦ, καὶ εἰπὲ
αὐτοῖς ὅτι τὸ θηρίον τοῦτο τύπος ἐστὶν θλίψεως τῆς μελλούσης τῆς
μεγάλης· ἐὰν οὖν προετοιμάσησθε καὶ μετανοήσητε ἐξ ὅλης καρδίας
ὑμῶν πρὸς τὸν κύριον, δυνήσεσθε ἐκφυγεῖν αὐτήν, ἐὰν ἡ καρδία ὑμῶν
γένηται καθαρὰ καὶ ἄμωμος, καὶ τὰς λοιπὰς τῆς ζωῆς ἡμέρας ὑμῶν
δουλεύσητε τῷ κυρίῳ ἀμέμπτως. ἐπιρίψατε τὰς μερίμνας ὑμῶν ἐπὶ
τὸν κύριον, καὶ αὐτὸς κατορθώσει αὐτάς. 6. πιστεύσατε τῷ κυρίῳ, 6

οἱ δίψυχοι, ὅτι πάντα δύναται, καὶ ἀποστρέψαι τὴν ὀργὴν αὐτοῦ ἀφ
ὑμῶν καὶ ἀποστεῖλαι μάστιγας ὑμῖν τοῖς διψύχοις. οὐαὶ τοῖς ἀκού-
σασιν τὰ ῥήματα ταῦτα καὶ παρακούσασιν· αἱρετώτερον ἦν αὐτοῖς τὸ
μὴ γεννηθῆναι.

1   **3.** Ἠρώτησα αὐτὴν περὶ τῶν τεσσάρων χρωμάτων ὧν εἶχεν τὸ
θηρίον εἰς τὴν κεφαλήν. ἡ δὲ ἀποκριθεῖσά μοι λέγει· Πάλιν περί-
εργος εἶ περὶ τοιούτων πραγμάτων. Ναί, φημί, κυρία· γνώρισόν μοι
2 τί ἐστιν ταῦτα. 2. Ἄκουε, φησίν· τὸ μὲν μέλαν οὗτος ὁ κόσμος
3 ἐστίν, ἐν ᾧ κατοικεῖτε· 3. τὸ δὲ πυροειδὲς καὶ αἱματῶδες, ὅτι δεῖ
4 τὸν κόσμον τοῦτον δι᾽ αἵματος καὶ πυρὸς ἀπόλλυσθαι· 4. τὸ δὲ
χρυσοῦν μέρος ὑμεῖς ἐστὲ οἱ ἐκφυγόντες τὸν κόσμον τοῦτον. ὥσπερ
γὰρ τὸ χρυσίον δοκιμάζεται διὰ τοῦ πυρὸς καὶ εὔχρηστον γίνεται,
οὕτως καὶ ὑμεῖς δοκιμάζεσθε οἱ κατοικοῦντες ἐν αὐτῷ. οἱ οὖν μεί-
ναντες καὶ πυρωθέντες ὑπ᾽ αὐτοῦ καθαρισθήσεσθε. ὥσπερ τὸ χρυ-
σίον ἀποβάλλει τὴν σκωρίαν αὐτοῦ, οὕτω καὶ ὑμεῖς ἀποβαλεῖτε πᾶσαν
λύπην καὶ στενοχωρίαν, καὶ καθαρισθήσεσθε καὶ χρήσιμοι ἔσεσθε εἰς
5 τὴν οἰκοδομὴν τοῦ πύργου. 5. τὸ δὲ λευκὸν μέρος ὁ αἰὼν ὁ ἐπερχό-
μενός ἐστιν, ἐν ᾧ κατοικήσουσιν οἱ ἐκλεκτοὶ τοῦ θεοῦ· ὅτι ἄσπιλοι
καὶ καθαροὶ ἔσονται οἱ ἐκλελεγμένοι ὑπὸ τοῦ θεοῦ εἰς ζωὴν αἰώνιον.
6 6. σὺ οὖν μὴ διαλίπῃς λαλῶν εἰς τὰ ὦτα τῶν ἁγίων. ἔχετε καὶ
τὸν τύπον τῆς θλίψεως τῆς ἐρχομένης μεγάλης. ἐὰν δὲ ὑμεῖς θελή-
7 σητε, οὐδὲν ἔσται. μνημονεύετε τὰ προγεγραμμένα. 7. ταῦτα εἴπασα
ἀπῆλθεν, καὶ οὐκ εἶδον ποίῳ τόπῳ ἀπῆλθεν· ψόφος γὰρ ἐγένετο·
κἀγὼ ἐπεστράφην εἰς τὰ ὀπίσω φοβηθείς, δοκῶν ὅτι τὸ θηρίον
ἔρχεται.

Ἀποκάλυψις ε΄.

1   Προσευξαμένου μου ἐν τῷ οἴκῳ καὶ καθίσαντος εἰς τὴν κλίνην
εἰσῆλθεν ἀνήρ τις ἔνδοξος τῇ ὄψει, σχήματι ποιμενικῷ, περικείμενος
δέρμα λευκόν, καὶ πήραν ἔχων ἐπὶ τῶν ὤμων καὶ ῥάβδον εἰς τὴν
2 χεῖρα. καὶ ἠσπάσατό με, κἀγὼ ἀντησπασάμην αὐτόν. 2. καὶ εὐθὺς
παρεκάθισέν μοι καὶ λέγει μοι· Ἀπεστάλην ὑπὸ τοῦ σεμνοτάτου
ἀγγέλου, ἵνα μετὰ σοῦ οἰκήσω τὰς λοιπὰς ἡμέρας τῆς ζωῆς σου.
3 3. ἔδοξα ἐγὼ ὅτι πάρεστιν ἐκπειράζων με, καὶ λέγω αὐτῷ· Σὺ γὰρ

τίς εἶ; ἐγὼ γάρ, φημί, γινώσκω ᾧ παρεδόθην. λέγει μοι· Οὐκ ἐπι-
γινώσκεις με; Οὔ, φημί. Ἐγώ, φησίν, εἰμὶ ὁ ποιμὴν ᾧ παρεδόθης.
4. ἔτι λαλοῦντος αὐτοῦ ἠλλοιώθη ἡ ἰδέα αὐτοῦ, καὶ ἐπέγνων αὐτόν, 4
ὅτι ἐκεῖνος ἦν ᾧ παρεδόθην, καὶ εὐθὺς συνεχύθην, καὶ φόβος με
ἔλαβεν, καὶ ὅλος συνεκόπην ἀπὸ τῆς λύπης, ὅτι οὕτως αὐτῷ ἀπεκρί-
θην πονηρῶς καὶ ἀφρόνως. 5. ὁ δὲ ἀποκριθείς μοι λέγει· Μὴ συν- 5
χύννου, ἀλλὰ ἰσχυροποιοῦ ἐν ταῖς ἐντολαῖς μου, αἷς σοι μέλλω ἐν-
τέλλεσθαι. ἀπεστάλην γάρ, φησίν, ἵνα ἃ εἶδες πρότερον πάντα σοι
πάλιν δείξω, αὐτὰ τὰ κεφάλαια τὰ ὄντα ὑμῖν σύμφορα. πρῶτον
πάντων τὰς ἐντολάς μου γράψον καὶ τὰς παραβολάς· τὰ δὲ ἕτερα
καθώς σοι δείξω, οὕτως γράψεις· διὰ τοῦτο, φησίν, ἐντέλλομαί σοι
πρῶτον γράψαι τὰς ἐντολὰς καὶ παραβολάς, ἵνα ὑπὸ χεῖρα ἀναγινώ-
σκῃς αὐτὰς καὶ δυνηθῇς φυλάξαι αὐτάς. 6. ἔγραψα οὖν τὰς ἐντολὰς 6
καὶ παραβολάς, καθὼς ἐνετείλατό μοι. 7. ἐὰν οὖν ἀκούσαντες αὐτὰς 7
φυλάξητε καὶ ἐν αὐταῖς πορευθῆτε καὶ ἐργάσησθε αὐτὰς ἐν καθαρᾷ
καρδίᾳ, ἀπολήμψεσθε ἀπὸ τοῦ κυρίου ὅσα ἐπηγγείλατο ὑμῖν· ἐὰν δὲ
ἀκούσαντες μὴ μετανοήσητε, ἀλλ' ἔτι προσθῆτε ταῖς ἁμαρτίαις ὑμῶν,
ἀπολήμψεσθε παρὰ τοῦ κυρίου τὰ ἐναντία. ταῦτά μοι πάντα οὕτως
γράψαι ὁ ποιμὴν ἐνετείλατο, ὁ ἄγγελος τῆς μετανοίας.

Ἐντολὴ α΄.

Πρῶτον πάντων πίστευσον ὅτι εἷς ἐστὶν ὁ θεός, ὁ τὰ πάντα 1
κτίσας καὶ καταρτίσας, καὶ ποιήσας ἐκ τοῦ μὴ ὄντος εἰς τὸ εἶναι τὰ
πάντα, καὶ πάντα χωρῶν, μόνος δὲ ἀχώρητος ὤν. 2. πίστευσον οὖν 2
αὐτῷ καὶ φοβήθητι αὐτόν, φοβηθεὶς δὲ ἐγκράτευσαι. ταῦτα φύλασσε
καὶ ἀποβαλεῖς πᾶσαν πονηρίαν ἀπὸ σεαυτοῦ καὶ ἐνδύσῃ πᾶσαν ἀρε-
τὴν δικαιοσύνης, καὶ ζήσῃ τῷ θεῷ, ἐὰν φυλάξῃς τὴν ἐντολὴν ταύτην.

Ἐντολὴ β΄.

Λέγει μοι· Ἁπλότητα ἔχε καὶ ἄκακος γίνου καὶ ἔσῃ ὡς τὰ 1
νήπια τὰ μὴ γινώσκοντα τὴν πονηρίαν τὴν ἀπολλύουσαν τὴν ζωὴν
τῶν ἀνθρώπων. 2. πρῶτον μὲν μηδενὸς καταλάλει, μηδὲ ἡδέως 2
ἄκουε καταλαλοῦντος· εἰ δὲ μή, καὶ σὺ ὁ ἀκούων ἔνοχος ἔσῃ τῆς
ἁμαρτίας τοῦ καταλαλοῦντος, ἐὰν πιστεύσῃς τῇ καταλαλιᾷ ᾗ ἂν ἀκού-

σῃς· πιστεύσας γὰρ καὶ σὺ αὐτὸς ἕξεις κατὰ τοῦ ἀδελφοῦ σου. οὕτως
3 οὖν ἔνοχος ἔσῃ τῆς ἁμαρτίας τοῦ καταλαλοῦντος. 3. πονηρὰ ἡ
καταλαλιά, ἀκατάστατον δαιμόνιόν ἐστιν, μηδέποτε εἰρηνεῦον, ἀλλὰ
πάντοτε ἐν διχοστασίαις κατοικοῦν. ἀπέχου οὖν ἀπ᾽ αὐτοῦ, καὶ εὐθη-
4 νίαν πάντοτε ἕξεις μετὰ πάντων. 4. ἔνδυσαι δὲ τὴν σεμνότητα, ἐν
ᾗ οὐδὲν πρόσκομμά ἐστιν πονηρόν, ἀλλὰ πάντα ὁμαλὰ καὶ ἱλαρά.
ἐργάζου τὸ ἀγαθόν, καὶ ἐκ τῶν κόπων σου, ὧν ὁ θεὸς δίδωσίν σοι,
πᾶσιν ὑστερουμένοις δίδου ἁπλῶς, μὴ διστάζων τίνι δῷς ἢ τίνι μὴ δῷς.
πᾶσιν δίδου· πᾶσιν γὰρ ὁ θεὸς δίδοσθαι θέλει ἐκ τῶν ἰδίων δωρη-
5 μάτων. 5. οἱ οὖν λαμβάνοντες ἀποδώσουσιν λόγον τῷ θεῷ, διατί ἔλαβον
καὶ εἰς τί· οἱ μὲν γὰρ λαμβάνοντες θλιβόμενοι οὐ δικασθήσονται, οἱ
6 δὲ ἐν ὑποκρίσει λαμβάνοντες τίσουσιν δίκην. 6. ὁ οὖν διδοὺς ἀθῷός
ἐστιν· ὡς γὰρ ἔλαβεν παρὰ τοῦ κυρίου τὴν διακονίαν τελέσαι, ἁπλῶς
αὐτὴν ἐτέλεσεν, μηθὲν διακρίνων τίνι δῷ ἢ μὴ δῷ. ἐγένετο οὖν
ἡ διακονία αὕτη ἁπλῶς τελεσθεῖσα ἔνδοξος παρὰ τῷ θεῷ. ὁ οὖν
7 οὕτως ἁπλῶς διακονῶν τῷ θεῷ ζήσεται. 7. φύλασσε οὖν τὰς ἐντο-
λὰς ταύτας, ὥς σοι λελάληκα, ἵνα ἡ μετάνοιά σου καὶ τοῦ οἴκου σου
ἐν ἁπλότητι εὑρεθῇ, καὶ ἡ καρδία σου καθαρὰ καὶ ἀμίαντος.

Ἐντολὴ γ΄.

1 Πάλιν μοι λέγει· Ἀλήθειαν ἀγάπα, καὶ πᾶσα ἀλήθεια ἐκ τοῦ
στόματός σου ἐκπορευέσθω, ἵνα τὸ πνεῦμα, ὃ ὁ θεὸς κατῴκισεν ἐν
τῇ σαρκὶ ταύτῃ, ἀληθὲς εὑρεθῇ παρὰ πᾶσιν ἀνθρώποις, καὶ οὕτως
δοξασθήσεται ὁ κύριος ὁ ἐν σοὶ κατοικῶν· ὅτι ὁ κύριος ἀληθινὸς ἐν
2 παντὶ ῥήματι, καὶ οὐδὲν παρ᾽ αὐτῷ ψεῦδος· 2. οἱ οὖν ψευδόμενοι
ἀθετοῦσι τὸν κύριον καὶ γίνονται ἀποστερηταὶ τοῦ κυρίου, μὴ παρα-
διδόντες αὐτῷ τὴν παρακαταθήκην ἣν ἔλαβον. ἔλαβον γὰρ παρ᾽
αὐτοῦ πνεῦμα ἄψευστον. τοῦτο ἐὰν ψευδὲς ἀποδώσωσιν, ἐμίαναν τὴν
3 ἐντολὴν τοῦ κυρίου καὶ ἐγένοντο ἀποστερηταί. 3. ταῦτα οὖν ἀκού-
σας ἐγὼ ἔκλαυσα λίαν. ἰδὼν δέ με κλαίοντα λέγει· Τί κλαίεις; Ὅτι,
φημί, κύριε, οὐκ οἶδα εἰ δύναμαι σωθῆναι. Διατί; φησίν. Οὐδέπω
γάρ, φημί, κύριε, ἐν τῇ ἐμῇ ζωῇ ἀληθὲς ἐλάλησα ῥῆμα, ἀλλὰ πάν-
τοτε πανούργως ἐλάλησα μετὰ πάντων, καὶ τὸ ψεῦδός μου ἀληθὲς
ἐπέδειξα παρὰ πᾶσιν ἀνθρώποις· καὶ οὐδέποτέ μοι οὐδεὶς ἀντεῖπεν,

ἀλλ' ἐπιστεύθη τῷ λόγῳ μου. πῶς οὖν, φημί, κύριε, δύναμαι ζῆσαι
ταῦτα πράξας; 4. Σὺ μέν, φησί, καλῶς καὶ ἀληθῶς φρονεῖς· ἔδει 4
γάρ σε ὡς θεοῦ δοῦλον ἐν ἀληθείᾳ πορεύεσθαι καὶ πονηρὰν συνεί-
δησιν μετὰ τοῦ πνεύματος τῆς ἀληθείας μὴ κατοικεῖν, μηδὲ λύπην
ἐπάγειν τῷ πνεύματι τῷ σεμνῷ καὶ ἀληθεῖ. Οὐδέποτε, φημί, κύριε
τοιαῦτα ῥήματα ἀκριβῶς ἤκουσα. 5. Νῦν οὖν, φησίν, ἀκούεις· φύ- 5
λασσε αὐτά, ἵνα καὶ τὰ πρότερον ἃ ἐλάλησας ψεύδη ἐν ταῖς πραγ-
ματείαις σου, τούτων εὑρεθέντων ἀληθινῶν, κἀκεῖνα πιστὰ γένηται·
δύναται γὰρ κἀκεῖνα πιστὰ γενέσθαι. ἐὰν ταῦτα φυλάξῃς καὶ ἀπὸ
τοῦ νῦν πᾶσαν ἀλήθειαν λαλήσῃς, δυνήσῃ σεαυτῷ ζωὴν περιποιήσα-
σθαι. καὶ ὃς ἂν ἀκούσῃ τὴν ἐντολὴν ταύτην καὶ ἀπέχηται τοῦ πο-
νηροτάτου ψεύσματος, ζήσεται τῷ θεῷ.

Ἐντολὴ δ΄.

1. Ἐντέλλομαί σοι, φησίν, φυλάσσειν τὴν ἁγνείαν, καὶ μὴ ἀνα- 1
βαινέτω σου ἐπὶ τὴν καρδίαν περὶ γυναικὸς ἀλλοτρίας ἢ περὶ πορ-
νείας τινὸς ἢ περὶ τοιούτων τινῶν ὁμοιωμάτων πονηρῶν. τοῦτο γὰρ
ποιῶν μεγάλην ἁμαρτίαν ἐργάζῃ. τῆς δὲ σῆς μνημονεύων πάντοτε
γυναικὸς οὐδέποτε διαμαρτήσεις. 2. ἐὰν γὰρ αὕτη ἡ ἐνθύμησις ἐπὶ 2
τὴν καρδίαν σου ἀναβῇ, διαμαρτήσεις, καὶ ἐὰν ἕτερα οὕτως πονηρά,
ἁμαρτίαν ἐργάζῃ· ἡ γὰρ ἐνθύμησις αὕτη θεοῦ δούλῳ ἁμαρτία μεγάλη
ἐστίν· ἐὰν δέ τις ἐργάσηται τὸ ἔργον τὸ πονηρὸν τοῦτο, θάνατον
ἑαυτῷ κατεργάζεται. 3. βλέπε οὖν σύ· ἀπέχου ἀπὸ τῆς ἐνθυμή- 3
σεως ταύτης· ὅπου γὰρ σεμνότης κατοικεῖ, ἐκεῖ ἀνομία οὐκ ὀφείλει
ἀναβαίνειν ἐπὶ καρδίαν ἀνδρὸς δικαίου. 4. λέγω αὐτῷ· Κύριε, ἐπί- 4
τρεψόν μοι ὀλίγα ἐπερωτῆσαί σε. Λέγε, φησίν. Κύριε, φημί, εἰ
γυναῖκα ἔχῃ τις πιστὴν ἐν κυρίῳ καὶ ταύτην εὕρῃ ἐν μοιχείᾳ τινί,
ἆρα ἁμαρτάνει ὁ ἀνὴρ συνζῶν μετ' αὐτῆς; 5. Ἄχρι τῆς ἀγνοίας, 5
φησίν, οὐχ ἁμαρτάνει· ἐὰν δὲ γνῷ ὁ ἀνὴρ τὴν ἁμαρτίαν αὐτῆς, καὶ
μὴ μετανοήσῃ ἡ γυνή, ἀλλ' ἐπιμένῃ τῇ πορνείᾳ αὐτῆς, καὶ συνζῇ ὁ
ἀνὴρ μετ' αὐτῆς, ἔνοχος γίνεται τῆς ἁμαρτίας αὐτῆς καὶ κοινωνὸς
τῆς μοιχείας αὐτῆς. 6. Τί οὖν, φημί, κύριε, ποιήσῃ ὁ ἀνήρ, ἐὰν 6
ἐπιμείνῃ τῷ πάθει τούτῳ ἡ γυνή; Ἀπολυσάτω, φησίν, αὐτήν, καὶ ὁ

ἀνὴρ ἐφ᾽ ἑαυτῷ μενέτω· ἐὰν δὲ ἀπολύσας τὴν γυναῖκα ἑτέραν γα-
7 μήσῃ, καὶ αὐτὸς μοιχᾶται. 7. Ἐὰν οὖν, φημί, κύριε μετὰ τὸ ἀπο-
λυθῆναι τὴν γυναῖκα μετανοήσῃ ἡ γυνὴ καὶ θελήσῃ ἐπὶ τὸν ἑαυτῆς
8 ἄνδρα ὑποστρέψαι, οὐ παραδεχθήσεται; 8. Καὶ μήν, φησίν, ἐὰν μὴ
παραδέξηται αὐτὴν ὁ ἀνήρ, ἁμαρτάνει καὶ μεγάλην ἁμαρτίαν ἑαυτῷ
ἐπισπᾶται, ἀλλὰ δεῖ παραδεχθῆναι τὸν ἡμαρτηκότα καὶ μετανοοῦντα·
μὴ ἐπὶ πολὺ δέ· τοῖς γὰρ δούλοις τοῦ θεοῦ μετάνοιά ἐστιν μία.
διὰ τὴν μετάνοιαν οὖν οὐκ ὀφείλει γαμεῖν ὁ ἀνήρ. αὕτη ἡ πρᾶξις
9 ἐπὶ γυναικὶ καὶ ἀνδρὶ κεῖται. 9. οὐ μόνον, φησίν, μοιχεία ἐστίν, ἐάν
τις τὴν σάρκα αὐτοῦ μιάνῃ, ἀλλὰ καὶ ὃς ἂν τὰ ὁμοιώματα ποιῇ τοῖς
ἔθνεσιν, μοιχᾶται. ὥστε καὶ ἐν τοῖς τοιούτοις ἔργοις ἐὰν ἐμμένῃ τις
καὶ μὴ μετανοῇ, ἀπέχου ἀπ᾽ αὐτοῦ καὶ μὴ συνζῆθι αὐτᾷ· εἰ δὲ μή,
10 καὶ σὺ μέτοχος εἶ τῆς ἁμαρτίας αὐτοῦ. 10. διὰ τοῦτο προσετάγη
ὑμῖν ἐφ᾽ ἑαυτοῖς μένειν, εἴτε ἀνὴρ εἴτε γυνή· δύναται γὰρ ἐν τοῖς
11 τοιούτοις μετάνοια εἶναι. 11. ἐγὼ οὖν, φησίν, οὐ δίδωμι ἀφορμὴν
ἵνα αὕτη ἡ πρᾶξις οὕτως συντελῆται, ἀλλὰ εἰς τὸ μηκέτι ἁμαρτάνειν
τὸν ἡμαρτηκότα. περὶ δὲ τῆς προτέρας ἁμαρτίας αὐτοῦ ἔστιν ὁ
δυνάμενος ἴασιν δοῦναι· αὐτὸς γάρ ἐστιν ὁ ἔχων πάντων τὴν ἐξουσίαν.
1   2. Ἠρώτησα αὐτὸν πάλιν λέγων· Ἐπεὶ ὁ κύριος ἄξιόν με ἡγή-
σατο ἵνα μετ᾽ ἐμοῦ πάντοτε κατοικῇς, ὀλίγα μου ῥήματα ἔτι ἀνάσχου,
ἐπεὶ οὐ συνίω οὐδέν, καὶ ἡ καρδία μου πεπώρωται ἀπὸ τῶν προτέ-
ρων μου πράξεων· συνέτισόν με, ὅτι λίαν ἄφρων εἰμὶ καὶ ὅλως οὐδὲν
2 νοῶ. 2. ἀποκριθείς μοι λέγει· Ἐγώ, φησίν, ἐπὶ τῆς μετανοίας εἰμὶ
καὶ πᾶσιν τοῖς μετανοοῦσιν σύνεσιν δίδωμι. ἢ οὐ δοκεῖ σοι, φησίν,
αὐτὸ τοῦτο τὸ μετανοῆσαι σύνεσιν εἶναι; τὸ μετανοῆσαι, φησίν,
σύνεσίς ἐστιν μεγάλη. συνίει γὰρ ὁ ἁμαρτήσας ὅτι πεποίηκεν τὸ
πονηρὸν ἔμπροσθεν τοῦ κυρίου, καὶ ἀναβαίνει ἐπὶ τὴν καρδίαν αυτοῦ
ἡ πρᾶξις ἣν ἔπραξεν, καὶ μετανοεῖ καὶ οὐκέτι ἐργάζεται τὸ πονηρόν,
ἀλλὰ τὸ ἀγαθὸν πολυτελῶς ἐργάζεται, καὶ ταπεινοῖ τὴν ἑαυτοῦ ψυχὴν
καὶ βασανίζει, ὅτι ἥμαρτεν. βλέπεις οὖν ὅτι ἡ μετάνοια σύνεσίς ἐστιν
3 μεγάλη. 3. Διὰ τοῦτο οὖν, φημί, κύριε, ἐξακριβάζομαι παρὰ σοῦ
πάντα· πρῶτον μὲν ὅτι ἁμαρτωλός εἰμι, ἵνα γνῶ ποῖα ἔργα ἐργα-
ζόμενος ζήσομαι, ὅτι πολλαί μου εἰσὶν αἱ ἁμαρτίαι καὶ ποικίλαι.
4 4. Ζήσῃ, φησίν, ἐὰν τὰς ἐντολάς μου φυλάξῃς καὶ πορευθῇς

ἐν αὐταῖς· καὶ ὃς ἂν ἀκούσας τὰς ἐντολὰς ταύτας φυλάξῃ, ζήσεται
τῷ θεῷ.

3. Ἔτι, φημί, κύριε, προσθήσω τοῦ ἐπερωτῆσαι. Λέγε, φησίν· 1
Ἤκουσα, φημί, κύριε, παρά τινων διδασκάλων, ὅτι ἑτέρα μετάνοια
οὐκ ἔστιν εἰ μὴ ἐκείνη, ὅτε εἰς ὕδωρ κατέβημεν καὶ ἐλάβομεν ἄφε-
σιν ἁμαρτιῶν ἡμῶν τῶν προτέρων. 2. λέγει μοι· Καλῶς ἤκουσας· 2
οὕτω γὰρ ἔχει. ἔδει γὰρ τὸν εἰληφότα ἄφεσιν ἁμαρτιῶν μηκέτι
ἁμαρτάνειν, ἀλλ' ἐν ἁγνείᾳ κατοικεῖν. 3. ἐπεὶ δὲ πάντα ἐξακριβάζῃ, 3
καὶ τοῦτό σοι δηλώσω, μὴ διδοὺς ἀφορμὴν τοῖς μέλλουσι πιστεύειν
ἢ τοῖς νῦν πιστεύσασιν εἰς τὸν κύριον. οἱ γὰρ νῦν πιστεύσαντες ἢ
μέλλοντες πιστεύειν μετάνοιαν ἁμαρτιῶν οὐκ ἔχουσιν, ἄφεσιν δὲ ἔχουσι
τῶν προτέρων ἁμαρτιῶν αὐτῶν. 4. τοῖς οὖν κληθεῖσι πρὸ τούτων 4
τῶν ἡμερῶν ἔθηκεν ὁ κύριος μετάνοιαν. καρδιογνώστης γὰρ ὢν ὁ
κύριος, καὶ πάντα προγινώσκων, ἔγνω τὴν ἀσθένειαν τῶν ἀνθρώπων
καὶ τὴν πολυπλοκίαν τοῦ διαβόλου, ὅτι ποιήσει τι κακὸν τοῖς δούλοις
τοῦ θεοῦ καὶ πονηρεύσεται εἰς αὐτούς· 5. πολύσπλαγχνος οὖν ὢν ὁ 5
κύριος ἐσπλαγχνίσθη ἐπὶ τὴν ποίησιν αὐτοῦ καὶ ἔθηκεν τὴν μετά-
νοιαν ταύτην, καὶ ἐμοὶ ἡ ἐξουσία τῆς μετανοίας ταύτης ἐδόθη.
6. ἀλλὰ ἐγώ σοι λέγω, φησί· μετὰ τὴν κλῆσιν ἐκείνην τὴν μεγάλην 6
καὶ σεμνὴν ἐάν τις ἐκπειρασθεὶς ὑπὸ τοῦ διαβόλου ἁμαρτήσῃ, μίαν
μετάνοιαν ἔχει. ἐὰν δὲ ὑπὸ χεῖρα ἁμαρτάνῃ καὶ μετανοήσῃ, ἀσύμ-
φορόν ἐστι τῷ ἀνθρώπῳ τῷ τοιούτῳ· δυσκόλως γὰρ ζήσεται. 7. λέγω 7
αὐτῷ· Ἐζωοποιήθην ταῦτα παρὰ σοῦ ἀκούσας οὕτως ἀκριβῶς· οἶδα
γὰρ ὅτι, ἐὰν μηκέτι προσθήσω ταῖς ἁμαρτίαις μου, σωθήσομαι. Σω-
θήσῃ, φησίν, καὶ πάντες ὅσοι ἐὰν ταῦτα ποιήσωσιν.

4. Ἠρώτησα αὐτὸν πάλιν λέγων· Κύριε, ἐπεὶ ἅπαξ ἀνέχῃ μου, 1
ἔτι μοι καὶ τοῦτο δήλωσον. Λέγε, φησίν. Ἐὰν γυνή, φημί, κύριε,
ἢ πάλιν ἀνήρ τις κοιμηθῇ, καὶ γαμήσῃ τις ἐξ αὐτῶν, μήτι ἁμαρτά-
νει ὁ γαμῶν; 2. Οὐχ ἁμαρτάνει, φησίν· ἐὰν δὲ ἐφ' ἑαυτῷ μείνῃ τις, 2
περισσοτέραν ἑαυτῷ τιμὴν καὶ μεγάλην δόξαν περιποιεῖται πρὸς τὸν
κύριον· ἐὰν δὲ καὶ γαμήσῃ, οὐχ ἁμαρτάνει. 3. τήρει οὖν τὴν ἁγνείαν 3
καὶ τὴν σεμνότητα, καὶ ζήσῃ τῷ θεῷ. ταῦτά σοι ὅσα λαλῶ ἢ καὶ
μέλλω λαλεῖν, φύλασσε ἀπὸ τοῦ νῦν, ἀφ' ἧς μοι παρεδόθης ἡμέρας,
καὶ εἰς τὸν οἶκόν σου κατοικήσω. 4. τοῖς δὲ προτέροις σου παρα- 4

πτώμασιν ἄφεσις ἔσται, ἐὰν τὰς ἐντολάς μου φυλάξῃς. καὶ πᾶσι δὲ ἄφεσις ἔσται, ἐὰν τὰς ἐντολάς μου ταύτας φυλάξωσι καὶ πορευθῶσιν ἐν τῇ ἁγνότητι ταύτῃ.

Ἐντολὴ ε΄.

1 1. Μακρόθυμος, φησί, γίνου καὶ συνετός, καὶ πάντων τῶν πονη-
2 ρῶν ἔργων κατακυριεύσεις καὶ ἐργάσῃ πᾶσαν δικαιοσύνην. 2. ἐὰν
γὰρ μακρόθυμος ἔσῃ, τὸ πνεῦμα τὸ ἅγιον τὸ κατοικοῦν ἐν σοὶ καθα-
ρὸν ἔσται, μὴ ἐπισκοτούμενον ὑπὸ ἑτέρου πονηροῦ πνεύματος, ἀλλ'
ἐν εὐρυχώρῳ κατοικοῦν ἀγαλλιάσεται καὶ εὐφρανθήσεται μετὰ τοῦ
σκεύους ἐν ᾧ κατοικεῖ, καὶ λειτουργήσει τῷ θεῷ ἐν ἱλαρότητι, ἔχον
3 τὴν εὐθηνίαν ἐν ἑαυτῷ. 3. ἐὰν δὲ ὀξυχολία τις προσέλθῃ, εὐθὺς
τὸ πνεῦμα τὸ ἅγιον, τρυφερὸν ὄν, στενοχωρεῖται, μὴ ἔχον τὸν τόπον
καθαρόν, καὶ ζητεῖ ἀποστῆναι ἐκ τοῦ τόπου· πνίγεται γὰρ ὑπὸ τοῦ
πονηροῦ πνεύματος, μὴ ἔχον τόπον λειτουργῆσαι τῷ κυρίῳ καθὼς
βούλεται, μιαινόμενον ὑπὸ τῆς ὀξυχολίας. ἐν γὰρ τῇ μακροθυμίᾳ ὁ
4 κύριος κατοικεῖ, ἐν δὲ τῇ ὀξυχολίᾳ ὁ διάβολος. 4. ἀμφότερα οὖν τὰ
πνεύματα ἐπὶ τὸ αὐτὸ κατοικοῦντα, ἀσύμφορόν ἐστιν καὶ πονηρὸν τῷ
5 ἀνθρώπῳ ἐκείνῳ ἐν ᾧ κατοικοῦσιν. 5. ἐὰν γὰρ λαβὼν ἀψινθίου
μικρὸν λίαν εἰς κεράμιον μέλιτος ἐπιχέῃς, οὐχὶ ὅλον τὸ μέλι ἀφα-
νίζεται, καὶ τοσοῦτον μέλι ὑπὸ τοῦ ἐλαχίστου ἀψινθίου ἀπόλλυται
καὶ ἀπόλλυσι τὴν γλυκύτητα τοῦ μέλιτος, καὶ οὐκέτι τὴν αὐτὴν χάριν
ἔχει παρὰ τῷ δεσπότῃ, ὅτι ἐπικράνθη καὶ τὴν χρῆσιν αὐτοῦ ἀπώ-
λεσεν; ἐὰν δὲ εἰς τὸ μέλι μὴ βληθῇ τὸ ἀψίνθιον, γλυκὺ εὑρίσκεται
6 τὸ μέλι καὶ εὔχρηστον γίνεται τῷ δεσπότῃ αὐτοῦ. 6. βλέπεις οὖν
ὅτι ἡ μακροθυμία γλυκυτάτη ἐστὶν ὑπὲρ τὸ μέλι καὶ εὔχρηστός ἐστι
τῷ κυρίῳ, καὶ ἐν αὐτῇ κατοικεῖ. ἡ δὲ ὀξυχολία πικρὰ καὶ ἄχρηστός
ἐστιν. ἐὰν οὖν μιγῇ ἡ ὀξυχολία τῇ μακροθυμίᾳ, μιαίνεται ἡ μακρο-
7 θυμία, καὶ οὐκ ἔστιν εὔχρηστος τῷ θεῷ ἡ ἔντευξις αὐτῆς. 7. Ἤθε-
λον, φημί, κύριε, γνῶναι τὴν ἐνέργειαν τῆς ὀξυχολίας, ἵνα φυλάξωμαι
ἀπ' αὐτῆς. Καὶ μήν, φησίν, ἐὰν μὴ φυλάξῃ ἀπ' αὐτῆς σὺ καὶ ὁ
οἶκός σου, ἀπώλεσάς σου τὴν πᾶσαν ἐλπίδα. ἀλλὰ φύλαξαι ἀπ'
αὐτῆς· ἐγὼ γὰρ μετὰ σοῦ εἰμι. καὶ πάντες δὲ ἀφέξονται ἀπ' αὐτῆς,
ὅσοι ἂν μετανοήσωσιν ἐξ ὅλης τῆς καρδίας αὐτῶν· μετ' αὐτῶν γὰρ

ἔσομαι καὶ συντηρήσω αὐτούς· ἐδικαιώθησαν γὰρ πάντες ὑπὸ τοῦ σεμνοτάτου ἀγγέλου.

2. Ἄκουε νῦν, φησί, τὴν ἐνέργειαν τῆς ὀξυχολίας, πῶς πονηρά 1 ἐστι, καὶ πῶς τοὺς δούλους τοῦ θεοῦ καταστρέφει τῇ ἑαυτῆς ἐνεργείᾳ, καὶ πῶς ἀποπλανᾷ αὐτοὺς ἀπὸ τῆς δικαιοσύνης. οὐκ ἀποπλανᾷ δὲ τοὺς πλήρεις ὄντας ἐν τῇ πίστει, οὐδὲ ἐνεργῆσαι δύναται εἰς αὐτούς, ὅτι ἡ δύναμις τοῦ κυρίου μετ᾽ αὐτῶν ἐστίν· ἀποπλανᾷ δὲ τοὺς ἀποκένους καὶ διψύχους ὄντας. 2. ὅταν γὰρ ἴδῃ τοὺς τοιούτους ἀν- 2 θρώπους εὐσταθοῦντας, παρεμβάλλει ἑαυτὴν εἰς τὴν καρδίαν τοῦ ἀνθρώπου ἐκείνου, καὶ ἐκ τοῦ μηδενὸς ἡ γυνὴ ἢ ὁ ἀνὴρ ἐν πικρίᾳ γίνεται ἕνεκεν βιωτικῶν πραγμάτων, ἢ περὶ ἐδεσμάτων ἢ μικρολογίας τινός, ἢ περὶ φίλου τινός, ἢ περὶ δόσεως ἢ λήψεως, ἢ περὶ τοιούτων μωρῶν πραγμάτων. ταῦτα γὰρ πάντα μωρά ἐστι καὶ κενὰ καὶ ἀσύμφορα τοῖς δούλοις τοῦ θεοῦ. 3. ἡ δὲ μακροθυμία μεγάλη ἐστὶ καὶ 3 ὀχυρά, καὶ ἰσχυρὰν δύναμιν ἔχουσα καὶ στιβαράν, καὶ εὐθηνουμένη ἐν πλατυσμῷ μεγάλῳ, ἱλαρά, ἀγαλλιωμένη, ἀμέριμνος οὖσα, δοξάζουσα τὸν κύριον ἐν παντὶ καιρῷ, μηδὲν ἐν ἑαυτῇ ἔχουσα πικρόν, παραμένουσα διὰ παντὸς πραεῖα καὶ ἡσύχιος. αὕτη οὖν ἡ μακροθυμία κατοικεῖ μετὰ τῶν τὴν πίστιν ἐχόντων ὁλόκληρον. 4. ἡ δὲ ὀξυχολία 4 πρῶτον μὲν μωρά ἐστιν, ἐλαφρά τε καὶ ἄφρων. εἶτα ἐκ τῆς ἀφροσύνης γίνεται πικρία, ἐκ δὲ τῆς πικρίας θυμός, ἐκ δὲ τοῦ θυμοῦ ὀργή, ἐκ δὲ τῆς ὀργῆς μῆνις· εἶτα ἡ μῆνις αὕτη ἐκ τοσούτων κακῶν συνισταμένη γίνεται ἁμαρτία μεγάλη καὶ ἀνίατος. 5. ὅταν γὰρ ταῦτα 5 τὰ πνεύματα ἐν ἑνὶ ἀγγείῳ κατοικῇ, οὗ καὶ τὸ πνεῦμα τὸ ἅγιον κατοικεῖ, οὐ χωρεῖ τὸ ἄγγος ἐκεῖνο, ἀλλ᾽ ὑπερπλεονάζει. 6. τὸ τρυ- 6 φερὸν οὖν πνεῦμα, μὴ ἔχον συνήθειαν μετὰ πονηροῦ πνεύματος κατοικεῖν μηδὲ μετὰ σκληρότητος, ἀποχωρεῖ ἀπὸ τοῦ ἀνθρώπου τοῦ τοιούτου καὶ ζητεῖ κατοικεῖν μετὰ πραότητος καὶ ἡσυχίας. 7. εἶτα 7 ὅταν ἀποστῇ ἀπὸ τοῦ ἀνθρώπου ἐκείνου οὗ κατοικεῖ, γίνεται ὁ ἄνθρωπος ἐκεῖνος κενὸς ἀπὸ τοῦ πνεύματος τοῦ δικαίου, καὶ λοιπὸν πεπληρωμένος τοῖς πνεύμασι τοῖς πονηροῖς ἀκαταστατεῖ ἐν πάσῃ πράξει αὐτοῦ, περισπώμενος ὧδε κἀκεῖσε ἀπὸ τῶν πνευμάτων τῶν πονηρῶν, καὶ ὅλως ἀποτυφλοῦται ἀπὸ τῆς διανοίας τῆς ἀγαθῆς. οὕτως οὖν συμβαίνει πᾶσι τοῖς ὀξυχόλοις. 8. ἀπέχου οὖν ἀπὸ τῆς 8

ὀξυχολίας, τοῦ πονηροτάτου πνεύματος· ἔνδυσαι δὲ τὴν μακροθυμίαν
καὶ ἀντίστα τῇ ὀξυχολίᾳ καὶ τῇ πικρίᾳ, καὶ ἔσῃ εὑρισκόμενος μετὰ
τῆς σεμνότητος τῆς ἠγαπημένης ὑπὸ τοῦ κυρίου. βλέπε οὖν μήποτε
παρενθυμηθῇς τὴν ἐντολὴν ταύτην· ἐὰν γὰρ ταύτης τῆς ἐντολῆς
κυριεύσῃς, καὶ τὰς λοιπὰς ἐντολὰς δυνήσῃ φυλάξαι, ἅς σοι μέλλω ἐν-
τέλλεσθαι. ἴσχυε οὖν ἐν αὐταῖς καὶ ἐνδυναμοῦ, καὶ πάντες ἐνδυνα-
μούσθωσαν ὅσοι ἐὰν θέλωσιν ἐν αὐταῖς πορεύεσθαι.

Ἐντολὴ ς΄.

1 1. Ἐνετειλάμην σοι, φησίν, ἐν τῇ πρώτῃ ἐντολῇ ἵνα φυλάξῃς
τὴν πίστιν καὶ τὸν φόβον καὶ τὴν ἐγκράτειαν. Ναί, φημί, κύριε.
Ἀλλὰ νῦν θέλω σοι, φησίν, δηλῶσαι καὶ τὰς δυνάμεις αὐτῶν, ἵνα
νοήσῃς τίς αὐτῶν τίνα δύναμιν ἔχει καὶ ἐνέργειαν. διπλαῖ γάρ εἰσιν
2 αἱ ἐνέργειαι αὐτῶν· κεῖνται οὖν ἐπὶ δικαίῳ καὶ ἀδίκῳ. 2. σὺ οὖν
πίστευε τῷ δικαίῳ, τῷ δὲ ἀδίκῳ μὴ πιστεύσῃς· τὸ γὰρ δίκαιον ὀρ-
θὴν ὁδὸν ἔχει, τὸ δὲ ἄδικον στρεβλήν. ἀλλὰ σὺ τῇ ὀρθῇ ὁδῷ πο-
3 ρεύου καὶ ὁμαλῇ, τὴν δὲ στρεβλὴν ἔασον. 3. ἡ γὰρ στρεβλὴ ὁδὸς
τρίβους οὐκ ἔχει, ἀλλ᾽ ἀνοδίας καὶ προσκόμματα πολλά, καὶ τραχεῖά
ἐστι καὶ ἀκανθώδης. βλαβερὰ οὖν ἐστὶ τοῖς ἐν αὐτῇ πορευομένοις.
4 4. οἱ δὲ τῇ ὀρθῇ ὁδῷ πορευόμενοι ὁμαλῶς περιπατοῦσι καὶ ἀπροσ-
κόπως· οὔτε γὰρ τραχεῖά ἐστιν οὔτε ἀκανθώδης. βλέπεις οὖν ὅτι
5 συμφορώτερόν ἐστι ταύτῃ τῇ ὁδῷ πορεύεσθαι. 5. Ἀρέσκει μοι, φημί,
κύριε, ταύτῃ τῇ ὁδῷ πορεύεσθαι. Πορεύσῃ, φησί, καὶ ὃς ἂν ἐξ ὅλης
καρδίας ἐπιστρέψῃ πρὸς κύριον, πορεύσεται ἐν αὐτῇ.

1 2. Ἄκουε νῦν, φησί, περὶ τῆς πίστεως. δύο εἰσὶν ἄγγελοι μετὰ
2 τοῦ ἀνθρώπου, εἷς τῆς δικαιοσύνης καὶ εἷς τῆς πονηρίας. 2. Πῶς
οὖν, φημί, κύριε, γνώσομαι τὰς αὐτῶν ἐνεργείας, ὅτι ἀμφότεροι ἄγγε-
3 λοι μετ᾽ ἐμοῦ κατοικοῦσιν; 3. Ἄκουε, φησί, καὶ σύνιε. ὁ μὲν τῆς
δικαιοσύνης ἄγγελος τρυφερός ἐστι καὶ αἰσχυντηρὸς καὶ πραΰς καὶ
ἡσύχιος. ὅταν οὖν οὗτος ἐπὶ τὴν καρδίαν σου ἀναβῇ, εὐθέως λαλεῖ
μετὰ σοῦ περὶ δικαιοσύνης, περὶ ἁγνείας, περὶ σεμνότητος καὶ περὶ
αὐταρκείας καὶ περὶ παντὸς ἔργου δικαίου καὶ περὶ πάσης ἀρετῆς ἐν-
δόξου. ταῦτα πάντα ὅταν εἰς τὴν καρδίαν σου ἀναβῇ, γίνωσκε ὅτι
ὁ ἄγγελος τῆς δικαιοσύνης μετὰ σοῦ ἐστί. ταῦτα οὖν ἐστὶ τὰ ἔργα

τοῦ ἀγγέλου τῆς δικαιοσύνης. τούτῳ οὖν πίστευε καὶ τοῖς ἔργοις αὐτοῦ. 4. ὅρα οὖν καὶ τοῦ ἀγγέλου τῆς πονηρίας τὰ ἔργα. πρῶτον 4 πάντων ὀξύχολός ἐστι καὶ πικρὸς καὶ ἄφρων, καὶ τὰ ἔργα αὐτοῦ πονηρά, καταστρέφοντα τοὺς δούλους τοῦ θεοῦ· ὅταν οὖν οὗτος ἐπὶ τὴν καρδίαν σου ἀναβῇ, γνῶθι αὐτὸν ἀπὸ τῶν ἔργων αὐτοῦ. 5. Πῶς, 5 φημί, κύριε, νοήσω αὐτόν, οὐκ ἐπίσταμαι. Ἄκουε, φησίν. ὅταν ὀξυχολία σοί τις προσπέσῃ ἢ πικρία, γίνωσκε ὅτι αὐτός ἐστιν ἐν σοί· εἶτα ἐπιθυμία πράξεων πολλῶν καὶ πολυτέλεια ἐδεσμάτων πολλῶν καὶ μεθυσμάτων καὶ κραιπαλῶν πολλῶν καὶ ποικίλων τρυφῶν καὶ οὐ δεόντων, καὶ ἐπιθυμία γυναικῶν καὶ πλεονεξία καὶ ὑπερηφανία πολλή τις καὶ ἀλαζονεία, καὶ ὅσα τούτοις παραπλήσιά ἐστι καὶ ὅμοια. ταῦτα οὖν ὅταν ἐπὶ τὴν καρδίαν σου ἀναβῇ, γίνωσκε ὅτι ὁ ἄγγελος τῆς πονηρίας ἐστὶν ἐν σοί. 6. σὺ οὖν ἐπιγνοὺς τὰ ἔργα αὐτοῦ ἀπόστα ἀπ᾽ 6 αὐτοῦ καὶ μηδὲν αὐτῷ πίστευε, ὅτι τὰ ἔργα αὐτοῦ πονηρά εἰσι καὶ ἀσύμφορα τοῖς δούλοις τοῦ θεοῦ. ἔχεις οὖν ἀμφοτέρων τῶν ἀγγέλων τὰς ἐργασίας· σύνιε αὐτὰς καὶ πίστευε τῷ ἀγγέλῳ τῆς δικαιοσύνης· 7. ἀπὸ δὲ τοῦ ἀγγέλου τῆς πονηρίας ἀπόστηθι, ὅτι ἡ διδαχὴ αὐτοῦ 7 πονηρά ἐστι παντὶ ἔργῳ· ἐὰν γὰρ ᾖ τις πιστότατος ἀνήρ, καὶ ἡ ἐνθύμησις τοῦ ἀγγέλου τούτου ἀναβῇ ἐπὶ τὴν καρδίαν αὐτοῦ, δεῖ τὸν ἄνδρα ἐκεῖνον ἢ τὴν γυναῖκα ἐξαμαρτῆσαί τι. 8. ἐὰν δὲ πάλιν πο- 8 νηρότατός τις ᾖ ἀνὴρ ἢ γυνή, καὶ ἀναβῇ ἐπὶ τὴν καρδίαν αὐτοῦ τὰ ἔργα τοῦ ἀγγέλου τῆς δικαιοσύνης, ἐξ ἀνάγκης δεῖ αὐτὸν ἀγαθόν τι ποιῆσαι. 9. βλέπεις οὖν, φησίν, ὅτι καλόν ἐστι τῷ ἀγγέλῳ τῆς δι- 9 καιοσύνης ἀκολουθεῖν, τῷ δὲ ἀγγέλῳ τῆς πονηρίας ἀποτάξασθαι. 10. τὰ μὲν περὶ τῆς πίστεως αὕτη ἡ ἐντολὴ δηλοῖ, ἵνα τοῖς ἔργοις 10 τοῦ ἀγγέλου τῆς δικαιοσύνης πιστεύσῃς, καὶ ἐργασάμενος αὐτὰ ζήσῃ τῷ θεῷ. πίστευε δὲ ὅτι τὰ ἔργα τοῦ ἀγγέλου τῆς πονηρίας χαλεπά ἐστι· μὴ ἐργαζόμενος οὖν αὐτὰ ζήσῃ τῷ θεῷ.

Ἐντολὴ ζ΄.

Φοβήθητι, φησί, τὸν κύριον καὶ φύλασσε τὰς ἐντολὰς αὐτοῦ· 1 φυλάσσων οὖν τὰς ἐντολὰς τοῦ θεοῦ ἔσῃ δυνατὸς ἐν πάσῃ πράξει, καὶ ἡ πρᾶξίς σου ἀσύγκριτος ἔσται. φοβούμενος γὰρ τὸν κύριον πάντα καλῶς ἐργάσῃ· οὗτος δέ ἐστιν ὁ φόβος ὃν δεῖ σε φοβηθῆναι, καὶ σω-

2 θήσῃ. 2. τὸν δὲ διάβολον μὴ φοβηθῇς· φοβούμενος γὰρ τὸν κύριον
κατακυριεύσεις τοῦ διαβόλου, ὅτι δύναμις ἐν αὐτῷ οὐκ ἔστιν. ἐν ᾧ
δὲ δύναμις οὐκ ἔστιν, οὐδὲ φόβος· ἐν ᾧ δὲ δύναμις ἡ ἔνδοξος, καὶ
φόβος ἐν αὐτῷ. πᾶς γὰρ ὁ δύναμιν ἔχων φόβον ἔχει· ὁ δὲ μὴ ἔχων
3 δύναμιν ὑπὸ πάντων καταφρονεῖται. 3. φοβήθητι δὲ τὰ ἔργα τοῦ
διαβόλου, ὅτι πονηρά ἐστι. φοβούμενος οὖν τὸν κύριον φοβηθήσῃ τὰ
ἔργα τοῦ διαβόλου καὶ οὐκ ἐργάσῃ αὐτά, ἀλλ᾽ ἀφέξῃ ἀπ᾽ αὐτῶν.
4 4. δισσοὶ οὖν εἰσὶν οἱ φόβοι· ἐὰν γὰρ θέλῃς τὸ πονηρὸν ἐργάσασθαι,
φοβοῦ τὸν κύριον καὶ οὐκ ἐργάσῃ αὐτό· ἐὰν δὲ θέλῃς πάλιν τὸ ἀγα-
θὸν ἐργάσασθαι, φοβοῦ τὸν κύριον καὶ ἐργάσῃ αὐτό. ὥστε ὁ φόβος
τοῦ κυρίου ἰσχυρός ἐστι καὶ μέγας καὶ ἔνδοξος. φοβήθητι οὖν τὸν
κύριον, καὶ ζήσῃ αὐτῷ· καὶ ὅσοι ἂν φοβηθῶσιν αὐτὸν τῶν φυλασ-
5 σόντων τὰς ἐντολὰς αὐτοῦ, ζήσονται τῷ θεῷ. 5. Διατί, φημί, κύριε,
εἶπας περὶ τῶν τηρούντων τὰς ἐντολὰς αὐτοῦ· Ζήσονται τῷ θεῷ;
Ὅτι, φησίν, πᾶσα ἡ κτίσις φοβεῖται τὸν κύριον, τὰς δὲ ἐντολὰς αὐτοῦ
οὐ φυλάσσει. τῶν οὖν φοβουμένων αὐτὸν καὶ φυλασσόντων τὰς ἐν-
τολὰς αὐτοῦ, ἐκείνων ἡ ζωή ἐστι παρὰ τῷ θεῷ· τῶν δὲ μὴ φυλασ-
σόντων τὰς ἐντολὰς αὐτοῦ, οὐδὲ ζωὴ ἐν αὐτοῖς.

Ἐντολὴ η΄.

1 Εἶπόν σοι, φησίν, ὅτι τὰ κτίσματα τοῦ θεοῦ διπλᾶ ἐστί· καὶ
γὰρ ἡ ἐγκράτεια διπλῆ ἐστίν. ἐπί τινων γὰρ δεῖ ἐγκρατεύεσθαι, ἐπί
2 τινων δὲ οὐ δεῖ. 2. Γνώρισόν μοι, φημί, κύριε, ἐπὶ τίνων δεῖ ἐγκρα-
τεύεσθαι, ἐπὶ τίνων δὲ οὐ δεῖ. Ἄκουε, φησί. τὸ πονηρὸν ἐγκρατεύου
καὶ μὴ ποίει αὐτό· τὸ δὲ ἀγαθὸν μὴ ἐγκρατεύου, ἀλλὰ ποίει αὐτό.
[ἐὰν γὰρ ἐγκρατεύσῃ τὸ ἀγαθὸν μὴ ποιεῖν, ἁμαρτίαν μεγάλην ἐργάζῃ·]
ἐὰν δὲ ἐγκρατεύσῃ τὸ πονηρὸν μὴ ποιεῖν, δικαιοσύνην μεγάλην ἐρ-
γάζῃ. ἐγκράτευσαι οὖν ἀπὸ πονηρίας πάσης ἐργαζόμενος τὸ ἀγαθόν.
3 3. Ποταπαί, φημί, κύριε, εἰσὶν αἱ πονηρίαι ἀφ᾽ ὧν δεῖ με ἐγκρα-
τεύεσθαι; Ἄκουε, φησίν· ἀπὸ μοιχείας καὶ πορνείας, ἀπὸ μεθύσματος
ἀνομίας, ἀπὸ τρυφῆς πονηρᾶς, ἀπὸ ἐδεσμάτων πολλῶν καὶ πολυτελείας
πλούτου καὶ καυχήσεως καὶ ὑψηλοφροσύνης καὶ ὑπερηφανίας, καὶ
ἀπὸ ψεύσματος καὶ καταλαλιᾶς καὶ ὑποκρίσεως, μνησικακίας καὶ πά-
4 σης βλασφημίας. 4. ταῦτα τὰ ἔργα πάντων πονηρότατά εἰσιν ἐν τῇ

ζωῇ τῶν ἀνθρώπων. ἀπὸ τούτων οὖν τῶν ἔργων δεῖ ἐγκρατεύεσθαι
τὸν δοῦλον τοῦ θεοῦ. ὁ γὰρ μὴ ἐγκρατευόμενος ἀπὸ τούτων οὐ δύνα-
ται ζῆσαι τῷ θεῷ. ἄκουε οὖν καὶ τὰ ἀκόλουθα τούτων. 5. Ἔτι 5
γάρ, φημί, κύριε, πονηρὰ ἔργα ἐστί; Καί γε πολλά, φησίν, ἔστιν ἀφ'
ὧν δεῖ τὸν δοῦλον τοῦ θεοῦ ἐγκρατεύεσθαι· κλέμμα, ψεῦδος, ἀποστέ-
ρησις, ψευδομαρτυρία, πλεονεξία, ἐπιθυμία πονηρά, ἀπάτη, κενοδοξία,
ἀλαζονεία, καὶ ὅσα τούτοις ὅμοιά εἰσιν. 6. οὐ δοκεῖ σοι ταῦτα πο- 6
νηρὰ εἶναι, καὶ λίαν πονηρὰ τοῖς δούλοις τοῦ θεοῦ; τούτων πάντων
δεῖ ἐγκρατεύεσθαι τὸν δουλεύοντι τῷ θεῷ. ἐγκράτευσαι οὖν ἀπὸ
πάντων τούτων, ἵνα ζήσῃ τῷ θεῷ, καὶ ἐγγραφήσῃ μετὰ τῶν ἐγκρα-
τευομένων αὐτά. ὧν μὲν οὖν δεῖ σε ἐγκρατεύεσθαι, ταῦτά ἐστιν.
7. ἃ δὲ δεῖ σε μὴ ἐγκρατεύεσθαι, φησίν, ἀλλὰ ποιεῖν, ἄκουε. τὸ 7
ἀγαθὸν μὴ ἐγκρατεύου, ἀλλὰ ποίει αὐτό. 8. Καὶ τῶν ἀγαθῶν μοι, 8
φημί, κύριε, δήλωσον τὴν δύναμιν, ἵνα πορευθῶ ἐν αὐτοῖς καὶ δου-
λεύσω αὐτοῖς, ἵνα ἐργασάμενος αὐτὰ δυνηθῶ σωθῆναι. Ἄκουε, φησί,
καὶ τῶν ἀγαθῶν τὰ ἔργα, ἅ σε δεῖ ἐργάζεσθαι καὶ μὴ ἐγκρατεύε-
σθαι. 9. πρῶτον πάντων πίστις, φόβος κυρίου, ἀγάπη, ὁμόνοια, 9
ῥήματα δικαιοσύνης, ἀλήθεια, ὑπομονή· τούτων ἀγαθώτερον οὐ-
δέν ἐστιν ἐν τῇ ζωῇ τῶν ἀνθρώπων. ταῦτα ἐάν τις φυλάσσῃ
καὶ μὴ ἐγκρατεύηται ἀπ' αὐτῶν, μακάριος γίνεται ἐν τῇ ζωῇ
αὐτοῦ. 10. εἶτα τούτων τὰ ἀκόλουθα ἄκουσον· χήραις ὑπηρετεῖν, 10
ὀρφανοὺς καὶ ὑστερουμένους ἐπισκέπτεσθαι, ἐξ ἀναγκῶν λυτροῦσθαι
τοὺς δούλους τοῦ θεοῦ, φιλόξενον εἶναι (ἐν γὰρ τῇ φιλοξενίᾳ εὑρί-
σκεται ἀγαθοποίησίς ποτε), μηδενὶ ἀντιτάσσεσθαι, ἡσύχιον εἶναι,
ἐνδεέστερον γίνεσθαι πάντων ἀνθρώπων, πρεσβύτας σέβεσθαι, δικαιο-
σύνην ἀσκεῖν, ἀδελφότητα συντηρεῖν, ὕβριν ὑποφέρειν, μακρόθυμον
εἶναι, ἀμνησίκακον, κάμνοντας τῇ ψυχῇ παρακαλεῖν, ἐσκανδαλισμένους
ἀπὸ τῆς πίστεως μὴ ἀποβάλλεσθαι, ἀλλ' ἐπιστρέφειν καὶ εὐθύμους
ποιεῖν, ἁμαρτάνοντας νουθετεῖν, χρεώστας μὴ θλίβειν καὶ ἐνδεεῖς, καὶ
εἴ τινα τούτοις ὅμοιά ἐστι. 11. δοκεῖ σοι, φησί, ταῦτα ἀγαθὰ εἶναι; 11
Τί γάρ, φημί, κύριε, τούτων ἀγαθώτερον; Πορεύου οὖν, φησίν, ἐν
αὐτοῖς καὶ μὴ ἐγκρατεύου ἀπ' αὐτῶν, καὶ ζήσῃ τῷ θεῷ. 12. φύλασσε 12
οὖν τὴν ἐντολὴν ταύτην· ἐὰν τὸ ἀγαθὸν ποιῇς καὶ μὴ ἐγκρατεύσῃ
ἀπ' αὐτοῦ, ζήσῃ τῷ θεῷ [καὶ] πάντες ζήσονται τῷ θεῷ οἱ οὕτω ποι-

οὖντες. καὶ πάλιν ἐὰν τὸ πονηρὸν μὴ ποιῇς καὶ ἐγκρατεύσῃ ἀπ
αὐτοῦ, ζήσῃ τῷ θεῷ, καὶ πάντες ζήσονται τῷ θεῷ ὅσοι ἐὰν ταύτας
τὰς ἐντολὰς φυλάξωσι καὶ πορευθῶσιν ἐν αὐταῖς.

Ἐντολὴ θ΄.

1 Λέγει μοι· Ἆρον ἀπὸ σεαυτοῦ τὴν διψυχίαν καὶ μηδὲν ὅλως
διψυχήσῃς αἰτήσασθαι παρὰ τοῦ θεοῦ, λέγων ἐν σεαυτῷ ὅτι πῶς
δύναμαι αἰτήσασθαί τι παρὰ τοῦ κυρίου καὶ λαβεῖν, ἡμαρτηκὼς το-
2 σαῦτα εἰς αὐτόν; 2. μὴ διαλογίζου ταῦτα, ἀλλ' ἐξ ὅλης τῆς καρδίας
σου ἐπίστρεψον ἐπὶ τὸν κύριον, καὶ αἰτοῦ παρ' αὐτοῦ ἀδιστάκτως, καὶ
γνώσῃ τὴν πολυσπλαγχνίαν αὐτοῦ, ὅτι οὐ μή σε ἐγκαταλίπῃ, ἀλλὰ
3 τὸ αἴτημα τῆς ψυχῆς σου πληροφορήσει. 3. οὐκ ἔστι γὰρ ὁ θεὸς
ὡς οἱ ἄνθρωποι οἱ μνησικακοῦντες, ἀλλ' αὐτὸς ἀμνησίκακός ἐστι καὶ
4 σπλαγχνίζεται ἐπὶ τὴν ποίησιν αὐτοῦ. 4. σὺ οὖν καθάρισόν σου τὴν
καρδίαν ἀπὸ πάντων τῶν ματαιωμάτων τοῦ αἰῶνος τούτου καὶ τῶν
προειρημένων σοι ῥημάτων, καὶ αἰτοῦ παρὰ τοῦ κυρίου, καὶ ἀπολήψῃ
πάντα, καὶ ἀπὸ πάντων τῶν αἰτημάτων σου ἀνυστέρητος ἔσῃ, ἐὰν
5 ἀδιστάκτως αἰτήσῃς παρὰ τοῦ κυρίου. 5. ἐὰν δὲ διστάσῃς ἐν τῇ
καρδίᾳ σου, οὐδὲν οὐ μὴ λήψῃ τῶν αἰτημάτων σου. οἱ γὰρ διστά-
ζοντες εἰς τὸν θεόν, οὗτοί εἰσιν οἱ δίψυχοι, καὶ οὐδὲν ὅλως ἐπιτυγ-
6 χάνουσι τῶν αἰτημάτων αὐτῶν. 6. οἱ δὲ ὁλοτελεῖς ὄντες ἐν τῇ πίστει
πάντα αἰτοῦνται πεποιθότες ἐπὶ τὸν κύριον, καὶ λαμβάνουσιν, ὅτι
ἀδιστάκτως αἰτοῦνται, μηδὲν διψυχοῦντες. πᾶς γὰρ δίψυχος ἀνήρ,
7 ἐὰν μὴ μετανοήσῃ, δυσκόλως σωθήσεται. 7. καθάρισον οὖν τὴν καρ-
δίαν σου ἀπὸ τῆς διψυχίας, ἔνδυσαι δὲ τὴν πίστιν, ὅτι ἰσχυρά ἐστι,
καὶ πίστευε τῷ θεῷ ὅτι πάντα τὰ αἰτήματά σου ἃ αἰτεῖς λήψῃ. καὶ
ἐὰν αἰτησάμενός ποτε παρὰ τοῦ κυρίου αἴτημά τι βραδύτερον λαμ-
βάνῃς, μὴ διψυχήσῃς ὅτι ταχὺ οὐκ ἔλαβες τὸ αἴτημα τῆς ψυχῆς σου·
πάντως γὰρ διὰ πειρασμόν τινα ἢ παράπτωμά τι, ὃ σὺ ἀγνοεῖς, βρα-
8 δύτερον λαμβάνεις τὸ αἴτημά σου. 8. σὺ οὖν μὴ διαλίπῃς αἰτούμενος
τὸ αἴτημα τῆς ψυχῆς σου, καὶ λήψῃ αὐτό. ἐὰν δὲ ἐκκακήσῃς καὶ
9 διψυχήσῃς αἰτούμενος, σεαυτὸν αἰτιῶ καὶ μὴ τὸν διδόντα σοι. 9. βλέπε
τὴν διψυχίαν ταύτην· πονηρὰ γάρ ἐστι καὶ ἀσύνετος, καὶ πολλοὺς
ἐκριζοῖ ἀπὸ τῆς πίστεως, καί γε λίαν πιστοὺς καὶ ἰσχυρούς. καὶ γὰρ

αὕτη ἡ διψυχία θυγάτηρ ἐστὶ τοῦ διαβόλου, καὶ λίαν πονηρεύεται
εἰς τοὺς δούλους τοῦ θεοῦ. 10. καταφρόνησον οὖν τῆς διψυχίας καὶ 10
κατακυρίευσον αὐτῆς ἐν παντὶ πράγματι, ἐνδυσάμενος τὴν πίστιν τὴν
ἰσχυρὰν καὶ δυνατήν. ἡ γὰρ πίστις πάντα ἐπαγγέλλεται, πάντα τε-
λειοῖ, ἡ δὲ διψυχία μὴ καταπιστεύουσα ἑαυτῇ πάντων ἀποτυγχάνει
τῶν ἔργων αὐτῆς ὧν πράσσει. 11. βλέπεις οὖν, φησίν, ὅτι ἡ πίστις 11
ἄνωθέν ἐστι παρὰ τοῦ κυρίου, καὶ ἔχει δύναμιν μεγάλην· ἡ δὲ διψυ-
χία ἐπίγειον πνεῦμά ἐστι παρὰ τοῦ διαβόλου, δύναμιν μὴ ἔχουσα.
12. σὺ οὖν δούλευε τῇ ἐχούσῃ δύναμιν τῇ πίστει, καὶ ἀπὸ τῆς διψυ- 12
χίας ἀπόσχου τῆς μὴ ἐχούσης δύναμιν, καὶ ζήσῃ τῷ θεῷ, καὶ πάντες
ζήσονται τῷ θεῷ οἱ ταῦτα φρονοῦντες.

Ἐντολὴ ι΄.

1. Ἆρον ἀπὸ σεαυτοῦ, φησί, τὴν λύπην· καὶ γὰρ αὕτη ἀδελφή 1
ἐστι τῆς διψυχίας καὶ τῆς ὀξυχολίας. 2. Πῶς, φημί, κύριε, ἀδελφή 2
ἐστι τούτων; ἄλλο γάρ μοι δοκεῖ εἶναι ὀξυχολία, καὶ ἄλλο διψυχία, καὶ
ἄλλο λύπη. Ἀσύνετος εἶ, ἄνθρωπε. οὐ νοεῖς ὅτι ἡ λύπη πάντων τῶν
πνευμάτων πονηροτέρα ἐστί, καὶ δεινοτάτη τοῖς δούλοις τοῦ θεοῦ, καὶ
παρὰ πάντα τὰ πνεύματα καταφθείρει τὸν ἄνθρωπον, καὶ ἐκτρίβει τὸ
πνεῦμα τὸ ἅγιον, καὶ πάλιν σώζει; 3. Ἐγώ, φημί, κύριε, ἀσύνετός 3
εἰμι καὶ οὐ συνίω τὰς παραβολὰς ταύτας. πῶς γὰρ δύναται ἐκτρίβειν
καὶ πάλιν σώζειν, οὐ νοῶ. 4. Ἄκουε, φησίν· οἱ μηδέποτε ἐρευνήσαντες 4
περὶ τῆς ἀληθείας μηδὲ ἐπιζητήσαντες περὶ τῆς θεότητος, πιστεύσαντες
δὲ μόνον, ἐμπεφυρμένοι δὲ πραγματείαις καὶ πλούτῳ καὶ φιλίαις
ἐθνικαῖς καὶ ἄλλαις πολλαῖς πραγματείαις τοῦ αἰῶνος τούτου· ὅσοι
οὖν τούτοις πρόσκεινται, οὐ νοοῦσι τὰς παραβολὰς τῆς θεότητος· ἐπι-
σκοτοῦνται γὰρ ὑπὸ τούτων τῶν πράξεων καὶ καταφθείρονται καὶ
γίνονται κεχερσωμένοι. 5. καθὼς οἱ ἀμπελῶνες οἱ καλοὶ ὅταν ἀμε- 5
λείας τύχωσι, χερσοῦνται ἀπὸ τῶν ἀκανθῶν καὶ βοτανῶν ποικίλων,
οὕτως οἱ ἄνθρωποι οἱ πιστεύσαντες καὶ εἰς ταύτας τὰς πράξεις τὰς
πολλὰς ἐμπίπτοντες τὰς προειρημένας, ἀποπλανῶνται ἀπὸ τῆς δια-
νοίας αὐτῶν [καὶ οὐδὲν ὅλως συνίουσι περὶ τῆς θεότητος· καὶ γὰρ
ἐὰν ἀκούσωσι περὶ τῆς θεότητος, ἡ διάνοια αὐτῶν ἐν ταῖς πράξεσιν
αὐτῶν] καταγίνεται, καὶ οὐδὲν ὅλως νοοῦσιν. 6. οἱ δὲ φόβον ἔχοντες 6

θεοῦ καὶ ἐρευνῶντες περὶ θεότητος καὶ ἀληθείας, καὶ τὴν καρδίαν ἔχοντες πρὸς κύριον, πάντα τὰ λεγόμενα αὐτοῖς τάχιον νοοῦσι καὶ συνίουσιν, ὅτι ἔχουσι τὸν φόβον τοῦ κυρίου ἐν ἑαυτοῖς· ὅπου γὰρ ὁ κύριος κατοικεῖ, ἐκεῖ καὶ σύνεσις πολλή. κολλήθητι οὖν τῷ κυρίῳ, καὶ πάντα συνήσεις καὶ νοήσεις.

1 2. Ἄκουε οὖν, φησίν, ἀνόητε, πῶς ἡ λύπη ἐκτρίβει τὸ πνεῦμα 2 τὸ ἅγιον καὶ πάλιν σώζει. 2. ὅταν ὁ δίψυχος ἐπιβάληται πρᾶξίν τινα, καὶ ταύτης ἀποτύχῃ διὰ τὴν διψυχίαν αὐτοῦ, ἡ λύπη αὕτη εἰσπορεύεται εἰς τὸν ἄνθρωπον, καὶ λυπεῖ τὸ πνεῦμα τὸ ἅγιον καὶ 3 ἐκτρίβει αὐτό. 3. εἶτα πάλιν ἡ ὀξυχολία ὅταν κολληθῇ τῷ ἀνθρώπῳ περὶ πράγματός τινος, καὶ λίαν πικρανθῇ, πάλιν ἡ λύπη εἰσπορεύεται εἰς τὴν καρδίαν τοῦ ἀνθρώπου τοῦ ὀξυχολήσαντος, καὶ λυπεῖται ἐπὶ τῇ πράξει αὐτοῦ ᾗ ἔπραξε, καὶ μετανοεῖ ὅτι πονηρὸν εἰργάσατο. 4 4. αὕτη οὖν ἡ λύπη δοκεῖ σωτηρίαν ἔχειν, ὅτι τὸ πονηρὸν πράξας μετενόησεν. ἀμφότεραι οὖν αἱ πράξεις λυποῦσι τὸ πνεῦμα· ἡ μὲν διψυχία, ὅτι οὐκ ἐπέτυχε τῆς πράξεως αὐτῆς, ἡ δὲ ὀξυχολία λυπεῖ τὸ πνεῦμα, ὅτι ἔπραξε τὸ πονηρόν. ἀμφότερα οὖν λυπηρά ἐστι τῷ 5 πνεύματι τῷ ἁγίῳ, ἥ τε διψυχία καὶ ἡ ὀξυχολία. 5. ἆρον οὖν ἀπὸ σεαυτοῦ τὴν λύπην καὶ μὴ θλῖβε τὸ πνεῦμα τὸ ἅγιον τὸ ἐν σοὶ κατοικοῦν, μήποτε ἐντεύξηται κατὰ σοῦ τῷ θεῷ καὶ ἀποστῇ ἀπὸ σοῦ. 6 6. τὸ γὰρ πνεῦμα τοῦ θεοῦ τὸ δοθὲν εἰς τὴν σάρκα ταύτην λύπην οὐχ ὑποφέρει οὐδὲ στενοχωρίαν.

1 3. Ἔνδυσαι οὖν τὴν ἱλαρότητα τὴν πάντοτε ἔχουσαν χάριν παρὰ τῷ θεῷ καὶ εὐπρόσδεκτον οὖσαν αὐτῷ, καὶ ἐντρύφα ἐν αὐτῇ. πᾶς γὰρ ἱλαρὸς ἀνὴρ ἀγαθὰ ἐργάζεται καὶ ἀγαθὰ φρονεῖ, καὶ καταφρονεῖ 2 τῆς λύπης· 2. ὁ δὲ λυπηρὸς ἀνὴρ πάντοτε πονηρεύεται· πρῶτον μὲν πονηρεύεται, ὅτι λυπεῖ τὸ πνεῦμα τὸ ἅγιον τὸ δοθὲν τῷ ἀνθρώπῳ ἱλαρόν· δεύτερον δὲ λοιπὸν ἀνομίαν ἐργάζεται, μὴ ἐντυγχάνων μηδὲ ἐξομολογούμενος τῷ θεῷ. πάντοτε γὰρ λυπηροῦ ἀνδρὸς ἡ ἔντευξις 3 οὐκ ἔχει δύναμιν τοῦ ἀναβῆναι ἐπὶ τὸ θυσιαστήριον τοῦ θεοῦ. 3. Διατί, φημί, οὐκ ἀναβαίνει ἐπὶ τὸ θυσιαστήριον ἡ ἔντευξις τοῦ λυπουμένου; Ὅτι, φησίν, ἡ λύπη ἐγκάθηται εἰς τὴν καρδίαν αὐτοῦ· μεμιγμένη οὖν ἡ λύπη μετὰ τῆς ἐντεύξεως οὐκ ἀφίησι τὴν ἔντευξιν ἀναβῆναι καθαρὰν ἐπὶ τὸ θυσιαστήριον. ὥσπερ γὰρ ὄξος καὶ οἶνος μεμιγ-

μένα ἐπὶ τὸ αὐτὸ τὴν αὐτὴν ἡδονὴν οὐκ ἔχουσιν, οὕτω καὶ ἡ λύπη μεμιγμένη μετὰ τοῦ ἁγίου πνεύματος τὴν αὐτὴν ἔντευξιν οὐκ ἔχει. 4. καθάρισον οὖν σεαυτὸν ἀπὸ τῆς λύπης τῆς πονηρᾶς ταύτης, καὶ 4 ζήσῃ τῷ θεῷ· καὶ πάντες ζήσονται τῷ θεῷ ὅσοι ἂν ἀποβάλωσιν ἀφ᾽ ἑαυτῶν τὴν λύπην καὶ ἐνδύσωνται πᾶσαν ἱλαρότητα.

Ἐντολὴ ια΄.

Ἔδειξέ μοι ἐπὶ συμψελλίου καθημένους ἀνθρώπους, καὶ ἕτερον 1 ἄνθρωπον καθήμενον ἐπὶ καθέδραν. καὶ λέγει μοι· Βλέπεις τοὺς ἐπὶ τοῦ συμψελλίου καθημένους; Βλέπω, φημί, κύριε. Οὗτοι, φησί, πιστοί εἰσι, καὶ ὁ καθήμενος ἐπὶ τὴν καθέδραν ψευδοπροφήτης ἐστὶν ἀπολλύων τὴν διάνοιαν τῶν δούλων τοῦ θεοῦ· τῶν διψύχων δὲ ἀπόλλυσιν, οὐ τῶν πιστῶν. 2. οὗτοι οὖν οἱ δίψυχοι ὡς ἐπὶ μάντιν ἔρχονται καὶ 2 ἐπερωτῶσιν αὐτὸν τί ἄρα ἔσται αὐτοῖς· κἀκεῖνος ὁ ψευδοπροφήτης, μηδεμίαν ἔχων ἐν ἑαυτῷ δύναμιν πνεύματος θείου, λαλεῖ αὐτοῖς κατὰ τὰ ἐπερωτήματα αὐτῶν καὶ κατὰ τὰς ἐπιθυμίας τῆς πονηρίας αὐτῶν, καὶ πληροῖ τὰς ψυχὰς αὐτῶν καθῶς αὐτοὶ βούλονται. 3. αὐτὸς γὰρ 3 κενὸς ὢν κενῶς καὶ ἀποκρίνεται κενοῖς· ὃ γὰρ ἐὰν ἐπερωτηθῇ, πρὸς τὸ κένωμα τοῦ ἀνθρώπου ἀποκρίνεται. τινὰ δὲ καὶ ῥήματα ἀληθῆ λαλεῖ· ὁ γὰρ διάβολος πληροῖ αὐτὸν τῷ αὐτοῦ πνεύματι, εἴ τινα δυνήσεται ῥῆξαι τῶν δικαίων. 4. ὅσοι οὖν ἰσχυροί εἰσιν ἐν τῇ πίστει 4 τοῦ κυρίου, ἐνδεδυμένοι τὴν ἀλήθειαν, τοῖς τοιούτοις πνεύμασιν οὐ κολλῶνται, ἀλλ᾽ ἀπέχονται ἀπ᾽ αὐτῶν. ὅσοι δὲ δίψυχοί εἰσι καὶ πυκνῶς μετανοοῦσι, μαντεύονται ὡς καὶ τὰ ἔθνη, καὶ ἑαυτοῖς μείζονα ἁμαρτίαν ἐπιφέρουσιν εἰδωλολατροῦντες· ὁ γὰρ ἐπερωτῶν ψευδοπροφήτην περὶ πράξεώς τινος εἰδωλολάτρης ἐστὶ καὶ κενὸς ἀπὸ τῆς ἀληθείας καὶ ἄφρων. 5. πᾶν γὰρ πνεῦμα ἀπὸ θεοῦ δοθὲν οὐκ ἐπερω- 5 τᾶται, ἀλλὰ ἔχον τὴν δύναμιν τῆς θεότητος ἀφ᾽ ἑαυτοῦ λαλεῖ πάντα, ὅτι ἄνωθέν ἐστιν ἀπὸ τῆς δυνάμεως τοῦ θείου πνεύματος. 6. τὸ δὲ 6 πνεῦμα τὸ ἐπερωτώμενον καὶ λαλοῦν κατὰ τὰς ἐπιθυμίας τῶν ἀνθρώπων ἐπίγειόν ἐστι καὶ ἐλαφρόν, δύναμιν μὴ ἔχον· καὶ ὅλως οὐ λαλεῖ ἐὰν μὴ ἐπερωτηθῇ. 7. Πῶς οὖν, φημί, κύριε, ἄνθρωπος γνώσεται 7 τίς αὐτῶν προφήτης καὶ τίς ψευδοπροφήτης ἐστίν; Ἄκουε, φησί, περὶ ἀμφοτέρων τῶν προφητῶν· καὶ ὥς σοι μέλλω λέγειν, οὕτω δοκιμάσεις

τὸν προφήτην καὶ τὸν ψευδοπροφήτην. ἀπὸ τῆς ζωῆς δοκίμαζε τὸν
8 ἄνθρωπον τὸν ἔχοντα τὸ πνεῦμα τὸ θεῖον. 8. πρῶτον μὲν ὁ ἔχων
τὸ πνεῦμα τὸ θεῖον τὸ ἄνωθεν πραῢς ἐστι καὶ ἡσύχιος καὶ ταπεινό-
φρων καὶ ἀπεχόμενος ἀπὸ πάσης πονηρίας καὶ ἐπιθυμίας ματαίας τοῦ
αἰῶνος τούτου, καὶ ἑαυτὸν ἐνδεέστερον ποιεῖ πάντων τῶν ἀνθρώπων,
καὶ οὐδενὶ οὐδὲν ἀποκρίνεται ἐπερωτώμενος, οὐδὲ καταμόνας λαλεῖ, οὐ-
δὲ ὅταν θέλῃ ἄνθρωπος λαλεῖν, λαλεῖ τὸ πνεῦμα [τὸ] ἅγιον, ἀλλὰ τότε
9 λαλεῖ, ὅταν θελήσῃ αὐτὸ ὁ θεὸς λαλῆσαι. 9. ὅταν οὖν ἔλθῃ ὁ ἄν-
θρωπος ὁ ἔχων τὸ πνεῦμα τὸ θεῖον εἰς συναγωγὴν ἀνδρῶν δικαίων
τῶν ἐχόντων πίστιν θείου πνεύματος, καὶ ἔντευξις γένηται πρὸς τὸν
θεὸν τῆς συναγωγῆς τῶν ἀνδρῶν ἐκείνων, τότε ὁ ἄγγελος τοῦ προ-
φητικοῦ πνεύματος ὁ κείμενος πρὸς αὐτὸν πληροῖ τὸν ἄνθρωπον, καὶ
πληρωθεὶς ὁ ἄνθρωπος τῷ πνεύματι τῷ ἁγίῳ λαλεῖ εἰς τὸ πλῆθος
10 καθὼς ὁ κύριος βούλεται. 10. οὕτως οὖν φανερὸν ἔσται τὸ πνεῦμα
τῆς θεότητος. ὅση οὖν περὶ τοῦ πνεύματος τῆς θεότητος τοῦ κυρίου
11 ἡ δύναμις, αὕτη. 11. ἄκουε οὖν, φησί, περὶ τοῦ πνεύματος τοῦ
ἐπιγείου καὶ κενοῦ καὶ δύναμιν μὴ ἔχοντος, ἀλλ᾽ ὄντος μωροῦ.
12 12. πρῶτον μὲν ὁ ἄνθρωπος ἐκεῖνος ὁ δοκῶν πνεῦμα ἔχειν ὑψοῖ
ἑαυτὸν καὶ θέλει πρωτοκαθεδρίαν ἔχειν, καὶ εὐθὺς ἰταμός ἐστι καὶ
ἀναιδὴς καὶ πολύλαλος καὶ ἐν τρυφαῖς πολλαῖς ἀναστρεφόμενος καὶ
ἐν ἑτέραις πολλαῖς ἀπάταις, καὶ μισθοὺς λαμβάνει τῆς προφητείας
αὐτοῦ· ἐὰν δὲ μὴ λάβῃ, οὐ προφητεύει. δύναται οὖν πνεῦμα θεῖον
μισθοὺς λαμβάνειν καὶ προφητεύειν; οὐκ ἐνδέχεται τοῦτο ποιεῖν θεοῦ
προφήτην, ἀλλὰ τῶν τοιούτων προφητῶν ἐπίγειόν ἐστι τὸ πνεῦμα.
13 13. εἶτα ὅλως εἰς συναγωγὴν ἀνδρῶν δικαίων οὐκ ἐγγίζει, ἀλλ᾽ ἀπο-
φεύγει αὐτούς. κολλᾶται δὲ τοῖς διψύχοις καὶ κενοῖς, καὶ κατὰ γωνίαν
αὐτοῖς προφητεύει, καὶ ἀπατᾷ αὐτοὺς λαλῶν κατὰ τὰς ἐπιθυμίας
αὐτῶν πάντα κενῶς· κενοῖς γὰρ καὶ ἀποκρίνεται. τὸ γὰρ κενὸν
σκεῦος μετὰ τῶν κενῶν συντιθέμενον οὐ θραύεται, ἀλλὰ συμφωνοῦσιν
14 ἀλλήλοις. 14. ὅταν δὲ ἔλθῃ εἰς συναγωγὴν πλήρη ἀνδρῶν δικαίων
ἐχόντων πνεῦμα θεότητος, καὶ ἔντευξις ἀπ᾽ αὐτῶν γένηται, κενοῦται
ὁ ἄνθρωπος ἐκεῖνος, καὶ τὸ πνεῦμα τὸ ἐπίγειον ἀπὸ τοῦ φόβου φεύγει
ἀπ᾽ αὐτοῦ, καὶ κωφοῦται ὁ ἄνθρωπος ἐκεῖνος καὶ ὅλως συνθραύεται,
15 μηδὲν δυνάμενος λαλῆσαι. 15. ἐὰν γὰρ εἰς ἀποθήκην στιβάσῃς οἶνον

ἢ ἔλαιον καὶ ἐν αὐτοῖς θῇς κεράμιον κενόν, καὶ πάλιν ἀποστιβάσαι
θελήσῃς τὴν ἀποθήκην, τὸ κεράμιον ἐκεῖνο ὃ ἔθηκας κενόν, κενὸν
καὶ εὑρήσεις· οὕτω καὶ οἱ προφῆται οἱ κενοὶ ὅταν ἔλθωσιν εἰς πνεύ-
ματα δικαίων, ὁποῖοι ἦλθον, τοιοῦτοι καὶ εὑρίσκονται. 16. ἔχεις 16
ἀμφοτέρων τῶν προφητῶν τὴν ζωήν. δοκίμαζε οὖν ἀπὸ τῶν ἔργων
καὶ τῆς ζωῆς τὸν ἄνθρωπον τὸν λέγοντα ἑαυτὸν πνευματοφόρον εἶναι.
17. σὺ δὲ πίστευε τῷ πνεύματι τῷ ἐρχομένῳ ἀπὸ τοῦ θεοῦ καὶ 17
ἔχοντι δύναμιν· τῷ δὲ πνεύματι τῷ ἐπιγείῳ καὶ κενῷ μηδὲν πίστευε,
ὅτι ἐν αὐτῷ δύναμις οὐκ ἔστιν· ἀπὸ τοῦ διαβόλου γὰρ ἔρχεται.
18. ἄκουσον [οὖν] τὴν παραβολὴν ἣν μέλλω σοι λέγειν. λάβε λίθον 18
καὶ βάλε εἰς τὸν οὐρανόν, ἴδε εἰ δύνασαι ἅψασθαι αὐτοῦ· ἢ πάλιν
λάβε σίφωνα ὕδατος καὶ σιφώνισον εἰς τὸν οὐρανόν, ἴδε εἰ δύνασαι
τρυπῆσαι τὸν οὐρανόν. 19. Πῶς, φημί, κύριε, ταῦτα γενέσθαι [δύνα- 19
ται]; ἀδύνατα γὰρ ἀμφότερα ταῦτα [ἃ] εἴρηκας. Ὡς ταῦτα οὖν, φησίν,
ἀδύνατά ἐστιν, οὕτω καὶ τὰ πνεύματα τὰ ἐπίγεια ἀδύνατά ἐστι καὶ
ἀδρανῆ. 20. λάβε νῦν τὴν δύναμιν τὴν ἄνωθεν ἐρχομένην. ἡ χάλαζα 20
ἐλάχιστόν ἐστι κοκκάριον, καὶ ὅταν ἐπιπέσῃ ἐπὶ κεφαλὴν ἀνθρώπου,
πῶς πόνον παρέχει· ἢ πάλιν λάβε τὴν σταγόνα ἢ ἀπὸ τοῦ κεράμου
πίπτει χαμαί, καὶ τρυπᾷ τὸν λίθον. 21. βλέπεις οὖν ὅτι τὰ ἄνωθεν 21
ἐλάχιστα πίπτοντα ἐπὶ τὴν γῆν μεγάλην δύναμιν ἔχουσιν· οὕτω καὶ
τὸ πνεῦμα τὸ θεῖον ἄνωθεν ἐρχόμενον δυνατόν ἐστι. τούτῳ οὖν τῷ
πνεύματι πίστευε, ἀπὸ δὲ τοῦ ἑτέρου ἀπέχου.

Ἐντολὴ ιβʹ.

1. Λέγει μοι· Ἆρον ἀπὸ σεαυτοῦ πᾶσαν ἐπιθυμίαν πονηράν, 1
ἔνδυσαι δὲ τὴν ἐπιθυμίαν τὴν ἀγαθὴν καὶ σεμνήν· ἐνδεδυμένος γὰρ
τὴν ἐπιθυμίαν ταύτην μισήσεις τὴν πονηρὰν ἐπιθυμίαν καὶ χαλιναγω-
γήσεις αὐτὴν καθὼς βούλει. 2. ἀγρία γάρ ἐστιν ἡ ἐπιθυμία ἡ πονηρὰ 2
καὶ δυσκόλως ἡμεροῦται· φοβερὰ γάρ ἐστι καὶ λίαν τῇ ἀγριότητι
αὐτῆς δαπανᾷ τοὺς ἀνθρώπους· μάλιστα δὲ ἐὰν ἐμπέσῃ εἰς αὐτὴν
δοῦλος θεοῦ καὶ μὴ ᾖ συνετός, δαπανᾶται ὑπ᾽ αὐτῆς δεινῶς. δαπανᾷ
δὲ τοὺς τοιούτους τοὺς μὴ ἔχοντας ἔνδυμα τῆς ἐπιθυμίας τῆς ἀγα-
θῆς, ἀλλὰ ἐμπεφυρμένους τῷ αἰῶνι τούτῳ. τούτους οὖν παραδίδωσιν
εἰς θάνατον. 3. Ποῖα, φημί, κύριε, ἐστὶν ἔργα τῆς ἐπιθυμίας τῆς 3

11*

πονηρᾶς τὰ παραδιδόντα τοὺς ἀνθρώπους εἰς θάνατον; γνώρισόν μοι,
καὶ ἀφέξομαι ἀπ᾿ αὐτῶν. Ἄκουσον ἐν ποίοις ἔργοις θανατοῖ ἡ ἐπιθυ-
μία ἡ πονηρὰ τοὺς δούλους τοῦ θεοῦ.

1   2. Πάντων προέχουσα ἐπιθυμία γυναικὸς ἀλλοτρίας ἢ ἀνδρός,
καὶ πολυτέλεια πλούτου καὶ ἐδεσμάτων πολλῶν ματαίων καὶ μεθυ-
σμάτων, καὶ ἑτέρων τρυφῶν πολλῶν καὶ μωρῶν· πᾶσα γὰρ τρυφὴ
2 μωρά ἐστι καὶ κενὴ τοῖς δούλοις τοῦ θεοῦ. 2. αὗται οὖν αἱ ἐπιθυ-
μίαι πονηραί εἰσι, θανατοῦσαι τοὺς δούλους τοῦ θεοῦ. αὕτη γὰρ ἡ
ἐπιθυμία ἡ πονηρὰ τοῦ διαβόλου θυγάτηρ ἐστίν. ἀπέχεσθαι δεῖ ἀπὸ
τῶν ἐπιθυμιῶν τῶν πονηρῶν, ἵνα ἀποσχόμενοι ζήσητε τῷ θεῷ.
3 3. ὅσοι δὲ ἂν κατακυριευθῶσιν ὑπ᾿ αὐτῶν καὶ μὴ ἀντισταθῶσιν αὐ-
ταῖς, ἀποθανοῦνται εἰς τέλος· θανατώδεις γάρ εἰσιν αἱ ἐπιθυμίαι
4 αὗται. 4. σὺ οὖν ἔνδυσαι τὴν ἐπιθυμίαν τῆς δικαιοσύνης, καὶ καθο-
πλισάμενος τὸν φόβον κυρίου ἀντίστηθι αὐταῖς. ὁ γὰρ φόβος τοῦ
θεοῦ κατοικεῖ ἐν τῇ ἐπιθυμίᾳ τῇ ἀγαθῇ. ἡ ἐπιθυμία ἡ πονηρὰ ἐὰν
ἴδῃ σε καθωπλισμένον τῷ φόβῳ τοῦ θεοῦ καὶ ἀνθεστηκότα αὐτῇ,
φεύξεται ἀπὸ σοῦ μακράν, καὶ οὐκ ἔτι σοι ὀφθήσεται φοβουμένη τὰ
5 ὅπλα σου. 5. σὺ οὖν στεφανωθεὶς κατ᾿ αὐτῆς ἐλθὲ πρὸς τὴν ἐπιθυ-
μίαν τῆς δικαιοσύνης, καὶ παραδοὺς αὐτῇ τὸ νῖκος ὃ ἔλαβες, δούλευ-
σον αὐτῇ καθὼς αὐτὴ βούλεται. ἐὰν δουλεύσῃς τῇ ἐπιθυμίᾳ τῇ
ἀγαθῇ καὶ ὑποταγῇς αὐτῇ, δυνήσῃ τῆς ἐπιθυμίας τῆς πονηρᾶς κατα-
κυριεῦσαι καὶ ὑποτάξαι αὐτὴν καθὼς βούλει.

1   3. Ἤθελον, φημί, κύριε, γνῶναι ποίοις τρόποις με δεῖ δουλεῦ-
σαι τῇ ἐπιθυμίᾳ τῇ ἀγαθῇ. Ἄκουε, φησίν· ἐργάσῃ δικαιοσύνην καὶ
ἀρετήν, ἀλήθειαν καὶ φόβον κυρίου, πίστιν καὶ πραότητα, καὶ ὅσα
τούτοις ὅμοιά ἐστιν ἀγαθά. ταῦτα ἐργαζόμενος εὐάρεστος ἔσῃ δοῦλος
τοῦ θεοῦ καὶ ζήσῃ αὐτῷ· καὶ πᾶς ὃς ἂν δουλεύσῃ τῇ ἐπιθυμίᾳ τῇ
2 ἀγαθῇ, ζήσεται τῷ θεῷ. 2. Συνετέλεσεν οὖν τὰς ἐντολὰς τὰς δώδεκα,
καὶ λέγει μοι· Ἔχεις τὰς ἐντολὰς ταύτας· πορεύου ἐν αὐταῖς καὶ
τοὺς ἀκούοντας παρακάλει ἵνα ἡ μετάνοια αὐτῶν καθαρὰ γένηται τὰς
3 λοιπὰς ἡμέρας τῆς ζωῆς αὐτῶν. 3. τὴν διακονίαν ταύτην ἥν σοι
δίδωμι τέλει ἐπιμελῶς καὶ πολὺ ἐργάσῃ· εὑρήσεις γὰρ χάριν ἐν τοῖς
μέλλουσι μετανοεῖν, καὶ πεισθήσονταί σου τοῖς ῥήμασιν· ἐγὼ γὰρ
μετὰ σοῦ ἔσομαι καὶ ἀναγκάσω αὐτοὺς πεισθῆναί σοι.

4. *Λέγω αὐτῷ· Κύριε, αἱ ἐντολαὶ αὗται μεγάλαι καὶ καλαὶ καὶ* 4
ἔνδοξοί εἰσι καὶ δυνάμεναι εὐφρᾶναι καρδίαν ἀνθρώπου τοῦ δυναμένου
τηρῆσαι αὐτάς. οὐκ οἶδα δὲ εἰ δύνανται αἱ ἐντολαὶ αὗται ὑπὸ ἀν-
θρώπου φυλαχθῆναι, διότι σκληραί εἰσι λίαν. 5. *ἀποκριθεὶς λέγει* 5
μοι· Ἐὰν σὺ σεαυτῷ προθῇς ὅτι δύνανται φυλαχθῆναι, εὐκόπως
αὐτὰς φυλάξεις, καὶ οὐκ ἔσονται σκληραί· ἐὰν δὲ ἐπὶ τὴν καρδίαν
σου ἤδη ἀναβῇ μὴ δύνασθαι αὐτὰς ὑπὸ ἀνθρώπου φυλαχθῆναι, οὐ
φυλάξεις αὐτάς. 6. *νῦν δέ σοι λέγω· ἐὰν ταύτας μὴ φυλάξῃς, ἀλλὰ* 6
παρενθυμηθῇς, οὐχ ἕξεις σωτηρίαν, οὔτε τὰ τέκνα σου οὔτε ὁ οἶκός
σου, ἐπεὶ ἤδη σεαυτῷ κέκρικας τοῦ μὴ δύνασθαι τὰς ἐντολὰς ταύτας
ὑπὸ ἀνθρώπου φυλαχθῆναι.

4. *Καὶ ταῦτά μοι λίαν ὀργίλως ἐλάλησεν, ὥστε με συγχυθῆναι* 1
καὶ λίαν αὐτὸν φοβηθῆναι· ἡ μορφὴ γὰρ αὐτοῦ ἠλλοιώθη, ὥστε μὴ
δύνασθαι ἄνθρωπον ὑπενεγκεῖν τὴν ὀργὴν αὐτοῦ. 2. *ἰδὼν δέ με* 2
τεταραγμένον ὅλον καὶ συγκεχυμένον ἤρξατό μοι ἐπιεικέστερον λαλεῖν,
καὶ λέγει· Ἄφρον, ἀσύνετε καὶ δίψυχε, οὐ νοεῖς τὴν δόξαν τοῦ θεοῦ,
πῶς μεγάλη ἐστὶ καὶ ἰσχυρὰ καὶ θαυμαστή, ὅτι ἔκτισε τὸν κόσμον
ἕνεκα τοῦ ἀνθρώπου καὶ πᾶσαν τὴν κτίσιν αὐτοῦ ὑπέταξε τῷ ἀν-
θρώπῳ, καὶ τὴν ἐξουσίαν πᾶσαν ἔδωκεν αὐτῷ τοῦ κατακυριεύειν τῶν
ὑπὸ τὸν οὐρανὸν πάντων; 3. *εἰ οὖν, φησίν, ὁ ἄνθρωπος κύριός ἐστι* 3
τῶν κτισμάτων τοῦ θεοῦ καὶ πάντων κατακυριεύει, οὐ δύναται καὶ
τούτων τῶν ἐντολῶν κατακυριεῦσαι; δύναται, φησί, πάντων καὶ πασῶν
τῶν ἐντολῶν τούτων κατακυριεῦσαι ὁ ἄνθρωπος ὁ ἔχων τὸν κύριον
ἐν τῇ καρδίᾳ αὐτοῦ. 4. *οἱ δὲ ἐπὶ τοῖς χείλεσιν ἔχοντες τὸν κύριον,* 4
τὴν δὲ καρδίαν αὐτῶν πεπωρωμένην, καὶ μακρὰν ὄντες ἀπὸ τοῦ
κυρίου, ἐκείνοις αἱ ἐντολαὶ αὗται σκληραί εἰσι καὶ δύσβατοι. 5. *θέσθε* 5
οὖν ὑμεῖς, οἱ κενοὶ καὶ ἐλαφροὶ ὄντες ἐν τῇ πίστει, τὸν κύριον ὑμῶν
εἰς τὴν καρδίαν, καὶ γνώσεσθε ὅτι οὐδέν ἐστιν εὐκοπώτερον τῶν ἐντο-
λῶν τούτων οὔτε γλυκύτερον οὔτε ἡμερώτερον. 6. *ἐπιστράφητε ὑμεῖς* 6
οἱ ταῖς ἐντολαῖς πορευόμενοι τοῦ διαβόλου, ταῖς δυσκόλοις καὶ πικραῖς
καὶ ἀγρίαις ἀσελγείαις, καὶ μὴ φοβήθητε τὸν διάβολον, ὅτι ἐν αὐτῷ
δύναμις οὐκ ἔστιν καθ' ὑμῶν· 7. *ἐγὼ γὰρ ἔσομαι μεθ' ὑμῶν, ὁ* 7
ἄγγελος τῆς μετανοίας [ὁ κ]ατακυριεύων αὐτοῦ. ὁ διάβολος μόνον

φόβον ἔχει, ὁ δὲ φόβος αὐτοῦ τόνον οὐκ ἔχει· μὴ φοβήθητε οὖν
αὐτόν, καὶ φεύξεται ἀφ' ὑμῶν.

1   **5.** *Λέγω αὐτῷ· Κύριε, [ἄκ]ουσόν μου ὀλίγων ῥημάτων. Λέγε,
φησίν, ὃ βούλει.* Ὁ μὲν ἄνθρωπος, φημί, κύριε, πρόθυμός ἐστι τὰς
ἐντολὰς τοῦ θεοῦ φυλάσσειν, καὶ οὐδείς ἐστιν ὁ μὴ αἰτούμενος παρὰ
τοῦ κ[υρίου, ἵν]α ἐνδυναμωθῇ ἐν ταῖς ἐντολαῖς αὐτοῦ καὶ ὑποταγῇ
αὐταῖς· ἀλλ' ὁ διάβολος σκληρός ἐστι καὶ καταδυναστεύει αὐτῶν.
2 **2.** Οὐ δύναται, φησί, καταδυναστεύειν τῶν δούλων τοῦ θεοῦ τῶν ἐξ
ὅλης καρδίας ἐλπιζόντων ἐπ' αὐτόν. δύναται ὁ διάβολος ἀντιπαλαῖσαι,
καταπαλαῖσαι δὲ οὐ δύναται. ἐὰν οὖν ἀντισταθῆτε αὐτῷ, νικηθεὶς
φεύξεται ἀφ' ὑμῶν κατῃσχυμμένος. ὅσοι δέ, φησίν, ἀπόκενοί εἰσι,
3 φοβοῦνται τὸν διάβολον ὡς δύναμιν ἔχοντα. **3.** ὅταν ὁ ἄνθρωπος
κεράμια ἱκανώτατα γεμίσῃ οἴνου καλοῦ, καὶ ἐν τοῖς κεραμίοις ἐκείνοις
ὀλίγα ἀπόκενα ᾖ, ἔρχεται ἐπὶ τὰ κεράμια καὶ οὐ κατανοεῖ τὰ πλήρη.
οἶδε γὰρ ὅτι πλήρη εἰσί· κατανοεῖ δὲ τὰ ἀπόκενα, φοβούμενος μήποτε
ὤξισαν· ταχὺ γὰρ τὰ ἀπόκενα κεράμια ὀξίζουσι, καὶ ἀπόλλυται ἡ
4 ἡδονὴ τοῦ οἴνου. **4.** οὕτω καὶ ὁ διάβολος ἔρχεται ἐπὶ πάντας τοὺς
δούλους τοῦ θεοῦ ἐκπειράζων αὐτούς. ὅσοι οὖν πλήρεις εἰσὶν ἐν τῇ
πίστει, ἀνθεστήκασιν αὐτῷ ἰσχυρῶς, κἀκεῖνος ἀποχωρεῖ ἀπ' αὐτῶν μὴ
ἔχων τόπον ποῦ εἰσέλθῃ. ἔρχεται οὖν τότε πρὸς τοὺς ἀποκένους, καὶ
ἔχων τόπον εἰσπορεύεται εἰς αὐτούς, καὶ ὃ δὲ βούλεται ἐν αὐτοῖς
ἐργάζεται, καὶ γίνονται αὐτῷ ὑπόδουλοι.

1   **6.** Ἐγὼ δὲ ὑμῖν λέγω, ὁ ἄγγελος τῆς μετανοίας· μὴ φοβήθητε
τὸν διάβολον. ἀπεστάλην γάρ, φησί, μεθ' ὑμῶν εἶναι τῶν μετανοούν-
των ἐξ ὅλης καρδίας αὐτῶν καὶ ἰσχυροποιῆσαι αὐτοὺς ἐν τῇ πίστει.
2 **2.** πιστεύσατε οὖν τῷ θεῷ ὑμεῖς οἱ διὰ τὰς ἁμαρτίας ὑμῶν ἀπεγνω-
κότες τὴν ζωὴν ὑμῶν καὶ προστιθέντες ἁμαρτίαις καὶ καταβαρύνοντες
τὴν ζωὴν ὑμῶν, ὅτι ἐὰν ἐπιστραφῆτε πρὸς τὸν κύριον ἐξ ὅλης τῆς
καρδίας ὑμῶν καὶ ἐργάσησθε τὴν δικαιοσύνην τὰς λοιπὰς ἡμέρας τῆς
ζωῆς ὑμῶν καὶ δουλεύσητε αὐτῷ ὀρθῶς κατὰ τὸ θέλημα αὐτοῦ,
ποιήσει ἴασιν τοῖς προτέροις ὑμῶν ἁμαρτήμασι, καὶ ἕξετε δύναμιν τοῦ
κατακυριεῦσαι τῶν ἔργων τοῦ διαβόλου. τὴν δὲ ἀπειλὴν τοῦ διαβόλου
3 ὅλως μὴ φοβήθητε· ἄτονος γάρ ἐστιν ὥσπερ νεκροῦ νεῦρα. **3.** ἀκού-
σατε οὖν μου, καὶ φοβήθητε τὸν πάντα δυνάμενον, σῶσαι καὶ ἀπο-

λέσαι, καὶ τηρεῖτε τὰς ἐντολὰς ταύτας, καὶ ζήσεσθε τῷ θεῷ. 4. λέγω 4
αὐτῷ· Κύριε, νῦν ἐνεδυναμώθην ἐν πᾶσι τοῖς δικαιώμασι τοῦ κυρίου,
ὅτι σὺ μετ᾽ ἐμοῦ εἶ· καὶ οἶδα ὅτι συγκόψεις τὴν δύναμιν τοῦ διαβό-
λου πᾶσαν, καὶ ἡμεῖς αὐτοῦ κατακυριεύσομεν καὶ κατισχύσομεν πάντων
τῶν ἔργων αὐτοῦ. καὶ ἐλπίζω, κύριε, δύνασθαί με τὰς ἐντολὰς ταύ-
τας ἃς ἐντέταλσαι, τοῦ κυρίου ἐνδυναμοῦντος φυλάξαι. 5. Φυλάξεις, 5
φησίν, ἐὰν ἡ καρδία σου καθαρὰ γένηται προς κύριον· καὶ πάντες δὲ
φυλάξουσιν ὅσοι ἂν καθαρίσωσιν ἑαυτῶν τὰς καρδίας ἀπὸ τῶν μα-
ταίων ἐπιθυμιῶν τοῦ αἰῶνος τούτου, καὶ ζήσονται τῷ θεῷ.

ΠΑΡΑΒΟΛΑΙ ΑΣ ΕΛΑΛΗΣΕ ΜΕΤ᾽ ΕΜΟΥ.

Λέγει μοι· Οἴδατε, φησίν, ὅτι ἐπὶ ξένης κατοικεῖτε ὑμεῖς οἱ 1
δοῦλοι τοῦ θεοῦ· ἡ γὰρ πόλις ὑμῶν μακράν ἐστιν ἀπὸ τῆς πόλεως
ταύτης· εἰ οὖν οἴδατε, φησί, τὴν πόλιν ὑμῶν ἐν ᾗ μέλλετε κατοι-
κεῖν, τί ὧδε ὑμεῖς ἑτοιμάζετε ἀγροὺς καὶ παρατάξεις πολυτελεῖς καὶ
οἰκοδομὰς καὶ οἰκήματα μάταια; 2. ταῦτα οὖν ὁ ἑτοιμάζων εἰς ταύ- 2
την τὴν πόλιν οὐ προσδοκᾷ ἐπανακάμψαι εἰς τὴν ἰδίαν πόλιν.
3. ἄφρον καὶ δίψυχε καὶ ταλαίπωρε ἄνθρωπε, οὐ νοεῖς ὅτι ταῦτα 3
πάντα ἀλλότριά ἐστι, καὶ ὑπ᾽ ἐξουσίαν ἑτέρου εἰσίν; ἐρεῖ γὰρ ὁ
κύριος τῆς πόλεως ταύτης· Οὐ θέλω σε κατοικεῖν εἰς τὴν πόλιν μου,
ἀλλ᾽ ἔξελθε ἐκ τῆς πόλεως ταύτης, ὅτι τοῖς νόμοις μου οὐ χρᾶσαι.
4. σὺ οὖν ἔχων ἀγροὺς καὶ οἰκήσεις καὶ ἑτέρας ὑπάρξεις πολλάς, 4
ἐκβαλλόμενος ὑπ᾽ αὐτοῦ τί ποιήσεις σου τὸν ἀγρὸν καὶ τὴν οἰκίαν
καὶ τὰ λοιπὰ ὅσα ἡτοίμασας σεαυτῷ; λέγει γάρ σοι δικαίως ὁ κύριος
τῆς χώρας ταύτης· Ἢ τοῖς νόμοις μου χρῶ, ἢ ἐκχώρει ἐκ τῆς
χώρας μου. 5. σὺ οὖν τί μέλλεις ποιεῖν, ἔχων νόμον ἐν τῇ σῇ 5
πόλει; ἕνεκεν τῶν ἀγρῶν σου καὶ τῆς λοιπῆς ὑπάρξεως τὸν νόμον
σου πάντως ἀπαρνήσῃ καὶ πορεύσῃ τῷ νόμῳ τῆς πόλεως ταύτης;
βλέπε μή [σοι] ἀσύμφορόν ἐστιν ἀπαρνῆσαι τὸν νόμον σου· ἐὰν γὰρ
ἐπανακάμψαι θελήσῃς εἰς τὴν πόλιν σου, οὐ μὴ παραδεχθήσῃ, ὅτι
ἀπηρνήσω τὸν νόμον τῆς πόλεώς σου, καὶ ἐκκλεισθήσῃ ἀπ᾽ αὐτῆς.
6. βλέπε οὖν σύ· ὡς ἐπὶ ξένης κατοικῶν μηδὲν πλέον ἑτοίμαζε σεαυτῷ 6

εἰ μὴ τὴν αὐτάρκειαν τὴν ἀρκετήν σοι, καὶ ἕτοιμος γίνου, ἵνα ὅταν
θέλῃ ὁ δεσπότης τῆς πόλεως ταύτης ἐκβαλεῖν σε ἀντιταξάμενον τῷ
νόμῳ αὐτοῦ, ἐξέλθῃς ἐκ τῆς πόλεως αὐτοῦ καὶ ἀπέλθῃς ἐν τῇ πόλει
7 σου, καὶ τῷ σῷ νόμῳ χρήσῃ ἀνυβρίστως ἀγαλλιώμενος. 7. βλέπετε
οὖν ὑμεῖς οἱ δουλεύοντες τῷ κυρίῳ καὶ ἔχοντες αὐτὸν εἰς τὴν καρ-
δίαν· ἐργάζεσθε τὰ ἔργα τοῦ θεοῦ μνημονεύοντες τῶν ἐντολῶν αὐτοῦ
καὶ τῶν ἐπαγγελιῶν ὧν ἐπηγγείλατο, καὶ πιστεύσατε αὐτῷ ὅτι ποιή-
8 σει αὐτάς, ἐὰν αἱ ἐντολαὶ αὐτοῦ φυλαχθῶσιν. 8. ἀντὶ ἀγρῶν οὖν
ἀγοράζετε ψυχὰς θλιβομένας, καθά τις δυνατός ἐστι, καὶ χήρας καὶ
ὀρφανοὺς ἐπισκέπτεσθε καὶ μὴ παραβλέπετε αὐτούς, καὶ τὸν πλοῦτον
ὑμῶν καὶ τὰς παρατάξεις πάσας εἰς τοιούτους ἀγροὺς καὶ οἰκίας δα-
9 πανᾶτε, ἃς ἐλάβετε παρὰ τοῦ θεοῦ. 9. εἰς τοῦτο γὰρ ἐπλούτισεν
ὑμᾶς ὁ δεσπότης, ἵνα ταύτας τὰς διακονίας τελέσητε αὐτῷ· πολὺ
βέλτιόν ἐστι τοιούτους ἀγροὺς ἀγοράζειν καὶ κτήματα καὶ οἴκους, οὓς
10 εὑρήσεις ἐν τῇ πόλει σου, ὅταν ἐπιδημήσῃς εἰς αὐτήν. 10. αὕτη ἡ
πολυτέλεια καλὴ καὶ ἱερά, λύπην μὴ ἔχουσα μηδὲ φόβον, ἔχουσα δὲ
χαράν. τὴν οὖν πολυτέλειαν τῶν ἐθνῶν μὴ πράσσετε· ἀσύμφορον
11 γάρ ἐστιν ὑμῖν τοῖς δούλοις τοῦ θεοῦ· 11. τὴν δὲ ἰδίαν πολυτέλειαν
πράσσετε, ἐν ᾗ δύνασθε χαρῆναι· καὶ μὴ παραχαράσσετε, μηδὲ τοῦ
ἀλλοτρίου ἅψησθε μηδὲ ἐπιθυμεῖτε αὐτοῦ· πονηρὸν γάρ ἐστιν ἀλλο-
τρίων ἐπιθυμεῖν. τὸ δὲ σὸν ἔργον ἐργάζου, καὶ σωθήσῃ.

Ἄλλη παραβολή.

1   Περιπατοῦντός μου εἰς τὸν ἀγρὸν καὶ κατανοοῦντος πτελέαν καὶ
ἄμπελον, καὶ διακρίνοντος περὶ αὐτῶν καὶ τῶν καρπῶν αὐτῶν, φανε-
ροῦταί μοι ὁ ποιμὴν καὶ λέγει [μοι]· Τί σὺ ἐν ἑαυτῷ ζητεῖς περὶ τῆς
πτελέας καὶ τῆς ἀμπέλου; Συζητῶ, φημί, [κύριε,] ὅτι εὐπρεπέστατοί
2 εἰσιν ἀλλήλαις. 2. Ταῦτα τὰ δύο δένδρα, φησίν, εἰς τύπον κεῖνται
τοῖς δούλοις τοῦ θεοῦ. Ἤθελον, φημί, γνῶναι τὸν τύπον τῶν δέν-
δρων τούτων ὧν λέγεις. Βλέπεις, φησί, τὴν πτελέαν καὶ τὴν ἄμπε-
3 λον; Βλέπω, φημί, κύριε. 3. Ἡ ἄμπελος, φησίν, αὕτη καρπὸν
φέρει, ἡ δὲ πτελέα ξύλον ἄκαρπόν ἐστιν· ἀλλ᾽ ἡ ἄμπελος αὕτη ἐὰν
μὴ ἀναβῇ ἐπὶ τὴν πτελέαν, οὐ δύναται καρποφορῆσαι πολὺ ἐρριμμένη
χαμαί, καὶ ὃν φέρει καρπόν, σεσηπότα φέρει μὴ κρεμαμένη ἐπὶ τῆς

πτελέας. ὅταν οὖν ἐπιρριφῇ ἡ ἄμπελος ἐπὶ τὴν πτελέαν, καὶ παρ᾽
ἑαυτῆς φέρει καρπὸν καὶ παρὰ τῆς πτελέας. 4. βλέπεις οὖν ὅτι καὶ 4
ἡ πτελέα πολὺν καρπὸν δίδωσιν, οὐκ ἐλάσσονα τῆς ἀμπέλου, μᾶλλον
δὲ καὶ πλείονα. [Πῶς, φημί, κύριε, πλείονα;] Ὅτι, φησίν, ἡ ἄμπελος
κρεμαμένη ἐπὶ τὴν πτελέαν τὸν καρπὸν πολὺν καὶ καλὸν δίδωσιν,
ἐρριμμένη δὲ χαμαὶ σαπρὸν καὶ ὀλίγον φέρει. αὕτη οὖν ἡ παραβολὴ
εἰς τοὺς δούλους τοῦ θεοῦ κεῖται, εἰς πτωχὸν καὶ πλούσιον. 5. Πῶς, 5
φημί, κύριε, γνώρισόν μοι. Ἄκουε, φησίν· ὁ μὲν πλούσιος ἔχει χρή-
ματα πολλά, τὰ δὲ πρὸς τὸν κύριον πτωχεύει περισπώμενος περὶ τὸν
πλοῦτον αὐτοῦ, καὶ λίαν μικρὰν ἔχει τὴν ἐξομολόγησιν καὶ τὴν ἔν-
τευξιν πρὸς τὸν κύριον, καὶ ἣν ἔχει, μικρὰν καὶ βληχρὰν καὶ ἄνω
μὴ ἔχουσαν δύναμιν. ὅταν οὖν ἀναβῇ ὁ πλούσιος ἐπὶ τὸν πένητα καὶ
χορηγήσῃ αὐτῷ τὰ δέοντα, πιστεύων ὅτι ὃ ἐργάσεται εἰς τὸν πένητα
δυνήσεται τὸν μισθὸν εὑρεῖν παρὰ τῷ θεῷ· ὅτι ὁ πένης πλούσιός
ἐστιν ἐν τῇ ἐντεύξει καὶ τῇ ἐξομολογήσει, καὶ δύναμιν μεγάλην ἔχει
ἡ ἔντευξις αὐτοῦ παρὰ τῷ θεῷ· ἐπιχορηγεῖ οὖν ὁ πλούσιος τῷ πένητι
πάντα ἀδιστάκτως· 6. ὁ πένης δὲ ἐπιχορηγούμενος ὑπὸ τοῦ πλου- 6
σίου ἐντυγχάνει αὐτῷ, τῷ θεῷ εὐχαριστῶν περὶ τοῦ διδόντος αὐτῷ.
κἀκεῖνος ἔτι ἐπισπουδάζει περὶ τοῦ πένητος, ἵνα ἀδιάλειπτος γένηται
ἐν τῇ ζωῇ αὐτοῦ· οἶδε γὰρ ὅτι ἡ ἔντευξις τοῦ πένητος προσδεκτή
ἐστι καὶ πλουσία πρὸς τὸν θεόν. 7. ἀμφότεροι οὖν τὸ ἔργον τελοῦ- 7
σιν· ὁ μὲν πένης ἐργάζεται τὴν ἔντευξιν ἐν ᾗ πλουτεῖ, ἣν ἔλαβεν
ἀπὸ τοῦ κυρίου· ταύτην ἀποδίδωσι τῷ κυρίῳ τῷ ἐπιχορηγοῦντι αὐτῷ.
καὶ ὁ πλούσιος ὡσαύτως τὸν πλοῦτον ὃν ἔλαβεν ἀπὸ τοῦ κυρίου
ἀδιστάκτως παρέχει τῷ πένητι. καὶ τοῦτο ἔργον μέγα ἐστὶ καὶ δεκτὸν
παρὰ τῷ θεῷ, ὅτι συνῆκεν ἐπὶ τῷ πλούτῳ αὐτοῦ καὶ εἰργάσατο εἰς
τὸν πένητα ἐκ τῶν δωρημάτων τοῦ κυρίου, καὶ ἐτέλεσε τὴν διακονίαν
τοῦ κυρίου ὀρθῶς. 8. παρὰ τοῖς ἀνθρώποις οὖν ἡ πτελέα δοκεῖ καρ- 8
πὸν μὴ φέρειν, καὶ οὐκ οἴδασιν οὐδὲ νοοῦσιν ὅτι ἐὰν ἀβροχία γένηται,
ἡ πτελέα ὕδωρ ἔχουσα τρέφει τὴν ἄμπελον, καὶ ἡ ἄμπελος ἀδιά-
λειπτον ἔχουσα ὕδωρ διπλοῦν τὸν καρπὸν δίδωσι, καὶ ὑπὲρ ἑαυτῆς
καὶ ὑπὲρ τῆς πτελέας. οὕτω καὶ οἱ πένητες ἐντυγχάνοντες πρὸς τὸν
κύριον ὑπὲρ τῶν πλουσίων πληροφοροῦσι τὸν πλοῦτον αὐτῶν, καὶ
πάλιν οἱ πλούσιοι χορηγοῦντες τοῖς πένησι τὰ δέοντα πληροφοροῦσι

9 τὰς ψυχὰς αὐτῶν. 9. γίνονται οὖν ἀμφότεροι κοινωνοὶ τοῦ ἔργου τοῦ
δικαίου. ταῦτα οὖν ὁ ποιῶν οὐκ ἐγκαταλειφθήσεται ὑπὸ τοῦ θεοῦ,
10 ἀλλ' ἔσται ἐπιγεγραμμένος εἰς τὰς βίβλους τῶν ζώντων. 10. μακά-
ριοι οἱ ἔχοντες καὶ συνιέντες ὅτι παρὰ τοῦ κυρίου πλουτίζονται· [ὁ
γὰρ ταῦτα φρονῶν δυνήσεται ἀγαθόν τι ἐργάζεσθαι].

Ἄλλη παραβολή.

1 Ἔδειξέ μοι δένδρα πολλὰ μὴ ἔχοντα φύλλα, ἀλλ' ὡσεὶ ξηρὰ
ἐδόκει μοι εἶναι· ὅμοια γὰρ ἦν πάντα. καὶ λέγει μοι· Βλέπεις τὰ
δένδρα ταῦτα; Βλέπω, φημί, κύριε, ὅμοια ὄντα καὶ ξηρά. ἀποκριθείς
μοι λέγει· Ταῦτα τὰ δένδρα ἃ βλέπεις, οἱ κατοικοῦντες εἰσὶν ἐν τῷ
2 αἰῶνι τούτῳ. 2. Διατί οὖν, φημί, κύριε, ὡσεὶ ξηρά εἰσι καὶ ὅμοια;
Ὅτι, φησίν, οὔτε οἱ δίκαιοι φαίνονται οὔτε οἱ ἁμαρτωλοὶ ἐν τῷ αἰῶνι
τούτῳ, ἀλλ' ὅμοιοί εἰσιν· ὁ γὰρ αἰὼν οὗτος τοῖς δικαίοις χειμών
3 ἐστι, καὶ οὐ φαίνονται μετὰ τῶν ἁμαρτωλῶν κατοικοῦντες. 3. ὥσπερ
γὰρ ἐν τῷ χειμῶνι τὰ δένδρα ἀποβεβληκότα τὰ φύλλα ὅμοιά εἰσι,
καὶ οὐ φαίνονται τὰ ξηρὰ ποῖά εἰσιν ἢ τὰ ζῶντα, οὕτως ἐν τῷ
αἰῶνι τούτῳ οὐ φαίνονται οὔτε οἱ δίκαιοι οὔτε οἱ ἁμαρτωλοί, ἀλλὰ
πάντες ὅμοιοί εἰσιν.

Ἄλλη παραβολή.

1 Ἔδειξέ μοι πάλιν δένδρα πολλά, ἃ μὲν βλαστῶντα, ἃ δὲ ξηρά,
καὶ λέγει μοι· Βλέπεις, φησί, τὰ δένδρα ταῦτα; Βλέπω, φημί, κύριε,
2 τὰ μὲν βλαστῶντα, τὰ δὲ ξηρά. 2. Ταῦτα, φησί, τὰ δένδρα τὰ βλα-
στῶντα οἱ δίκαιοί εἰσιν οἱ μέλλοντες κατοικεῖν εἰς τὸν αἰῶνα τὸν
ἐρχόμενον· ὁ γὰρ αἰὼν ὁ ἐρχόμενος θέρος ἐστὶ τοῖς δικαίοις, τοῖς
δὲ ἁμαρτωλοῖς χειμών. ὅταν οὖν ἐπιλάμψῃ τὸ ἔλεος τοῦ κυρίου,
τότε φανερωθήσονται οἱ δουλεύοντες τῷ θεῷ, καὶ πάντες φανερωθή-
σονται· 3. ὥσπερ γὰρ τῷ θέρει ἑνὸς ἑκάστου δένδρου οἱ καρποὶ
φανεροῦνται καὶ ἐπιγινώσκονται ποταποί εἰσιν, οὕτω καὶ τῶν δικαίων
οἱ καρποὶ φανεροὶ ἔσονται, καὶ γνωσθήσονται πάντες εὐθαλεῖς ὄντες
4 ἐν τῷ αἰῶνι ἐκείνῳ. 4. τὰ δὲ ἔθνη καὶ οἱ ἁμαρτωλοί, ἃ εἶδες τὰ
δένδρα τὰ ξηρά, τοιοῦτοι εὑρεθήσονται ξηροὶ καὶ ἄκαρποι ἐν ἐκείνῳ
τῷ αἰῶνι, καὶ ὡς ξύλα κατακαυθήσονται καὶ φανεροὶ ἔσο[νται]· ὅτι

ἡ πρᾶξις αὐτῶν πονηρὰ γέγονεν ἐν τῇ ζωῇ αὐτῶν. οἱ μὲν γὰρ ἁμαρ-
τωλοὶ κανθήσονται, ὅτι ἥμαρτον καὶ οὐ μετενόησαν· τὰ δὲ ἔθνη
κανθήσο[νται], ὅτι οὐκ ἔγνωσαν τὸν κτίσαντα αὐτούς. 5. σὺ οὖν
καρποφόρησον, ἵνα ἐν τῷ θέρει ἐκείνῳ γνωσθῇ σου ὁ καρπός. ἀπέ-
χου δὲ ἀπὸ τῶν πολλῶν πράξεων, καὶ οὐ[δέποτε] οὐδὲν διαμάρτῃς.
οἱ γὰρ τὰ πολλὰ πράσσοντες πολλὰ καὶ ἁμαρτάνουσι, περισπώμενοι
περὶ τὰς πράξεις αὐτῶν καὶ μηδὲ δουλεύοντες τῷ κυρίῳ ἑ[αυτῶν].
6. Πῶς οὖν, φησίν, ὁ τοιοῦτος δύναταί τι αἰτήσασθαι παρὰ τοῦ κυρίου
καὶ λαβεῖν, μὴ δουλεύων τῷ κυρίῳ; οἱ [γὰρ] δουλεύοντες αὐτῷ, ἐκεῖνοι
λήψονται τὰ αἰτήματα αὐτῶν, οἱ δὲ μὴ δουλεύοντες τῷ κυρίῳ, ἐκεῖνοι
οὐδὲν λήψονται. 7. ἐὰν δὲ μίαν τις πρᾶξιν ἐργάσηται, δύναται καὶ
τῷ κυρίῳ δουλεῦσαι· οὐ γὰρ διαφθαρήσεται ἡ διάνοια αὐτοῦ ἀπὸ
τοῦ κυρίου, ἀλλὰ δουλεύσει αὐτῷ ἔχων τὴν διάνοιαν αὐτοῦ καθαράν.
8. ταῦτα οὖν ἐὰν ποιήσῃς, δύνασαι καρποφορῆσαι εἰς τὸν αἰῶνα τὸν
ἐρχόμενον· καὶ ὃς ἂν ταῦτα ποιήσῃ, καρποφορήσει.

Ἄλλη παραβολή.

1. Νηστεύων καὶ καθήμενος εἰς ὄρος τι καὶ εὐχαριστῶν τῷ
κυρίῳ περὶ πάντων ὧν ἐποίησε μετ᾽ ἐμοῦ, βλέπω τὸν ποιμένα παρα-
καθήμενόν μοι καὶ λέγοντα· Τί ὀρθρινὸς ὧδε ἐλήλυθας; Ὅτι, φημί,
κύριε, στατίωνα ἔχω. 2. Τί, φησίν, ἐστὶ στατίων; Νηστεύω, φημί,
κύριε. Νηστεία δέ, φησί, τί ἐστιν αὕτη, ἣν νηστεύετε; Ὡς εἰώθειν,
φημί, κύριε, οὕτω νηστεύω. 3. Οὐκ οἴδατε, φησί, νηστεύειν τῷ κυρίῳ
οὐδέ ἐστιν νηστεία αὕτη ἡ ἀνωφελὴς ἣν νηστεύετε αὐτῷ. Διατί,
φημί, κύριε, τοῦτο λέγεις; Λέγω σοι, φησίν, ὅτι οὐκ ἔστιν αὕτη νη-
στεία, ἣν δοκεῖτε νηστεύειν· ἀλλ᾽ ἐγώ σε διδάξω τί ἐστι νηστεία
πλήρης καὶ δεκτὴ τῷ κυρίῳ. ἄκουε, φησίν. 4. ὁ θεὸς οὐ βούλεται
τοιαύτην νηστείαν ματαίαν· οὕτω γὰρ νηστεύων τῷ θεῷ οὐδὲν ἐρ-
γάσῃ τῇ δικαιοσύνῃ. νήστευσον δὲ τῷ θεῷ νηστείαν τοιαύτην·
5. μηδὲν πονηρεύσῃ ἐν τῇ ζωῇ σου, καὶ δούλευσον τῷ κυρίῳ ἐν
καθαρᾷ καρδίᾳ· τήρησον τὰς ἐντολὰς αὐτοῦ πορευόμενος ἐν τοῖς
προστάγμασιν αὐτοῦ, καὶ μηδεμία ἐπιθυμία πονηρὰ ἀναβήτω ἐν τῇ
καρδίᾳ σου· πίστευσον δὲ τῷ θεῷ· καὶ ἐὰν ταῦτα ἐργάσῃ καὶ φο-
βηθῇς αὐτὸν καὶ ἐγκρατεύσῃ ἀπὸ παντὸς πονηροῦ πράγματος, ζήσῃ

τῷ θεῷ· καὶ ταῦτα ἐὰν ἐργάσῃ, μεγάλην νηστείαν ποιεῖς καὶ δεκτὴν
τῷ θεῷ.

1   **2.** Ἄκουε τὴν παραβολὴν ἣν μέλλω σοι λέγειν ἀνήκουσαν τῇ
2 νηστείᾳ. 2. εἶχέ τις ἀγρὸν καὶ δούλους πολλούς, καὶ μέρος τι τοῦ
ἀγροῦ ἐφύτευσεν ἀμπελῶνα. καὶ ἐκλεξάμενος δοῦλόν τινα πιστὸν καὶ
εὐάρεστον ἔντιμον, προσεκαλέσατο αὐτὸν καὶ λέγει αὐτῷ· Λάβε τὸν
ἀμπελῶνα τοῦτον ὃν ἐφύτευσα καὶ χαράκωσον αὐτὸν ἕως ἔρχομαι,
καὶ ἕτερον δὲ μὴ ποιήσῃς τῷ ἀμπελῶνι· καὶ ταύτην μου τὴν ἐντο-
λὴν φύλαξον, καὶ ἐλεύθερος ἔσῃ παρ᾽ ἐμοί. ἐξῆλθε δὲ ὁ δεσπότης
3 τοῦ δούλου εἰς τὴν ἀποδημίαν. 3. ἐξελθόντος δὲ αὐτοῦ ἔλαβεν ὁ
δοῦλος καὶ ἐχαράκωσε τὸν ἀμπελῶνα. καὶ τελέσας τὴν χαράκωσιν
4 τοῦ ἀμπελῶνος εἶδε τὸν ἀμπελῶνα βοτανῶν πλήρη ὄντα. 4. ἐν
ἑαυτῷ οὖν ἐλογίσατο λέγων· Ταύτην τὴν ἐντολὴν τοῦ κυρίου τετέ-
λεκα· σκάψω λοιπὸν τὸν ἀμπελῶνα τοῦτον, καὶ ἔσται εὐπρεπέστερος
ἐσκαμμένος, καὶ βοτάνας μὴ ἔχων δώσει καρπὸν πλείονα, μὴ πνιγό-
μενος ὑπὸ τῶν βοτανῶν. λαβὼν ἔσκαψε τὸν ἀμπελῶνα, καὶ πάσας
τὰς βοτάνας τὰς οὔσας ἐν τῷ ἀμπελῶνι ἐξέτιλλε. καὶ ἐγένετο ὁ
ἀμπελὼν ἐκεῖνος εὐπρεπέστατος καὶ εὐθαλής, μὴ ἔχων βοτάνας πνι-
5 γούσας αὐτόν. 5. μετὰ χρόνον [τινὰ] ἦλθεν ὁ δεσπότης τοῦ δούλου
καὶ τοῦ ἀγροῦ, καὶ εἰσῆλθεν εἰς τὸν ἀμπελῶνα. καὶ ἰδὼν τὸν ἀμπε-
λῶνα κεχαρακωμένον εὐπρεπῶς, ἔτι δὲ καὶ ἐσκαμμένον καὶ πάσας
τὰς βοτάνας ἐκτετιλμένας καὶ εὐθαλεῖς οὔσας τὰς ἀμπέλους, ἐχάρη
6 λίαν ἐπὶ τοῖς ἔργοις τοῦ δούλου. 6. προσκαλεσάμενος οὖν τὸν υἱὸν
αὐτοῦ τὸν ἀγαπητόν, ὃν εἶχε κληρονόμον, καὶ τοὺς φίλους, οὓς εἶχε
συμβούλους, λέγει αὐτοῖς ὅσα ἐνετείλατο τῷ δούλῳ αὐτοῦ, καὶ ὅσα
εὗρε γεγονότα. κἀκεῖνοι συνεχάρησαν τῷ δούλῳ ἐπὶ τῇ μαρτυρίᾳ ᾗ
7 ἐμαρτύρησεν αὐτῷ ὁ δεσπότης. 7. καὶ λέγει αὐτοῖς· Ἐγὼ τῷ δούλῳ
τούτῳ ἐλευθερίαν ἐπηγγειλάμην ἐάν μου τὴν ἐντολὴν φυλάξῃ ἣν
ἐνετειλάμην αὐτῷ· ἐφύλαξε δέ μου τὴν ἐντολὴν καὶ προσέθηκε τῷ
ἀμπελῶνι ἔργον καλόν, καὶ ἐμοὶ λίαν ἤρεσεν. ἀντὶ τούτου οὖν τοῦ
ἔργου οὗ εἰργάσατο θέλω αὐτὸν συγκληρονόμον τῷ υἱῷ μου ποιῆσαι,
ὅτι τὸ καλὸν φρονήσας οὐ παρενεθυμήθη, ἀλλ᾽ ἐτέλεσεν αὐτό.
8 8. ταύτῃ τῇ γνώμῃ ὁ υἱὸς τοῦ δεσπότου συνηυδόκησεν αὐτῷ, ἵνα
9 συγκληρονόμος γένηται ὁ δοῦλος τῷ υἱῷ. 9. μετὰ ἡμέρας ὀλίγας

δεῖπνον ἐποίησεν [ὁ οἰκοδεσπότης] αὑτοῦ, καὶ ἔπεμψεν αὐτῷ ἐκ τοῦ δείπνου ἐδέσματα πολλά. λαβὼν δὲ ὁ δοῦλος τὰ ἐδέσματα τὰ πεμφθέντα αὐτῷ παρὰ τοῦ δεσπότου, τὰ ἀρκοῦντα αὑτῷ ἦρε, τὰ λοιπὰ δὲ τοῖς συνδούλοις αὑτοῦ διέδωκεν. 10. οἱ δὲ σύνδουλοι αὐτοῦ λα- 10 βόντες τὰ ἐδέσματα ἐχάρησαν, καὶ ἤρξαντο εὔχεσθαι ὑπὲρ αὐτοῦ ἵνα χάριν μείζονα εὕρῃ παρὰ τῷ δεσπότῃ, ὅτι οὕτως ἐχρήσατο αὐτοῖς. 11. ταῦτα πάντα τὰ γεγονότα ὁ δεσπότης αὐτοῦ ἤκουσε, καὶ πάλιν 11 λίαν ἐχάρη ἐπὶ τῇ πράξει αὐτοῦ. συγκαλεσάμενος πάλιν τοὺς φίλους ὁ δεσπότης καὶ τὸν υἱὸν αὐτοῦ ἀπήγγειλεν αὐτοῖς τὴν πρᾶξιν αὐτοῦ ἣν ἔπραξεν ἐπὶ τοῖς ἐδέσμασιν αὑτοῦ οἷς ἔλαβεν· οἱ δὲ ἔτι μᾶλλον συνευδόκησαν [αὐτῷ], γενέσθαι τὸν δοῦλον συγκληρονόμον τῷ υἱῷ αὐτοῦ.

3. Λέγω· Κύριε, ἐγὼ ταύτας τὰς παραβολὰς οὐ γινώσκω οὐδὲ 1 δύναμαι νοῆσαι, ἐὰν μή μοι ἐπιλύσῃς αὐτάς. 2. Πάντα σοι ἐπιλύσω, 2 φησί, καὶ ὅσα ἂν λαλήσω μετὰ σοῦ, δείξω σοι. τὰς ἐντολὰς [τοῦ κυρίου φύλασσε, καὶ ἔσῃ εὐάρεστος τῷ θεῷ καὶ ἐγγραφήσῃ εἰς τὸν ἀριθμὸν τῶν φυλασσόντων τὰς ἐντολὰς] αὐτοῦ. 3. ἐὰν δέ τι ἀγαθὸν 3 ποιήσῃς ἐκτὸς τῆς ἐντολῆς τοῦ θεοῦ, σεαυτῷ περιποιήσῃ δόξαν περισσοτέραν, καὶ ἔσῃ ἐνδοξότερος παρὰ τῷ θεῷ οὗ ἔμελλες εἶναι. ἐὰν οὖν φυλάσσων τὰς ἐντολὰς τοῦ θεοῦ προσθῇς καὶ τὰς λειτουργίας ταύτας, χαρήσῃ, ἐὰν τηρήσῃς αὐτὰς κατὰ τὴν ἐμὴν ἐντολήν. 4. λέγω 4 αὐτῷ· Κύριε, ὃ ἐάν μοι ἐντείλῃ, φυλάξω αὐτό· οἶδα γὰρ ὅτι σὺ μετʼ ἐμοῦ εἶ. Ἔσομαι, φησί, μετὰ σοῦ, ὅτι τοιαύτην προθυμίαν ἔχεις τῆς ἀγαθοποιήσεως, καὶ μετὰ πάντων δὲ ἔσομαι, φησίν, ὅσοι ταύτην τὴν προθυμίαν ἔχουσιν. 5. ἡ νηστεία αὕτη, φησί, τηρουμένων τῶν 5 ἐντολῶν τοῦ κυρίου, λίαν καλή ἐστιν. οὕτως οὖν φυλάξεις τὴν νηστείαν ταύτην ἣν μέλλεις τηρεῖν· 6. πρῶτον πάντων φύλαξαι ἀπὸ 6 παντὸς ῥήματος πονηροῦ καὶ πάσης ἐπιθυμίας πονηρᾶς, καὶ καθάρισόν σου τὴν καρδίαν ἀπὸ πάντων τῶν ματαιωμάτων τοῦ αἰῶνος τούτου. ἐὰν ταῦτα φυλάξῃς, ἔσται σοι αὕτη ἡ νηστεία τελεία. 7. οὕτω δὲ 7 ποιήσεις· συντελέσας τὰ γεγραμμένα, ἐν ἐκείνῃ τῇ ἡμέρᾳ ᾗ νηστεύεις μηδὲν γεύσῃ εἰ μὴ ἄρτον καὶ ὕδωρ, καὶ ἐκ τῶν ἐδεσμάτων σου ὧν ἔμελλες τρώγειν συμψηφίσας τὴν ποσότητα τῆς δαπάνης ἐκείνης τῆς ἡμέρας ἧς ἔμελλες ποιεῖν, δώσεις αὐτὸ χήρᾳ ἢ ὀρφανῷ ἢ ὑστερου-

μένῳ, καὶ οὕτω ταπεινοφρονήσεις, ἵν᾽ ἐκ τῆς ταπεινοφροσύνης σου ὁ
εἰληφὼς ἐμπλήσῃ τὴν ἑαυτοῦ ψυχὴν καὶ εὔξηται ὑπὲρ σοῦ πρὸς τὸν
8 κύριον. 8. ἐὰν οὖν οὕτω τελέσῃς τὴν νηστείαν ὥς σοι ἐνετειλάμην,
ἔσται ἡ θυσία σου δεκτὴ παρὰ τῷ θεῷ, καὶ ἔγγραφος ἔσται ἡ νη-
στεία αὕτη, καὶ ἡ λειτουργία οὕτως ἐργαζομένη καλὴ καὶ ἱλαρά ἐστι
9 καὶ εὐπρόσδεκτος τῷ κυρίῳ. 9. ταῦτα οὕτω τηρήσεις σὺ μετὰ τῶν
τέκνων σου καὶ ὅλου τοῦ οἴκου σου· τηρήσας δὲ αὐτὰ μακάριος ἔσῃ·
καὶ ὅσοι ἂν ἀκούσαντες αὐτὰ τηρήσωσι, μακάριοι ἔσονται, καὶ ὅσα
ἂν αἰτήσωνται παρὰ τοῦ κυρίου λήψονται.

1 **4.** Ἐδεήθην αὐτοῦ πολλὰ ἵνα μοι δηλώσῃ τὴν παραβολὴν τοῦ
ἀγροῦ καὶ τοῦ δεσπότου καὶ τοῦ ἀμπελῶνος καὶ τοῦ δούλου τοῦ
χαρακώσαντος τὸν ἀμπελῶνα καὶ τῶν χαράκων καὶ τῶν βοτανῶν τῶν
ἐκτετιλμένων ἐκ τοῦ ἀμπελῶνος καὶ τοῦ υἱοῦ καὶ τῶν φίλων τῶν
2 συμβούλων. συνῆκα γὰρ ὅτι παραβολή τίς ἐστι ταῦτα πάντα. 2. ὁ
δὲ ἀποκριθείς μοι εἶπεν· Αὐθάδης εἶ λίαν εἰς τὸ ἐπερωτᾶν. οὐκ
ὀφείλεις, φησίν, ἐπερωτᾶν οὐδὲν ὅλως· ἐὰν γάρ σοι δέῃ δηλωθῆναι,
δηλωθήσεται. λέγω αὐτῷ· Κύριε, ὅσα ἄν μοι δείξῃς καὶ μὴ δηλώ-
σῃς, μάτην ἔσομαι ἑωρακὼς αὐτὰ καὶ μὴ νοῶν τί ἐστιν· ὡσαύτως
καὶ ἐάν μοι παραβολὰς λαλήσῃς καὶ μὴ ἐπιλύσῃς μοι αὐτάς, εἰς μά-
3 την ἔσομαι ἀκηκοώς τι παρὰ σοῦ. 3. ὁ δὲ πάλιν ἀπεκρίθη μοι
λέγων· Ὅς ἄν, φησί, δοῦλος ᾖ τοῦ θεοῦ καὶ ἔχῃ τὸν κύριον ἑαυτοῦ
ἐν τῇ καρδίᾳ, αἰτεῖται παρ᾽ αὐτοῦ σύνεσιν καὶ λαμβάνει, καὶ πᾶσαν
παραβολὴν ἐπιλύει, καὶ γνωστὰ αὐτῷ γίνονται τὰ ῥήματα τοῦ κυρίου
τὰ λεγόμενα διὰ παραβολῶν· ὅσοι δὲ βληχροί εἰσι καὶ ἀργοὶ πρὸς
4 τὴν ἔντευξιν, ἐκεῖνοι διστάζουσιν αἰτεῖσθαι παρὰ τοῦ κυρίου· 4. ὁ δὲ
κύριος πολυεύσπλαγχνός ἐστι, καὶ πᾶσι τοῖς αἰτουμένοις παρ᾽ αὐτοῦ
ἀδιαλείπτως δίδωσι. σὺ δὲ ἐνδεδυναμωμένος ὑπὸ τοῦ ἁγίου ἀγγέλου
καὶ εἰληφὼς παρ᾽ αὐτοῦ τοιαύτην ἔντευξιν καὶ μὴ ὢν ἀργός, διατί
5 οὐκ αἰτῇ παρὰ τοῦ κυρίου σύνεσιν καὶ λαμβάνεις παρ᾽ αὐτοῦ; 5. λέγω
αὐτῷ· Κύριε, ἐγὼ ἔχων σὲ μεθ᾽ ἑαυτοῦ ἀνάγκην ἔχω σὲ αἰτεῖσθαι
καὶ σὲ ἐπερωτᾶν· σὺ γάρ μοι δεικνύεις πάντα καὶ λαλεῖς μετ᾽ ἐμοῦ·
εἰ δὲ ἄτερ σοῦ ἔβλεπον ἢ ἤκουον αὐτά, ἠρώτων ἂν τὸν κύριον ἵνα
μοι δηλωθῇ.

1 **5.** Εἶπόν σοι, φησί, καὶ ἄρτι, ὅτι πανοῦργος εἶ καὶ αὐθάδης,

ἐπερωτῶν τὰς ἐπιλύσεις τῶν παραβολῶν. ἐπειδὴ δὲ οὕτω παράμονος
εἶ, ἐπιλύσω σοι τὴν παραβολὴν τοῦ ἀγροῦ καὶ τῶν λοιπῶν τῶν ἀκο-
λούθων πάντων, ἵνα γνωστὰ πᾶσι ποιήσῃς αὐτά. ἄκουε νῦν, φησί,
καὶ σύνιε αὐτά. 2. ὁ ἀγρὸς ὁ κόσμος οὗτός ἐστιν· ὁ δὲ κύριος 2
τοῦ ἀγροῦ, ὁ κτίσας τὰ πάντα καὶ ἀπαρτίσας αὐτὰ καὶ ἐνδυναμώσας.
[ὁ δὲ υἱὸς τὸ πνεῦμα τὸ ἅγιόν ἐστιν·] ὁ δὲ δοῦλος ὁ υἱὸς τοῦ ϑεοῦ ἐστίν·
αἱ δὲ ἄμπελοι ὁ λαὸς οὗτός ἐστιν ὃν αὐτὸς ἐφύτευσεν· 3. οἱ δὲ 3
χάρακες οἱ ἅγιοι ἄγγελοί εἰσι τοῦ κυρίου οἱ συγκρατοῦντες τὸν λαὸν
αὐτοῦ· αἱ δὲ βοτάναι αἱ ἐκτετιλμέναι ἐκ τοῦ ἀμπελῶνος, [αἱ] ἀνομίαι
εἰσὶ τῶν δούλων τοῦ ϑεοῦ· τὰ δὲ ἐδέσματα ἃ ἔπεμψεν αὐτῷ ἐκ τοῦ
δείπνου, αἱ ἐντολαί εἰσιν ἃς ἔδωκε τῷ λαῷ αὐτοῦ διὰ τοῦ υἱοῦ αὐτοῦ·
οἱ δὲ φίλοι καὶ σύμβουλοι, οἱ ἅγιοι ἄγγελοι οἱ πρῶτοι κτισϑέντες· ἡ
δὲ ἀποδημία τοῦ δεσπότου, ὁ χρόνος ὁ περισσεύων εἰς τὴν παρουσίαν
αὐτοῦ. 4. λέγω αὐτῷ· Κύριε, μεγάλως καὶ ϑαυμαστῶς πάντα ἐστὶ 4
καὶ ἐνδόξως πάντα ἔχει. μὴ οὖν, φημί, ἐγὼ ἠδυνάμην ταῦτα νοῆσαι;
οὐδὲ ἕτερος τῶν ἀνϑρώπων, κἂν λίαν συνετὸς ᾖ τις, οὐ δύναται νοῆ-
σαι αὐτά. ἔτι, φημί, κύριε, δήλωσόν μοι ὃ μέλλω σε ἐπερωτᾶν.
5. Λέγε, φησίν, εἴ τι βούλει. Διατί, φημί, κύριε, ὁ υἱὸς τοῦ ϑεοῦ 5
εἰς δούλου τρόπον κεῖται ἐν τῇ παραβολῇ;

6. Ἄκουε, φησίν· εἰς δούλου τρόπον [οὐ] κεῖται ὁ υἱὸς τοῦ ϑεοῦ, 1
ἀλλ᾽ εἰς ἐξουσίαν μεγάλην κεῖται καὶ κυριότητα. Πῶς; φημί, κύριε,
οὐ νοῶ. 2. Ὅτι, φησίν, ὁ ϑεὸς τὸν ἀμπελῶνα ἐφύτευσε, τοῦτ᾽ ἔστι 2
τὸν λαὸν ἔκτισε, καὶ παρέδωκε τῷ υἱῷ αὐτοῦ· καὶ ὁ υἱὸς κατέστησε
τοὺς ἀγγέλους ἐπ᾽ αὐτοὺς τοῦ συντηρεῖν αὐτούς· καὶ αὐτὸς τὰς
ἁμαρτίας αὐτῶν ἐκαϑάρισε πολλὰ κοπιάσας καὶ πολλοὺς κόπους ἠν-
τληκώς· οὐδεὶς γὰρ [ἀμπελὼν] δύναται σκαφῆναι ἄτερ κόπου ἢ
μόχϑου. 3. αὐτὸς οὖν καϑαρίσας τὰς ἁμαρτίας τοῦ λαοῦ ἔδειξεν 3
αὐτοῖς τὰς τρίβους τῆς ζωῆς, δοὺς αὐτοῖς τὸν νόμον ὃν ἔλαβε παρὰ
τοῦ πατρὸς αὐτοῦ. 4. [βλέπεις, φησίν, ὅτι αὐτὸς κύριός ἐστι τοῦ 4
λαοῦ, ἐξουσίαν πᾶσαν λαβὼν παρὰ τοῦ πατρὸς αὐτοῦ.] ὅτι δὲ ὁ κύριος
σύμβουλον ἔλαβε τὸν υἱὸν αὐτοῦ καὶ τοὺς ἐνδόξους ἀγγέλους περὶ
τῆς κληρονομίας τοῦ δούλου, ἄκουε· 5. τὸ πνεῦμα τὸ ἅγιον τὸ προόν, 5
τὸ κτίσαν πᾶσαν τὴν κτίσιν, κατῴκισεν ὁ ϑεὸς εἰς σάρκα ἣν ἠβού -
λετο. αὕτη οὖν ἡ σάρξ, ἐν ᾗ κατῴκησε τὸ πνεῦμα τὸ ἅγιον, ἐδού -

λευσε τῷ πνεύματι καλῶς ἐν σεμνότητι καὶ ἁγνείᾳ πορευθεῖσα, μηδὲν
6 ὅλως μιάνασα τὸ πνεῦμα. 6. πολιτευσαμένην οὖν αὐτὴν καλῶς καὶ
ἁγνῶς καὶ συ[γκ]οπιάσασαν τῷ πνεύματι καὶ συνεργήσασαν ἐν παντὶ
πράγματι, ἰσχυρῶς καὶ ἀνδρείως ἀναστραφεῖσαν, μετὰ τοῦ πνεύματος
τοῦ ἁγίου εἵλατο κοινωνόν· ἤρεσε γὰρ [τῷ θεῷ] ἡ πορεία τῆς σαρ-
κὸς τα[ύτη]ς, ὅτι οὐκ ἐμιάνθη ἐπὶ τῆς γῆς ἔχουσα τὸ πνεῦμα τὸ
7 ἅγιον. 7. σύμβουλον οὖν ἔλαβε τὸν υἱὸν καὶ τοὺς ἀγγέλους τοὺς
ἐνδόξους, ἵνα καὶ ἡ σὰρξ αὕτη, δουλεύσασα τῷ [πνεύμα]τι ἀμέμπτως,
σχῇ τόπον τινὰ κατασκηνώσεως, καὶ μὴ δόξῃ τὸν μισθὸν [τῆς δου-
λείας αὐτῆς ἀπολωλεκέναι· πᾶσα γὰρ σὰρξ ἀπολήψεται μισθὸν] ἡ
εὑρεθεῖσα ἀμίαντος καὶ ἄσπιλος, ἐν ᾗ τὸ πνεῦμα τὸ ἅγιον κατῴκησεν.
8 8. ἔχεις καὶ ταύτης τῆς παραβολῆς τὴν ἐπίλυσιν.

1　　7. Ἡυφράνθην, φημί, κύριε, ταύτην τὴν ἐπίλυσιν ἀκούσας. Ἄκουε
νῦν, φησί· τὴν σάρκα σου ταύτην φύλασσε καθαρὰν καὶ ἀμίαντον,
ἵνα τὸ πνεῦμα τὸ κατοικοῦν ἐν αὐτῇ μαρτυρήσῃ αὐτῇ, καὶ δικαιωθῇ
2 σου ἡ σάρξ. 2. βλέπε μήποτε ἀναβῇ ἐπὶ τὴν καρδίαν σου τὴν σάρκα
σου ταύτην φθαρτὴν εἶναι, καὶ παραχρήσῃ αὐτῇ ἐν μιασμῷ τινί. ἐὰν
[γὰρ] μιάνῃς τὴν σάρκα σου, μιανεῖς καὶ τὸ πνεῦμα τὸ ἅγιον· ἐὰν δὲ
3 μιάνῃς τὸ πνεῦμα, οὐ ζήσῃ. 3. Εἰ δέ τις, φημί, κύριε, γέγονεν
ἄγνοια προτέρα πρὶν ἀκουσθῶσι τὰ ῥήματα ταῦτα, πῶς σωθῇ ὁ ἄν-
θρωπος ὁ μιάνας τὴν σάρκα αὐτοῦ; Περὶ τῶν προτέρων, φησίν,
ἀγνοημάτων τῷ θεῷ μόνῳ δυνατὸν ἴασιν δοῦναι· αὐτοῦ γάρ ἐστι
4 πᾶσα ἐξουσία. 4. [ἀλλὰ νῦν φύλασσε σεαυτόν, καὶ ὁ κύριος ὁ παν-
τοκράτωρ, πολύσπλαγχνος ὤν, περὶ τῶν προτέρων ἀγνοημάτων ἴασιν
δώσει,] ἐὰν τὸ λοιπὸν μὴ μιάνῃς σου τὴν σάρκα μηδὲ τὸ πνεῦμα·
ἀμφότερα γὰρ κοινά ἐστι καὶ ἄτερ ἀλλήλων μιανθῆναι οὐ δύναται.
ἀμφότερα οὖν καθαρὰ φύλασσε, καὶ ζήσῃ τῷ θεῷ.

[Παραβολὴ ςʹ.]

1　　1. Καθήμενος ἐν τῷ οἴκῳ μου καὶ δοξάζων τὸν κύριον περὶ
πάντων ὧν ἑωράκειν, καὶ συζητῶν περὶ τῶν ἐντολῶν, ὅτι καλαὶ καὶ
δυναταὶ καὶ ἱλαραὶ καὶ ἔνδοξοι καὶ δυνάμεναι σῶσαι ψυχὴν ἀνθρώπου,
ἔλεγον ἐν ἐμαυτῷ· Μακάριος ἔσομαι ἐὰν ταῖς ἐντολαῖς ταύταις πο-
2 ρευθῶ, καὶ ὃς ἂν ταύταις πορευθῇ, μακάριος ἔσται. 2. ὡς ταῦτα ἐν

ἐμαυτῷ ἐλάλουν, βλέπω αὐτὸν ἐξαίφνης παρακαθήμενόν μοι καὶ λέγοντα
ταῦτα· Τί διψυχεῖς περὶ τῶν ἐντολῶν ὧν σοι ἐνετειλάμην; καλαί
εἰσιν· ὅλως μὴ διψυχήσῃς, ἀλλ᾽ ἔνδυσαι τὴν πίστιν τοῦ κυρίου, καὶ
ἐν αὐταῖς πορεύσῃ· ἐγὼ γάρ σε ἐνδυναμώσω ἐν αὐταῖς. 3. αὗται 3
αἱ ἐντολαὶ σύμφοροί εἰσι τοῖς μέλλουσι μετανοεῖν· ἐὰν γὰρ μὴ πορευ-
θῶσιν ἐν αὐταῖς, εἰς μάτην ἐστὶν ἡ μετάνοια αὐτῶν. 4. οἱ οὖν μετα- 4
νοοῦντες ἀποβάλλετε τὰς πονηρίας τοῦ αἰῶνος τούτου τὰς ἐκτριβούσας
ὑμᾶς· ἐνδυσάμενοι δὲ πᾶσαν ἀρετὴν δικαιοσύνης δυνήσεσθε τηρῆσαι
τὰς ἐντολὰς ταύτας καὶ μηκέτι προστιθέναι ταῖς ἁμαρτίαις ὑμῶν.
[ἐὰν οὖν μηκέτι μηδὲν προσθῆτε, ἀποστήσεσθε ἀπὸ τῶν προτέρων ἁμαρ-
τιῶν ὑμῶν.] πορεύεσθε οὖν ταῖς ἐντολαῖς μου ταύταις, καὶ ζήσεσθε
τῷ θεῷ. ταῦτα πάντα παρ᾽ ἐμοῦ λελάληται ὑμῖν. 5. καὶ μετὰ τὸ 5
ταῦτα λαλῆσαι αὐτὸν μετ᾽ ἐμοῦ, λέγει μοι· Ἄγωμεν εἰς ἀγρόν, καὶ
δείξω σοι τοὺς ποιμένας τῶν προβάτων. Ἄγωμεν, φημί, κύριε. καὶ
ἤλθομεν εἴς τι πεδίον, καὶ δεικνύει μοι ποιμένα νεανίσκον ἐνδεδυμένον
σύνθεσιν ἱματίων, τῷ χρώματι κροκώδη. 6. ἔβοσκε δὲ πρόβατα 6
πολλὰ λίαν, καὶ τὰ πρόβατα ταῦτα ὡσεὶ τρυφῶντα ἦν καὶ λίαν σπα-
ταλῶντα, καὶ ἱλαρὰ ἦν σκιρτῶντα ὧδε κἀκεῖσε· καὶ αὐτὸς ὁ ποιμὴν
πάνυ ἱλαρὸς ἦν ἐπὶ τῷ ποιμνίῳ αὐτοῦ· καὶ αὐτὴ ἡ ἰδέα τοῦ ποι-
μένος ἱλαρὰ ἦν λίαν, καὶ ἐν τοῖς προβάτοις περιέτρεχε. [καὶ ἄλλα
πρόβατα εἶδον σπαταλῶντα καὶ τρυφῶντα ἐν τόπῳ ἑνί, οὐ μέντοι
σκιρτῶντα.]

2. Καὶ λέγει μοι· Βλέπεις τὸν ποιμένα τοῦτον; Βλέπω, φημί, 1
κύριε. Οὗτος, φησίν, ἄγγελος τρυφῆς καὶ ἀπάτης ἐστίν. οὗτος ἐκτρί-
βει τὰς ψυχὰς τῶν δούλων τοῦ θεοῦ καὶ καταστρέφει αὐτοὺς ἀπὸ
τῆς ἀληθείας, ἀπατῶν αὐτοὺς ταῖς ἐπιθυμίαις ταῖς πονηραῖς, ἐν αἷς
ἀπόλλυνται. 2. ἐπιλανθάνονται γὰρ τῶν ἐντολῶν τοῦ θεοῦ τοῦ ζῶν- 2
τος, καὶ πορεύονται ἀπάταις καὶ τρυφαῖς ματαίαις, καὶ ἀπόλλυνται
ὑπὸ τοῦ ἀγγέλου τούτου, τινὰ μὲν εἰς θάνατον, τινὰ δὲ εἰς κατα-
φθοράν. 3. λέγω αὐτῷ· Κύριε, οὐ γινώσκω ἐγὼ τί ἐστιν εἰς θάνατον, 3
καὶ τί εἰς καταφθοράν. Ἄκουε, φησίν· ἃ εἶδες πρόβατα ἱλαρὰ καὶ
σκιρτῶντα, οὗτοί εἰσιν οἱ ἀπεσπασμένοι ἀπὸ τοῦ θεοῦ εἰς τέλος καὶ
παραδεδωκότες ἑαυτοὺς [ταῖς ἐπιθυμίαις τοῦ αἰῶνος τούτου. ἐν τούτοις
οὖν μετάνοια ζωῆς οὐκ ἔστιν· προσέθηκαν γὰρ ταῖς ἁμαρτίαις αὐτῶν,

καὶ εἰς τὸ ὄνομα τοῦ θεοῦ ἐβλασφήμησαν. τῶν τοιούτων οὖν ὁ θά-
4 νατός ἐστιν. 4. ἃ δὲ εἶδες πρόβατα μὴ σκιρτῶντα, ἀλλ' ἐν τόπῳ ἑνὶ
βοσκόμενα, οὗτοί εἰσιν οἱ παραδεδωκότες μὲν ἑαυτοὺς] ταῖς τρυφαῖς
καὶ ἀπάταις, εἰς δὲ τὸν κύριον οὐδὲν ἐβλασφήμησαν. οὗτοι οὖν
κατεφθαρμένοι εἰσὶν ἀπὸ τῆς ἀληθείας· ἐν τούτοις ἐλπίς ἐστι μετα-
νοίας, ἐν ᾗ δύνανται ζῆσαι. ἡ καταφθορὰ οὖν ἐλπίδα ἔχει ἀνανεώ-
5 σεώς τινος, ὁ δὲ θάνατος ἀπώλειαν ἔχει αἰώνιον. 5. πάλιν προέβημεν
μικρόν, καὶ δεικνύει μοι ποιμένα μέγαν ὡσεὶ ἄγριον τῇ ἰδέᾳ, περι-
κείμενον δέρμα αἴγειον λευκόν, καὶ πήραν τινὰ εἶχεν ἐπὶ τῶν ὤμων,
καὶ ῥάβδον σκληρὰν λίαν καὶ ὄζους ἔχουσαν, καὶ μάστιγα μεγάλην·
καὶ τὸ βλέμμα εἶχε περίπικρον, ὥστε φοβηθῆναί με αὐτόν· τοιοῦτον
6 εἶχε τὸ βλέμμα. 6. οὗτος οὖν ὁ ποιμὴν παρελάμβανε τὰ πρόβατα
ἀπὸ τοῦ ποιμένος τοῦ νεανίσκου, ἐκεῖνα τὰ σπαταλῶντα καὶ τρυφῶντα,
μὴ σκιρτῶντα δέ, καὶ ἔβαλεν αὐτὰ εἴς τινα τόπον κρημνώδη καὶ
ἀκανθώδη καὶ τριβολώδη, ὥστε ἀπὸ τῶν ἀκανθῶν καὶ τριβόλων μὴ
δύνασθαι ἐκπλέξαι τὰ πρόβατα, ἀλλ' ἐμπλέκεσθαι εἰς τὰς ἀκάνθας
7 καὶ τριβόλους. 7. ταῦτα οὖν ἐμπεπλεγμένα ἐβόσκοντο ἐν ταῖς ἀκάν-
θαις καὶ τριβόλοις, καὶ λίαν ἐταλαιπώρουν δαιρόμενα ὑπ' αὐτοῦ· καὶ
ὧδε κἀκεῖσε περιήλαυνεν αὐτά, καὶ ἀνάπαυσιν αὐτοῖς οὐκ ἐδίδου, καὶ
ὅλως οὐκ εὐσταθοῦσαν τὰ πρόβατα ἐκεῖνα.

1   3. Βλέπων οὖν αὐτὰ οὕτω μαστιγούμενα καὶ ταλαιπωρούμενα
ἐλυπούμην ἐπ' αὐτοῖς, ὅτι οὕτως ἐβασανίζοντο καὶ ἀνοχὴν ὅλως οὐκ
2 εἶχον. 2. λέγω τῷ ποιμένι τῷ μετ' ἐμοῦ λαλοῦντι· Κύριε, τίς ἐστιν
οὗτος ὁ ποιμὴν ὁ οὕτως ἄσπλαγχνος καὶ πικρὸς καὶ ὅλως μὴ σπλαγ-
χνιζόμενος ἐπὶ τὰ πρόβατα ταῦτα; Οὗτος, φησίν, ἐστὶν ὁ ἄγγελος τῆς
τιμωρίας· ἐκ δὲ τῶν ἀγγέλων τῶν δικαίων ἐστί, κείμενος δὲ ἐπὶ τῆς
3 τιμωρίας. 3. παραλαμβάνει οὖν τοὺς ἀποπλανωμένους ἀπὸ τοῦ θεοῦ
καὶ πορευθέντας ταῖς ἐπιθυμίαις καὶ ἀπάταις τοῦ αἰῶνος τούτου, καὶ
τιμωρεῖ αὐτούς, καθὼς ἄξιοί εἰσι, δειναῖς καὶ ποικίλαις τιμωρίαις.
4 4. Ἤθελον, φημί, κύριε, γνῶναι τὰς ποικίλας ταύτας τιμωρίας, ποτα-
παί εἰσιν. Ἄκουε, φησί, τὰς ποικίλας βασάνους καὶ τιμωρίας. βιω-
τικαί εἰσιν αἱ βάσανοι· τιμωροῦνται γὰρ οἱ μὲν ζημίαις, οἱ δὲ ὑστε-
ρήσεσιν, οἱ δὲ ἀσθενείαις ποικίλαις, οἱ δὲ πάσῃ ἀκαταστασίᾳ, οἱ δὲ
ὑβριζόμενοι ὑπὸ ἀναξίων καὶ ἑτέραις πολλαῖς πράξεσι πάσχοντες·

5. πολλοὶ γὰρ ἀκαταστατοῦντες ταῖς βουλαῖς αὐτῶν ἐπιβάλλονται 5
πολλά, καὶ οὐδὲν αὐτοῖς ὅλως προχωρεῖ. καὶ λέγουσιν ἑαυτοὺς μὴ
εὐοδοῦσθαι ἐν ταῖς πράξεσιν αὐτῶν, καὶ οὐκ ἀναβαίνει αὐτῶν ἐπὶ τὴν
καρδίαν ὅτι ἔπραξαν πονηρὰ ἔργα, ἀλλ' αἰτιῶνται τὸν κύριον. 6. ὅταν 6
οὖν θλιβῶσι πάσῃ θλίψει, τότε ἐμοὶ παραδίδονται εἰς ἀγαθὴν παιδείαν
καὶ ἰσχυροποιοῦνται ἐν τῇ πίστει τοῦ κυρίου, καὶ τὰς λοιπὰς ἡμέρας
τῆς ζωῆς αὐτῶν δουλεύουσι τῷ κυρίῳ ἐν καθαρᾷ καρδίᾳ· [ἐὰν δὲ
μετανοήσωσι, τότε ἀναβαίνει ἐπὶ τὴν καρδίαν αὐτῶν τὰ ἔργα ἃ ἔπρα-
ξαν πονηρά, καὶ τότε δοξάζουσι τὸν θεόν, λέγοντες ὅτι δίκαιος κριτής
ἐστι καὶ δικαίως ἔπαθον ἕκαστος κατὰ τὰς πράξεις αὐτοῦ· δουλεύουσι
δὲ λοιπὸν τῷ κυρίῳ ἐν καθαρᾷ καρδίᾳ] αὐτῶν, καὶ εὐοδοῦνται ἐν
πάσῃ πράξει αὐτῶν, λαμβάνοντες παρὰ τοῦ κυρίου πάντα ὅσα ἂν
αἰτῶνται· καὶ τότε δοξάζουσι τὸν κύριον ὅτι ἐμοὶ παρεδόθησαν, καὶ
οὐκέτι οὐδὲν πάσχουσι τῶν πονηρῶν.

4. Λέγω αὐτῷ· Κύριε, ἔτι μοι τοῦτο δήλωσον. Τί, φησίν, ἐπι- 1
ζητεῖς; Εἰ ἄρα, φημί, κύριε, τὸν αὐτὸν χρόνον βασανίζονται οἱ τρυ-
φῶντες καὶ ἀπατώμενοι, ὅσον τρυφῶσι καὶ ἀπατῶνται; λέγει μοι·
Τὸν αὐτὸν χρόνον βασανίζονται. 2. [Ἐλάχιστον, φημί, κύριε, βασανί- 2
ζονται·] ἔδει γὰρ τοὺς οὕτω τρυφῶντας καὶ ἐπιλανθανομένους τοῦ
θεοῦ ἑπταπλασίως βασανίζεσθαι. 3. λέγει μοι· Ἄφρων εἶ καὶ οὐ 3
νοεῖς τῆς βασάνου τὴν δύναμιν. Εἰ γὰρ ἐνόουν, φημί, κύριε, οὐκ ἂν
ἐπηρώτων ἵνα μοι δηλώσῃς. Ἄκουε, φησίν, ἀμφοτέρων τὴν δύναμιν.
4. τῆς τρυφῆς καὶ ἀπάτης ὁ χρόνος ὥρα ἐστὶ μία· τῆς δὲ βασάνου 4
ἡ ὥρα λ΄ ἡμερῶν δύναμιν ἔχει. ἐὰν οὖν μίαν ἡμέραν τρυφήσῃ τις καὶ
ἀπατηθῇ, μίαν δὲ ἡμέραν βασανισθῇ, ὅλον ἐνιαυτὸν ἰσχύει ἡ ἡμέρα
τῆς βασάνου. ὅσας οὖν ἡμέρας τρυφήσῃ τις, τοσούτους ἐνιαυτοὺς
βασανίζεται. βλέπεις οὖν, φησίν, ὅτι τῆς τρυφῆς καὶ ἀπάτης ὁ χρόνος
ἐλάχιστός ἐστι, τῆς δὲ τιμωρίας καὶ βασάνου πολύς.

5. Ἔτι, φημί, κύριε, οὐ νενόηκα ὅλως περὶ τοῦ χρόνου τῆς 1
ἀπάτης καὶ τρυφῆς καὶ βασάνου· τηλαυγέστερόν μοι δήλωσον. 2. ἀπο- 2
κριθείς μοι λέγει· Ἡ ἀφροσύνη σου παράμονός ἐστι, καὶ οὐ θέλεις
σου τὴν καρδίαν καθαρίσαι καὶ δου[λεύειν] τῷ θεῷ. βλέπε, φησί,
μήποτε ὁ χρόνος πληρωθῇ, καὶ σὺ ἄφρων εὑρεθῇς. ἄκουε οὖν, φησί,
καθὼς βούλει, ἵνα νοήσῃς αὐτά. 3. ὁ τρυφῶν καὶ ἀπατώ[μενος] 3

μίαν ἡμέραν καὶ πράσσων ἃ βούλεται πολλὴν ἀφροσύνην ἐνδέδυται
καὶ οὐ νοεῖ τὴν πρᾶξιν ἣν ποιεῖ· εἰς τὴν αὔριον ἐπιλανθά[νεται] γὰρ
τί πρὸ μιᾶς ἔπραξεν· ἡ γὰρ τρυφὴ καὶ ἀπάτη μνήμας οὐκ ἔχει διὰ
τὴν ἀφροσύνην ἣν ἐνδέδυται, ἡ δὲ τιμωρία καὶ ἡ βάσανος ὅταν κολ-
ληθῇ τῷ ἀνθρώπῳ μίαν ἡμέραν, μέχρις ἐνιαυτοῦ τιμωρεῖται καὶ
βασανίζεται· μνήμας γὰρ μεγάλας ἔχει ἡ τιμωρία καὶ ἡ βάσανος.
4   4. βασανιζόμενος οὖν καὶ τιμωρούμενος ὅλον τὸν ἐνιαυτὸν μνημονεύει
ποτὲ τῆς τρυφῆς καὶ ἀπάτης καὶ γινώσκει ὅ[τι δι'] αὐτὰ πάσχει τὰ
πονηρά. πᾶς οὖν ἄνθρωπος ὁ τρυφῶν καὶ ἀπατώμενος οὕτω βασανί-
5 ζεται, ὅτι ἔχοντες ζωὴν εἰς θάνατον ἑαυτοὺς παραδεδώκασι.   5. Ποῖαι,
φημί, κύριε, τρυφαί εἰσι βλαβεραί; Πᾶσα, φησί, πρᾶξις τρυφή ἐστι
τῷ ἀνθρώπῳ, ὃ ἐὰν ἡδέως ποιῇ· καὶ γὰρ ὁ ὀξύχολος τῷ ἑαυτοῦ
πάθει τὸ ἱκανὸν ποιῶν τρυφᾷ· καὶ ὁ μοιχὸς καὶ ὁ μέθυσος καὶ ὁ
κατάλαλος καὶ ὁ ψεύστης καὶ ὁ πλεονέκτης καὶ ὁ ἀποστερητὴς καὶ
ὁ τ[ού]τοις τὰ ὅμοια ποιῶν τῇ ἰδίᾳ νόσῳ τὸ ἱκανὸν ποιεῖ· τρυφᾷ οὖν
6 ἐπὶ τῇ πράξει αὐτοῦ.   6. αὗται πᾶσαι αἱ τρυφαὶ βλαβεραί εἰσι τοῖς
δούλοις τοῦ θεοῦ. διὰ ταύτας οὖν τὰς ἀπάτας πάσχουσιν οἱ τιμω-
7 ρούμενοι καὶ βασανιζόμενοι.   7. εἰσὶν δὲ καὶ τρυφαὶ σώζουσαι τοὺς
ἀνθρώπους· πολλοὶ γὰρ ἀγαθὸν ἐργαζόμενοι τρυφῶσι τῇ ἑαυτῶν
ἡδονῇ φερόμενοι. αὕτη οὖν ἡ τρυφὴ σύμφορός ἐστι τοῖς δούλοις τοῦ
θεοῦ καὶ ζωὴν περιποιεῖται τῷ ἀνθρώπῳ· τῷ τοιούτῳ· αἱ δὲ βλαβε-
ραὶ τρυφαὶ αἱ προειρημέναι βασάνους καὶ τιμωρίας αὐτοῖς περιποιοῦν-
ται· ἐὰν δὲ ἐπιμένωσι καὶ μὴ μετανοήσωσι, θάνατον ἑαυτοῖς περι-
ποιοῦνται.

[Παραβολὴ ζ.]

1   Μετὰ ἡμέρας ὀλίγας εἶδον αὐτὸν εἰς τὸ πεδίον τὸ αὐτὸ ὅπου
καὶ τοὺς ποιμένας ἑωράκειν, καὶ λέγει μοι· Τί ἐπιζητεῖς; Πάρειμι,
φημί, κύριε, ἵνα τὸν ποιμένα τὸν τιμωρητὴν κελεύσῃς ἐκ τοῦ οἴκου
μου ἐξελθεῖν, ὅτι λίαν με θλίβει. Δεῖ σε, φησί, θλιβῆναι· οὕτω γάρ,
φησί, προσέταξεν ὁ ἔνδοξος ἄγγελος τὰ περὶ σοῦ· θέλει γάρ σε πει-
ρασθῆναι. Τί γάρ, φημί, κύριε, ἐποίησα οὕτω πονηρόν, ἵνα τῷ ἀγγέλῳ
2 τούτῳ παραδοθῶ; 2. Ἄκουε, φησίν· αἱ μὲν ἁμαρτίαι σου πολλαί,
ἀλλ' οὐ τοσαῦται ὥστε τῷ ἀγγέλῳ τούτῳ παραδοθῆναι· ἀλλ' ὁ οἶκός

σου μεγάλας ἀνομίας καὶ ἁμαρτίας εἰργάσατο, καὶ παρεπικράνθη ὁ
ἔνδοξος ἄγγελος ἐπὶ τοῖς ἔργοις αὐτῶν, καὶ διὰ τοῦτο ἐκέλευσέ σε
χρόνον τινὰ θλιβῆναι, ἵνα κἀκεῖνοι μετανοήσωσι καὶ καθαρίσωσιν
ἑαυτοὺς ἀπὸ πάσης ἐπιθυμίας τοῦ αἰῶνος τούτου. ὅταν οὖν μετανοή-
σωσι καὶ καθαρισθῶσι, τότε ἀποστήσεται [ἀπὸ σοῦ] ὁ [ἄ]γγελος τῆς
τιμωρίας. 3. λέγω αὐτῷ· Κύριε, εἰ ἐκεῖνοι τοιαῦτα εἰργάσαντο ἵνα   3
παραπικρανθῇ ὁ ἔνδοξος ἄγγελος, τί ἐγὼ ἐποίησα; Ἄλλως, φησίν,
οὐ [δύ]νανται ἐκεῖνοι θλιβῆναι, ἐὰν μὴ σὺ ἡ κεφαλὴ τοῦ οἴκου θλιβῇς·
σοῦ γὰρ θλιβομένου ἐξ ἀνάγκης κἀκεῖνοι θλιβήσονται, εὐσταθοῦντος
δ[ὲ σοῦ] οὐδεμίαν δύνανται θλῖψιν ἔχειν. 4. Ἀλλ᾽ ἰδού, φημί, κύριε,   4
μετανενοήκασιν ἐξ ὅλης καρδίας αὐτῶν. Οἶδα, φησί, κἀγὼ ὅτι μετα-
νενοήκασιν ἐξ ὅλης καρδίας αὐτῶν· τῶν οὖν μετανοούντων [εὐθὺς]
δοκεῖς τὰς ἁμαρτίας ἀφίεσθαι; οὐ παντελῶς· ἀλλὰ δεῖ τὸν μετα-
νοοῦντα βασανίσαι τὴν ἑαυτοῦ ψυχὴν καὶ ταπεινοφρονῆσαι ἐν πάσῃ
πράξει αὐτοῦ ἰσχυρῶς καὶ θλιβῆναι ἐν πάσαις θλίψεσι ποικίλαις· καὶ
ἐὰν ὑπενέγκῃ τὰς θλίψεις τὰς ἐπερχομένας αὐτῷ, πάντως σπλαγχνι-
σθήσεται ὁ τὰ πάντα κτίσας καὶ ἐνδυναμώσας καὶ ἴασίν τινα δώσει
αὐτῷ· 5. καὶ τοῦτο πάντως [ἐὰν ἴδῃ τὴν καρδίαν] τοῦ μετανοοῦν-   5
τος καθαρὰν ἀπὸ παντὸς πονηροῦ πράγματος. σοὶ δὲ συμφέρον ἐστὶ
καὶ τῷ οἴκῳ σου νῦν θλιβῆναι. τί δέ σοι πολλὰ λέγω; θλιβῆναί σε
δεῖ καθὼς προσέταξεν ὁ ἄγγελος κυρίου ἐκεῖνος, ὁ παραδιδούς σε ἐμοί·
καὶ τοῦτο εὐχαρίστει τῷ κυρίῳ ὅτι ἄξιόν σε ἡγήσατο τοῦ προδηλῶ-
σαί σοι τὴν θλῖψιν, ἵνα προγνοὺς αὐτὴν ὑπενέγκῃς ἰσχυρῶς. 6. λέγω   6
αὐτῷ· Κύριε, σὺ μετ᾽ ἐμοῦ γίνου, καὶ δυνήσομαι πᾶσαν θλῖψιν ὑπε-
νεγκεῖν. Ἐγώ, φησίν, ἔσομαι μετὰ σοῦ· ἐρωτήσω δὲ καὶ τὸν ἄγγε-
λον τὸν τιμωρητὴν ἵνα σε ἐλαφροτέρως θλίψῃ· ἀλλ᾽ ὀλίγον χρόνον
θλιβήσῃ, καὶ πάλιν ἀποκατασταθήσῃ εἰς τὸν οἶκόν σου· μόνον παρά-
μεινον ταπεινοφρονῶν καὶ λειτουργῶν τῷ κυρίῳ ἐν πάσῃ καθαρᾷ καρ-
δίᾳ, καὶ τὰ τέκνα σου καὶ ὁ οἶκός σου, καὶ πορεύου ἐν ταῖς ἐντολαῖς
μου αἷς σοι ἐντέλλομαι, καὶ δυνήσεταί σου ἡ μετάνοια ἰσχυρὰ καὶ
καθαρὰ εἶναι· 7. καὶ ἐὰν ταύτας φυλάξῃς μετὰ τοῦ οἴκου σου,   7
ἀποστήσεται πᾶσα θλῖψις ἀπὸ σοῦ· καὶ ἀπὸ πάντων δέ, φησίν,
ἀποστήσεται θλῖψις, ὅσοι [ἐὰν] ἐν ταῖς ἐντολαῖς μου ταύταις πο-
ρευθῶσιν.

[Παραβολὴ η΄.]

1 **1.** Ἔδειξέ μοι ἰτέαν μεγάλην, σκεπάζουσαν πεδία καὶ ὄρη, καὶ
ὑπὸ τὴν σκέπην τῆς ἰτέας πάντες ἐληλύθασιν οἱ κεκλημένοι τῷ ὀνό-
2 ματι κυρίου. 2. εἱστήκει δὲ ἄγγελος τοῦ κυρίου ἔνδοξος λίαν ὑψηλὸς
παρὰ τὴν ἰτέαν, δρέπανον ἔχων μέγα, καὶ ἔκοπτε κλάδους ἀπὸ τῆς
ἰτέας, καὶ ἐπεδίδου τῷ λαῷ τῷ σκεπαζομένῳ ὑπὸ τῆς ἰτέας· μικρὰ
3 δὲ ῥαβδία ἐπεδίδου αὐτοῖς, ὡσεὶ πηχυαῖα. 3. μετὰ δὲ τὸ πάντας
λαβεῖν τὰ ῥαβδία ἔθηκε τὸ δρέπανον ὁ ἄγγελος, καὶ τὸ δένδρον ἐκεῖνο
4 ὑγιὲς ἦν οἷον καὶ ἑωράκειν αὐτό. 4. ἐθαύμαζον δὲ ἐγὼ ἐν ἐμαυτῷ
λέγων· Πῶς τοσούτων κλάδων κεκομμένων τὸ δένδρον ὑγιές ἐστι;
λέγει μοι ὁ ποιμήν· Μὴ θαύμαζε εἰ τὸ δένδρον ὑγιὲς ἔμεινε τοσού-
των κλάδων κοπέντων. [ἀλλ' ἀνάμεινον] ἀφ' ἧς δέ, φησί, πάντα
5 ἴδῃς, καὶ δηλωθήσεταί σοι τὸ τί ἐστιν. 5. ὁ ἄγγελος ὁ ἐπιδεδωκὼς
τῷ λαῷ τὰς ῥάβδους πάλιν ἀπῄτει ἀπ' αὐτῶν· καὶ καθὼς ἔλαβον,
οὕτω καὶ ἐκαλοῦντο πρὸς αὐτόν, καὶ εἷς ἕκαστος αὐτῶν ἀπεδίδου
τὰς ῥάβδους. ἐλάμβανε δὲ ὁ ἄγγελος τοῦ κυρίου καὶ κατενόει αὐτάς.
6 **6.** παρά τινων ἐλάμβανε τὰς ῥάβδους ξηρὰς καὶ βεβρωμένας ὡς ὑπὸ
σητός· ἐκέλευσεν ὁ ἄγγελος τοὺς τὰς τοιαύτας ῥάβδους ἐπιδεδωκό-
7 τας χωρὶς ἵστασθαι. **7.** ἕτεροι δὲ ἐπεδίδοσαν ξηράς, ἀλλ' οὐκ ἦσαν
8 βεβρωμέναι ὑπὸ σητός· καὶ τούτους ἐκέλευσε χωρὶς ἵστασθαι. **8.** ἕτεροι
9 δὲ ἐπεδίδουν ἡμιξήρους· καὶ οὗτοι χωρὶς ἵσταντο. **9.** ἕτεροι δὲ ἐπε-
δίδουν τὰς ῥάβδους αὐτῶν ἡμιξήρους καὶ σχισμὰς ἐχούσας· καὶ οὗτοι
10 χωρὶς ἵσταντο. [**10.** ἕτεροι δὲ ἐπεδίδουν τὰς ῥάβδους αὐτῶν χλωρὰς
11 καὶ σχισμὰς ἐχούσας· καὶ οὗτοι χωρὶς ἵσταντο.] **11.** ἕτεροι δὲ ἐπε-
δίδουν τὰς ῥάβδους ἥμισυ ξηρὸν καὶ τὸ ἥμισυ χλωρόν· καὶ οὗτοι
12 χωρὶς ἵσταντο. **12.** ἕτεροι δὲ προσέφερον τὰς ῥάβδους αὐτῶν τὰ δύο
μέρη τῆς ῥάβδου χλωρά, τὸ δὲ τρίτον ξηρόν· καὶ οὗτοι χωρὶς
13 ἵσταντο. **13.** ἕτεροι δὲ ἐπεδίδουν τὰ δύο μέρη ξηρά, τὸ δὲ τρίτον
14 χλωρόν· καὶ οὗτοι χωρὶς ἵσταντο. **14.** ἕτεροι δὲ ἐπεδίδουν τὰς ῥά-
βδους αὐτῶν παρὰ μικρὸν ὅλας χλωράς, ἐλάχιστον δὲ τῶν ῥάβδων
αὐτῶν ξηρὸν ἦν, αὐτὸ τὸ ἄκρον· σχισμὰς δὲ εἶχον ἐν αὐταῖς· καὶ
15 οὗτοι χωρὶς ἵσταντο. **15.** ἑτέρων δὲ ἦν ἐλάχιστον χλωρόν, τὰ δὲ
16 λοιπὰ τῶν ῥάβδων ξηρά· καὶ οὗτοι χωρὶς ἵσταντο. **16.** ἕτεροι δὲ
ἤρχοντο τὰς ῥάβδους χλωρὰς φέροντες ὡς ἔλαβον παρὰ τοῦ ἀγγέλου·

τὸ δὲ πλεῖον μέρος τοῦ ὄχλου τοιαύτας ῥάβδους ἐπεδίδουν. ὁ δὲ
ἄγγελος ἐπὶ τούτοις ἐχάρη λίαν· καὶ οὗτοι χωρὶς ἵσταντο. [17. ἕτεροι 17
δὲ ἐπεδίδουν τὰς ῥάβδους αὐτῶν χλωρὰς καὶ παραφυάδας ἐχούσας·
καὶ οὗτοι χωρὶς ἵσταντο· καὶ ἐπὶ τούτοις δὲ ὁ ἄγγελος λίαν ἐχάρη.]
18. ἕτεροι δὲ ἐπεδίδουν τὰς ῥάβδους αὐτῶν χλωρὰς καὶ παραφυάδας 18
ἐχούσας· αἱ δὲ παραφυάδες αὐτῶν ὡσεὶ καρπόν τινα εἶχον. καὶ λίαν
ἱλαροὶ ἦσαν οἱ ἄνθρωποι ἐκεῖνοι, ὧν αἱ ῥάβδοι τοιαῦται εὑρέθησαν.
καὶ ὁ ἄγγελος ἐπὶ τούτοις ἠγαλλιᾶτο, καὶ ὁ ποιμὴν λίαν ἱλαρὸς ἦν
ἐπὶ τούτοις.
2. Ἐκέλευσε δὲ ὁ ἄγγελος κυρίου στεφάνους ἐνεχθῆναι. καὶ 1
ἠνέχθησαν στέφανοι ὡσεὶ ἐκ φοινίκων γεγονότες, καὶ ἐστεφάνωσε τοὺς
ἄνδρας τοὺς ἐπιδεδωκότας τὰς ῥάβδους τὰς ἐχούσας τὰς παραφυάδας
καὶ καρπόν τινα, καὶ ἀπέλυσεν αὐτοὺς εἰς τὸν πύργον. 2. καὶ τοὺς 2
ἄλλους δὲ ἀπέστειλεν εἰς τὸν πύργον, τοὺς τὰς ῥάβδους τὰς χλωρὰς
ἐπιδεδωκότας καὶ παραφυάδας ἐχούσας, καρπὸν δὲ μὴ ἐχούσας τὰς
παραφυάδας, δοὺς αὐτοῖς σφραγῖδα. 3. ἱματισμὸν δὲ τὸν αὐτὸν πάντες 3
εἶχον λευκὸν ὡσεὶ χιόνα, οἱ πορευόμενοι εἰς τὸν πύργον. 4. καὶ τοὺς 4
τὰς ῥάβδους ἐπιδεδωκότας χλωρὰς ὡς ἔλαβον ἀπέλυσε, δοὺς αὐτοῖς
ἱματισμὸν καὶ σφραγῖδα. 5. μετὰ τὸ ταῦτα τελέσαι τὸν ἄγγελον λέγει 5
τῷ ποιμένι· Ἐγὼ ὑπάγω· σὺ δὲ τούτους ἀπολύσεις εἰς τὰ τείχη
καθὼς ἄξιός ἐστί τις κατοικεῖν. κατανόησον δὲ τὰς ῥάβδους αὐτῶν
ἐπιμελῶς, καὶ οὕτως ἀπόλυσον· ἐπιμελῶς δὲ κατανόησον. βλέπε μή
τίς σε παρέλθῃ, φησίν. ἐὰν δέ τίς σε παρέλθῃ, ἐγὼ αὐτοὺς ἐπὶ τὸ
θυσιαστήριον δοκιμάσω. ταῦτα εἰπὼν τῷ ποιμένι ἀπῆλθε. 6. καὶ 6
μετὰ τὸ ἀπελθεῖν τὸν ἄγγελον λέγει μοι ὁ ποιμήν· Λάβωμεν πάν-
των τὰς ῥάβδους καὶ φυτεύσωμεν αὐτάς, εἴ τινες ἐξ αὐτῶν δυνήσον-
ται ζῆσαι. λέγω αὐτῷ· Κύριε, τὰ ξηρὰ ταῦτα πῶς δύνανται ζῆσαι;
7. ἀποκριθείς μοι λέγει· Τὸ δένδρον τοῦτο ἰτέα ἐστὶ καὶ φιλόζωον 7
τὸ γένος· ἐὰν οὖν φυτευθῶσι καὶ μικρὰν ἰκμάδα λαμβάνωσιν αἱ ῥάβ-
δοι, ζήσονται πολλαὶ ἐξ αὐτῶν· εἶτα δὲ πειράσωμεν καὶ ὕδωρ αὐταῖς
παραχέειν. ἐάν τις αὐτῶν δυνηθῇ ζῆσαι, συγχαρήσομαι αὐταῖς· ἐὰν
δὲ μὴ ζήσῃ, οὐχ εὑρεθήσομαι ἐγὼ ἀμελής. 8. ἐκέλευσε δέ μοι ὁ 8
ποιμὴν καλέσαι καθὼς τις αὐτῶν ἐστάθη. ἦλθον τάγματα τάγματα, καὶ
ἐπεδίδουν τὰς ῥάβδους τῷ ποιμένι. ἐλάμβανε δὲ ὁ ποιμὴν τὰς ῥάβδους,

καὶ κατὰ τάγματα ἐφύτευσεν αὐτάς, καὶ μετὰ τὸ φυτεῦσαι ὕδωρ αὐταῖς
πολὺ παρέχεεν, ὥστε ἀπὸ τοῦ ὕδατος μὴ φαίνεσθαι τὰς ῥάβδους.

9 9. καὶ μετὰ τὸ ποτίσαι αὐτὸν τὰς ῥάβδους λέγει μοι· [Ἄγωμεν,] καὶ
μετ᾽ ὀλίγας ἡμέρας ἐπανέλθωμεν καὶ ἐπισκεψώμεθα τὰς ῥάβδους
πάσας· ὁ γὰρ κτίσας τὸ δένδρον τοῦτο θέλει πάντας ζῆν τοὺς λα-
βόντας ἐκ τοῦ δένδρου τούτου κλάδους. ἐλπίζω δὲ κἀγὼ ὅτι λαβόντα
τὰ ῥαβδία ταῦτα ἰκμάδα καὶ ποτισθέντα ὕδατι ζήσονται τὸ πλεῖστον
μέρος αὐτῶν.

1   **3.** Λέγω αὐτῷ· Κύριε, τὸ δένδρον τοῦτο γνώρισόν μοι τί ἐστιν·
ἀπορούμαι γὰρ περὶ αὐτοῦ, ὅτι τοσούτων κλάδων κοπέντων ὑγιές ἐστι
τὸ δένδρον καὶ οὐδὲν φαίνεται κεκομμένον ἀπ᾽ αὐτοῦ· ἐν τούτῳ οὖν
2 ἀπορούμαι. 2. Ἄκουε, φησί· τὸ δένδρον τοῦτο τὸ μέγα τὸ σκεπάζον
πεδία καὶ ὄρη καὶ πᾶσαν τὴν γῆν, νόμος θεοῦ ἐστιν ὁ δοθεὶς εἰς
ὅλον τὸν κόσμον· ὁ δὲ νόμος οὗτος υἱὸς θεοῦ ἐστι κηρυχθεὶς εἰς τὰ
πέρατα τῆς γῆς· οἱ δὲ ὑπὸ τὴν σκέπην λαοὶ ὄντες, οἱ ἀκούσαντες
3 τοῦ κηρύγματος καὶ πιστεύσαντες εἰς αὐτόν· 3. ὁ δὲ ἄγγελος ὁ μέγας
καὶ ἔνδοξος, Μιχαὴλ ὁ ἔχων τὴν ἐξουσίαν τούτου τοῦ λαοῦ καὶ δια-
κυβερνῶν [αὐτούς]. οὗτος γάρ ἐστιν ὁ διδοὺς αὐτοῦ τὸν νόμον εἰς
τὰς καρδίας τῶν πιστευόντων· ἐπισκέπτεται οὖν αὐτοὺς οἷς ἔδωκεν,
4 εἰ ἄρα τετηρήκασιν αὐτόν. 4. βλέπεις δὲ ἑνὸς ἑκάστου τὰς ῥάβδους·
αἱ γὰρ ῥάβδοι ὁ νόμος ἐστί. βλέπεις οὖν πολλὰς ῥάβδους ἠχρειω-
μένας, γνώσῃ δὲ αὐτοὺς πάντας τοὺς μὴ τηρήσαντας τὸν νόμον, καὶ
5 ὄψει ἑνὸς ἑκάστου τὴν κατοικίαν. 5. λέγω αὐτῷ· Κύριε, διατί οὓς
μὲν ἀπέλυσεν εἰς τὸν πύργον, οὓς δὲ σοὶ κατέλειψεν; Ὅσοι, φησί,
παρέβησαν τὸν νόμον ὃν ἔλαβον παρ᾽ αὐτοῦ, εἰς τὴν ἐμὴν ἐξουσίαν
κατέλιπεν αὐτοὺς εἰς μετάνοιαν· ὅσοι δὲ ἤδη εὐηρέστησαν τῷ νόμῳ
6 καὶ τετηρήκασιν αὐτόν, ὑπὸ τὴν ἰδίαν ἐξουσίαν ἔχει αὐτούς. 6. Τίνες
οὖν, φημί, κύριε, εἰσὶν οἱ ἐστεφανωμένοι καὶ εἰς τὸν πύργον ὑπάγον-
τες; [Ὅσοι, φησίν, ἀντεπάλαισαν τῷ διαβόλῳ καὶ κατεπάλαισαν
αὐτόν, ἐστεφανωμένοι εἰσίν·] οὗτοί εἰσιν οἱ ὑπὲρ τοῦ νόμου παθόντες·
7 7. οἱ δὲ ἕτεροι καὶ αὐτοὶ χλωρὰς τὰς ῥάβδους ἐπιδεδωκότες καὶ παρα-
φυάδας ἔχουσας, καρπὸν δὲ μὴ ἐχούσας, οἱ ὑπὲρ τοῦ νόμου θλιβέντες,
8 μὴ παθόντες δὲ μηδὲ ἀρνησάμενοι τὸν νόμον αὐτῶν. 8. οἱ δὲ χλω-
ρὰς ἐπιδεδωκότες οἵας ἔλαβον, σεμνοὶ καὶ δίκαιοι καὶ λίαν πορευθέντες

ἐν καθαρᾷ καρδίᾳ καὶ τὰς ἐντολὰς κυρίου πεφυλακότες. τὰ δὲ λοιπὰ
γνώσῃ ὅταν κατανοήσω τὰς ῥάβδους ταύτας τὰς πεφυτευμένας καὶ
πεποτισμένας.

4. Καὶ μετὰ ἡμέρας ὀλίγας ἤλθομεν εἰς τὸν τόπον, καὶ ἐκάθισεν 1
ὁ ποιμὴν εἰς τὸν τόπον τοῦ ἀγγέλου, κἀγὼ παρεστάθην αὐτῷ. καὶ
λέγει μοι· Περίζωσαι ὠμόλινον, [καὶ διακόνει μοι. περιεζωσάμην
ὠμόλινον] ἐκ σάκκου γεγονὸς καθαρόν. 2. ἰδὼν δέ με περιεζωσμένον 2
καὶ ἕτοιμον ὄντα τοῦ διακονεῖν αὐτῷ, Κάλει, φησί, τοὺς ἄνδρας ὧν εἰσὶν
αἱ ῥάβδοι πεφυτευμέναι, κατὰ τὸ τάγμα ὥς τις ἔδωκε τὰς ῥάβδους. καὶ
ἀπῆλθον εἰς τὸ πεδίον, καὶ ἐκάλεσα πάντας· καὶ ἔστησαν τάγματα τάγ-
ματα. 3. λέγει αὐτοῖς· Ἕκαστος τὰς ἰδίας ῥάβδους ἐκτιλάτω καὶ 3
φ[ερέ]τω πρός με. 4. πρῶτοι ἐπέδωκαν οἱ τὰς ξηρὰς καὶ κεκομμένας 4
ἐσχηκότες, καὶ ὡσαύτως εὑρέθησαν ξηραὶ καὶ κεκομμέναι· ἐκέλευσεν
αὐτοὺς χωρὶς σταθῆναι. 5. εἶτα ἐπέδωκαν οἱ τὰς ξηρὰς καὶ μὴ κε- 5
κομμένας ἔχοντες· τινὲς δὲ ἐξ αὐτῶν ἐπέδωκαν τὰς ῥάβδους χλωράς,
τινὲς δὲ ξηρὰς καὶ κεκομμένας ὡς ὑπὸ σητός. τοὺς ἐπιδεδωκότας
οὖν χλωρὰς ἐκέλευσε χωρὶς σταθῆναι, τοὺς δὲ ξηρὰς καὶ κεκομμένας
ἐπιδεδωκότας ἐκέλευσε μετὰ τῶν πρώτων σταθῆναι. 6. εἶτα ἐπέδω- 6
καν οἱ τὰς ἡμιξήρους καὶ σχισμὰς ἐχούσας· καὶ πολλοὶ ἐξ αὐτῶν
χλωρὰς ἐπέδωκαν καὶ μὴ ἐχούσας σχισμάς· τινὲς δὲ χλωρὰς καὶ πα-
ραφυάδας ἐχούσας, καὶ εἰς τὰς παραφυάδας καρπούς, οἵους εἶχον οἱ
εἰς τὸν πύργον πορευθέντες ἐστεφανωμένοι· τινὲς δὲ ἐπέδωκαν ξηρὰς
καὶ βεβρωμένας, τινὲς δὲ ξηρὰς καὶ ἀβρώτους, τινὲς δὲ οἷαι ἦσαν
ἡμίξηροι καὶ σχισμὰς ἔχουσαι. ἐκέλευσεν αὐτοὺς ἕνα ἕκαστον χωρὶς
σταθῆναι, τοὺς μὲν πρὸς τὰ ἴδια τάγματα, τοὺς δὲ χωρίς.

5. Εἶτα ἐπεδίδουν οἱ τὰς ῥάβδους χλωρὰς μὲν ἔχοντες, σχισμὰς 1
δὲ ἐχούσας· οὗτοι πάντες χλωρὰς ἐπέδωκαν, καὶ ἔστησαν εἰς τὸ ἴδιον
τάγμα. ἐχάρη δὲ ὁ ποιμὴν ἐπὶ τούτοις, ὅτι πάντες ἠλλοιώθησαν καὶ
ἀπέθεντο τὰς σχισμὰς αὐτῶν. 2. ἐπέδωκαν δὲ καὶ οἱ τὸ ἥμισυ χλω- 2
ρόν, τὸ δὲ ἥμισυ ξηρὸν ἔχοντες· τινῶν οὖν εὑρέθησαν αἱ ῥάβδοι
ὁλοτελῶς χλωραί, τινῶν ἡμίξηροι, τινῶν ξηραὶ καὶ βεβρωμέναι, τινῶν
δὲ χλωραὶ καὶ παραφυάδας ἔχουσαι. οὗτοι πάντες ἀπελύθησαν ἕκαστος
πρὸς τὸ τάγμα αὐτοῦ. 3. εἶτα ἐπέδωκαν οἱ τὰ δύο μέρη χλωρὰ 3
ἔχοντες, τὸ δὲ τρίτον ξηρόν· πολλοὶ ἐξ αὐτῶν χλωρὰς ἐπέδωκαν,

πολλοὶ δὲ ἡμιξήρους, ἕτεροι δὲ ξηρὰς καὶ βεβρωμένας· οὗτοι πάντες
4 ἔστησαν εἰς τὸ ἴδιον τάγμα. [4. εἶτα ἐπέδωκαν οἱ τὰ δύο μέρη
ξηρὰ ἔχοντες, τὸ δὲ τρίτον χλωρόν. πολλοὶ ἐξ αὐτῶν ἡμιξήρους ἐπέ-
δωκαν, τινὲς δὲ ξηρὰς καὶ βεβρωμένας, τινὲς δὲ ἡμιξήρους καὶ σχισμὰς
ἐχούσας, ὀλίγοι δὲ χλωράς. οὗτοι πάντες ἔστησαν εἰς τὸ ἴδιον τάγμα.]
5 5. ἐπέδωκαν δὲ οἱ τὰς ῥάβδους χλωρὰς ἐσχηκότες, ἐλάχιστον δὲ
[ξηρὸν] καὶ σχισμὰς ἐχούσας. ἐκ τούτων τινὲς χλωρὰς ἐπέδωκαν,
τινὲς δὲ χλωρὰς καὶ παραφυάδας ἐχούσας. ἀπῆλθον καὶ οὗτοι εἰς
6 τὸ τάγμα αὐτῶν. 6. εἶτα ἐπέδωκαν οἱ ἐλάχιστον ἔχοντες χλωρόν,
τὰ δὲ λοιπὰ μέρη ξηρά· τούτων αἱ ῥάβδοι εὑρέθησαν τὸ πλεῖστον
μέρος χλωραὶ καὶ παραφυάδας ἔχουσαι καὶ καρπὸν ἐν ταῖς παραφυάσι,
καὶ ἕτεραι χλωραὶ ὅλαι. ἐπὶ ταύταις ταῖς ῥάβδοις ἐχάρη ὁ ποι-
μὴν λίαν, ὅτι οὕτως εὑρέθησαν. ἀπῆλθον δὲ οὗτοι ἕκαστος εἰς τὸ
ἴδιον τάγμα.

1   6. Μετὰ τὸ πάντων κατανοῆσαι τὰς ῥάβδους τὸν ποιμένα λέγει
μοι· Εἶπόν σοι ὅτι τὸ δένδρον τοῦτο φιλόζωόν ἐστι. βλέπεις, φησί,
πόσοι μετενόησαν καὶ ἐσώθησαν; Βλέπω, φημί, κύριε. Ἵνα ἴδῃς,
φησί, τὴν πολυευσπλαγχνίαν τοῦ κυρίου, ὅτι μεγάλη καὶ ἔνδοξός ἐστι,
2 καὶ ἔδωκε πνεῦμα τοῖς ἀξίοις οὖσι μετανοίας. 2. Διατί οὖν, φημί,
κύριε, πάντες οὐ μετενόησαν; Ὧν εἶδε, φησί, τὴν καρδίαν μέλλου-
σαν καθαρὰν γενέσθαι καὶ δουλεύειν αὐτῷ ἐξ ὅλης καρδίας, τούτοις
ἔδωκε τὴν μετάνοιαν· ὧν δὲ εἶδε τὴν δολιότητα καὶ πονηρίαν, μελ-
λόντων ἐν ὑποκρίσει μετανοεῖν, ἐκείνοις οὐκ ἔδωκε μετάνοιαν, μήποτε
3 πάλιν βεβηλώσωσι τὸ ὄνομα αὐτοῦ. 3. λέγω αὐτῷ· Κύριε, νῦν οὖν
μοι δήλωσον τοὺς τὰς ῥάβδους ἐπιδεδωκότας, ποταπός τις αὐτῶν ἐστί,
καὶ τὴν τούτων κατοικίαν, ἵνα ἀκούσαντες οἱ πιστεύσαντες καὶ εἰλη-
φότες τὴν σφραγῖδα καὶ τεθλακότες αὐτὴν καὶ μὴ τηρήσαντες ὑγιῆ,
ἐπιγνόντες τὰ ἑαυτῶν ἔργα μετανοήσωσι, λαβόντες ὑπὸ σοῦ σφραγῖδα,
καὶ δοξάσωσι τὸν κύριον, ὅτι ἐσπλαγχνίσθη ἐπ᾽ αὐτοὺς καὶ ἀπέστειλέ
4 σε τοῦ ἀνακαινίσαι τὰ πνεύματα αὐτῶν. 4. Ἄκουε, φησίν· ὧν αἱ
ῥάβδοι ξηραὶ καὶ βεβρωμέναι ὑπὸ σητὸς εὑρέθησαν, οὗτοί εἰσιν οἱ
ἀποστάται καὶ προδόται τῆς ἐκκλησίας καὶ βλασφημήσαντες ἐν ταῖς
ἁμαρτίαις αὐτῶν τὸν κύριον, ἔτι δὲ καὶ ἐπαισχυνθέντες τὸ ὄνομα
κυρίου τὸ ἐπικληθὲν ἐπ᾽ αὐτούς. οὗτοι οὖν εἰς τέλος ἀπώλοντο τῷ

θεῷ. βλέπεις δὲ ὅτι οὐδὲ εἷς αὐτῶν μετενόησε, καίπερ ἀκούσαντες τὰ
ῥήματα ἃ ἐλάλησας αὐτοῖς, ἅ σοι ἐνετειλάμην· ἀπὸ τῶν τοιούτων
[οὖν] ἡ ζωὴ ἀπέστη. 5. οἱ δὲ τὰς ξηρὰς καὶ ἀσήπτους ἐπιδεδωκότες, 5
καὶ οὗτοι ἐγγὺς αὐτῶν· ἦσαν γὰρ ὑποκριταὶ καὶ διδαχὰς ξένας εἰσφέ-
ροντες καὶ ἐκστρέφοντες τοὺς δούλους τοῦ θεοῦ, μάλιστα δὲ τοὺς
ἡμαρτηκότας, μὴ ἀφιέντες μετανοεῖν αὐτούς, ἀλλὰ ταῖς διδαχαῖς ταῖς
μωραῖς πείθοντες αὐτούς. οὗτοι οὖν ἔχουσιν ἐλπίδα τοῦ μετανοῆσαι.
6. βλέπεις δὲ πολλοὺς ἐξ αὐτῶν καὶ μετανενοηκότας ἀφ᾽ ἧς ἐλάλησας 6
αὐτοῖς τὰς ἐντολάς μου· καὶ ἔτι μετανοήσουσιν. ὅσοι δὲ οὐ μετανοή-
σουσιν, ἀπώλεσαν τὴν ζωὴν αὐτῶν· ὅσοι δὲ μετενόησαν ἐξ αὐτῶν,
ἀγαθοὶ ἐγένοντο, καὶ ἐγένετο ἡ κατοικία αὐτῶν εἰς τὰ τείχη τὰ πρῶτα·
τινὲς δὲ καὶ εἰς τὸν πύργον ἀνέβησαν. βλέπεις οὖν, φησίν, ὅτι ἡ
μετάνοια τῶν ἁμαρτωλῶν ζωὴν ἔχει, τὸ δὲ μὴ μετανοῆσαι θάνατον.
7. Ὅσοι δὲ ἡμιξήρους ἐπέδωκαν καὶ ἐν αὐταῖς σχισμὰς εἶχον, 1
ἄκουε καὶ περὶ αὐτῶν. ὅσων ἦσαν αἱ ῥάβδοι κατὰ τὸ αὐτὸ ἡμίξηροι,
δίψυχοί εἰσιν· οὔτε γὰρ ζῶσιν οὔτε τεθνήκασιν. 2. οἱ δὲ ἡμιξήρους 2
ἔχοντες καὶ ἐν αὐταῖς σχισμάς, οὗτοι καὶ δίψυχοι καὶ κατάλαλοί
εἰσι, καὶ μηδέποτε εἰρηνεύοντες ἐν ἑαυτοῖς, ἀλλὰ διχοστατοῦντες
πάντοτε. ἀλλὰ καὶ τούτοις, φησίν, ἐπίκειται μετάνοια. βλέπεις, φησί,
τινὰς ἐξ αὐτῶν μετανενοηκότας. καὶ ἔτι, φησίν, ἐστὶν ἐν αὐτοῖς ἐλ-
πὶς μετανοίας. 3. καὶ ὅσοι, φησίν, ἐξ αὐτῶν μετανενοήκασι, τὴν κατ- 3
οικίαν εἰς τὸν πύργον ἔχουσιν· ὅσοι δὲ ἐξ αὐτῶν βραδύτερον μετα-
νενοήκασιν, εἰς τὰ τείχη κατοικήσουσιν· ὅσοι δὲ οὐ μετανοοῦσιν, ἀλλ᾽
ἐμμένουσι ταῖς πράξεσιν αὐτῶν, θανάτῳ ἀποθανοῦνται. 4. οἱ δὲ χλω- 4
ρὰς ἐπιδεδωκότες τὰς ῥάβδους αὐτῶν καὶ σχισμὰς ἐχούσας, πάντοτε
οὗτοι πιστοὶ καὶ ἀγαθοὶ ἐγένοντο, ἔχοντες [δὲ] ζῆλόν τινα ἐν ἀλλήλοις
περὶ πρωτείων καὶ περὶ δόξης τινός· ἀλλὰ πάντες οὗτοι μωροί εἰσιν,
ἐν ἀλλήλοις ἔχοντες [ζῆλον] περὶ πρωτείων. 5. ἀλλὰ καὶ οὗτοι 5
ἀκούσαντες τῶν ἐντολῶν μου, ἀγαθοὶ ὄντες, ἐκαθάρισαν ἑαυτοὺς καὶ
μετενόησαν ταχύ. ἐγένετο οὖν ἡ κατοίκησις αὐτῶν εἰς τὸν πύργον.
ἐὰν δέ τις πάλιν ἐπιστρέψῃ εἰς τὴν διχοστασίαν, ἐκβληθήσεται ἀπὸ
τοῦ πύργου, καὶ ἀπολέσει τὴν ζωὴν αὐτοῦ. 6. ἡ ζωὴ πάντων ἐστὶ 6
τῶν τὰς ἐντολὰς τοῦ κυρίου φυλασσόντων· ἐν ταῖς ἐντολαῖς δὲ περὶ
πρωτείων ἢ περὶ δόξης τινὸς οὐκ ἔστιν, ἀλλὰ περὶ μακροθυμίας καὶ

περὶ ταπεινοφρονήσεως ἀνδρός. ἐν τοῖς τοιούτοις οὖν ἡ ζωὴ τοῦ κυ-
ρίου, ἐν τοῖς διχοστάταις δὲ καὶ παρανόμοις θάνατος.

1   **8.** Οἱ δὲ ἐπιδεδωκότες τὰς ῥάβδους ἥμισυ μὲν χλωράς, ἥμισυ δὲ
ξηράς, οὗτοί εἰσιν οἱ ἐν ταῖς πραγματείαις ἐμπεφυρμένοι καὶ μὴ κολλώ-
μενοι τοῖς ἁγίοις. διὰ τοῦτο τὸ ἥμισυ αὐτῶν ζῇ, τὸ δὲ ἥμισυ νεκρόν ἐστι.
2 **2.** πολλοὶ οὖν ἀκούσαντές μου τῶν ἐντολῶν μετενόησαν. ὅσοι γοῦν μετε-
νόησαν, ἡ κατοικία αὐτῶν εἰς τὸν πύργον. τινὲς δὲ αὐτῶν εἰς τέλος
ἀπέστησαν. οὗτοι οὖν μετάνοιαν οὐκ ἔχουσιν· διὰ γὰρ τὰς πραγ-
ματείας αὐτῶν ἐβλασφήμησαν τὸν κύριον καὶ ἀπηρνήσαντο λοιπόν.
3 ἀπώλεσαν οὖν τὴν ζωὴν αὐτῶν διὰ τὴν πονηρίαν ἣν ἔπραξαν. **3.** πολ-
λοὶ δὲ ἐξ αὐτῶν ἐδιψύχησαν. οὗτοι ἔτι ἔχουσι μετάνοιαν, ἐὰν ταχὺ
μετανοήσωσι, καὶ ἔσται αὐτῶν ἡ κατοικία εἰς τὸν πύργον· ἐὰν δὲ
βραδύτερον μετανοήσωσι, κατοικήσουσιν εἰς τὰ τείχη· ἐὰν δὲ μὴ με-
4 τανοήσωσι, καὶ αὐτοὶ ἀπώλεσαν τὴν ζωὴν αὐτῶν. **4.** οἱ δὲ τὰ δύο
μέρη χλωρά, τὸ δὲ τρίτον ξηρὸν ἐπιδεδωκότες, οὗτοί εἰσιν οἱ ἀρνη-
5 σάμενοι ποικίλαις ἀρνήσεσι. **5.** πολλοὶ οὖν [ἐξ αὐτῶν] μετενόησαν,
[καὶ ἐγένετο ἡ κατοίκησις αὐτῶν εἰς τὸν πύργον· πολλοὶ δὲ εἰς τέλος
ἀπέστησαν ἀπὸ τοῦ θεοῦ· οὗτοι οὖν εἰς τέλος ἀπώλεσαν τὴν ζωὴν
αὐτῶν.] τινὲς δὲ ἐξ αὐτῶν ἐδιψύχησαν καὶ ἐδιχοστάτησαν. τούτοις
οὖν ἐστὶ μετάνοια, ἐὰν ταχὺ μετανοήσωσι καὶ μὴ ἐπιμείνωσι ταῖς ἡδο-
ναῖς αὐτῶν· ἐὰν δὲ ἐπιμείνωσι ταῖς πράξεσιν αὐτῶν, καὶ οὗτοι θάνατον
ἑαυτοῖς κατεργάζονται.

1   **9.** Οἱ δὲ ἐπιδεδωκότες τὰς ῥάβδους τὰ μὲν β´ μέρη ξηρά, τὸ δὲ
τρίτον χλωρόν, οὗτοί εἰσι πιστοὶ μὲν γεγονότες, πλουτήσαντες δὲ καὶ
γενόμενοι ἔνδοξοι παρὰ τοῖς ἔθνεσιν· ὑπερηφανίαν μεγάλην ἐνεδύ-
σαντο καὶ ὑψηλόφρονες ἐγένοντο, καὶ κατέλιπον τὴν ἀλήθειαν, καὶ
οὐκ ἐκολλήθησαν τοῖς δικαίοις, ἀλλὰ μετὰ τῶν ἐθνῶν συνέζησαν, καὶ
αὕτη ἡ ὁδὸς ἡδυτέρα αὐτοῖς ἐφαίνετο· ἀπὸ δὲ τοῦ θεοῦ οὐκ ἀπέ-
στησαν, ἀλλ᾽ ἐνέμειναν τῇ πίστει, μὴ ἐργαζόμενοι [δὲ] τὰ ἔργα τῆς
2 πίστεως. **2.** πολλοὶ οὖν ἐξ αὐτῶν μετενόησαν, καὶ ἐγένετο ἡ κατοί-
3 κησις αὐτῶν ἐν τῷ πύργῳ. **3.** ἕτεροι δὲ εἰς τέλος μετὰ τῶν ἐθνῶν
συζῶντες καὶ πειθόμενοι ταῖς κενοδοξίαις τῶν ἐθνῶν [ἀπέστησαν ἀπὸ
τοῦ θεοῦ, δουλεύοντες ταῖς πράξεσι καὶ τοῖς ἔργοις] τῶν ἐθνῶν. οὗτοι
4 [οὖν] μετὰ τῶν ἐθνῶν ἐλογίσθησαν. **4.** ἕτεροι δὲ ἐξ αὐτῶν ἐδιψύχησαν

μὴ ἐλπίζοντες σωθῆναι διὰ τὰς πράξεις ἃς ἔπραξαν· ἕτεροι δὲ ἐδι-
ψύχησαν καὶ σχίσματα ἐν ἑαυτοῖς ἐποίησαν. τούτοις οὖν [καὶ] τοῖς
διψυχήσασι διὰ τὰς πράξεις αὐτῶν μετάνοια ἔτι ἐστίν· ἀλλ᾽ ἡ μετά-
νοια αὐτῶν ταχινὴ ὀφείλει εἶναι, ἵνα ἡ κατοικία αὐτῶν γένηται εἰς
τὸν πύργον· τῶν δὲ μὴ μετανοούντων, ἀλλ᾽ ἐπιμενόντων ταῖς ἡδοναῖς,
ὁ θάνατος ἐγγύς.

10. Οἱ δὲ τὰς ῥάβδους ἐπιδεδωκότες χλωράς, αὐτὰ δὲ τὰ ἄκρα 1
ξηρὰ καὶ σχισμὰς ἔχοντα, οὗτοι πάντοτε ἀγαθοὶ καὶ πιστοὶ καὶ ἔνδο-
ξοι παρὰ τῷ θεῷ ἐγένοντο, ἐλάχιστον δὲ [ἐξή]μαρτον διὰ μικρὰς ἐπι-
θυμίας καὶ μικρὰ κατ᾽ ἀλλήλων ἔχοντες· ἀλλ᾽ ἀκούσαντές μου τῶν
ῥημάτων τὸ πλεῖστον μέρος ταχὺ μετενόησαν, καὶ ἐγένετο ἡ κατοικία
αὐτῶν εἰς τὸν πύργον. 2. τινὲς δὲ ἐξ αὐτῶν ἐδιψύχησαν, τινὲς δὲ 2
διψυχήσαντες διχοστασίαν μείζονα ἐποίησαν. ἐν τούτοις οὖν ἔτι ἐστὶ
μετανοίας ἐλπίς, ὅτι ἀγαθοὶ πάντοτε ἐγένοντο· δυσκόλως δέ τις αὐ-
τῶν ἀποθανεῖται. 3. οἱ δὲ τὰς ῥάβδους αὐτῶν ξηρὰς ἐπιδεδωκότες, 3
ἐλάχιστον δὲ χλωρὸν ἐχούσας, οὗτοί εἰσιν οἱ πιστεύσαντες μέν, τὰ δὲ
ἔργα τῆς ἀνομίας ἐργαζόμενοι· οὐδέποτε δὲ ἀπὸ τοῦ θεοῦ ἀπέστησαν,
καὶ τὸ ὄνομα ἡδέως ἐβάστασαν, καὶ εἰς τοὺς οἴκους αὐτῶν ἡδέως
ὑπεδέξαντο τοὺς δούλους τοῦ θεοῦ. ἀκούσαντες οὖν ταύτην τὴν με-
τάνοιαν ἀδιστάκτως μετενόησαν, καὶ ἐργάζονται πᾶσαν ἀρετὴν καὶ
δικαιοσύνην· 4. τινὲς δὲ ἐξ αὐτῶν καὶ [θλιβόμενοι ἡδέως ἔπαθον,] 4
γινώσκοντες τὰς πράξεις αὐτῶν ἃς ἔπραξαν. τούτων οὖν πάντων ἡ
κατοικία εἰς τὸν πύργον ἔσται.

11. Καὶ μετὰ τὸ συντελέσαι αὐτὸν τὰς ἐπιλύσεις πασῶν τῶν 1
ῥάβδων λέγει μοι· Ὕπαγε, καὶ πᾶσιν λέγε ἵνα μετανοήσωσιν, καὶ
ζήσονται τῷ θεῷ· ὅτι ὁ κύριος ἔπεμψέ με σπλαγχνισθεὶς πᾶσι δοῦναι
τὴν μετάνοιαν, καίπερ τινῶν μὴ ὄντων ἀξίων διὰ τὰ ἔργα αὐτῶν·
ἀλλὰ μακρόθυμος ὢν ὁ κύριος θέλει τὴν κλῆσιν τὴν γενομένην διὰ
τοῦ υἱοῦ αὐτοῦ σώζεσθαι. 2. λέγω αὐτῷ· Κύριε, ἐλπίζω ὅτι πάντες 2
ἀκούσαντες αὐτὰ μετανοήσουσι. πείθομαι γὰρ ὅτι εἷς ἕκαστος τὰ
ἴδια ἔργα ἐπιγνοὺς καὶ φοβηθεὶς τὸν θεὸν μετανοήσει. 3. ἀποκριθεὶς 3
μοι λέγει· Ὅσοι, φησίν, ἐξ ὅλης καρδίας αὐτῶν [μετανοήσωσι καὶ]
καθαρίσωσιν ἑαυτοὺς ἀπὸ τῶν πονηριῶν πασῶν τῶν προειρημένων
καὶ μηκέτι μηδὲν προσθῶσι ταῖς ἁμαρτίαις αὐτῶν, λήψονται ἴασιν

παρὰ τοῦ κυρίου τῶν προτέρων ἁμαρτιῶν, ἐὰν μὴ διψυχήσωσιν ἐπὶ ταῖς ἐντολαῖς ταύταις, καὶ ζήσονται τῷ θεῷ. [ὅσοι δέ, φησίν, προσ- θῶσι ταῖς ἁμαρτίαις αὐτῶν καὶ πορευθῶσιν ἐν ταῖς ἐπιθυμίαις τοῦ 4 αἰῶνος τούτου, θανάτῳ ἑαυτοὺς κατακρίνουσι.] 4. σὺ δὲ πορεύου ἐν ταῖς ἐντολαῖς μου, καὶ ζήσῃ [τῷ θεῷ· καὶ ὅσοι ἂν πορευθῶσιν ἐν αὐταῖς 5 καὶ ἐργάσωνται ὀρθῶς, ζήσονται τῷ θεῷ.] 5. ταῦτά μοι δείξας καὶ λαλήσας πάντα λέγει μοι· Τὰ δὲ λοιπά σοι δείξω μετ᾿ ὀλίγας ἡμέρας.

[Παραβολὴ θ´.]

1 1. Μετὰ τὸ γράψαι με τὰς ἐντολὰς καὶ παραβολὰς τοῦ ποιμένος, τοῦ ἀγγέλου τῆς μετανοίας, ἦλθε πρός με καὶ λέγει μοι· Θέλω σοι δεῖξαι ὅσα σοι ἔδειξε τὸ πνεῦμα τὸ ἅγιον τὸ λαλῆσαν μετὰ σοῦ ἐν μορφῇ τῆς Ἐκκλησίας· ἐκεῖνο γὰρ τὸ πνεῦμα ὁ υἱὸς τοῦ θεοῦ ἐστίν. 2 2. ἐπειδὴ γὰρ ἀσθενέστερος τῇ σαρκὶ ἦς, οὐκ ἐδηλώθη σοι δι᾿ ἀγγέ- λου. ὅτε οὖν ἐνεδυναμώθης διὰ τοῦ πνεύματος καὶ ἴσχυσας τῇ ἰσχύϊ σου, ὥστε δύνασθαί σε καὶ ἄγγελον ἰδεῖν, τότε μὲν οὖν ἐφα- νερώθη σοι διὰ τῆς Ἐκκλησίας ἡ οἰκοδομὴ τοῦ πύργου· καλῶς καὶ σεμνῶς πάντα ὡς ὑπὸ παρθένου ἑώρακας. νῦν δὲ ὑπὸ ἀγγέλου βλέ- 3 πεις, διὰ τοῦ αὐτοῦ μὲν πνεύματος· 3. δεῖ δέ σε παρ᾿ ἐμοῦ ἀκρι- βέστερον πάντα μαθεῖν. εἰς τοῦτο γὰρ καὶ ἐδόθην ὑπὸ τοῦ ἐνδόξου ἀγγέλου εἰς τὸν οἶκόν σου κατοικῆσαι, ἵνα δυνατῶς πάντα ἴδῃς, μηδὲν 4 δειλαινόμενος ὡς τὸ πρότερον. 4. καὶ ἀπήγαγέ με εἰς τὴν Ἀρκαδίαν, εἰς ὄρος τι μαστῶδες, καὶ ἐκάθισέ με ἐπὶ τὸ ἄκρον τοῦ ὄρους, καὶ ἔδειξέ μοι πεδίον μέγα, κύκλῳ δὲ τοῦ πεδίου ὄρη δώδεκα, ἄλλην καὶ 5 ἄλλην ἰδέαν ἔχοντα τὰ ὄρη. 5. τὸ πρῶτον ἦν μέλαν ὡς ἀσβόλη· τὸ δὲ δεύτερον ψιλόν, βοτάνας μὴ ἔχον· τὸ δὲ τρίτον ἀκανθῶν καὶ 6 τριβόλων πλῆρες· 6. τὸ δὲ τέταρτον βοτάνας ἔχον ἡμιξήρους, τὰ μὲν ἐπάνω τῶν βοτανῶν χλωρά, τὰ δὲ πρὸς ταῖς ῥίζαις ξηρά· τινὲς 7 δὲ βοτάναι, ὅταν ὁ ἥλιος ἐπικεκαύκει, ξηραὶ ἐγένοντο· 7. τὸ δὲ πέμπτον ὄρος ἔχον βοτάνας χλωράς, καὶ τραχὺ ὄν. τὸ δὲ ἕκτον ὄρος σχισμῶν ὅλον ἔγεμεν, ὧν μὲν μικρῶν, ὧν δὲ μεγάλων· εἶχον δὲ βοτάνας αἱ σχισμαί, οὐ λίαν δὲ ἦσαν εὐθαλεῖς αἱ βοτάναι, μᾶλλον δὲ ὡς με- 8 μαραμμέναι ἦσαν. 8. τὸ δὲ ἕβδομον ὄρος εἶχε βοτάνας ἱλαράς, καὶ ὅλον τὸ ὄρος εὐθηνοῦν ἦν, καὶ πᾶν γένος κτηνῶν καὶ ὀρνέων ἐνέμοντο

εἰς τὸ ὄρος ἐκεῖνο· καὶ ὅσον ἐβόσκοντο τὰ κτήνη καὶ τὰ πετεινά,
μᾶλλον καὶ μᾶλλον αἱ βοτάναι τοῦ ὄρους ἐκείνου ἔθαλλον. τὸ δὲ
ὄγδοον ὄρος πηγῶν πλῆρες ἦν, καὶ πᾶν γένος τῆς κτίσεως τοῦ κυρίου
ἐποτίζοντο ἐκ τῶν πηγῶν τοῦ ὄρους ἐκείνου. 9. τὸ δὲ ἔννατον ὄρος 9
[ὅλως οὐκ εἶχεν ὕδωρ καὶ ὅλον ἦν ἐρημῶδες, καὶ ἐν ἑαυτῷ εἶχεν
ἑρπετὰ θανατώδη, διαφθείροντα τοὺς ἀνθρώπους. τὸ δὲ δέκατον
ὄρος] εἶχε δένδρα μέγιστα, καὶ ὅλον κατάσκιον ἦν, καὶ ὑπὸ τὴν σκέ-
πην τῶν δένδρων πρόβατα κατέκειντο ἀναπαυόμενα καὶ μαρυκώμενα.
10. τὸ δὲ ἑνδέκατον ὄρος λίαν σύνδενδρον ἦν, καὶ τὰ δένδρα ἐκεῖνα 10
κατάκαρπα ἦν, ἄλλοις καὶ ἄλλοις καρποῖς κεκοσμημένα, ἵνα ἰδών τις
αὐτὰ ἐπιθυμήσῃ φαγεῖν ἐκ τῶν καρπῶν αὐτῶν. τὸ δὲ δωδέκατον
ὄρος ὅλον ἦν λευκόν, καὶ ἡ πρόσοψις αὐτοῦ ἱλαρὰ ἦν· καὶ εὐπρε-
πέστατον ἦν ἑαυτῷ τὸ ὄρος.

2. Εἰς μέσον δὲ τοῦ πεδίου ἔδειξέ μοι πέτραν μεγάλην λευκὴν 1
ἐκ τοῦ πεδίου ἀναβεβηκυῖαν. ἡ δὲ πέτρα ὑψηλοτέρα ἦν τῶν ὀρέων,
τετράγωνος, ὥστε δύνασθαι ὅλον τὸν κόσμον χωρῆσαι. 2. παλαιὰ δὲ ἦν 2
ἡ πέτρα ἐκείνη, πύλην ἐκκεκομμένην ἔχουσα· ὡς πρόσφατος δὲ
ἐδόκει μοι εἶναι ἡ ἐκκόλαψις τῆς πύλης. ἡ δὲ πύλη οὕτως ἔστιλβεν
ὑπὲρ τὸν ἥλιον, ὥστε με θαυμάζειν ἐπὶ τῇ λαμπηδόνι τῆς πύλης.
3. κύκλῳ δὲ τῆς πύλης ἑστήκεισαν παρθένοι δώδεκα. αἱ οὖν δ' αἱ 3
εἰς τὰς γωνίας ἑστηκυῖαι ἐνδοξότεραί μοι ἐδόκουν εἶναι· καὶ αἱ ἄλλαι
δὲ ἔνδοξοι ἦσαν. ἑστήκεισαν δὲ εἰς τὰ τέσσερα μέρη τῆς πύλης, ἀνὰ
μέσον αὐτῶν ἀνὰ δύο παρθένοι. 4. ἐνδεδυμέναι δὲ ἦσαν λινοὺς χι- 4
τῶνας καὶ περιεζωσμέναι εὐπρεπῶς, ἔξω τοὺς ὤμους ἔχουσαι τοὺς
δεξιοὺς ὡς μέλλουσαι φορτίον τι βαστάζειν. οὕτως ἕτοιμοι ἦσαν·
λίαν γὰρ ἱλαραὶ ἦσαν καὶ πρόθυμοι. 5. μετὰ τὸ ἰδεῖν με ταῦτα 5
ἐθαύμαζον ἐν ἑαυτῷ, ὅτι μεγάλα καὶ ἔνδοξα πράγματα βλέπω. καὶ
πάλιν διηπόρουν ἐπὶ ταῖς παρθένοις, ὅτι τρυφεραὶ οὕτως οὖσαι ἀν-
δρείως ἑστήκεισαν ὡς μέλλουσαι ὅλον τὸν οὐρανὸν βαστάζειν. 6. καὶ 6
λέγει μοι ὁ ποιμήν· Τί ἐν σεαυτῷ διαλογίζῃ καὶ διαπορῇ, καὶ σεαυ-
τῷ λύπην ἐπισπᾶσαι; ὅσα γὰρ οὐ δύνασαι νοῆσαι, μὴ ἐπιχείρει [ὡς]
συνετὸς ὤν, ἀλλ' ἐρώτα τὸν κύριον, ἵνα λαβὼν σύνεσιν νοῇς αὐτά.
7. τὰ ὀπίσω σου ἰδεῖν οὐ δύνῃ, τὰ δὲ ἔμπροσθέν σου βλέπεις. ἃ οὖν 7
ἰδεῖν οὐ δύνασαι, ἔασον, καὶ μὴ στρέβλου σεαυτόν· ἃ δὲ βλέπεις,

ἐκείνων κατακυρίευε, καὶ περὶ τῶν λοιπῶν μὴ περιεργάζου· πάντα δέ
σοι ἐγὼ δηλώσω, ὅσα ἐάν σοι δείξω. ἔμβλεπε οὖν τοῖς λοιποῖς.

1   3. Εἶδον ἓξ ἄνδρας ἐληλυθότας ὑψηλοὺς καὶ ἐνδόξους καὶ
ὁμοίους τῇ ἰδέᾳ· καὶ ἐκάλεσαν πλῆθός τι ἀνδρῶν. κἀκεῖνοι δὲ οἱ
ἐληλυθότες ὑψηλοὶ ἦσαν ἄνδρες καὶ καλοὶ καὶ δυνατοί· καὶ ἐκέλευσαν
αὐτοὺς οἱ ἓξ ἄνδρες οἰκοδομεῖν ἐπάνω τῆς πέτρας [καὶ ἐπάνω τῆς πύλης]
πύργον τινά. ἦν δὲ θόρυβος τῶν ἀνδρῶν ἐκείνων μέγας τῶν ἐληλυ-
θότων οἰκοδομεῖν τὸν πύργον, ὧδε κἀκεῖσε περιτρεχόντων κύκλῳ τῆς
2 πύλης· 2. αἱ δὲ παρθένοι [αἳ] ἑστήκεισαν κύκλῳ τῆς πύλης, ἔλεγον
τοῖς ἀνδράσι σπεύδειν τὸν πύργον οἰκοδομεῖσθαι. ἐκπεπετάκεισαν δὲ
τὰς χεῖρας αἱ παρθένοι ὡς μέλλουσαί τι λαμβάνειν παρὰ τῶν ἀν-
3 δρῶν. 3. οἱ δὲ ἓξ ἄνδρες ἐκέλευον ἐκ βυθοῦ τινος λίθους ἀναβαίνειν
καὶ ὑπάγειν εἰς τὴν οἰκοδομὴν τοῦ πύργου. ἀνέβησαν δὲ λίθοι ιʹ
4 τετράγωνοι λαμπροί, [μὴ] λελατομημένοι. 4. οἱ δὲ ἓξ ἄνδρες ἐκά-
λουν τὰς παρθένους καὶ ἐκέλευσαν αὐτὰς τοὺς λίθους πάντας τοὺς
μέλλοντας εἰς τὴν οἰκοδομὴν ὑπάγειν τοῦ πύργου βαστάζειν καὶ δια-
πορεύεσθαι διὰ τῆς πύλης, καὶ ἐπιδιδόναι τοῖς ἀνδράσι τοῖς μέλλου-
5 σιν οἰκοδομεῖν τὸν πύργον. 5. αἱ δὲ παρθένοι τοὺς δέκα λίθους τοὺς
πρώτους τοὺς ἐκ τοῦ βυθοῦ ἀναβάντας ἐπετίθουν ἀλλήλαις καὶ κατὰ
ἕνα λίθον ἐβάσταζον ὁμοῦ.

1   4. Καθὼς δὲ ἐστάθησαν ὁμοῦ κύκλῳ τῆς πύλης, οὕτως ἐβάστα-
ζον αἱ δοκοῦσαι δυναταὶ εἶναι, καὶ ὑπὸ τὰς γωνίας τοῦ λίθου ὑπο-
δεδυκυῖαι ἦσαν· αἱ δὲ ἄλλαι ἐκ τῶν πλευρῶν τοῦ λίθου ὑποδεδύ-
κεισαν, καὶ οὕτως ἐβάσταζον πάντας τοὺς λίθους· διὰ δὲ τῆς πύλης
ἔφερον αὐτούς, καθὼς ἐκελεύσθησαν, καὶ ἐπεδίδουν τοῖς ἀνδράσιν εἰς
2 τὸν πύργον· ἐκεῖνοι δὲ ἔχοντες τοὺς λίθους ᾠκοδόμουν. 2. ἡ οἰκοδομὴ
δὲ τοῦ πύργου ἐγένετο ἐπὶ τὴν πέτραν τὴν μεγάλην καὶ ἐπάνω τῆς
πύλης. ἡρμόσθησαν [οὖν] οἱ [ιʹ] λίθοι ἐκεῖνοι, [καὶ ἐνέπλησαν ὅλην
τὴν πέτραν. καὶ ἐγένοντο ἐκεῖνοι] θεμέλιον τῆς οἰκοδομῆς τοῦ πύρ-
γου. ἡ δὲ πέτρα καὶ ἡ πύλη ἦν βαστάζουσα ὅλον τὸν πύργον.
3 3. μετὰ δὲ τοὺς ιʹ λίθους ἄλλοι ἀνέβησαν ἐκ τοῦ βυθοῦ κ[εʹ] λίθοι·
καὶ οὗτοι ἡρμόσθησαν εἰς τὴν οἰκοδομὴν τοῦ πύργου, βασταζόμενοι
ὑπὸ τῶν παρθένων καθὼς καὶ οἱ πρότεροι. μετὰ δὲ τούτους ἀνέ-
βησαν λεʹ· καὶ οὗτοι ὁμοίως ἡρμόσθησαν εἰς τὸν πύργον. μετὰ δὲ

τούτους ἕτεροι ἀνέβησαν λίθοι μ΄· καὶ οὗτοι πάντες ἐβλήθησαν εἰς
τὴν οἰκοδομὴν τοῦ πύργου· [ἐγένοντο οὖν στοῖχοι τέσσαρες ἐν τοῖς
θεμελίοις τοῦ πύργου.] 4. καὶ ἐπαύσαντο ἐκ τοῦ βυθοῦ ἀναβαίνοντες· 4
ἐπαύσαντο δὲ καὶ οἱ οἰκοδομοῦντες μικρόν. καὶ πάλιν ἐπέταξαν οἱ
ἓξ ἄνδρες τῷ πλήθει τοῦ ὄχλου ἐκ τῶν ὀρέων παραφέρειν λίθους εἰς
τὴν οἰκοδομὴν τοῦ πύργου. 5. παρεφέροντο οὖν ἐκ πάντων τῶν ὀρέων 5
χρόαις ποικίλαις λελατομημένοι ὑπὸ τῶν ἀνδρῶν καὶ ἐπεδίδοντο ταῖς
παρθένοις· αἱ δὲ παρθένοι διέφερον αὐτοὺς διὰ τῆς πύλης καὶ ἐπε-
δίδουν εἰς τὴν οἰκοδομὴν τοῦ πύργου. καὶ ὅταν εἰς τὴν οἰκοδομὴν
ἐτέθησαν οἱ λίθοι οἱ ποικίλοι, ὅμοιοι ἐγένοντο λευκοί, καὶ τὰς χρόας
τὰς ποικίλας ἤλλασσον. 6. τινὲς δὲ λίθοι ἐπεδίδοντο ὑπὸ τῶν ἀν- 6
δρῶν εἰς τὴν οἰκοδομήν, καὶ οὐκ ἐγίνοντο λαμπροί, ἀλλ’ οἷοι ἐτέθησαν,
τοιοῦτοι καὶ εὑρέθησαν· οὐ γὰρ ἦσαν ὑπὸ τῶν παρθένων ἐπιδεδο-
μένοι οὐδὲ διὰ τῆς πύλης παρενηνεγμένοι. οὗτοι οὖν οἱ λίθοι ἀπρε-
πεῖς ἦσαν ἐν τῇ οἰκοδομῇ τοῦ πύργου. 7. ἰδόντες δὲ οἱ ἓξ ἄνδρες 7
τοὺς λίθους τοὺς ἀπρεπεῖς ἐν τῇ οἰκοδομῇ, ἐκέλευσαν αὐτοὺς ἀρθῆναι
καὶ ἀπενεχθῆναι κάτω εἰς τὸν ἴδιον τόπον ὅθεν ἠνέχθησαν. 8. [καὶ] 8
λέγουσι τοῖς ἀνδράσι τοῖς παρεκφέρουσι τοὺς λίθους· ῞Ολως ὑμεῖς μὴ
ἐπιδίδοτε εἰς τὴν οἰκοδομὴν λίθους· τίθετε δὲ αὐτοὺς παρὰ τὸν πύρ-
γον, ἵνα αἱ παρθένοι διὰ τῆς πύλης παρενέγκωσιν αὐτοὺς καὶ ἐπιδι-
δῶσιν εἰς τὴν οἰκοδομήν. ἐὰν γάρ, φασίν, διὰ τῶν χειρῶν τῶν παρ-
θένων τούτων μὴ παρενεχθῶσι διὰ τῆς πύλης, τὰς χρόας αὐτῶν ἀλ-
λάξαι οὐ δύνανται· μὴ κοπιᾶτε οὖν, φασίν, εἰς μάτην.

5. Καὶ ἐτελέσθη τῇ ἡμέρᾳ ἐκείνῃ ἡ οἰκοδομή, οὐκ ἀπετελέσθη 1
δὲ ὁ πύργος· ἔμελλε γὰρ πάλιν ἐποικοδομεῖσθαι· καὶ ἐγένετο ἀνοχὴ
τῆς οἰκοδομῆς. ἐκέλευσαν δὲ οἱ ἓξ ἄνδρες τοὺς οἰκοδομοῦντας ἀνα-
χωρῆσαι μικρὸν πάντας καὶ ἀναπαυθῆναι· ταῖς δὲ παρθένοις ἐπέταξαν
ἀπὸ τοῦ πύργου μὴ ἀναχωρῆσαι· ἐδόκει δέ μοι τὰς παρθένους κατα-
λελεῖφθαι τοῦ φυλάσσειν τὸν πύργον. 2. μετὰ δὲ τὸ ἀναχωρῆσαι 2
πάντας καὶ ἀναπαυθῆναι λέγω τῷ ποιμένι· Τί ὅτι, φημί, κύριε, οὐ
συνετελέσθη ἡ οἰκοδομὴ τοῦ πύργου; Οὔπω, φησί, δύναται ἀποτε-
λεσθῆναι ὁ πύργος, ἐὰν μὴ ἔλθῃ ὁ κύριος αὐτοῦ καὶ δοκιμάσῃ τὴν
οἰκοδομὴν ταύτην, ἵνα ἐάν τινες λίθοι σαπροὶ εὑρεθῶσιν, ἀλλάξῃ αὐ-
τούς· πρὸς γὰρ τὸ ἐκείνου θέλημα οἰκοδομεῖται ὁ πύργος. 3. Ἤθελον, 3

φημί, κύριε, τούτου τοῦ πύργου γνῶναι τί ἐστιν ἡ οἰκοδομὴ αὕτη,
καὶ περὶ τῆς πέτρας καὶ πύλης καὶ τῶν ὀρέων καὶ τῶν παρθένων,
καὶ τῶν λίθων τῶν ἐκ τοῦ βυθοῦ ἀναβεβηκότων καὶ μὴ λελατομη-
4 μένων, ἀλλ᾽ οὕτως ἀπελθόντων εἰς τὴν οἰκοδομήν. 4. καὶ διατί
πρῶτον εἰς τὰ θεμέλια ι᾽ λίθοι ἐτέθησαν, εἶτα κε᾽, εἶτα λε᾽, εἶτα
μ᾽, καὶ περὶ τῶν λίθων τῶν ἀπεληλυθότων εἰς τὴν οἰκοδομὴν καὶ
πάλιν ᾑρμένων καὶ εἰς τόπον ἴδιον ἀποτεθειμένων· περὶ πάντων τού-
5 των ἀνάπαυσον τὴν ψυχήν μου, κύριε, καὶ γνώρισόν μοι αὐτά. 5. Ἐάν,
φησί, κενόσπουδος μὴ εὑρεθῇς, πάντα γνώσῃ. μετ᾽ ὀλίγας γὰρ ἡμέ-
ρας [ἐλευσόμεθα ἐνθάδε, καὶ τὰ λοιπὰ ὄψει τὰ ἐπερχόμενα τῷ πύργῳ
6 τούτῳ καὶ πάσας τὰς παραβολὰς ἀκριβῶς γνώσῃ. 6. καὶ μετ᾽ ὀλίγας
ἡμέρας] ἤλθομεν εἰς τὸν τόπον οὗ κεκαθίκαμεν, καὶ λέγει μοι· Ἄγω-
μεν πρὸς τὸν πύργον· ὁ γὰρ αὐθέντης τοῦ πύργου ἔρχεται κατα-
νοῆσαι αὐτόν. καὶ ἤλθομεν πρὸς τὸν πύργον· καὶ ὅλως οὐθεὶς ἦν
7 πρὸς αὐτὸν εἰ μὴ αἱ παρθένοι μόναι. 7. καὶ ἐπερωτᾷ ὁ ποιμὴν τὰς
παρθένους εἰ ἄρα παραγεγόνει ὁ δεσπότης τοῦ πύργου. αἱ δὲ ἔφησαν
μέλλειν αὐτὸν ἔρχεσθαι κατανοῆσαι τὴν οἰκοδομήν.

1　　6. Καὶ ἰδοὺ μετὰ μικρὸν βλέπω παράταξιν πολλῶν ἀνδρῶν ἐρχο-
μένων· καὶ εἰς τὸ μέσον ἀνήρ τις ὑψηλὸς τῷ μεγέθει, ὥστε τὸν πύρ-
2 γον ὑπερέχειν. 2. καὶ οἱ ἓξ ἄνδρες οἱ εἰς τὴν οἰκοδομὴν [ἐφεστῶτες,
ἐκ δεξιῶν τε καὶ ἀριστερῶν περιεπάτησαν μετ᾽ αὐτοῦ, καὶ πάντες οἱ
εἰς τὴν οἰκοδομὴν] ἐργασάμενοι μετ᾽ αὐτοῦ ἦσαν, καὶ ἕτεροι πολλοὶ
κύκλῳ αὐτοῦ ἔνδοξοι. αἱ δὲ παρθένοι αἱ τηροῦσαι τὸν πύργον προσ-
δραμοῦσαι κατεφίλησαν αὐτόν, καὶ ἤρξαντο ἐγγὺς αὐτοῦ περιπατεῖν
3 κύκλῳ τοῦ πύργου. 3. κατενόει δὲ ὁ ἀνὴρ ἐκεῖνος τὴν οἰκοδομὴν
ἀκριβῶς, ὥστε αὐτὸν καθ᾽ ἕνα λίθον ψηλαφᾶν. κρατῶν δέ τινα ῥά-
4 βδον τῇ χειρὶ κατὰ ἕνα λίθον τῶν ᾠκοδομημένων ἔτυπτε. 4. καὶ
ὅταν ἐπάτασσεν, ἐγένοντο αὐτῶν τινες μέλανες ὡσεὶ ἀσβόλη, τινὲς
δὲ ἐψωριακότες, τινὲς δὲ σχισμὰς ἔχοντες, τινὲς δὲ κολοβοί, τινὲς δὲ
οὔτε λευκοὶ οὔτε μέλανες, τινὲς δὲ τραχεῖς καὶ μὴ συμφωνοῦντες τοῖς
ἑτέροις λίθοις, τινὲς δὲ σπίλους [πολλοὺς] ἔχοντες· αὗται ἦσαν αἱ
ποικιλίαι τῶν λίθων τῶν σαπρῶν εὑρεθέντων εἰς τὴν οἰκοδομήν.
5 5. ἐκέλευσεν οὖν πάντας τούτους ἐκ τοῦ πύργου μετενεχθῆναι καὶ
τεθῆναι παρὰ τὸν πύργον, καὶ ἑτέρους ἐνεχθῆναι λίθους καὶ ἐμβλη-

ϑῆναι εἰς τὸν τόπον αὐτῶν. 6. [καὶ ἐπηρώτησαν αὐτὸν οἱ οἰκοδο- 6
μοῦντες, ἐκ τίνος ὄρους ϑέλῃ ἐνεχϑῆναι λίϑους καὶ ἐμβληϑῆναι εἰς
τὸν τόπον αὐτῶν.] καὶ ἐκ μὲν τῶν ὀρέων οὐκ ἐκέλευσεν ἐνεχϑῆναι,
[ἐκ δέ τινος πεδίου ἐγγὺς ὄντος ἐκέλευσεν ἐνεχϑῆναι.] 7. καὶ ὠρύγη 7
τὸ πεδίον, καὶ εὑρέϑησαν λίϑοι λαμπροὶ τετράγωνοι, τινὲς δὲ καὶ
στρογγύλοι. ὅσοι δέ ποτε ἦσαν λίϑοι ἐν τῷ πεδίῳ ἐκείνῳ, πάντες
ἠνέχϑησαν, καὶ διὰ τῆς πύλης ἐβαστάζοντο ὑπὸ τῶν παρϑένων.
8. καὶ ἐλατομήϑησαν οἱ τετράγωνοι λίϑοι καὶ ἐτέϑησαν εἰς τὸν τόπον 8
τῶν ἠρμένων· οἱ δὲ στογγύλοι οὐκ ἐτέϑησαν εἰς τὴν οἰκοδομήν, ὅτι
σκληροὶ ἦσαν εἰς τὸ λατομηϑῆναι αὐτούς, καὶ βραδέως ἐγένετο. ἐτέ-
ϑησαν δὲ παρὰ τὸν πύργον, ὡς μελλόντων αὐτῶν λατομεῖσϑαι καὶ
τίϑεσϑαι εἰς τὴν οἰκοδομήν· λίαν γὰρ λαμπροὶ ἦσαν.

7. Ταῦτα οὖν συντελέσας ὁ ἀνὴρ ὁ ἔνδοξος καὶ κύριος ὅλου 1
τοῦ πύργου προσεκαλέσατο τὸν ποιμένα, καὶ παρέδωκεν αὐτῷ τοὺς
λίϑους πάντας τοὺς παρὰ τὸν πύργον κειμένους, τοὺς ἀποβεβλημένους
ἐκ τῆς οἰκοδομῆς, καὶ λέγει αὐτῷ· 2. Ἐπιμελῶς καϑάρισον τοὺς 2
λίϑους πάντας καὶ ϑὲς αὐτοὺς εἰς τὴν οἰκοδομὴν τοῦ πύργου, τοὺς
δυναμένους ἁρμόσαι τοῖς λοιποῖς· τοὺς δὲ μὴ ἁρμόζοντας ῥῖψον μα-
κρὰν ἀπὸ τοῦ πύργου. 3. [ταῦτα κελεύσας τῷ ποιμένι ἀπῄει ἀπὸ 3
τοῦ πύργου] μετὰ πάντων ὦν ἐληλύϑει. αἱ δὲ παρϑένοι κύκλῳ τοῦ
πύργου ἑστήκεισαν τηροῦσαι αὐτόν. 4. λέγω τῷ ποιμένι· Πῶς οὗτοι 4
οἱ λίϑοι δύνανται εἰς τὴν οἰκοδομὴν τοῦ πύργου ἀπελϑεῖν ἀποδεδο-
κιμασμένοι; ἀποκριϑείς μοι λέγει· Βλέπεις, φησί, τοὺς λίϑους τούτους;
Βλέπω, φημί, κύριε. Ἐγώ, φησί, τὸ πλεῖστον μέρος τῶν λίϑων τού-
των λατομήσω καὶ βαλῶ εἰς τὴν οἰκοδομήν, καὶ ἁρμόσουσι μετὰ τῶν
λοιπῶν λίϑων. 5. Πῶς, φημί, κύριε, δύνανται περικοπέντες τὸν αὐ- 5
τὸν τόπον πληρῶσαι; ἀποκριϑεὶς λέγει μοι· Ὅσοι μικροὶ εὑρεϑήσονται
εἰς μέσην τὴν οἰκοδομὴν βληϑήσονται, ὅσοι δὲ μείζονες, ἐξώτεροι
τεϑήσονται καὶ συγκρατήσουσιν αὐτούς. 6. ταῦτά μοι λαλήσας λέγει 6
μοι· Ἄγωμεν, καὶ μετὰ ἡμέρας δύο ἔλϑωμεν καὶ καϑαρίσωμεν τοὺς
λίϑους τούτους, καὶ βάλωμεν αὐτοὺς εἰς τὴν οἰκοδομήν· τὰ γὰρ κύκλῳ
τοῦ πύργου πάντα καϑαρισϑῆναι δεῖ, μήποτε ὁ δεσπότης ἐξάπινα
ἔλϑῃ καὶ τὰ περὶ τὸν πύργον ῥυπαρὰ εὕρῃ καὶ προσοχϑίσῃ, καὶ οὗτοι
οἱ λίϑοι οὐκ ἀπελεύσονται εἰς τὴν οἰκοδομὴν τοῦ πύργου, κἀγὼ ἀμελὴς

7 δόξω εἶναι παρὰ τῷ δεσπότῃ. 7. καὶ μετὰ ἡμέρας δύο ἤλθομεν
πρὸς τὸν πύργον, καὶ λέγει μοι· Κατανοήσωμεν τοὺς λίθους πάντας,
καὶ ἴδωμεν τοὺς δυναμένους εἰς τὴν οἰκοδομὴν ἀπελθεῖν. λέγω αὐτῷ·
Κύριε, κατανοήσωμεν.

1 8. Καὶ ἀρξάμενοι πρῶτον τοὺς μέλανας κατενοοῦμεν λίθους.
καὶ οἷοι ἐκ τῆς οἰκοδομῆς ἐτέθησαν, τοιοῦτοι καὶ εὑρέθησαν. καὶ
ἐκέλευσεν αὐτοὺς ὁ ποιμὴν ἐκ τοῦ πύργου μετενεχθῆναι καὶ χωρι-
2 σθῆναι. 2. εἶτα κατενόησε τοὺς ἐψωριακότας, καὶ λαβὼν ἐλατόμησε
πολλοὺς ἐξ αὐτῶν, καὶ ἐκέλευσε τὰς παρθένους ἆραι αὐτοὺς καὶ βαλεῖν
εἰς τὴν οἰκοδομήν. καὶ ἦραν αὐτοὺς αἱ παρθένοι καὶ ἔθηκαν εἰς τὴν
οἰκοδομὴν τοῦ πύργου μέσην. τοὺς δὲ λοιποὺς ἐκέλευσε μετὰ τῶν
3 μελάνων τεθῆναι· καὶ γὰρ καὶ οὗτοι μέλανες εὑρέθησαν. 3. εἶτα
κατενόει τοὺς τὰς σχισμὰς ἔχοντας· καὶ ἐκ τούτων πολλοὺς ἐλατό-
μησε καὶ ἐκέλευσε διὰ τῶν παρθένων εἰς τὴν οἰκοδομὴν ἀπενεχθῆναι·
ἐξώτεροι δὲ ἐτέθησαν, ὅτι ὑγιέστεροι εὑρέθησαν. οἱ δὲ λοιποὶ διὰ
τὸ πλῆθος τῶν σχισμάτων οὐκ ἠδυνήθησαν λατομηθῆναι· διὰ ταύτην
4 οὖν τὴν αἰτίαν ἀπεβλήθησαν ἀπὸ τῆς οἰκοδομῆς τοῦ πύργου. 4. εἶτα
κατενόει τοὺς κολοβούς, καὶ εὑρέθησαν πολλοὶ ἐν αὐτοῖς μέλανες,
τινὲς δὲ σχισμὰς μεγάλας πεποιηκότες· καὶ ἐκέλευσε καὶ τούτους
τεθῆναι μετὰ τῶν ἀποβεβλημένων. τοὺς δὲ περισσεύοντας αὐτῶν
καθαρίσας καὶ λατομήσας ἐκέλευσεν εἰς τὴν οἰκοδομὴν τεθῆναι. αἱ
δὲ παρθένοι αὐτοὺς ἄρασαι εἰς μέσην τὴν οἰκοδομὴν τοῦ πύργου
5 ἥρμοσαν· ἀσθενέστεροι γὰρ ἦσαν. 5. εἶτα κατενόει τοὺς ἡμίσεις λευ-
κούς, ἡμίσεις δὲ μέλανας· καὶ πολλοὶ ἐξ αὐτῶν εὑρέθησαν μέλανες.
ἐκέλευσε δὲ καὶ τούτους ἀρθῆναι [καὶ τεθῆναι] μετὰ τῶν ἀποβεβλη-
μένων. οἱ δὲ λοιποὶ πάντες ἤρθησαν ὑπὸ τῶν παρθένων· λευκοὶ γὰρ
ὄντες ἡρμόσθησαν ὑπ᾿ αὐτῶν τῶν παρθένων εἰς τὴν οἰκοδομήν· ἐξώ-
τεροι δὲ ἐτέθησαν, ὅτι ὑγιεῖς εὑρέθησαν, ὥστε δύνασθαι αὐτοὺς κρα-
τεῖν τοὺς εἰς τὸ μέσον τεθέντας· ὅλως γὰρ ἐξ αὐτῶν οὐδὲν ἐκολο-
6 βώθη. 6. εἶτα κατενόει τοὺς τραχεῖς καὶ σκληρούς, καὶ ὀλίγοι ἐξ
αὐτῶν ἀπεβλήθησαν διὰ τὸ μὴ δύνασθαι λατομηθῆναι· σκληροὶ γὰρ
λίαν εὑρέθησαν. οἱ δὲ λοιποὶ αὐτῶν ἐλατομήθησαν καὶ ἤρθησαν
ὑπὸ τῶν παρθένων, καὶ εἰς μέσην τὴν οἰκοδομὴν τοῦ πύργου ἡρ-
7 μόσθησαν· ἀσθενέστεροι γὰρ ἦσαν. 7. εἶτα κατενόει τοὺς ἔχοντας

τοὺς σπίλους, καὶ ἐκ τούτων ἐλάχιστοι ἐμελάνησαν, καὶ ἀπεβλήθησαν
πρὸς τοὺς λοιπούς. οἱ δὲ περισσεύοντες λαμπροὶ καὶ ὑγιεῖς εὑρέ-
θησαν· καὶ οὗτοι ἡρμόσθησαν ὑπὸ τῶν παρθένων εἰς τὴν οἰκοδομήν·
ἐξώτεροι δὲ ἐτέθησαν διὰ τὴν ἰσχυρότητα αὐτῶν.

9. Εἶτα ἦλθε κατανοῆσαι τοὺς λευκοὺς καὶ στρογγύλους λίθους, 1
καὶ λέγει μοι· Τί ποιοῦμεν περὶ τούτων τῶν λίθων; Τί, φημί, ἐγὼ
γινώσκω, κύριε; Οὐδὲν οὖν ἐπινοεῖς περὶ αὐτῶν; 2. Ἐγώ, φημί, 2
κύριε, ταύτην τὴν τέχνην οὐκ ἔχω, οὐδὲ λατόμος εἰμί, οὐδὲ δύναμαι
νοῆσαί [τι]. Οὐ βλέπεις αὐτούς, φησί, λίαν στρογγύλους ὄντας; καὶ
ἐὰν αὐτοὺς θελήσω τετραγώνους ποιῆσαι, πολὺ δεῖ ἀπ᾽ αὐτῶν ἀπο-
κοπῆναι· δεῖ δὲ ἐξ αὐτῶν ἐξ ἀνάγκης τινὰς εἰς τὴν οἰκοδομὴν τε-
θῆναι. 3. Εἰ οὖν, φημί, κύριε, ἀνάγκη ἐστί, τί σεαυτὸν βασανίζεις 3
καὶ οὐκ ἐκλέγῃ εἰς τὴν οἰκοδομὴν οὓς θέλεις, καὶ ἁρμόζεις εἰς αὐ-
τήν; ἐξελέξατο ἐξ αὐτῶν τοὺς μείζονας καὶ λαμπρούς, καὶ ἐλατόμησεν
αὐτούς· αἱ δὲ παρθένοι ἄρασαι ἥρμοσαν εἰς τὰ ἐξώτερα μέρη τῆς
οἰκοδομῆς. 4. οἱ δὲ λοιποὶ οἱ περισσεύσαντες ἤρθησαν, καὶ ἀπετέ- 4
θησαν εἰς τὸ πεδίον ὅθεν ἠνέχθησαν· οὐκ ἀπεβλήθησαν δέ, Ὅτι,
φησί, λείπει τῷ πύργῳ ἔτι μικρὸν οἰκοδομηθῆναι. πάντως δὲ θέλει
ὁ δεσπότης τοῦ πύργου τούτους ἁρμοσθῆναι τοὺς λίθους εἰς τὴν
οἰκοδομήν, ὅτι λαμπροί εἰσι λίαν. 5. ἐκλήθησαν δὲ γυναῖκες δώδεκα, 5
εὐειδέσταται τῷ χαρακτῆρι, μέλανα ἐνδεδυμέναι, [περιεζωσμέναι καὶ
ἔξω τοὺς ὤμους ἔχουσαι,] καὶ τὰς τρίχας λελυμέναι. ἐδοκοῦσαν δέ μοι
αἱ γυναῖκες αὗται ἄγριαι εἶναι. ἐκέλευσε δὲ αὐτὰς ὁ ποιμὴν ἆραι
τοὺς λίθους τοὺς ἀποβεβλημένους ἐκ τῆς οἰκοδομῆς, καὶ ἀπενεγκεῖν
αὐτοὺς εἰς τὰ ὄρη ὅθεν καὶ ἠνέχθησαν. 6. αἱ δὲ ἱλαραὶ ἦραν, καὶ 6
ἀπήνεγκαν πάντας τοὺς λίθους, καὶ ἔθηκαν ὅθεν ἐλήφθησαν. καὶ μετὰ
τὸ ἀρθῆναι πάντας τοὺς λίθους καὶ μηκέτι κεῖσθαι λίθον κύκλω τοῦ
πύργου, λέγει μοι ὁ ποιμήν· Κυκλώσωμεν τὸν πύργον, καὶ ἴδωμεν μή
τι ἐλάττωμά ἐστιν ἐν αὐτῷ. καὶ ἐκύκλωσα ἐγὼ μετ᾽ αὐτοῦ. 7. ἰδὼν 7
δὲ ὁ ποιμὴν τὸν πύργον εὐπρεπῆ ὄντα τῇ οἰκοδομῇ, λίαν ἱλαρὸς ἦν·
ὁ γὰρ πύργος οὕτως ἦν ᾠκοδομημένος, ὥστε με ἰδόντα ἐπιθυμεῖν τὴν
οἰκοδομὴν αὐτοῦ· οὕτω γὰρ ἦν ᾠκοδομημένος, ὡσὰν ἐξ ἑνὸς λίθου,
μὴ ἔχων μίαν ἁρμογὴν ἐν ἑαυτῷ. ἐφαίνετο δὲ ὁ λίθος ὡς ἐκ τῆς
πέτρας ἐκκεκολαμμένος· μονόλιθος γάρ μοι ἐδόκει εἶναι.

1   **10.** Κἀγὼ περιπατῶν μετ᾽ αὐτοῦ ἱλαρὸς ἤμην τοιαῦτα ἀγαθὰ
βλέπων. λέγει δέ μοι ὁ ποιμήν· Ὕπαγε καὶ φέρε ἄσβεστον καὶ
ὄστρακον λεπτόν, ἵνα τοὺς τύπους τῶν λίθων τῶν ᾐρμένων καὶ εἰς
τὴν οἰκοδομὴν βεβλημένων ἀναπληρώσω· δεῖ γὰρ τοῦ πύργου τὰ
2 κύκλῳ πάντα ὁμαλὰ γενέσθαι. 2. καὶ ἐποίησα καθὼς ἐκέλευσε, καὶ
ἤνεγκα πρὸς αὐτόν. Ὑπηρέτει μοι, φησί, καὶ ἐγγὺς τὸ ἔργον τελε-
σθήσεται. ἐπλήρωσεν οὖν τοὺς τύπους τῶν λίθων τῶν εἰς τὴν οἰκοδομὴν
ἀπεληλυθότων, καὶ ἐκέλευσε σαρωθῆναι τὰ κύκλῳ τοῦ πύργου καὶ
3 καθαρὰ γενέσθαι· 3. αἱ δὲ παρθένοι λαβοῦσαι σάρους ἐσάρωσαν, καὶ
πάντα τὰ κό[πρια] ἦραν ἐκ τοῦ πύργου, καὶ ἔρραναν ὕδωρ, καὶ ἐγέ-
4 νετο ὁ τόπος ἱλαρὸς καὶ εὐπρεπέστατος τοῦ πύργου. 4. λέγει μοι ὁ
ποιμήν· Πάντα, φησί, κεκάθα[ρται]· ἐὰν ἔλθῃ ὁ κύριος ἐπισκέψασθαι
τὸν πύργον, οὐκ ἔχει ἡμῶν οὐδὲν μέμψασθαι. ταῦτα εἰπὼν ἤθελεν
5 ὑπάγειν· 5. ἐγὼ δὲ ἐπελαβόμην αὐτοῦ τῆς πήρας καὶ ἠρξάμην αὐ-
τὸν ὁρκίζειν κατὰ τοῦ κυρίου ἵνα μοι ἐπιλύσῃ ἃ ἔδειξέ μοι. λέγει
μοι· Μικρὸν ἔχω ἀκαιρεθῆναι, καὶ πάντα σοι ἐπιλύσω· ἔκδεξαί με
6 ὧδε ἕως ἔρχομαι. 6. λέγω αὐτῷ· Κύριε, μόνος ὢν ὧδε τί ποιήσω;
Οὐκ εἶ, φησί, μόνος· αἱ γὰρ παρθένοι αὗται μετὰ σοῦ εἰσί. Παράδος
οὖν, φημί, αὐταῖς με. προσκαλεῖται αὐτὰς ὁ ποιμὴν καὶ λέγει αὐ-
7 ταῖς· Παρατίθεμαι ὑμῖν τοῦτον ἕως ἔρχομαι· καὶ ἀπῆλθεν. 7. ἐγὼ
δὲ ἤμην μόνος μετὰ τῶν παρθένων· ἦσαν δὲ ἱλαρώτεραι, καὶ πρὸς
ἐμὲ εὖ εἶχον· μάλιστα δὲ αἱ δ᾽ αἱ ἐνδοξότεραι αὐτῶν.

1   **11.** Λέγουσί μοι αἱ παρθένοι· Σήμερον ὁ ποιμὴν ὧδε οὐκ
ἔρχεται. Τί οὖν, φημί, ποιήσω ἐγώ; Μέχρις ὀψέ, φασίν, περίμεινον
αὐτόν· καὶ ἐὰν ἔλθῃ, λαλήσει μετὰ σοῦ, ἐὰν δὲ μὴ ἔλθῃ, μενεῖς μεθ᾽
2 ἡμῶν ὧδε ἕως ἔρχεται. 2. λέγω αὐταῖς· Ἐκδέξομαι αὐτὸν ἕως ὀψέ·
ἐὰν δὲ μὴ ἔλθῃ, ἀπελεύσομαι εἰς τὸν οἶκον, καὶ πρωῒ ἐπανήξω. αἱ
δὲ ἀποκριθεῖσαι λέγουσί μοι· Ἡμῖν παρεδόθης· οὐ δύνασαι ἀφ᾽ ἡμῶν
3 ἀναχωρῆσαι. 3. Ποῦ οὖν, φημί, μενῶ; Μεθ᾽ ἡμῶν, φασί, κοιμηθήσῃ
ὡς ἀδελφός, καὶ οὐχ ὡς ἀνήρ. ἡμέτερος γὰρ ἀδελφὸς εἶ, καὶ τοῦ
λοιποῦ μέλλομεν μετὰ σοῦ κατοικεῖν· λίαν γάρ σε ἀγαπῶμεν. ἐγὼ
4 δὲ ᾐσχυνόμην μετ᾽ αὐτῶν μένειν. 4. καὶ ἡ δοκοῦσα πρώτη αὐτῶν
εἶναι ἤρξατό με καταφιλεῖν [καὶ αἱ ἄλλαι δὲ ἰδοῦσαι αὐτὴν κατα-
φιλοῦσάν με, καὶ αὐταὶ ἤρξαντό με καταφιλεῖν] καὶ περιάγειν κύκλῳ

τοῦ πύργου καὶ παίζειν μετ᾽ ἐμοῦ. 5. κἀγὼ ὡσεὶ νεώτερος ἐγεγόνειν 5
καὶ ἠρξάμην καὶ αὐτὸς παίζειν μετ᾽ αὐτῶν. αἱ μὲν γὰρ ἐχόρευον,
αἱ δὲ ὠρχοῦντο, αἱ δὲ ᾖδον· ἐγὼ δὲ σιγὴν ἔχων μετ᾽ αὐτῶν κύκλῳ
τοῦ πύργου περιεπάτουν, καὶ ἱλαρὸς ἤμην μετ᾽ αὐτῶν. 6. ὀψίας δὲ 6
γενομένης ἤθελον εἰς τὸν οἶκον ὑπάγειν· αἱ δὲ οὐκ ἀφῆκαν, ἀλλὰ
κατέσχον με. καὶ ἔμεινα μετ᾽ αὐτῶν τὴν νύκτα, καὶ ἐκοιμήθην παρὰ
τὸν πύργον. 7. ἔστρωσαν δὲ αἱ παρθένοι τοὺς λινοῦς χιτῶνας ἑαυτῶν χα- 7
μαί, καὶ ἐμὲ ἀνέκλιναν εἰς τὸ μέσον αὐτῶν, καὶ οὐδὲν ὅλως ἐποίουν
εἰ μὴ προσηύχοντο· κἀγὼ μετ᾽ αὐτῶν ἀδιαλείπτως προσηυχόμην, καὶ
οὐκ ἔλασσον ἐκείνων. καὶ ἔχαιρον αἱ παρθένοι οὕτω μου προσευχο-
μένου. καὶ ἔμεινα ἐκεῖ μέχρι τῆς αὔριον ἕως ὥρας δευτέρας μετὰ
τῶν παρθένων. 8. εἶτα παρῆν ὁ ποιμήν, καὶ λέγει ταῖς παρθένοις· 8
Μή τινα αὐτῷ ὕβριν πεποιήκατε; Ἐρώτα, φασίν, αὐτόν. λέγω αὐ-
τῷ· Κύριε, εὐφράνθην μετ᾽ αὐτῶν μείνας. Τί, φησίν, ἐδείπνησας;
Ἐδείπνησα, φημί, κύριε, ῥήματα κυρίου ὅλην τὴν νύκτα. Καλῶς,
φησίν, ἔλαβόν σε; Ναί, φημί, κύριε. 9. Νῦν, φησί, τί θέλεις πρῶτον 9
ἀκοῦσαι; Καθώς, φημί, κύριε, ἀπ᾽ ἀρχῆς ἔδειξας· ἐρωτῶ σε, κύριε,
ἵνα καθὼς ἄν σε ἐπερωτήσω, οὕτω μοι καὶ δηλώσῃς. Καθὼς βούλει,
φησίν, οὕτω σοι καὶ ἐπιλύσω, καὶ οὐδὲν ὅλως ἀποκρύψω ἀπὸ σοῦ.

12. Πρῶτον, φημί, πάντων, κύριε, τοῦτό μοι δήλωσον· ἡ πέτρα 1
καὶ ἡ πύλη τίς ἐστιν; Ἡ πέτρα, φησίν, αὕτη καὶ ἡ πύλη ὁ υἱὸς
τοῦ θεοῦ ἐστί. Πῶς, φημί, κύριε, ἡ πέτρα παλαιά ἐστιν, ἡ δὲ πύλη
καινή; Ἄκουε, φησί, καὶ σύνιε, ἀσύνετε. 2. ὁ μὲν υἱὸς τοῦ θεοῦ 2
πάσης τῆς κτίσεως αὐτοῦ προγενέστερός ἐστιν, ὥστε σύμβουλον αὐτὸν
γενέσθαι τῷ πατρὶ τῆς κτίσεως αὐτοῦ· διὰ τοῦτο καὶ παλαιός ἐστιν.
Ἡ δὲ πύλη διατί καινή, φημί, κύριε; 3. Ὅτι, φησίν, ἐπ᾽ ἐσχάτων 3
τῶν ἡμερῶν τῆς συντελείας φανερὸς ἐγένετο, διὰ τοῦτο καινὴ ἐγένετο
ἡ πύλη, ἵνα οἱ μέλλοντες σώζεσθαι δι᾽ αὐτῆς εἰς τὴν βασιλείαν
εἰσέλθωσι τοῦ θεοῦ. 4. εἶδες, φησίν, τοὺς λίθους τοὺς διὰ τῆς πύ- 4
λης εἰσεληλυθότας εἰς τὴν οἰκοδομὴν τοῦ πύργου [βεβλημένους], τοὺς
δὲ μὴ εἰσεληλυθότας πάλιν ἀποβεβλημένους εἰς τὸν ἴδιον τόπον;
Εἶδον, φημί, κύριε. Οὕτω, φησίν, εἰς τὴν βασιλείαν τοῦ θεοῦ οὐδεὶς
εἰσελεύσεται, εἰ μὴ λάβοι τὸ ὄνομα τοῦ υἱοῦ αὐτοῦ. 5. ἐὰν γὰρ εἰς 5
πόλιν θελήσῃς εἰσελθεῖν τινά, κἀκείνη ἡ πόλις περιτετειχισμένη

κύκλῳ καὶ μίαν ἔχει πύλην, μήτι δυνήσῃ εἰς τὴν πόλιν ἐκείνην
εἰσελθεῖν εἰ μὴ διὰ τῆς πύλης ἧς ἔχει; Πῶς γάρ, φημί, κύριε, δύ-
ναται γενέσθαι ἄλλως; Εἰ οὖν εἰς τὴν πόλιν οὐ δυνήσῃ εἰσελθεῖν εἰ
μὴ διὰ τῆς πύλης αὐτῆς, οὕτω, φησί, καὶ εἰς τὴν βασιλείαν τοῦ θεοῦ
ἄλλως εἰσελθεῖν οὐ δύναται ἄνθρωπος εἰ μὴ διὰ τοῦ ὀνόματος τοῦ
6 υἱοῦ αὐτοῦ τοῦ ἠγαπημένου ὑπ᾽ αὐτοῦ. 6. εἶδες, φησί, τὸν ὄχλον
τὸν οἰκοδομοῦντα τὸν πύργον; Εἶδον, φημί, κύριε. Ἐκεῖνοι, φησί,
πάντες ἄγγελοι ἔνδοξοί εἰσι. τούτοις οὖν περιτετείχισται ὁ κύριος.
ἡ δὲ πύλη ὁ υἱὸς τοῦ θεοῦ ἐστίν· αὕτη μία εἴσοδός ἐστι πρὸς τὸν
κύριον. ἄλλως οὖν οὐδεὶς εἰσελεύσεται πρὸς αὐτὸν εἰ μὴ διὰ τοῦ
7 υἱοῦ αὐτοῦ. 7. εἶδες, φησί, τοὺς ἓξ ἄνδρας καὶ τὸν μέσον αὐτῶν
ἔνδοξον καὶ μέγαν ἄνδρα τὸν περιπατοῦντα περὶ τὸν πύργον καὶ τοὺς
8 λίθους ἀποδοκιμάσαντα ἐκ τῆς οἰκοδομῆς; Εἶδον, φημί, κύριε. 8. Ὁ
ἔνδοξος, φησίν, ἀνὴρ ὁ υἱὸς τοῦ θεοῦ ἐστί, κἀκεῖνοι οἱ ἓξ οἱ ἔνδοξοι
ἄγγελοί εἰσι δεξιὰ καὶ εὐώνυμα συγκρατοῦντες αὐτόν. τούτων, φησί,
τῶν ἀγγέλων τῶν ἐνδόξων οὐδεὶς εἰσελεύσεται πρὸς τὸν θεὸν ἄτερ
αὐτοῦ· ὃς ἂν τὸ ὄνομα αὐτοῦ μὴ λάβῃ, οὐκ εἰσελεύσεται εἰς τὴν βα-
σιλείαν τοῦ θεοῦ.

1   13. Ὁ δὲ πύργος, φημί, τίς ἐστιν; Ὁ πύργος, φησίν, οὗτος [ἡ]
2 ἐκκλησία ἐστί. 2. Αἱ δὲ παρθένοι αὗται τίνες εἰσί; Ἅγια πνεύματά
εἰσι· καὶ ἄλλως ἄνθρωπος οὐ δύναται εὑρεθῆναι εἰς τὴν βασιλείαν
τοῦ θεοῦ, ἐὰν μὴ αὗται αὐτὸν ἐνδύσωσι τὸ ἔνδυμα αὐτῶν· ἐὰν γὰρ
τὸ ὄνομα μόνον λάβῃς, τὸ δὲ ἔνδυμα παρὰ τούτων μὴ λάβῃς, οὐδὲν
ὠφελήσῃ. αὗται γὰρ αἱ παρθένοι δυνάμεις εἰσὶ τοῦ υἱοῦ τοῦ θεοῦ.
ἐὰν [οὖν] τὸ ὄνομα φορῇς, τὴν δὲ δύναμιν μὴ φορῇς αὐτοῦ, εἰς μά-
3 την ἔσῃ τὸ ὄνομα αὐτοῦ φορῶν. 3. τοὺς δὲ λίθους, φησίν, οὓς εἶδες
ἀποβεβλημένους, οὗτοι τὸ μὲν ὄνομα ἐφόρεσαν, τὸν δὲ ἱματισμὸν τῶν
παρθένων οὐκ ἐνεδύσαντο. Ποῖος, φημί, ἱματισμὸς αὐτῶν ἐστί, κύριε;
Αὐτὰ τὰ ὀνόματα, φησίν, ἱματισμός ἐστιν αὐτῶν. ὃς ἂν τὸ ὄνομα
τοῦ υἱοῦ τοῦ θεοῦ φορῇ, καὶ τούτων ὀφείλει τὰ ὀνόματα φορεῖν· καὶ
4 γὰρ αὐτὸς ὁ υἱὸς τὰ ὀνόματα τῶν παρθένων τούτων φορεῖ. 4. ὅσους,
φησί, λίθους εἶδες εἰς τὴν οἰκοδομὴν [τοῦ πύργου εἰσεληλυθότας, ἐπι-
δεδομένους διὰ τῶν χειρῶν αὐτῶν καὶ μείναντας εἰς τὴν οἰκοδομήν,]
5 τούτων τῶν παρθένων τὴν δύναμιν ἐνδεδυμένοι εἰσί. 5. διὰ τοῦτο

βλέπεις τὸν πύργον μονόλιθον γεγονότα [μετὰ] τῆς πέτρας. οὕτω καὶ
οἱ πιστεύσαντες τῷ κυρίῳ διὰ τοῦ υἱοῦ αὐτοῦ καὶ ἐνδιδυσκόμενοι τὰ
πνεύματα ταῦτα, ἔσονται εἰς ἓν πνεῦμα, εἰς ἓν σῶμα, καὶ μία χρόα
τῶν ἱματισμῶν αὐτῶν. τῶν τοιούτων δὲ τῶν φορούντων τὰ ὀνόματα
τῶν παρθένων ἐστὶν ἡ κατοικία εἰς τὸν πύργον. 6. Οἱ οὖν, φημί, 6
κύριε, ἀποβεβλημένοι λίθοι διατί ἀπεβλήθησαν; διῆλθον γὰρ διὰ τῆς
πύλης, καὶ διὰ τῶν χειρῶν τῶν παρθένων ἐτέθησαν εἰς τὴν οἰκοδο-
μὴν τοῦ πύργου. Ἐπειδὴ πάντα σοι, φησί, μέλει, καὶ ἀκριβῶς ἐξε-
τάζεις, ἄκουε περὶ τῶν ἀποβεβλημένων λίθων. 7. οὗτοι, φησί, πάντες 7
τὸ ὄνομα τοῦ υἱοῦ τοῦ θεοῦ ἔλαβον, ἔλαβον δὲ καὶ τὴν δύναμιν τῶν
παρθένων τούτων. λαβόντες οὖν τὰ πνεύματα ταῦτα ἐνεδυναμώθησαν,
καὶ ἦσαν μετὰ τῶν δούλων τοῦ θεοῦ, καὶ ἦν αὐτῶν ἓν πνεῦμα καὶ
ἓν σῶμα καὶ ἓν ἔνδυμα· τὰ γὰρ αὐτὰ ἐφρόνουν καὶ δικαιοσύνην
εἰργάζοντο. 8. μετὰ οὖν χρόνον τινὰ ἀνεπείσθησαν ὑπὸ τῶν γυναικῶν 8
ὧν εἶδες μέλανα ἱμάτια ἐνδεδυμένων, τοὺς ὤμους ἔξω ἐχουσῶν καὶ
τὰς τρίχας λελυμένας καὶ εὐμόρφων. ταύτας ἰδόντες ἐπεθύμησαν
αὐτῶν, καὶ ἐνεδύσαντο τὴν δύναμιν αὐτῶν, τῶν δὲ παρθένων ἀπεδύ-
σαντο τὸ ἔνδυμα. 9. οὗτοι οὖν ἀπεβλήθησαν ἀπὸ τοῦ οἴκου τοῦ 9
θεοῦ καὶ ἐκείναις παρεδόθησαν. οἱ δὲ μὴ ἀπατηθέντες τῷ κάλλει
τῶν γυναικῶν τούτων ἔμειναν ἐν τῷ οἴκῳ τοῦ θεοῦ. ἔχεις, φησί,
τὴν ἐπίλυσιν τῶν ἀποβεβλημένων.

14. Τί οὖν, φημί, κύριε, ἐὰν οὗτοι οἱ ἄνθρωποι, τοιοῦτοι ὄντες, 1
μετανοήσωσι καὶ ἀποβάλωσι τὰς ἐπιθυμίας τῶν γυναικῶν τούτων, καὶ
ἐπανακάμψωσιν ἐπὶ τὰς παρθένους, καὶ ἐν τῇ δυνάμει αὐτῶν καὶ ἐν
τοῖς ἔργοις αὐτῶν πορευθῶσιν, οὐκ εἰσελεύσονται εἰς τὸν οἶκον τοῦ
θεοῦ; 2. Εἰσελεύσονται, φησίν, ἐὰν τούτων τῶν γυναικῶν ἀποβάλωσι 2
τὰ ἔργα, τῶν δὲ παρθένων ἀναλάβωσι τὴν δύναμιν καὶ ἐν τοῖς ἔργοις
αὐτῶν πορευθῶσι. διὰ τοῦτο γὰρ καὶ τῆς οἰκοδομῆς ἀνοχὴ ἐγένετο,
ἵνα ἐὰν μετανοήσωσιν οὗτοι, εἰσέλθωσιν εἰς τὴν οἰκοδομὴν τοῦ πύρ-
γου. ἐὰν δὲ μὴ μετανοήσωσι, τότε ἄλλοι εἰσελεύσονται, καὶ οὗτοι
εἰς τέλος ἐκβληθήσονται. 3. ἐπὶ τούτοις πᾶσιν ηὐχαρίστησα τῷ κυ- 3
ρίῳ, ὅτι ἐσπλαγχνίσθη ἐπὶ πᾶσι τοῖς ἐπικαλουμένοις τῷ ὀνόματι
αὐτοῦ, καὶ ἐξαπέστειλε τὸν ἄγγελον τῆς μετανοίας εἰς ἡμᾶς τοὺς
ἁμαρτήσαντας εἰς αὐτόν, καὶ ἀνεκαίνισεν ἡμῶν τὸ πνεῦμα, καὶ ἤδη

κατεφθαρμένων ἡμῶν καὶ μὴ ἐχόντων ἐλπίδα τοῦ ζῆν ἀνενέωσε τὴν
4 ζωὴν ἡμῶν. 4. Νῦν, φημί, κύριε, δήλωσόν μοι, διατί ὁ πύργος
χαμαὶ οὐκ ᾠκοδόμηται, ἀλλ' ἐπὶ τὴν πέτραν καὶ ἐπὶ τὴν πύ-
λην. Ἔτι, φησίν, ἄφρων εἶ καὶ ἀσύνετος; Ἀνάγκην ἔχω, φημί,
κύριε, πάντα ἐπερωτᾶν σε, διότι οὐδ' ὅλως οὐδὲν δύναμαι νοῆ-
σαι· τὰ γὰρ πάντα μεγάλα καὶ ἔνδοξά ἐστι καὶ δυσνόητα τοῖς ἀν-
5 θρώποις. 5. Ἄκουε, φησί· τὸ ὄνομα τοῦ υἱοῦ τοῦ θεοῦ μέγα ἐστὶ
καὶ ἀχώρητον, καὶ τὸν κόσμον ὅλον βαστάζει. εἰ οὖν πᾶσα ἡ κτίσις
διὰ τοῦ υἱοῦ τοῦ θεοῦ βαστάζεται, τί δοκεῖς τοὺς κεκλημένους ὑπ'
αὐτοῦ καὶ τὸ ὄνομα φοροῦντας τοῦ υἱοῦ τοῦ θεοῦ καὶ πορευομένους
6 ταῖς ἐντολαῖς αὐτοῦ; 6. βλέπεις οὖν ποίους βαστάζει; τοὺς ἐξ ὅλης
καρδίας φοροῦντας τὸ ὄνομα αὐτοῦ. αὐτὸς οὖν θεμέλιον αὐτοῖς ἐγέ-
νετο, καὶ ἡδέως αὐτοὺς βαστάζει, ὅτι οὐκ ἐπαισχύνονται τὸ ὄνομα
αὐτοῦ φορεῖν.

1   15. Δή[λωσόν μοι], φημί, κύριε, τῶν παρθέ[νων τὰ ὀνόματα
καὶ τῶν γυναικῶν τῶν τὰ μέλανα ἱμάτια ἐνδεδυμένων. Ἄκουε, φη-
σίν, τῶν παρθένων τ]ὰ ὀνόματα τῶν ἰσχυροτέρων, τῶν εἰς τὰς γωνίας
2 σταθεισῶν. 2. ἡ μὲν πρώτη Πίστις, ἡ δὲ δευτέρα Ἐγκράτεια, ἡ δὲ
[τρ]ίτη Δύναμις, ἡ δὲ τε[τάρ]τη Μακροθυμία· αἱ δὲ ἕτεραι ἀνὰ μέσον
τούτων σταθεῖσαι ταῦτα ἔχουσι τὰ ὀνόματα· Ἁπλότης, Ἀκακία, Ἁγνεία,
Ἱλαρότης, Ἀλήθεια, Σύνεσις, [Ὁ]μόνοια, Ἀγάπη. ταῦτα τὰ ὀνόματα
ὁ φορῶν καὶ τὸ ὄνομα τοῦ υἱοῦ τοῦ θεοῦ δυνήσεται εἰς τὴν βασι-
3 λείαν τοῦ θεοῦ εἰσελθεῖν. 3. ἄκουε, φησί, καὶ τὰ ὀνόματα τῶν γυ-
ναικῶν τῶν τὰ ἱμάτια μέλανα ἐχουσῶν. καὶ ἐκ τούτων δ' εἰσὶ δυνα-
τώτεραι· ἡ πρώτη Ἀπιστία, ἡ δευτέρα Ἀκρασία, ἡ δὲ τρίτη Ἀπείθεια,
ἡ δὲ τετάρτη Ἀπάτη. αἱ δὲ ἀκόλουθοι αὐτῶν καλοῦνται Λύπη,
Πονηρία, Ἀσέλγεια, Ὀξυχολία, Ψεῦδος, Ἀφροσύνη, Καταλαλιά, Μῖσος.
ταῦτα τὰ ὀνόματα ὁ φορῶν τοῦ θεοῦ δοῦλος τὴν βασιλείαν μὲν
4 ὄψεται τοῦ θεοῦ, εἰς αὐτὴν δὲ οὐκ εἰσελεύσεται. 4. Οἱ λίθοι δέ,
φημί, κύριε, οἱ ἐκ τοῦ βυθοῦ ἡρμοσμένοι εἰς τὴν οἰκοδομὴν τίνες
εἰσίν; Οἱ μὲν πρῶτοι, φησίν, οἱ ι´ οἱ εἰς τὰ θεμέλια τεθειμένοι, πρώτη
γενεά· οἱ δὲ κε´ δευτέρα γενεὰ ἀνδρῶν δικαίων· οἱ δὲ λε´ προφῆται
τοῦ θεοῦ καὶ διάκονοι αὐτοῦ· οἱ δὲ μ´ ἀπόστολοι καὶ διδάσκαλοι
5 τοῦ κηρύγματος τοῦ υἱοῦ τοῦ θεοῦ. 5. Διατί οὖν, φημί, κύριε, αἱ

παρθένοι καὶ τούτους τοὺς λίθους ἐπέδωκαν εἰς τὴν οἰκοδομὴν τοῦ
πύργου, διενέγκασαι δια τῆς πύλης; 6. Οὗτοι γάρ, φησί, πρῶτοι ταῦτα 6
τὰ πνεύματα ἐφόρεσαν, καὶ ὅλως ἀπ᾽ ἀλλήλων οὐκ ἀπέστησαν, οὔτε
τὰ πνεύματα ἀπὸ τῶν ἀνθρώπων, οὔτε οἱ ἄνθρωποι ἀπὸ τῶν πνευ-
μάτων, ἀλλὰ παρέμειναν τὰ πνεύματα αὐτοῖς μέχρι τῆς κοιμήσεως
αὐτῶν. καὶ εἰ μὴ ταῦτα τὰ πνεύματα μετ᾽ αὐτῶν ἐσχήκει[σ]α[ν],
ο[ὐκ ἂν] εὔχρηστοι γεγόνεισαν τῇ οἰκοδομῇ τοῦ πύργου τούτου.

16. Ἔτι μοι, φημί, κύριε, δήλωσον. Τί, φησίν, ἐπιζητεῖς; Διατί, 1
φημί, κύριε, οἱ λίθοι ἐ[κ] τοῦ β[υ]θοῦ ἀνέβησαν καὶ εἰς τὴν οἰκοδο-
μὴν [τοῦ πύργου] ἐτέθησαν, πεφορηκότες τὰ πνεύματα ταῦτα;
2. Ἀνάγκην, φησίν, εἶχον δι᾽ ὕδατος ἀναβῆναι, ἵνα ζωοποιηθῶσιν· 2
οὐκ ἠδύναντο γὰρ ἄλλως εἰσελθεῖν εἰς τὴν βασιλείαν τοῦ θεοῦ, εἰ
μὴ τὴν νέκρωσιν ἀπέθεντο τῆς ζωῆς αὐτῶν [τῆς προτέρας]. 3. ἔλαβον 3
οὖν καὶ οὗτοι οἱ κεκοιμημένοι τὴν σφραγῖδα τοῦ υἱοῦ τοῦ θεοῦ [καὶ
εἰσῆλθον εἰς τὴν βασιλείαν τοῦ θεοῦ·] πρὶν γάρ, φησί, φορέσαι τὸν
ἄνθρωπον τὸ ὄνομα [τοῦ υἱοῦ] τοῦ θεοῦ, νεκρός ἐστιν· ὅταν δὲ λάβῃ
τὴν σφραγῖδα, ἀποτίθεται τὴν νέκρωσιν καὶ ἀναλαμβάνει τὴν ζωήν.
4. ἡ σφραγὶς οὖν τὸ ὕδωρ ἐστίν· εἰς τὸ ὕδωρ οὖν καταβαίνουσι νε- 4
κροί, καὶ ἀναβαίνουσι ζῶντες. κἀκείνοις οὖν ἐκηρύχθη ἡ σφραγὶς
αὕτη καὶ ἐχρήσαντο αὐτῇ, ἵνα εἰσέλθωσιν εἰς τὴν βασιλείαν τοῦ θεοῦ.
5. Διατί, φημί, κύριε, καὶ οἱ μ᾽ λίθοι μετ᾽ αὐτῶν ἀνέβησαν ἐκ τοῦ 5
βυθοῦ, ἤδη ἐσχηκότες τὴν σφραγῖδα; Ὅτι, φησίν, οὗτοι οἱ ἀπόστολοι
καὶ οἱ διδάσκαλοι οἱ κηρύξαντες τὸ ὄνομα τοῦ υἱοῦ τοῦ θεοῦ, κοιμη-
θέντες ἐν δυνάμει καὶ πίστει τοῦ υἱοῦ τοῦ θεοῦ ἐκήρυξαν καὶ τοῖς
προκεκοιμημένοις, καὶ αὐτοὶ ἔδωκαν αὐτοῖς τὴν σφραγῖδα τοῦ κη-
ρύγματος. 6. κατέβησαν οὖν μετ᾽ αὐτῶν εἰς τὸ ὕδωρ, καὶ πάλιν 6
ἀνέβησαν. [ἀλλ᾽ οὗτοι ζῶντες κατέβησαν, καὶ πάλιν ζῶντες ἀνέβησαν·
ἐκεῖνοι δὲ οἱ προκεκοιμημένοι νεκροὶ κατέβησαν, ζῶντες δὲ ἀνέβησαν.]
7. διὰ τούτων οὖν ἐζωοποιήθησαν καὶ ἐπέγνωσαν τὸ ὄνομα τοῦ υἱοῦ 7
τοῦ θεοῦ. διὰ τοῦτο καὶ συνανέβησαν μετ᾽ αὐτῶν καὶ συνηρμόσθησαν
εἰς τὴν οἰκοδομὴν τοῦ πύργου, καὶ ἀλατόμητοι συνῳκοδομήθησαν· ἐν
δικαιοσύνῃ γὰρ ἐκοιμήθησαν καὶ ἐν μεγάλῃ ἁγνείᾳ· μόνον δὲ τὴν
σφραγῖδα ταύτην οὐκ εἶχον. ἔχεις οὖν καὶ τὴν τούτων ἐπίλυσιν.
Ἔχω, φημί, κύριε.

1　　　17. Νῦν οὖν, κύριε, περὶ τῶν ὀρέων μοι δήλωσον· διατί ἄλλαι
καὶ ἄλλαι εἰσὶν αἱ ἰδέαι καὶ ποικίλαι; Ἄκουε, φησί. τὰ ὄρη ταῦτα
τὰ δώδεκα [δώδεκα] φυλαί εἰσιν αἱ κατοικοῦσαι ὅλον τὸν κόσμον.
ἐκηρύχθη οὖν εἰς ταύτας ὁ υἱὸς τοῦ θεοῦ διὰ τῶν ἀποστόλων.
2　2. Διατί δὲ ποικίλα, καὶ ἄλλη καὶ ἄλλη ἰδέα ἐστὶ τὰ ὄρη, δήλωσόν
μοι, κύριε. Ἄκουε, φησίν. αἱ δώδεκα φυλαὶ αὗται αἱ κατοικοῦσαι
ὅλον τὸν κόσμον δώδεκα ἔθνη εἰσί. ποικίλα δέ εἰσι τῇ φρονήσει καὶ
τῷ νοΐ· οἷα οὖν εἶδες τὰ ὄρη ποικίλα, τοιαῦταί εἰσι καὶ τούτων αἱ
ποικιλίαι τοῦ νοὸς τῶν ἐθνῶν καὶ ἡ φρόνησις. δηλώσω δέ σοι καὶ
3　ἑνὸς ἑκάστου τὴν πρᾶξιν. 3. Πρῶτον, φημί, κύριε, τοῦτο δήλωσον,
διατί οὕτω ποικίλα ὄντα τὰ ὄρη, εἰς τὴν οἰκοδομὴν ὅταν ἐτέθησαν οἱ
λίθοι αὐτῶν, μιᾷ χρόᾳ ἐγένοντο λαμπροί, ὡς καὶ οἱ ἐκ τοῦ βυθοῦ
4　ἀναβεβηκότες λίθοι; 4. Ὅτι, φησί, πάντα τὰ ἔθνη τὰ ὑπὸ τὸν οὐρα-
νὸν κατοικοῦντα, ἀκούσαντα καὶ πιστεύσαντα ἐπὶ τῷ ὀνόματι ἐκλήθησαν
[τοῦ υἱοῦ] τοῦ θεοῦ. λαβόντες οὖν τὴν σφραγῖδα μίαν φρόνησιν ἔσχον
καὶ ἕνα νοῦν, καὶ μία πίστις αὐτῶν ἐγένετο καὶ μία ἀγάπη, καὶ τὰ
πνεύματα τῶν παρθένων μετὰ τοῦ ὀνόματος ἐφόρεσαν· διὰ τοῦτο ἡ
5　οἰκοδομὴ τοῦ πύργου μιᾷ χρόᾳ ἐγένετο λαμπρὰ ὡς ὁ ἥλιος. 5. μετὰ
δὲ τὸ εἰσελθεῖν αὐτοὺς ἐπὶ τὸ αὐτὸ καὶ γενέσθαι ἓν σῶμα, τινὲς ἐξ
αὐτῶν ἐμίαναν ἑαυτοὺς καὶ ἐξεβλήθησαν ἐκ τοῦ γένους τῶν δικαίων,
καὶ πάλιν ἐγένοντο οἷοι πρότερον ἦσαν, μᾶλλον δὲ καὶ χείρονες.

1　　　18. Πῶς, φημί, κύριε, ἐγένοντο χείρονες, θεὸν ἐπεγνωκότες;
Ὁ μὴ γινώσκων, φησί, θεὸν καὶ πονηρευόμενος ἔχει κόλασίν τινα τῆς
πονηρίας αὐτοῦ, ὁ δὲ θεὸν ἐπιγνοὺς οὐκέτι ὀφείλει πονηρεύεσθαι, ἀλλ
2　ἀγαθοποιεῖν. 2. ἐὰν οὖν ὁ ὀφείλων ἀγαθοποιεῖν πονηρεύηται, οὐ
δοκεῖ πλείονα πονηρίαν ποιεῖν παρὰ τὸν μὴ γινώσκοντα τὸν θεόν; διὰ
τοῦτο οἱ μὴ ἐγνωκ[ό]τες θεὸν καὶ πονηρευόμενοι κεκριμένοι εἰσὶν εἰς
θάνατον, οἱ δὲ τὸν θεὸν ἐγνωκότες καὶ τὰ μεγαλεῖα αὐτοῦ ἑωρακότες
καὶ πονηρευόμενοι, δισσῶς κολασθήσονται καὶ ἀποθανοῦνται εἰς τὸν
3　αἰῶνα. οὕτως οὖν καθαρισθήσεται ἡ ἐκκλησία τοῦ θεοῦ. 3. ὡς δὲ
εἶδες ἐκ τοῦ πύργου τοὺς λίθους [ἠρ]μένους καὶ παραδεδομένους τοῖς
πνεύμασι τοῖς πονηροῖς καὶ ἐκεῖθεν ἐκβληθέντας· καὶ ἔσται ἓν σῶμα
τῶν κεκαθαρμένων, ὥσπερ καὶ ὁ πύργος ἐγένετο ὡς ἐξ ἑνὸς λίθου
γεγονὼς μετὰ τὸ καθαρισθῆναι αὐτόν· οὕτως ἔσται καὶ ἡ ἐκκλησία

τοῦ θεοῦ μετὰ τὸ καθαρισθῆναι αὐτὴν καὶ ἀποβληθῆναι τοὺς πονη-
ροὺς καὶ ὑποκριτὰς καὶ βλασφήμους καὶ διψύχους καὶ πονηρευομένους
ποικίλαις πονηρίαις. 4. μετὰ τὸ τούτους ἀποβληθῆναι ἔσται ἡ ἐκκλη- 4
σία τοῦ θεοῦ ἓν σῶμα, μία φρόνησις, εἷς νοῦς, μία πίστις, μία ἀγάπη.
καὶ τότε ὁ υἱὸς τοῦ θεοῦ ἀγαλλιάσεται καὶ εὐφρανθήσεται ἐν αὐτοῖς
ἀπειληφὼς τὸν λαὸν αὐτοῦ καθαρόν. Μεγάλως, φημί, κύριε, καὶ
ἐνδόξως πάντα ἔχει. 5. ἔτι, φημί, κύριε, τῶν ὀρέων ἑνὸς ἑκάστου 5
δήλωσόν μοι τὴν δύναμιν καὶ τὰς πράξεις, ἵνα πᾶσα ψυχὴ πεποιθυῖα
ἐπὶ τὸν κύριον ἀκούσασα δοξάσῃ τὸ μέγα καὶ θαυμαστὸν καὶ ἔνδοξον
ὄνομα αὐτοῦ. Ἄκουε, φησί, τῶν ὀρέων τὴν ποικιλίαν καὶ τῶν δώδεκα
ἐθνῶν.

19. Ἐκ τοῦ πρώτου ὄρους τοῦ μέλανος οἱ πιστεύσαντες τοιοῦ- 1
τοί εἰσιν· ἀποστάται καὶ βλάσφημοι εἰς τὸν κύριον καὶ προδόται τῶν
δούλων τοῦ θεοῦ. τούτοις δὲ μετάνοια οὐκ ἔστι, θάνατος δὲ ἔστι,
καὶ διὰ τοῦτο καὶ μέλανές εἰσι· καὶ γὰρ τὸ γένος αὐτῶν ἄνομόν ἐστιν.
2. ἐκ δὲ τοῦ δευτέρου ὄρους τοῦ ψιλοῦ οἱ πιστεύσαντες τοιοῦτοί εἰσιν· 2
ὑποκριταὶ καὶ διδάσκαλοι πονηρίας. καὶ οὗτοι οὖν τοῖς προτέροις
ὅμοιοί εἰσι, μὴ ἔχοντες καρπὸν δικαιοσύνης· ὡς γὰρ τὸ ὄρος αὐτῶν
ἄκαρπον, οὕτω καὶ οἱ ἄνθρωποι οἱ τοιοῦτοι ὄνομα μὲν ἔχουσιν, ἀπὸ
δὲ τῆς πίστεως κενοί εἰσι, καὶ οὐδεὶς ἐν αὐτοῖς καρπὸς ἀληθείας.
τούτοις οὖν μετάνοια κεῖται, ἐὰν ταχὺ μετανοήσωσιν· ἐὰν δὲ βραδύ-
νωσι, μετὰ τῶν προτέρων ἔσται ὁ θάνατος αὐτῶν. 3. Διατί, φημί, 3
κύριε, τούτοις μετάνοιά ἐστι, τοῖς δὲ προτέροις οὐκ ἔστι; παρά τι
γὰρ αἱ αὐταὶ αἱ πράξεις αὐτῶν εἰσί. Διὰ τοῦτο, φησί, τούτοις με-
τάνοια κεῖται, ὅτι οὐκ ἐβλασφήμησαν τὸν κύριον αὐτῶν οὐδὲ ἐγένοντο
προδόται τῶν δούλων τοῦ θεοῦ, διὰ δὲ τὴν ἐπιθυμίαν τοῦ λήμματος
ὑπεκρίθησαν καὶ ἐδίδαξαν κατὰ τὰς ἐπιθυμίας τῶν ἀνθρώπων τῶν
ἁμαρτανόντων. ἀλλὰ τίσουσι δίκην τινά· κεῖται δὲ αὐτοῖς μετάνοια
διὰ τὸ μὴ γενέσθαι αὐτοὺς βλασφήμους μηδὲ προδότας.

20. Ἐκ δὲ τοῦ ὄρους τοῦ τρίτου τοῦ ἔχοντος ἀκάνθας καὶ 1
τριβόλους οἱ πιστεύσαντες τοιοῦτοί εἰσιν· ἐξ αὐτῶν οἱ μὲν πλούσιοι,
οἱ δὲ πραγματείαις πολλαῖς ἐμπεφυρμένοι. οἱ μὲν τρίβολοί εἰσιν οἱ πλού-
σιοι, αἱ δὲ ἄκανθαι οἱ ἐν ταῖς πραγματείαις ταῖς ποικίλαις ἐμπεφυρ-
μένοι. 2. οὗτοι [οὖν, οἱ ἐν πολλαῖς καὶ ποικίλαις πραγματείαις ἐμ- 2

πεφυρμένοι, οὐ] κολλῶνται τοῖς δούλοις τοῦ θεοῦ, ἀλλ' ἀποπλανῶνται
πνιγόμενοι ὑπὸ τῶν πράξεων αὐτῶν· οἱ δὲ πλούσιοι δυσκόλως κολ-
λῶνται τοῖς δούλοις τοῦ θεοῦ, φοβούμενοι μή τι αἰτισθῶσιν ὑπ' αὐτῶν.
οἱ τοιοῦτοι οὖν δυσκόλως εἰσελεύσονται εἰς τὴν βασιλείαν τοῦ θεοῦ.
3 3. ὥσπερ γὰρ ἐν τριβόλοις γυμνοῖς ποσὶ περιπατεῖν δύσκολόν ἐστιν,
οὕτω καὶ τοῖς τοιούτοις δύσκολόν ἐστιν εἰς τὴν βασιλείαν τοῦ θεοῦ
4 εἰσελθεῖν. 4. ἀλλὰ τούτοις πᾶσι μετάνοιά ἐστι, ταχινὴ δέ, ἵν' ὃ τοῖς
προτέροις χρόνοις οὐκ εἰργάσαντο, νῦν ἀναδράμωσιν ταῖς ἡμέραις
καὶ ἀγαθόν τι ποιήσωσιν. [ἐὰν οὖν μετανοήσωσι καὶ ἀγαθόν τι ποιή-
σωσι,] ζήσονται τῷ θεῷ· ἐὰν δὲ ἐπιμείνωσι ταῖς πράξεσιν αὐτῶν,
παραδοθήσονται ταῖς γυναιξὶν ἐκείναις, αἵτινες αὐτοὺς θανατώσουσιν.

1 　　21. Ἐκ δὲ τοῦ τετάρτου ὄρους τοῦ ἔχοντος βοτάνας πολλάς,
τὰ μὲν ἐπάνω τῶν βοτανῶν χλωρά, τὰ δὲ πρὸς ταῖς ῥίζαις ξηρά,
τινὲς δὲ καὶ ἀπὸ τοῦ ἡλίου ξηραινόμεναι, οἱ πιστεύσαντες τοιοῦτοί
εἰσιν· οἱ μὲν δίψυχοι, οἱ δὲ τὸν κύριον ἔχοντες ἐπὶ τὰ χείλη, ἐπὶ τὴν
2 καρδίαν δὲ μὴ ἔχοντες. 2. διὰ τοῦτο τὰ θεμέλια αὐτῶν ξηρά ἐστι
καὶ δύναμιν μὴ ἔχοντα, καὶ τὰ ῥήματα αὐτῶν μόνα ζῶσι, τὰ δὲ ἔργα
αὐτῶν νεκρά ἐστιν. οἱ τοιοῦτοι [οὔτε ζῶσιν οὔτε] τεθνήκασιν. ὅμοιοι
οὖν εἰσὶ τοῖς διψύχοις· καὶ γὰρ οἱ δίψυχοι οὔτε χλωροί εἰσιν οὔτε
3 ξηροί· οὔτε γὰρ ζῶσιν οὔτε τεθνήκασιν. 3. ὥσπερ γὰρ αὐτῶν αἱ
βοτάναι ἥλιον ἰδοῦσαι ἐξηράνθησαν, οὕτω καὶ οἱ δίψυχοι, ὅταν
θλῖψιν ἀκούσωσι, διὰ τὴν δειλίαν αὐτῶν εἰδωλολατροῦσι καὶ τὸ ὄνομα
4 ἐπαισχύνονται τοῦ κυρίου αὐτῶν. 4. οἱ τοιοῦτοι οὖν [οὔτε ζῶσιν]
οὔτε τεθνήκασιν. ἀλλὰ καὶ οὗτοι ἐὰν ταχὺ μετανοήσωσιν, [δυνήσον-
ται ζῆσαι· ἐὰν δὲ μὴ μετανοήσωσιν,] ἤδη παραδεδομένοι εἰσὶ ταῖς
γυναιξὶ ταῖς ἀποφερομέναις τὴν ζωὴν αὐτῶν.

1 　　22. Ἐκ δὲ τοῦ ὄρους τοῦ πέμπτου τοῦ ἔχοντος βοτάνας χλω-
ρὰς καὶ τραχέος ὄντος οἱ πιστεύσαντες τοιοῦτοί εἰσι· πιστοὶ μέν,
δυσμαθεῖς δὲ καὶ αὐθάδεις καὶ ἑαυτοῖς ἀρέσκοντες, θέλοντες πάντα
2 γινώσκειν, καὶ οὐδὲν ὅλως γινώσκουσι. 2. διὰ τὴν αὐθάδειαν αὐτῶν
ταύτην ἀπέστη ἀπ' αὐτῶν ἡ σύνεσις καὶ εἰσῆλθεν εἰς αὐτοὺς ἀφρο-
σύνη μωρά. ἐπαινοῦσι δὲ ἑαυτοὺς ὡς σύνεσιν ἔχοντας, καὶ θέλουσιν
3 ἐθελοδιδάσκαλοι εἶναι, ἄφρονες ὄντες. 3. διὰ ταύτην οὖν τὴν ὑψη-
λοφροσύνην πολλοὶ ἐκενώθησαν ὑψοῦντες ἑαυτούς· μέγα γὰρ δαιμό-

ν[ιόν ἐστ]ιν [ἡ αὐθάδει]α [καὶ ἡ κενὴ πεποίθησις]· ἐκ τούτων οὖν
πολλοὶ ἀπεβλήθησαν, τινὲς δὲ μετενόησαν καὶ ἐπίστευσαν καὶ ὑπέταξαν
ἑαυτ[οὺς τοῖ]ς ἔχουσι σύν[εσιν, γνόντες τὴν] ἑαυτῶν ἀφροσύνην. 4. καὶ 4
τοῖς λοιποῖς δὲ τοῖς τοιούτοις κεῖται μετάνοια· οὐκ ἐγένοντο γὰρ πο-
νηροί, μᾶλλον δὲ [μωροὶ καὶ ἀσύνετοι. οὗτοι οὖν ἐὰν] μετανοήσωσι,
ζήσονται τῷ θεῷ· ἐὰν δὲ μὴ μετανοήσωσι, κατοικήσουσι μετὰ τῶν
γυναικῶν τῶν πονηρευομένων εἰς αὐτούς.

23. Οἱ δὲ ἐκ τ[οῦ ὄρους τοῦ] ἕκτου τοῦ ἔχοντος σχισμὰς με- 1
γάλας καὶ μικρὰς καὶ ἐν ταῖς σχισμαῖς βοτάνας μεμαραμμένας πιστεύ-
σαντες τοιοῦτοί εἰσιν· 2. οἱ μὲν τὰς σχισμὰς τὰς μικρὰς ἔχοντες, 2
οὗτοί εἰσιν οἱ κατ᾽ ἀλλήλων ἔχοντες, καὶ ἀπὸ τῶν καταλαλιῶν ἑαυ-
τῶν μεμαραμμένοι εἰσὶν ἐν τῇ πίστει· ἀλλὰ μετενό[ησαν] ἐκ τούτων
πολλοί. καὶ οἱ λοιποὶ δὲ μετανοήσουσιν, ὅταν ἀκούσωσί μου τὰς ἐν-
τολάς· μικραὶ γὰρ αὐτῶν εἰσιν αἱ καταλαλιαί, καὶ ταχὺ μετανοήσουσιν.
3. οἱ δὲ μεγάλας ἔχοντες σχισμάς, οὗτοι παράμονοί εἰσι ταῖς κατα- 3
λαλιαῖς αὐτῶν καὶ μνησίκακοι γίνονται μηνιῶντες ἀλλ[ήλοις]. οὗτοι
οὖν ἀπὸ τοῦ πύργου ἀπερρίφησαν καὶ ἀπεδοκιμάσθησαν τῆς οἰκοδομῆς
αὐτοῦ. οἱ τοιοῦτοι οὖν δυσκόλως ζήσονται. 4. εἰ ὁ θεὸς καὶ ὁ κύ- 4
ριος ἡμῶν ὁ πάντων κυριεύων καὶ ἔχων πάσης τῆς κτίσεως αὐτοῦ
τὴν ἐξουσίαν οὐ μνησικακεῖ τοῖς ἐξομολογουμένοις τὰς ἁμαρτίας αὐ-
[τῶν], ἀλλ᾽ ἵλεως γίνεται, ἄνθρωπος φθαρτὸς ὢν καὶ πλήρης ἁμαρ-
τιῶν ἀνθρώπῳ μνησικακεῖ ὡς δυνάμενος ἀπολέσαι ἢ σῶσαι αὐτόν;
5. λέγω δ[ὲ ὑ]μ[ῖν, ὁ] ἄγγελος τῆς μετανοίας, ὅσοι ταύτην ἔχετε τὴν 5
αἵρεσιν, ἀπόθεσθε αὐτὴν καὶ μετανοήσατε, καὶ ὁ κύριος ἰάσεται ὑμῶν
τὰ πρότερ[α ἁμαρτήματα], ἐὰν καθαρίσητε ἑαυτοὺς ἀπὸ τούτου τοῦ
δαιμονίου· εἰ δὲ μή, παραδοθήσεσθε αὐτῷ εἰς θάνατον.

24. Ἐκ δὲ τοῦ ἑβδόμο[υ ὄρους, ἐν ᾧ βοτάναι] χλωραὶ [καὶ 1
ἱλαραί, καὶ ὅλον τὸ ὄρος εὐθηνοῦν, καὶ πᾶν γένος κτηνῶν καὶ τὰ
πετεινὰ τοῦ οὐρανοῦ ἐνέμοντο τὰς βοτ[άνας ἐν τούτῳ τῷ] ὄρει, καὶ αἱ
[βοτ]άναι ἃς ἐνέμοντο μᾶλλον εὐθαλεῖς ἐγίνοντο, οἱ πιστεύσαντες
τοιοῦτοί εἰσι· 2. πάντοτε ἁπλοῖ [καὶ ἄ]κακοι [καὶ μακάριοι ἐ]γίνοντο, 2
μηδὲν κατ᾽ ἀλλήλων ἔχοντες, ἀλλὰ πάντοτε ἀγαλλιώμενοι ἐπὶ τοῖς
δούλοις τοῦ θεοῦ καὶ ἐνδεδυμένοι [τὸ] πνεῦμα [τὸ ἅγιον τούτων τῶν
πα]ρθένων καὶ πάντοτε σπλάγχνον ἔχοντες ἐπὶ πάντα ἄνθρωπον, καὶ

ἐκ τῶν κόπων αὐτῶν παντὶ ἀνθρώπῳ ἐχορήγησαν ἀνονειδίστως καὶ
3 ἀδιστάκτως. 3. [ὁ οὖν] κύριος ἰδὼν τὴν ἁπλότητα αὐτῶν καὶ πᾶσαν
νηπιότητα ἐπλήθυνεν αὐτοὺς ἐν τοῖς κόποις τῶν χειρῶν αὐτῶν καὶ
4 ἐχαρίτωσεν αὐτοὺς ἐν πάσῃ πράξει αὐτῶν. 4. λέγω δὲ ὑμῖν τοῖς
τοιούτοις οὖσιν ἐγὼ ὁ ἄγγελος τῆς μετανοίας· διαμείνατε τοιοῦτοι,
καὶ οὐκ ἐξαλειφθήσεται [τὸ σ]πέρμα ὑμῶν ἕως αἰῶνος. ἐδοκίμασε γὰρ
ὑμᾶς ὁ κύριος καὶ ἐνέγραψεν ὑμᾶς εἰς τὸν ἀριθμὸν τὸν ἡμέτερον,
καὶ ὅλον τὸ σπέρμα ὑμῶν κατοικήσει μετὰ τοῦ υἱοῦ τοῦ θεοῦ· ἐκ
γὰρ τοῦ πνεύματος αὐτοῦ ἐλάβετε.

1 25. Ἐκ δὲ τοῦ ὄρους τοῦ ὀγδόου, οὗ ἦσαν αἱ πολλαὶ πηγαί,
καὶ πᾶσα ἡ κτίσις τοῦ κυρίου ἐποτίζετο ἐκ τῶν πηγῶν, οἱ πιστεύ-
2 σαντες τοιοῦτοί εἰσιν· 2. ἀπόστολοι καὶ διδάσκαλοι οἱ κηρύξαντες εἰς
ὅλον τὸν κόσμον καὶ οἱ διδάξαντες σεμνῶς καὶ ἁγνῶς τὸν λόγον τοῦ
κυρίου, καὶ μηδὲν ὅλως νοσφισάμενοι εἰς ἐπιθυμίαν πονηράν, ἀλλὰ
πάντοτε ἐν δικαιοσύνῃ καὶ ἀληθείᾳ πορευθέντες, καθὼς καὶ παρέλαβον
τὸ πνεῦμα τὸ ἅγιον. τῶν τοιούτων οὖν ἡ πάροδος μετὰ τῶν ἀγγέ-
λων ἐστίν.

1 26. Ἐκ δὲ τοῦ ὄρους τοῦ ἐνάτου τοῦ ἐρημώδους, τοῦ [τὰ]
ἑρπετὰ καὶ θηρία ἐν αὐτῷ ἔχοντος τὰ διαφθείροντα τοὺς ἀνθρώπους,
2 οἱ πιστεύσαντες τοιοῦτοί εἰσιν· 2. οἱ μὲν τοὺς σπίλους ἔχοντες διά-
κονοί εἰσι κακῶς διακονήσαντες καὶ διαρπάσαντες χηρῶν καὶ ὀρφα-
νῶν τὴν ζωήν, καὶ ἑαυτοῖς περιποιησάμενοι ἐκ τῆς διακονίας ἧς ἔλα-
βον διακονῆσ[αι]· ἐὰν οὖν ἐπιμείνωσι τῇ αὐτῇ ἐπιθυμίᾳ, ἀπέθανον,
καὶ οὐδεμία αὐτοῖς ἐλπὶς ζωῆς· ἐὰν δὲ ἐπιστρέψωσι καὶ ἁγνῶς τε-
3 λειώσωσι τὴν διακονίαν αὐτῶν, δυνήσονται ζῆσαι. 3. οἱ δὲ ἐφωρια-
κότες, οὗτοι οἱ ἀρνησάμενοί εἰσι καὶ μὴ ἐπιστρέψαντες ἐπὶ τὸν κύριον
ἑαυτῶν, ἀλλὰ χερσωθέντες καὶ γενόμενοι ἐρημώδεις, μὴ κολλώμενοι
τοῖς δούλοις τοῦ θεοῦ, ἀλλὰ μονάζοντες ἀπολλύουσι τὰς ἑαυτῶν ψυχάς.
4 4. ὡς γὰρ ἄμπελος ἐν φραγμῷ τινὶ καταλειφθεῖσα ἀμελείας τυγχά-
νουσα καταφθείρεται καὶ ὑπὸ τῶν βοτανῶν ἐρημοῦται, καὶ τῷ χρόνῳ
ἀγρία γίνεται, καὶ οὐκέτι εὔχρηστός ἐστ[ι] τῷ δεσπότῃ ἑαυτῆς, οὕτω
καὶ οἱ τοιοῦτοι ἄνθρωποι ἑαυτοὺς ἀπεγνώκασι, καὶ γίνονται ἄχρηστοι
5 τῷ κυρίῳ ἑαυτῶν ἀγριωθέντες. 5. τούτοις οὖν μετάνοια γίνεται, ἐὰν
μὴ ἐκ καρδίας εὑρεθῶσιν ἠρνημένοι· ἐὰν δὲ ἐκ καρδίας εὑρεθῇ ἠρ-

νημένος τις, ουκ οἶδα εἰ δύναται ζῆσαι. 6. καὶ τοῦτο οὐκ εἰς ταύ- 6
τας τὰς ἡμέρας λέγω, ἵνα τις ἀρνησάμενος μετάνοιαν λάβῃ· ἀδύνατον
γὰρ ἐστι σωθῆναι τὸν μέλλοντα νῦν ἀρνεῖσθαι τὸν κύριον ἑαυτοῦ·
ἀλλ᾽ ἐκείνοις τοῖς πάλαι ἠρνημένοις δοκεῖ κεῖσθαι μετανοια. εἴ τις
οὖν μέλλει μετανοεῖν, ταχινὸς γενέσθω πρὶν τὸν πύργον ἀποτελεσθῆ-
ναι· εἰ δὲ μή, ὑπὸ τῶν γυναικῶν καταφθαρήσεται εἰς θάνατον. 7. καὶ 7
οἱ κολοβοί, οὗτοι δόλιοί εἰσι καὶ κατάλαλοι· καὶ τὰ θηρία ἃ εἶδες
εἰς τὸ ὄρος οὗτοί εἰσιν. ὥσπερ γὰρ τὰ θηρία διαφθείρει τῷ ἑαυτῶν
ἰῷ τὸν ἄνθρωπον καὶ ἀπολλύει, οὕτω καὶ τῶν τοιούτων ἀνθρώπων
τὰ ῥήματα δ[ια]φθείρει τὸν ἄνθρωπον καὶ ἀπολλύει. 8. οὗτοι οὖν 8
κολοβοί εἰσιν ἀπὸ τῆς πίστεως αὐτῶν διὰ τὴν πρᾶξιν ἣν ἔχουσιν ἐν
ἑαυτοῖς· τινὲς δὲ μετενόησαν καὶ ἐσώθησαν. καὶ οἱ λοιποὶ οἱ τοιοῦτοι
ὄντες δύνανται σωθῆναι, ἐὰν μετανοήσωσιν· ἐὰν δὲ μὴ μετανοήσωσιν,
ἀπὸ τῶν γυναικῶν ἐκείνων, ὧν τὴν δύναμιν ἔχουσιν, ἀποθανοῦνται.

27. Ἐκ δὲ τοῦ ὄρους τοῦ δεκάτου, οὗ ἦσαν δένδρα σκεπάζοντα 1
πρόβατ[ά] τινα, οἱ πιστεύσαντες τοιοῦτοί εἰσιν· 2. ἐπίσκοποι καὶ φι- 2
λόξενοι, οἵτινες ἡδέως εἰς τοὺς οἴκους ἑαυτῶν πάντοτε ὑπεδέξαντο
τοὺς δούλους τοῦ θεοῦ ἄτερ ὑποκρίσεως· οἱ δὲ ἐπίσκοποι πάντοτε τοὺς
ὑστερημένους καὶ τὰς χήρας τῇ διακονίᾳ ἑαυτῶν ἀδιαλείπτως ἐσκέ-
πασαν καὶ ἁγνῶς ἀνεστράφησαν πάντοτε. 3. οὗτοι οὖν πάντες σκε- 3
πασθήσονται ὑπὸ τοῦ κυρίου διαπαντός. οἱ οὖν ταῦτα ἐργασάμενοι
ἔνδοξοί εἰσι παρὰ τῷ θεῷ, καὶ ἤδη ὁ τόπος αὐτῶν μετὰ τῶν ἀγγέλων
ἐστίν, ἐὰν ἐπιμείνωσιν ἕως τέλους λειτουργοῦντες τῷ κυρίῳ.

28. Ἐκ δὲ τοῦ ὄρους τοῦ ἑνδεκάτου, οὗ ἦσαν δένδρα καρ- 1
πῶν πλήρη, ἄλλοις καὶ ἄλλοις καρποῖς κεκοσμημένα, οἱ πιστεύσαντες
τοιοῦτοί εἰσιν· 2. οἱ παθόντες ὑπὲρ τοῦ ὀνόματος τοῦ υἱοῦ τοῦ 2
θεοῦ, οἳ καὶ προθύμως ἔπαθον ἐξ ὅλης τῆς καρδίας καὶ παρέ-
δωκαν τὰς ψυχὰς αὐτῶν. 3. Διατί οὖν, φημί, κύριε, πάντα μὲν τὰ 3
δένδρα καρποὺς ἔχει, τινὲς δὲ ἐξ αὐτῶν καρποὶ εὐειδέστεροί εἰσιν;
Ἄκουε, φησίν· ὅσοι ποτὲ ἔπαθον διὰ τὸ ὄνομα, ἔνδοξοί εἰσι παρὰ
τῷ θεῷ, καὶ πάντων τούτων αἱ ἁμαρτίαι ἀφηρέθησαν, ὅτι ἔπαθον διὰ
τὸ ὄνομα τοῦ υἱοῦ τοῦ θεοῦ. διατί δὲ οἱ καρποὶ αὐτῶν ποικίλοι
εἰσίν, τινὲς δὲ ὑπερέχοντες, ἄκουε. 4. ὅσοι, φησίν, ἐπ᾽ ἐξουσίαν 4
ἀχθέντες ἐξητάσθησαν καὶ οὐκ ἠρνήσαντο, ἀλλ᾽ ἔπαθον προθύμως,

οὗτοι μᾶλλον ἐνδοξότεροί εἰσι παρὰ τῷ κυρίῳ· τούτων ὁ καρπός ἐστιν
ὁ ὑπερέχων. ὅσοι δὲ δειλοὶ καὶ ἐν δισταγμῷ ἐγένοντο καὶ ἐλογίσαντο
ἐν ταῖς καρδίαις αὐτῶν πότερον ἀρνήσονται ἢ ὁμολογήσουσι, καὶ ἔπαθον,
τούτων οἱ καρποὶ ἐλάττους εἰσίν, ὅτι ἀνέβη ἐπὶ τὴν καρδίαν αὐτῶν
ἡ βουλὴ αὕτη· πονηρὰ γὰρ ἡ βουλὴ αὕτη, ἵνα δοῦλος κύριον ἴδιον
5 ἀρνήσηται. 5. βλέπετε οὖν ὑμεῖς οἱ ταῦτα βουλευόμενοι, μήποτε ἡ
βουλὴ αὕτη διαμείνῃ ἐν ταῖς καρδίαις ὑμῶν, καὶ ἀποθανεῖσθε τῷ
θεῷ. ὑμεῖς δὲ οἱ πάσχοντες ἕνεκεν τοῦ ὀνόματος δοξ[άζειν] ὀφείλετε
τὸν θεόν, ὅτι ἀξίους ὑμᾶς ἡγήσατο ὁ θεὸς ἵνα τοῦτο τὸ ὄνομα βα-
6 στάζητε, καὶ πᾶσαι ὑμῶν αἱ ἁμαρτίαι ἰαθῶσιν. 6. [οὐκοῦν μακα]-
ρίζετε ἑαυτούς· ἀλλὰ δοκεῖτε ἔργον μέγα πεποιηκέναι, ἐάν τις ὑμῶν
διὰ τὸν θεὸν πάθῃ. ζωὴν ὑμῖν ὁ κύριος χαρίζεται, καὶ οὐ νοεῖ[τε]·
αἱ γὰρ ἁμαρτίαι ὑμῶν κατεβάρησαν, καὶ εἰ μὴ πεπόνθατε ἕνεκεν τοῦ
ὀνόματος κυρίου, διὰ τὰς ἁμαρτίας ὑμῶν τεθνήκειτε [ἂν] τῷ θεῷ.
7 7. ταῦτα ὑμῖν λέγω τοῖς διστάζουσι περὶ ἀρνήσεως ἢ ὁμολογήσεως.
ὁμολογεῖτε ὅτι κύριον ἔχετε, μήποτε ἀρνούμενοι [πα]ραδοθ[ήσησθε]
8 εἰς δεσμωτήριον. 8. εἰ τὰ ἔθνη τοὺς δούλους αὐτῶν κολάζουσιν, ἐάν
τις ἀρνήσηται τὸν κύριον ἑαυτοῦ, τί δοκεῖτε ποιήσει ὁ κύριος ὑμῖν,
ὃς [ἔχει] πάντων τὴν ἐξουσίαν; ἄρατε τὰς βουλὰς ταύτας ἀπὸ τῶν
καρδιῶν ὑμῶν, ἵνα διαπαντὸς ζήσητε τῷ θεῷ.

1　　　29. Ἐκ δὲ τοῦ ὄρους τοῦ δωδεκάτου τοῦ λευκοῦ οἱ πιστεύ-
σαντες τοιοῦτοί εἰσιν· ὡς νήπια βρέφη εἰσίν, οἷς οὐδεμία κακία ἀνα-
βαίνει ἐπὶ τὴν καρδίαν, οὐδὲ [ἔγνω]σαν τί ἐστι πονηρία, ἀλλὰ πάν-
2 τοτε ἐν νηπιότητι διέμειναν. 2. οἱ τοιοῦτοι οὖν ἀδιστάκτως κατοι-
κήσουσιν ἐν τῇ βασιλείᾳ τοῦ θε[οῦ], ὅτι] ἐν οὐδενὶ πράγματι ἐμίαναν
τὰς ἐντολὰς τοῦ θεοῦ, ἀλλὰ μετὰ νηπιότητος διέμειναν πάσας τὰς
3 ἡμέρας τῆς ζωῆς αὐτῶν ἐν τῇ αὐτῇ φρονήσει. 3. ὅσοι οὖν διαμενεῖτε,
φησί, καὶ ἔσεσθε ὡς τὰ βρέφη, κακίαν μὴ ἔχοντες, πάντων τῶν προει-
ρημένων ἐνδοξότεροι ἔ[σε]σθε· πάντα γὰρ τὰ βρέφη ἔνδοξά ἐστι παρα
τῷ θεῷ καὶ πρῶτα παρ᾽ αὐτῷ. μακάριοι οὖν ὑμεῖς, ὅσοι ἂν ἄρητε
ἀφ᾽ ἑαυτῶν τὴν πονηρίαν, ἐνδύσησθε δὲ τὴν ἀκακίαν· πρῶτοι πάντων
4 ζήσεσθε τῷ θεῷ. 4. μετὰ τὸ συντελέσαι αὐτὸν τὰς παραβολὰς τῶν
ὀρέων λέγω αὐτῷ· Κύριε, νῦν μοι δήλωσον περὶ τῶν λίθων τῶν ᾐρη-
μένων ἐκ τοῦ πεδίου καὶ εἰς τὴν οἰκοδομὴν τεθειμένων ἀντὶ τῶν

λίθων τῶν ἠρμένων [ἐκ] τοῦ πύργου, καὶ τῶν στρογγύλων τῶν τε-
θέντων εἰς τὴν οἰκοδομήν, καὶ τῶν ἔτι στρογγύλων ὄντων.

30. Ἄκουε, φησί, καὶ περὶ τούτων πάντων. οἱ λίθοι οἱ ἐκ τοῦ 1
[πεδί]ου ἠρμένοι καὶ τεθειμένοι εἰς τὴν οἰκοδομὴν τοῦ πύργου ἀντὶ
τῶν ἀποβεβλημένων, αἱ ῥίζαι εἰσὶ τοῦ ὄρους τοῦ λευκοῦ τούτου.
2. ἐπεὶ οὖν οἱ πιστεύσαντες ἐκ τοῦ ὄρους τοῦ λευκοῦ πάντες 2
ἄκακοι εὑρέθησαν, ἐκέλευσεν ὁ κύριος τοῦ πύργου τούτους ἐκ [τῶν
ῥιζῶν] τοῦ ὄρους τούτου βληθῆναι εἰς τὴν οἰκοδομὴν τοῦ πύργου·
ἔγνω γὰρ ὅτι, ἐὰν ἀπέλθωσιν εἰς τὴν οἰκοδομὴν τοῦ πύργου
οἱ λίθοι οὗτοι, διαμενοῦσι λαμπροί, καὶ οὐδεὶς αὐτῶν μελανήσει.
3. quodsi de ceteris montibus adiecisset, necesse habuisset rursus vi- 3
sitare eam turrem atque purgare. hi autem omnes candidi inventi
sunt, qui crediderunt et qui credituri sunt; ex eodem enim genere sunt.
felix hoc genus, quia innocuum est. 4. audi nunc et de illis rotundis 4
lapidibus et splendidis. hi omnes de hoc candido monte sunt. audi
autem quare rotundi sunt reperti. divitiae suae eos pusillum ob-
scuraverunt a veritate atque obfuscaverunt, a deo vero numquam
recesserunt, nec ullum verbum malum processit de ore eorum, sed
omnis aequitas et virtus veritatis. 5. horum ergo mentem cum vi- 5
disset dominus, posse eos veritati favere, bonos quoque permanere,
iussit opes eorum circumcidi, non enim in totum eorum tolli, ut
possint aliquid boni facere de eo quod eis relictum est, et vivent
deo, quoniam ex bono genere sunt. ideo ergo pusillum circumcisi
sunt et positi sunt in structuram turris huius.

31. Ceteri vero, qui adhuc rotundi remanserunt neque aptati 1
sunt in eam structuram, quia nondum acceperunt sigillum, repositi
sunt suo loco; valde enim rotundi reperti sunt. 2. oportet autem 2
circumcidi hoc saeculum ab illis et vanitates opum suarum, et tunc
convenient in dei regnum. necesse est enim eos intrare in dei
regnum; hoc enim genus innocuum benedixit dominus. ex hoc ergo
genere non intercidet quisquam. etenim licet quis eorum temptatus
a nequissimo diabolo aliquid deliquerit, cito recurret ad dominum
suum. 3. felices vos iudico omnes, ego nuntius paenitentiae, quicum- 3
que estis innocentes sicut infantes, quoniam pars vestra bona est et

4 honorata apud deum. 4. dico autem omnibus vobis, quicumque si-
gillum hoc accepistis, simplicitatem habere neque offensarum memores
esse neque in malitia vestra permanere aut in memoria offensarum
amaritudinis, in unum quemque spiritum fieri et has malas scissuras
permediare ac tollere a vobis, ut dominus pecorum gaudeat de his.
5 5. gaudebit autem, si omnia invenerit sana. sin autem aliqua ex his
6 dissipata invenerit, vae erit pastoribus. 6. quodsi ipsi pastores dissi-
pati reperti fuerint, quid respondebunt [pro] pecoribus his? numquid
dicunt a pecore se vexatos? non credetur illis. incredibilis enim
res est, pastorem pati posse a pecore; et magis punietur propter
mendacium suum. et ego sum pastor, et validissime oportet me de
vobis reddere rationem.

12 **32.** Remediate ergo vos dum adhuc turris aedificatur. 2. do-
minus habitat in viris amantibus pacem; ei enimvero pax cara est;
a litigiosis vero et perditis malitiae longe abest. reddite igitur ei
3 spiritum integrum, sicut accepistis. 3. si enim dederis fulloni vesti-
mentum novum integrum, idque integrum iterum vis recipere, fullo
autem scissum tibi illud reddet, recipies illud? nonne statim scan-
descis et eum convicio persequeris, dicens: Vestimentum integrum
tibi dedi; quare scidisti illud et inutile redigisti? et propter scissuram
quam in eo fecisti in usu esse non potest. nonne haec omnia verba
dices fulloni ergo et de scissura quam in vestimento tuo fecerit?
4 4. si sic igitur tu doles de vestimento tuo et quereris quod non illud
integrum recipias, quid putas dominum tibi facturum, qui spiritum
integrum tibi dedit, et tu eum totum inutilem redigisti, ita ut in
nullo usu esse possit domino suo? inutilis enim esse coepit usus eius,
cum sit corruptus a te. nonne igitur dominus spiritus eius propter
5 hoc factum tuum [morte te] adficiet? 5. Plane, inquam, omnes eos
quoscumque invenerit in memoria offensarum permanere, adficiet.
Clementiam, inquit, eius calcare nolite, sed potius honorificate eum,
quod tam patiens est ad delicta vestra, et non est sicut vos. agite
enim paenitentiam utilem vobis.

1 **33.** Haec omnia quae supra scripta sunt, ego pastor nuntius
paenitentiae ostendi et locutus sum dei servis. si credideritis ergo

et audieritis verba mea et ambulaveritis in his et correxeritis itinera
vestra, vivere poteritis. sin autem permanseritis in malitia et me-
moria offensarum, nullus ex huiusmodi vivet deo. haec omnia a me
dicenda dicta sunt vobis. 2. ait mihi ipse pastor: Omnia a me in- 2
terrogasti? et dixi: Ita, domine. Quare ergo non interrogasti me de
forma lapidum in structura repositorum, quod explevimus formas? et
dixi: Oblitus sum, domine. 3. Audi nunc, inquit, de illis. hi sunt 3
qui nunc mandata mea audierunt et ex totis praecordiis egerunt
paenitentiam. cumque vidisset dominus bonam atque puram esse
paenitentiam eorum et posse eos in ea permanere, iussit priora peccata
eorum deleri. hae enim formae peccata erant eorum, et exaequata
sunt, ne apparerent.

SIMILITUDO DECIMA.

1. Postquam perscripseram librum hunc, venit nuntius ille qui 1
me tradiderat huic pastori, in domum in qua eram, et consedit
supra lectum, et adstitit ad dexteram hic pastor. deinde vocavit
me et haec mihi dixit: 2. Tradidi te, inquit, et domum tuam huic 2
pastori, ut ab eo protegi possis. Ita, inquam, domine. Si vis ergo
protegi, inquit, ab omni vexatione et ab omni saevitia, successum
autem habere in omni opere bono atque verbo, et omnem virtutem
aequitatis, in mandatis huius ingredere, quae dedi tibi, et poteris do-
minari omni nequitiae. 3. custodienti enim tibi mandata huius subiecta 3
erit omnis cupiditas et dulcedo saeculi huius, successus vero in omni
bono negotio te sequetur. maturitatem huius et modestiam suscipe
in te, et dic omnibus in magno honore esse eum et dignitate apud
dominum, et magnae potestatis eum praesidem esse et potentem in
officio suo. huic soli per totum orbem paenitentiae potestas tributa
est. potensne tibi videtur esse? sed vos maturitatem huius et vere-
cundiam quam in vos habet dispicitis.

2. Dico ei: Interroga ipsum, domine, ex quo in domo mea 1
est, an aliquid extra ordinem fecerim, ex quo eum offenderim.
2. Et ego, inquit, scio nihil extra ordinem fecisse te neque esse fac- 2
turum. et ideo haec loquor tecum, ut perseveres. bene enim de

te hic apud me existimavit. tu autem ceteris haec verba dices, ut
et illi qui egerunt aut acturi sunt paenitentiam, eadem quae tu sen-
tiant, et hic apud me de his bene interpretetur, et ego apud domi-
3 num. 3. Et ego, inquam, domine, omni homini indico magnalia do-
mini; spero autem, omnes qui antea peccaverunt, si haec audiant,
4 libenter acturi sunt paenitentiam, vitam recuperantes. 4. Permane
ergo, inquit, in hoc ministerio et consumma illud. quicumque autem
mandata huius efficiunt, habebunt vitam, et hic apud dominum mag-
num honorem. quicumque vero huius mandata non servant, fugiunt
a sua vita et adversus illum, nec mandata eius secuntur, sed morti
se tradunt, et unusquisque eorum reus fit sanguinis sui. tibi autem
dico ut servias mandatis his, et remedium peccatorum habebis.

1   **3.** Misi autem tibi has virgines, ut habitent tecum; vidi enim
eas affabiles tibi esse. habes ergo eas adiutrices, quo magis possis
huius mandata servare; non potest enim fieri ut sine his virginibus
haec mandata serventur. video autem eas libenter esse tecum. sed
2 ego praecipiam eis ut omnino a domo tua non discedant. 2. tu
tantum conmunda domum tuam; in munda enim domo libenter ha-
bitabunt. mundae enim sunt atque castae et industriae, et omnes
habentes gratiam apud dominum. igitur si habuerint domum tuam
puram, tecum permanebunt; sin autem pusillum aliquid inquinationis
acciderit, protinus a domo tua recedent. hae enim virgines nullam
3 omnino diligunt inquinationem. 3. dico ei: Spero me, domine, pla-
citurum eis, ita ut in domo mea libenter habitent semper. et sicut
hic, cui me tradidisti, nihil de me queritur, ita neque illae queren-
4 tur. 4. ait ad pastorem illum: Video, inquit, servum dei velle
vivere, et custoditurum haec mandata, et virgines has habitatione
5 munda conlocaturum. 5. haec cum dixisset, iterum pastori illi me
tradidit, et vocavit eas virgines et dixit ad eas: Quoniam video vos
libenter in domo huius habitare, conmendo eum vobis et domum
eius, ut a domo eius non recedatis omnino. illae vero haec verba
libenter audierunt.

1   **4.** Ait deinde mihi: Viriliter in ministerio hoc conversare,
omni homini indica magnalia domini, et habebis gratiam in hoc mini-

sterio. quicumque ergo in his mandatis ambulaverit, vivet et felix erit in vita sua; quicumque vero neglexerit, non vivet et erit infelix in vita sua. 2. dic omnibus ut non cessent, quicumque recte 2 facere possunt; bona opera exercere utile est illis. dico autem, omnem hominem de incommodis eripi oportere. et is enim qui eget et in cotidiana vita patitur incommoda, in magno tormento est ac necessitate. 3. qui igitur huiusmodi animam eripit de necessitate, 3 magnum gaudium sibi adquirit. is enim qui huiusmodi vexatur incommodo, pari tormento cruciatur atque torquet se qui in vincula est. multi enim propter huiusmodi calamitates, cum eas sufferre non possunt, mortem sibi adducunt. qui novit igitur calamitatem huiusmodi hominis et non eripit eum, magnum peccatum admittit et reus fit sanguinis eius. 4. facite igitur opera bona, quicumque accepistis 4 a domino, ne dum tardatis facere consummetur structura turris. propter vos enim intermissum est opus aedificationis eius. nisi festinetis igitur facere recte, consummabitur turris, et excludemini. 5. postquam vero locutus est mecum, surrexit de lecto, et adprehenso 5 pastore et virginibus abiit, dicens autem mihi, remissurum se pastorem illum et virgines in domum meam.

INDEX NOMINUM.

Κόϊντος mart. Pol. 4.
Κορίνθιοι I Clem. 47, 6.
Κόρινθος I Clem. inscr. mart. Pol. 22,
2. epil. 4.
Κοῦμαι Herm. Vis. I, 1, 3. II, 1, 1.
Κρήσκης (Crescens) Pol. ad Phil. 14.
Κρόκος Ign. Eph. 2, 1. Rom. 10, 1.

Λάβαν I Clem. 31, 4.
Λευῖται I Clem. 32, 2. 40, 5.
Λίβανος I Clem. 14, 5.
Λώτ I Clem. 10, 4. 11, 2.

Μαγνησία ἡ πρὸς Μαιάνδρῳ Ign.
Mgn. inscr.
Μανασσῆ Barn. 13, 5.
Μάξιμος Herm. Vis. II, 3, 4.
Μαρία Ign. Eph. 7, 2. 18, 2. 19, 1.
Tr. 9, 1.
Μαριάμ I Clem. 4, 11.
Μαρκίων (Smyrnaeus) mart. Pol. 20, 1.
Μαρκίων (Ponticus) mart. Pol. epil. 2.
Μάρκιωνισταί mart. Pol. epil. 2.
Μάρκος Pap. ap. Euseb. h. e. III, 39, 15.
Ματθαῖος Pap. ap. Euseb. h. e. III, 39,
4. 16.
Μισαήλ I Clem. 45, 7.
Μιχαήλ Herm. Sim. VIII, 3, 3.
Μωδάτ Herm. Vis. II, 3, 4.
Μωϋσῆς I Clem. 4, 10. 12. 17, 5. 43, 1. 6.
51, 3. 5. 53, 2. 4. Barn. 4, 6 sq. 6,
8. 10, 1 sq. 9. 11. 12, 2. 5—8. 14,
2 sq. 15, 1. Ign. Sm. 5, 1.

Ναυή I Clem. 12, 2. Barn. 12, 8 sq.
Νεάπολις Ign. ad Pol. 8, 1.
Νικήτης mart. Pol. 8, 2. 17, 2.
Νινευῖται I Clem. 7, 7.
Νῶε I Clem. 7, 6. 9, 4. II Clem. 6, 8.

Ὀλοφέρνης I Clem. 55, 5.
Ὀνήσιμος Ign. Eph. 1, 3. 2, 1. 6, 2.

Οὐαλέριος cf. Βίτων.
Οὐάλης (Valens) Pol. ad Phil. 11, 1.

Παῦλος I Clem. 5, 5. 47, 1. Ign. Eph.
12, 2. Rom. 4, 3. Pol. ad Phil. 3, 2.
9, 1. 11, 2. 3.
Πέτρος I Clem. 5, 4. II Clem. 5, 3 sq.
Pap. ap. Euseb. h. e. III, 39, 4. 15.
Ign. Rom. 4, 3. Sm. 3, 2.
Πιόνιος mart. Pol. 22, 3. epil. 4.
Πολύβιος Ign. Tr. 1, 1.
Πολύκαρπος Ign. Eph. 21, 1. Mgn. 15.
ad Pol. inscr. 7, 2. 8, 2. Pol. ad Phil.
inscr. mart. Pol. 1, 1 etc.
Πόντιος Πιλᾶτος Ign. Mgn. 9. Tr. 9, 1.
Sm. 1, 2.

Ῥαάβ I Clem. 12, 1. 3.
Ῥεβέκκα Barn. 13, 2 sq.
Ῥέος Ign. Phild. 11, 1. Sm. 10, 1.
Ῥόδη Herm. Vis. I, 1, 1.
Ῥοῦφος Pol. ad Phil. 9, 1.
Ῥωμαῖοι Ign. Rom. inscr. mart. Pol.
epil. 3.
Ῥώμη I Clem. inscr. Herm. Vis. I, 1,
1. Ign. Eph. 1, 2. 21, 2. Rom. 10,
2. mart. Pol. epil. 1.

Σαούλ I Clem. 4, 13.
Σίβυλλα Herm. Vis. II, 4, 1.
Σινᾶ Barn. 11, 3. 14, 2. 15, 1.
Σιών Barn. 6, 2.
Σμύρνα Ign. Eph. 21, 1. Mgn. 15. Tr.
1, 1. 12, 1. Rom. 10, 1. Sm. inscr.
mart. Pol. inscr. 12, 2. 16, 2. 19, 1.
epil. 3.
Σμυρναῖοι Ign. Mgn. 15. Tr. 13, 1.
Phild. 11, 2. ad Pol. inscr.
Σόδομα I Clem. 11, 1.
Στάτιος Κόδρατος mart. Pol. 21.
Συρία Ign. Eph. 1, 2. 22, 2. Mgn. 14.
Tr. 13, 1, Rom. 2, 2. 5, 1. 9, 1. 10,

2. Sm. 11, 1. 2. ad Pol. 7, 1. 2. 8, 2.
Pol. ad Phil. 13, 1.
Σύρος Barn. 9, 6.
Σωκράτης mart. Pol. 22, 2.

Ταουΐα Ign. Sm. 13, 2.
Τίβερις Herm. Vis. I, 1, 2.
Τράλλεις Ign. Trall. inscr.
Τραλλιανός mart. Pol. 21.
Τρωάς Ign. Phild. 11, 2. Sm. 12, 1. ad
   Pol. 8, 1.

Φαραώ I Clem. 4, 10. 51, 5.
Φιλαδελφία Ign. Phild. inscr. mart.
   Pol. 19. 1.
Φίλιπποι Pol. ad Phil. inscr.
Φίλιππος (apostolus) Pap. ap. Euseb.
   h. e. III, 39, 4. 9 sq.
Φίλιππος mart. Pol. 12, 2. 21.
Φιλομήλιον mart. Pol. inscr.
Φίλων Ign. Phild. 11, 1. Sm. 10, 1.
   13, 1.

Φορτουνᾶτος I Clem. 65, 1.
Φρόντων Ign. Eph. 2, 1.
Φρυγία mart. Pol. 4.
Φρύξ mart. Pol. 4.

Χριστιανισμός Ign. Mgn. 10, 1. 3. Rom.
   3, 3. Phild. 6, 1.
Χριστιανός Ign. Eph. 11, 2. Mgn. 4.
   Rom, 3, 2. ad Pol. 7, 3. mart. Pol.
   3. 10, 1. 12, 1. 2. adjectiv. Ign. Tr.
   6, 1.
Χριστός I Clem. inscr. 1, 2. 3, 4. 7, 4.
   16, 1. 20, 11. 21, 6. 8. 22, 1. 24, 1.
   32, 4. 36, 1. 38, 1. 42, 1 sq. 43, 1.
   44, 1. 3. 46, 6 sq. 47, 6. 48, 4. 49,
   1. 6. 50, 3. 7. 54, 2 sq. 57, 2. 58, 2.
   59, 2 sq. 61, 3. 64. 65, 2. II Clem.
   1, 1 sq. 2, 7. 5, 5. 6, 7. 9, 5. 14, 2 sq.
   17, 6. Barn. 2, 6. 12, 10 sq. Pap. ap.
   Euseb. h. e. III, 39, 15. In epp. Ign.
   Polyc. et in mart. Pol. saepissime.

Klassische Werke der lutherischen Kirche.

Baier, Joh. Wilh., **Compendium theologiae positivae** secundum editionem anni 1694 denuo accuratissime typis exscribendum curavit vitam B. Baieri ac indices necessarios adjecit Dr. **Ed. Preuss.** 8⁰. (XXXVI, 712 S.) Berlin 1864.   M. 1 —

Bengel, Joh. Albr., **Abriss der sogenannten Brüdergemeine**, in welchem die Lehre und die ganze Sache geprüfet, das Gute und Böse dabey unterschieden und insonderheit die Spangenbergische Declaration erläutert wird. Stuttgart 1751. Neuer unveränd. Abdruck. 8⁰. (XIX, 395 S.) Berlin 1858.   M. — 75

Bengel, — **Gnomon Novi Testamenti**, in quo ex nativa verborum vi simplicitas, profunditas, concinnitas, salubritas sensuum coelestium indicatur. Secundum editionem tertiam [1773] denuo recusus. Wohlfeile Ausgabe mit einem dreifachen Register vermehrt. Zweiter Abdruck. 2 Bände. 4⁰. (XXII, 764 S.) Berlin 1860.   M. 7.50

Chemnicius, Mart., **Examen concilii Tridentini** secundum editionem 1578 Francofurtensem, collata editione anni 1707 denuo typis exscribendum curavit, indice locupletissimo adornavit, vindicias Chemnicianas adversus pontificios praecipue adversus Bellarminum ad calcem adjecit Dr. **Ed. Preuss.** 4⁰. (XIX, 1050 S.) Berlin 1861.   M. 6 —

Chemnicius, — **De incarnatione filii dei item de officio et majestate Christi tractatus.** Ex M. Chemnicii autographo cum praefatione edidit **Arm. Hachfeld.** 8⁰. (X, 82 S.) Berlin 1865.   M. — 60

Concordia. Libri symbolici ecclesiae evangelicae. Ad editionem Lipsiensem anni 1584. 16⁰. (XXXIV, 888 S.) Berlin 1857.   M. 1.60

Dietericus, Dr. Conr., **Institutiones catecheticae** depromptae e B. Lutheri catechesi et variis notis illustratae annexis quatuor symbolis oecumenicis et Augustana confessione sive catechismi Lutheri expositio. Primum edidit D. Conr. Dietericus anno 1613 — ex editione anni 1640 ab Dieterici filio curata denuo edidit Dr. **Aug. Guil. Dieck-hoff.** 8⁰. (XXVIII, 680 S.) Berlin 1864.   M. 1 —

Gerhard, Joh., **ausführliche und schriftmässige Erklärung der Artikel von der heiligen Taufe und dem heiligen Abendmahl.** Nach der Originalausgabe von 1610. 8⁰. (X, 427 S.) Berlin 1868.
                                                                M. 2 —

Gerhard, — **Postille**, das ist Auslegung und Erklärung der sonntäglichen und vornehmsten Fest-Evangelien über das ganze Jahr. Nach den Original-Ausgaben von 1613, 1616 und 1663. 5 Teile. 8⁰. (1570 S.) Berlin und Leipzig 1868—78.   M. 6 —

Gerhard, Joh., Loci theologici cum pro adstruenda veritate tum pro destruenda quorumvis contradicentium falsitate per theses nervose, solide et copiose explicati. Opus praeclarissimum novem tomis comprehensum denuo juxta editionem principem accurate typis exscriptum adjectis notis ipsius Gerhardi posthumis a filio collectis editionibus annorum 1657 et 1776 collatis, paginis editionis Cottae in margine diligenter notatis. Indicibus generalibus post G. H. Mullerum adauctis, addita denique vita Jo. Gerhardi. Editio altera cui praefatus est Prof. D. **Fr. Frank.** 1885. 4⁰. 9 Bände und Registerheft. M. 36 —;

geb. in 3 Bände M. 42 —

Luther's, Dr. M., Ausführliche Erklärung der Epistel an die Galater. 4⁰. (IV, 796 S.) Berlin 1856. M. 1 —

Melanthon, Phil., Loci praecipui theologici. Ad editionem Lipsiensem anni 1559. 4⁰. (XII, 209 S.) Berlin 1856. M. 1 —

Böhringer, Frdr., Die Kirche Christi und ihre Zeugen oder **die Kirchengeschichte in Biographien.** 24 Bde. 8⁰. 1873—79. M. 100 —

Band

1.	Ignatius, Polykarpus, Perpetua. (XI und S. 1—270.)	M. 3 —
2.	Irenäus. (VIII und S. 271—612.)	M. 4.20
3.	1. 2. Tertullianus. (XVI und S. 1—812.)	M. 12.60
4.	Cyprianus. (VIII und S. 813—1039.)	M. 4.20
5.	Origenes und Klemens. (IX, 407 S.)	M. 7.20
6.	1. 2. Athanasius und Arius. (XXVIII, 628 S.)	M. 13.80
7.	Basilius. (XII, 184 S.)	M. 4.20
8.	Gregor von Nyssa, Gregor von Nazianz. (VIII, 279 S.)	M. 6 —
9.	Chrysostomus und Olympias. (VIII, 200 S.)	M. 4.20
10.	Ambrosius. (VI, 100 S.)	M. 2.40
11.	1. 2. Augustinus. (XX, 428 S.)	M. 15 —
12.	Leo, Gregor der Grosse. (VIII, 264 S.)	M. 6 —
13.	Kolumban und St. Gall, Bonifazius, Ansgar. (IV und S. 1—228.)	M. 4.20
14.	Anselm von Kanterbury, Bernhard von Clairvaux, Arnold von Brescia. (IV und S. 229—768.)	nicht mehr einzeln.
15.	Peter Abaelard (IV und S. 1—252.)	
16.	Heloïse, Innozenz III., Franziskus von Asisi, Elisabeth von Thüringen. (IV und S. 253—662.)	} M. 9 —
17.	Johannes Tauler. (X und S. 1—296.)	
18.	Heinrich Suso, Johannes Rusbroek, Gerhard Groot. (IV und S. 297—644.)	
19.	Florentius Radevynzoon, Thomas von Kempen. (IV und S. 645—843.)	} M. 8.40
20.	1. 2. Johannes von Wykliffe. (XII, 642 S.)	M. 8.40
21.	Konrad Waldhauser, Milic v. Kremsier, Matthias v. Janow. (X und S. 1—104.)	M. 1.80
22.	1. 2. Johann Hus. (VIII und S. 105—606.)	M. 7.20
23.	Hieronymus von Prag, das Konzil von Konstanz. (IV und S. 607—746.)	M. 1.80
24.	Hieronymus Savonarola. (IV und S. 747—1061.)	M. 2.40

Es sind nur noch wenige vollständige Exemplare vorhanden.

Gebhardt, Osc. von, Prof. an der Univ. Leipzig, **Bruchstücke des Evangeliums und der Apokalypse des Petrus**. Facsimile-Ausgabe. Nach einer Photographie der Handschrift in Gizeh in Lichtdruck herausgegeben. Lex. 8⁰. (20 Tafeln und 52 S. Text.) 1893.
geb. in Leinwd. M. 12.50

Harnack, Adolf, Prof. an der Univ. Berlin, **Die Apostellehre und die jüdischen beiden Wege**. 8⁰. (III, 59 S.) 1886. M. 1 —

Harnack, — Bruchstücke des Evangeliums und der Apokalypse des Petrus. Zweite verbesserte und erweiterte Aufl. 8⁰. (VIII, 98 S.) 1893. M. 2 —

Harnack, — Geschichte der altchristlichen Litteratur bis Eusebius. I. Teil. Die Überlieferung und der Bestand, bearbeitet unter Mitwirkung von Lic. **Erwin Preuschen**. 8⁰. (LXI, 1021 S.) 1893. M. 35 —;
geb. in Halbleder M. 38 —

Harnack, — Lehre der zwölf Apostel, nebst Untersuchungen zur ältesten Geschichte der Kirchenverfassung und des Kirchenrechts. Nebst einem Anhang: Ein übersehenes Fragment der $\Delta\iota\delta\alpha\chi\eta$ in alter lateinischer Übersetzung. Mitgetheilt von **Oscar v. Gebhardt**. 8⁰. (70 und 294 S.) 1884. M. 10 —
(Einzeln nur in anastatischem Druck (1893) käuflich.)

Patrum apostolicorum opera. Textum ad fidem codicum et Graecorum et Latinorum adhibitis praestantissimis editionibus recensuerunt, commentario exegetico et historico illustraverunt, apparatu critico, versione latina passim correcta, prolegomenis, indicibus instruxerunt **Osc. de Gebhardt, Adf. Harnack, Thdr. Zahn**. Editio post Dresselianam alteram tertia. 3 Fasc. in 4 Teilen. 8⁰. 1876—78. M. 16 —
Fasc. I. pars 1. Clementis Romani ad Corinthios quae dicuntur epistulae. Textum ad fidem codicum et Alexandrini et Constantinopolitani nuper inventi recensuerunt et illustraverunt Osc. de Gebhardt, Adf. Harnack. Editio secunda. (LXXVI, 159 S.) 1876. M. 4.50
Fasc. I. pars 2. Barnabae epistula Graece et Latine. Recensuerunt et illustraverunt Papiae quae supersunt, Presbyterorum reliquias ab Irenaeo servatas vetus ecclesiae Romanae symbolum epistulam ad Diognetum adjecerunt Osc. de Gebhardt, Adf. Harnack. Editio secunda. (LXXIV, 172 S.) 1878. M. 5 —
Fasc. II. Ignatii et Polycarpi epistulae martyria fragmenta recensuit et illustravit Thdr. Zahn. (LVI, 404 S.) 1876. M. 8 —
Fasc. III. Hermae Pastor Graece. Addita versione Latina recentiore e codice Palatino recensuerunt et illustraverunt Osc. de Gebhardt Adf. Harnack. (LXXXIV, 287 S.) 1877. M. 5.50

VERLAG DER J. C. HINRICHS'schen BUCHHANDLUNG IN LEIPZIG.

Real-Encyklopädie für protestantische Theologie und Kirche.
Unter Mitwirkung vieler protestant. Theologen und Gelehrten in 2.
durchgängig verbesserter und vermehrter Auflage begonnen von Proff.
DD. **J. J. Herzog** †, **G. L. Plitt** †, fortgeführt von Prof. D. **A. Hauck.**
18 Bände. Lex.-8⁰. 1877—1888.   M. 183 —; geb. M. 219 —

Schürer, D. Emil, Prof. an der Univ. Kiel, **Die Gemeindeverfassung
der Juden in Rom in der Kaiserzeit.** Nach den Inschriften dar-
gestellt. Nebst 45 jüdischen Inschriften. 4⁰. (41 S.) 1879.   M. 4 —

Schürer, — **Geschichte des jüdischen Volkes im Zeitalter Jesu
Christi.** Zweite neubearbeitete Auflage. 2 Teile. 8⁰.
     1. Teil (VII, 751 S.) 1890.   M. 18 —; geb. M. 20.50
     2. Teil (X, 884 S.) 1886.   (M. 20 —; geb. M. 22.50) Vergriffen.

Testament, The Old. The Sacred Books of the O. T. A critical edition
of the Hebrew text, printed in colors, with notes by eminent biblical
scholars of Europe and America, edited by Paul Haupt, Professor
in the Johns Hopkins University, Baltimore, Md. Part. 17:
     The Book of Job by C. Siegfried, English translation of the
     notes by R. E. Brünnow, Professor in the University of Heidel-
     berg. Lex.-8⁰. (50 S.) 1893.   eleg. brosch. M. 3.50

Testamentum, novum, Graece. Ad antiquissimos testes denuo recen-
suit, apparatum criticum omni studio perfectum apposuit, commentatio-
nem isagogicam praetexuit Const. Tischendorf. Editio octava cri-
tica major. Vol. I et II. 8⁰. (XXII, 968 und V, 1044 S.) [1869 und
1872.]   M. 38 —
     Vol. III. Prolegomena scripsit Casparus Renatus Gregory, ad-
     ditis curis † Ezrae Abbot.
     Pars 1 (VI und S. 1—440) 1884.   M. 10 —
     „ 2 (IV und S. 441—800) 1890.   M. 8.50
     „ 3 (Schluss) ist im Druck.

Testamentum, — Ad antiquissimos testes denuo recensuit delectuque
critico instruxit **Const. de Tischendorf.** Editio critica minor ex
octava majore desumpta. 8⁰. (IV, 1056 S.) 1877.   geb. M. 10.80
     Die Prolegomena werden nach Vollendung der Prolegomena zur
     editio major erscheinen.

**Texte und Untersuchungen zur Geschichte der Altchristlichen Lite-
ratur** herausgegeben von **Oscar von Gebhardt** und **Adolf Harnack.**
     I—III. IV, 1/3. V—IX. X, 1. XI, 1/3. M. 238.50.
     Verzeichnis der einzelnen Hefte steht zu Diensten.

**Tischendorf, Const. von, Wann wurden unsere Evangelien ver-
fasst?** 4. wesentlich erweit. Aufl. 2. unveränd. Abdr. 8⁰. (XVI,
133 S.) 1880.   M. 1.60

Druck von August Pries in Leipzig.